PEARL JAM
twenty

Tradução
RODRIGO ABREU

1ª edição

Rio de Janeiro | 2015

COLABORADORES

Dave Abbruzzese, baterista do Pearl Jam (1991-1994)

Jeff Ament, baixista do Pearl Jam

Michele Anthony, Presidente da Sony Music

Mark Arm, vocalista do Green River e Mudhoney

Tim Bierman, diretor do Ten Club, fã-clube do Pearl Jam

Ben Bridwell, vocalista e guitarrista do Band of Horses

Peter Buck, guitarrista do R.E.M.

Matt Cameron, baterista do Pearl Jam (1998-presente)

Jerry Cantrell, guitarrista e vocalista do Alice in Chains

Julian Casablancas, vocalista dos Strokes

Matt Chamberlain, baterista do Pearl Jam (1991)

Chris Cornell, vocalista do Soundgarden

Cameron Crowe, jornalista e cineasta

Kelly Curtis, empresário do Pearl Jam

Neil Finn, vocalista e guitarrista do Split Enz e Crowded House

Michael Goldstone, representante de Artistas e Repertório do Mother Love Bone e Pearl Jam

Stone Gossard, guitarrista do Pearl Jam

Dave Grohl, vocalista e guitarrista do Foo Fighters, ex-baterista do Nirvana

Ben Harper, cantor e guitarrista

Jack Irons, baterista do Pearl Jam (1994-1998)

Jim James, vocalista e guitarrista do My Morning Jacket

Eric Johnson, tour manager do Pearl Jam (1991-1998)

Dave Krusen, baterista do Pearl Jam (1990-1991)

Ian MacKaye, vocalista e guitarrista do Fugazi, Minor Threat e The Evens

Chan Marshall, Cat Power, cantora e guitarrista

Mike McCready, guitarrista do Pearl Jam

Travis Morrison, vocalista e guitarrista do Dismemberment Plan

Brendan O'Brien, produtor

Jim O'Rourke, baixista e produtor do Sonic Youth

Bruce Springsteen, cantor e guitarrista

Pete Townshend, guitarrista e vocalista do The Who

Corin Tucker, vocalista e guitarrista do Sleater-Kinney

Nicole Vandenberg, assessora de imprensa do Pearl Jam

Eddie Vedder, vocalista e guitarrista do Pearl Jam

Mike Watt, baixista e vocalista do Minutemen e fIREHOSE

Nancy Wilson, guitarrista e vocalista do Heart

Neil Young, cantor e guitarrista

SUMÁRIO

Prefácio	6
Capítulo Um 1962—1989	21
Capítulo 1990	31
Temple of the Dog	**46**
Capítulo 1991	51
Ten	**68**
Capítulo 1992	73
Capítulo 1993	105
Vs.	**132**
Capítulo 1994	139
Vitalogy	**152**
Capítulo 1995	157
Mirror Ball	**174**
Capítulo 1996	179
No Code	**186**
Capítulo 1997	191
Capítulo 1998	197
Yield	**206**
Capítulo 1999	211
Capítulo 2000	223
Binaural	**232**
Roskilde	**236**
Capítulo 2001	245
Capítulo 2002	251
Riot Act	**260**
Capítulo 2003	269
Lost Dogs	**280**
Capítulo 2004	285
Capítulo 2005	293
Capítulo 2006	301
Pearl Jam	**312**
Capítulo 2007	317
Into the Wild	**326**
Capítulo 2008	329
Capítulo 2009	339
Backspacer	**348**
Capítulo 2010	353
Índice	362
Agradecimentos	378
Créditos/fontes	379

PREFÁCIO

Vou admitir a vocês antes de tudo. Sou um colecionador. Sou capaz de guardar qualquer coisa e todas as coisas. Guardo um disco, um recibo, uma foto, uma revista, um cartão, um número de telefone que há muito foi desconectado. Tudo. Qualquer artefato que passa por minha vida é digno de ser colocado em uma caixa e de ser guardado para ser apreciado em algum distante dia do futuro. É um certo fardo, como qualquer colecionador sabe. Em algum momento, as caixas se tornam donas de você. Mudar-se é uma experiência tenebrosa. E realmente *achar* algo que você esteja procurando nessas torres de caixas é sempre um esforço inútil. Mas lá estão elas, as caixas, e de vez em quando essa mentalidade de acumulação compulsiva pode ser um tanto profunda. Como hoje, me deparando aleatoriamente com dois recipientes. Um deles está marcado com uma caneta hidrográfica preta grossa: Pearl Jam — Coisas/90´s. E ao lado dela está outra caixa: PJ 2000s. Tudo guardado para um dia chuvoso. E está chovendo.

O timing é interessante. Estivemos na sala de edição por cerca de um ano, trabalhando em um filme que celebra os primeiros vinte anos da banda. Achei que tivéssemos vasculhado cada canto e cada fenda, acessado cada matéria aleatória de jornais e entrevista do mercado estrangeiro, transferido cada pedaço essencial de Super-8 dos arquivistas visuais da banda — e agora eu acho mais coisas. Minhas próprias coisas, a maior parte delas tarde demais para entrar no filme, mas bem a tempo de escrever essa introdução, dando-lhe o contorno de um diário de viagem com as recordações e sentimentos nascidos de minha feliz condição de pessoa que acompanhou de perto o nascimento e a jornada incrível dessa banda americana verdadeiramente maravilhosa.

Eles passaram de jovens músicos compenetrados — lidando com suas influências e emoções, com os sentimentos à flor da pele — a viajantes incansáveis e praticamente despreparados através do portal do enorme sucesso internacional, a desavergonhados participantes nos eventos de política mundial; e são agora sobreviventes musicais com a paixão incólume. Um show do Pearl Jam hoje é muito mais do que apenas música. É o espírito clarividente que vem da crença nas pessoas, na música e no seu poder de transformar um dia horrível em um dia incrível, ou de olhar para uma injustiça e se sentir menos sozinho para enfrentá-la. Na verdade, essa é a espinha dorsal em seus vinte anos. Como o baixista Jeff Ament nos disse, "Não há uma única noite de que possa me lembrar em que estivéssemos apenas marcando presença. Toda noite é simplesmente" — e aqui Jeff sorri com um quê de admiração — "puro arrebatamento".

As caixas estão repletas de fitas, bilhetes, gravações amadoras, música e agendas. Cavando mais fundo, há um saco de vômito de avião cuidadosamente enfeitado, no qual se leem, escritas com uma caneta de tinta cintilante, as palavras: "De Eddie." E dentro do saco está uma fita da marca Ampex com *demos* do início da banda. Eu me lembro dessa fita. Estávamos começando a fazer o filme *Vida de solteiro*, em 1991, e demos à banda trabalhos dentro do set e nas suas proximidades. Jeff trabalhava no departamento de arte, e peguei emprestado a maior parte de suas coisas para decorar os apartamentos no filme. Jeff tinha a mais perfeita síntese de arte, esportes e cinema, tudo em suas paredes. De David Lynch a bandas de metal obscuras, King's X, jogadores dos Supersonics, e mais. (Desculpe por termos perdido alguns de seus discos de vinil e aquele pôster do Joe Perry Project; fico lhe devendo uma busca no eBay para repor isso, irmão.) Aquela mistura perfeita de tudo que era importante artisticamente e emocionalmente teve um grande efeito na ética que mais tarde geraria o Pearl Jam. Arte é tudo, era o que Jeff parecia dizer com suas escolhas de vida. (O impulso criativo o tinha arrastado de Big Sandy, Montana, até o que comparativamente era a meca artística de Seattle.) O gosto de Jeff, assim como o de seu parceiro musical, Stone Gossard, era inspirador e também atravessava gêneros. Era bacana gostar de disco, hard rock, Kiss, Queen e blues. Tudo isso transparecia em sua música, na promessa sombria de sua antiga banda, Green River.

E vejam, aqui está uma foto do céu de Seattle no final dos anos 1980. Um horizonte azul-escuro salpicado de estrelas brilhantes do norte — era assim que a música soava naquela época, anil, pulsante, melodramática e também divertida. Com um céu desses, é difícil não olhar para o alto. E é difícil não sentir aquilo, mesmo trancado em uma garagem, debatendo-se entre acordes e procurando a mistura certa de influências. Não chove *sempre* em Seattle, mas certamente a música do noroeste dos Estados Unidos tem suas raízes em músicos que ficam dentro de casa e tocam. E escutam. E escutam. E tocam. Muito. Daí vem a tradição de artistas que têm tempo de sentir aquilo e se aprimorarem até chegarem lá.

Mesmo desde o começo existia uma generosidade que cercava o Pearl Jam. Jeff e Stone, o guitarrista Mike McCready e, mais tarde, Eddie, todos tinham uma abertura para música e para o mundo e uma atenção quase supersticiosa aos detalhes de como essa banda seria diferente. A própria banda surgiu de um milagre. Stone e Jeff vinham tocando com o notável Andy Wood, morador do lugar, um cantor e compositor de monumental carisma e talento. Quando Wood morreu de overdose de heroína às vésperas da primeira grande turnê do Mother Love Bone, a perda foi mais do que sísmica. O espírito prolixo de Wood atraía as pessoas, era difícil esquecê-lo, mas quando uma fita *demo* do próximo projeto musical de Gossard e Ament ganhou o mundo e chegou até um jovem surfista de San Diego que se identificou imediatamente, ninguém podia de cara acreditar que o raio poderia cair novamente no mesmo lugar, muito menos tão rápido. Pouco depois, o surfista tímido, Eddie Vedder, estava sentado entre nós, olhando fixamente por trás de uma cortina de cabelo castanho ondulado, quase sem abrir a boca, mas tentando se encaixar. E de vez em quando, Vedder tirava o cabelo da frente do seu rosto e nos olhava com aqueles pulsantes olhos travessos e... você sabia. Esse era o sujeito que compartilhava o mesmo amor arriscado por tudo que era possível.

Uma noite, sentado de pernas cruzadas na casa de um amigo, escutando fitas de Neil Young, Eddie me contou a história sobre como descobriu que seu pai biológico era na verdade um amigo da família que tinha morrido. Foi um breve momento de reflexão sombria de Eddie, quase uma confissão sobre a real origem de parte da raiva finamente entalhada em suas canções. Mas na maior parte do tempo falamos sobre Pete Townshend, do The Who. Townshend ainda é um herói para nós dois. Além do The Who, até então incontestavelmente a maior banda de rock do mundo, nós dois amávamos o jornalismo de Townshend para a *Rolling Stone*. Townshend ainda é o porta-voz mais articulado do rock, certamente o melhor jornalista de rock dentre todos, porque escrevia de dentro para fora. Townshend escrevia sobre uma crença no poder curativo do rock. Não havia nada de tedioso e doentio em sua relação com a música. Seu amor pelo rock era quase religioso e tão fervoroso que, quando o famoso político e anarquista Abbie Hoffman tentou pegar um microfone e falar algumas palavras no meio da performance do The Who em Woodstock, Townshend notoriamente o enxotou do palco com um golpe de guitarra. Ouvindo as gravações de Eddie naquela primeira *demo*, senti o mesmo fervor. A música era um santuário, um lugar onde algo mais do que apenas rock poderia ocorrer. Como os outros, Vedder era um fã e qualquer fã sabia que, se manejada corretamente, a música poderia levá-lo em sua corrente a lugares que você nunca imaginou. Isto é, se você se importasse o suficiente. E se estivesse concentrado o bastante. Esse seria um experimento de alquimia. "Quero apenas tocar", lembro de Eddie dizendo. "Quero apenas continuar tocando."

A mensagem era: não serei interrompido por qualquer bobagem.

Com o tempo, a voz de Eddie começou a mudar. Durante aqueles primeiros meses, ele tinha se comportado com a atitude de um convidado em um jantar a que ele nunca pensou em comparecer. Grato, calado, amável e doce. Há um momento no filme *Pearl Jam Twenty* em que ele fala com o cinegrafista da banda, Kevin Shuss, depois de um show do início da carreira. Empolgado com a experiência do que tinha acabado de acontecer no palco, ele primeiro manda Kevin se foder e então lhe diz que tem três palavras para ele: "Eu te amo." Aquele sorriso torto e cintilante, logo antes de ele sair do quadro — aquele era o Eddie Vedder que chegou a Seattle com o bolso cheio de sonhos. Ele foi amado imediatamente por estranhos e também sabia que estava carregando as esperanças de todos aqueles músicos de Seattle, amigos e famílias que sobreviveram à perda de Andy Wood e queriam muito que sua banda triunfasse.

A plateia para o primeiro show da banda no Off Ramp estava tomada em sua maioria por defensores esperançosos. Eddie estava nervoso, balançando para a frente e para trás, de um lado para o outro, se segurando no pedestal do microfone como um jovem capitão guiando uma barca. As músicas foram o que sobressaiu. Confiante, honesta e memorável, havia uma música que se agigantou sobre o resto para mim. "Release" era uma música que vinha do fundo da alma. Cheia de uma emoção sincera, ela alcançou as pessoas instantaneamente. Aquele momento estimulante, com a plateia e a banda se juntando, deu o tom a tudo que se seguiria. Eles mudaram o nome para Pearl Jam. Logo o furacão de sucesso tocaria o solo e tudo o que se seguiu foi uma aula de como se aprender enquanto se faz.

As canções os guiaram através do primeiro disco. As canções emocionaram pessoas, mostraram a elas um novo estilo de comprometimento que estava cada vez mais ausente no rock; e com toda certeza, em muito pouco tempo, a enormidade da popularidade da banda os deixou sob o calor escaldante do escrutínio. Eles seguiram em seu próprio estilo, com shows que sempre se modificavam e ritmos sempre diferentes, sempre se mantendo próximos de seus instintos originais. Seu empresário original, Kelly Curtis, ainda é seu empresário. Ele também guia a banda com um credo simples: mantenham-se fiéis à música.

É difícil uma banda permanecer junta. O sucesso se torna sua própria máquina de mudança embutida. Amigos e famílias mudam e se transformam, o nível das expectativas muda, os assuntos financeiros fazem brotar espinhos e insatisfação. Cabeças frias ficam quentes com a emoção. E ainda existem as distrações: carreiras paralelas, drogas, estilo de vida, casas maiores e outras coisas. Chris Cornell, do Soundgarden, tem uma pergunta curiosa, sem resposta. "Por que é que as bandas americanas nunca ficam juntas? As bandas inglesas — como os Rolling Stones ou os Kinks — ficam juntas; já as bandas americanas, essas conseguem um ou dois sucessos e então um de seus integrantes destrói um mercado e vai para a cadeia, ou se envolve com drogas, ou decide que é o verdadeiro líder e... é o fim." Cornell balança a cabeça. "No começo, o Pearl Jam tinha essa positividade... e essa promessa. Uma promessa de integridade e fé de que se você acreditar em nós, não iremos dar as costas e cagar para vocês mais à frente." Ele ri. "Eles cumpriram *essa* promessa, o que é quase mais importante do que continuar junto."

Estou agora abrindo a segunda caixa: PJ 2000s.

Aqui vemos os dez anos seguintes e o segundo ato de uma banda que sobreviveu àquela primeira tsunami de popularidade.

Uma das surpresas, mexendo nos artefatos, crachás de turnês, matérias e outras coisas, é que sua teimosia como artistas algumas vezes tinha detratores na mídia. Algumas vezes, mesmo outras bandas achavam absolutamente confuso o desejo resoluto do Pearl Jam de continuar tocando, mas ficar *menor*. A banda abriu mão de fazer vídeos e dar a maioria das entrevistas durante anos. Essa atitude teimosa sempre esteve presente neles, no entanto, desde a época em que Vedder se recusou a lançar *Black* como single de *Ten*, mesmo quando todos os mandachuvas da gravadora e programadores de rádio bombardeavam a banda com essa exigência. Um bilhete na caixa, do começo dos anos 2000: uma conversa com Bono e o assunto do Pearl Jam surge. "Não entendo isso", exclama Bono. "É adorável ser o que somos, queremos a competição, queremos a música... sempre digo a Eddie 'Por que você simplesmente não faz um disco incrível? Como os Rolling Stones costumavam fazer! Um grande disco de verão recheado de singles. É tão difícil? É sua responsabilidade'. Eles poderiam ser a melhor e maior banda de rock do mundo! Vamos lá, Eddie!!!!" Bono fez uma pausa. "Eu ligo para ele e lhe digo isso. Por que ele não escuta?"

Após dez anos, fica óbvio agora que o Pearl Jam na verdade escutou. Eles só não seguiram o conselho. Vedder, então guiando a maior parte do destino criativo do Pearl Jam, tinha seu próprio curso em mente. Parece visionário agora, mas àquela altura, cuidadosamente afastar o Pearl Jam da busca da dominação comercial global parecia quase incompreensível. Que banda ativamente busca... menos? A resposta vivia no grupo de fãs que permaneceu com a banda depois da primeira onda explosiva. A resposta estava no palco.

Uma surpresa estava à espera de qualquer um que aparecesse em um show do Pearl Jam após ter perdido contato com a banda por alguns anos no fim os anos 1990 ou no início de 2000. Havia um teatro ou uma arena repleta de seguidores apaixonados, afinada com quase todos os versos, e muitas daquelas pessoas tinham seguido a banda de show em show. Não era diferente do que Jeff Ament tinha visto nos anos 1990 ao conferir uma série de shows do Grateful Dead. Ele ficou embasbacado com a falta de distância entre os fãs e a banda e "o fato de eles receberem a melhor reação ao tocar uma música obscura que não tocavam há 17 anos. Lembro de olhar para aquilo e pensar: *Isso é sucesso*".

"All that's sacred comes from youth" (tudo que é sagrado vem da juventude), escreveu Vedder um dia em "Not for You", mas o tempo talvez lhe tenha oferecido uma perspectiva diferente. Ele agora delineia o poder da longa carreira do Pearl Jam ao observar a incessante inspiração que o poderoso trabalho de Neil Young oferece, ou vendo os surfistas veteranos em ação no mar. Eles são os que têm mais disposição, diz Vedder, e sabem como aproveitar as maiores ondas melhor do que os jovens e com um mínimo de esforço desperdiçado. Um tipo diferente de fervor também agora o abastece. Pai de duas crianças, e ocupado demais para ainda pensar sobre sua própria infância complexa, Vedder está escrevendo com maior precisão e profundidade, com facilidade e sem abrir mão da paixão. Os outros sempre atribuíram o sucesso da banda ao crescimento de Eddie, à sua satisfação consigo mesmo e à inspiração que vem de trabalhar lado a lado com seu amor comprometido pelo trabalho do grupo; no entanto, o próprio Vedder vê nos outros membros da banda a chave para o sucesso: o poder gracioso da guitarra de McCready, o gênio criativo volátil de Stone Gossard, a alma, a disposição e o barômetro artístico de Jeff Ament, a constância de Matt Cameron, capaz de salvar a banda, e até mesmo a feliz chegada de Boom Gaspar nos teclados, permitindo ao grupo tocar qualquer coisa de sua história no palco.

Este livro é baseado em vinte anos de entrevistas com a banda, conduzidas desde o começo até nossa filmagem de *Pearl Jam Twenty*. São entrevistas da época da formação da banda em Seattle, e também conversas em passagens de som, ou durante gravações, além de bate-papos gravados entre cenas de *Vida de solteiro* e conversas recentes conduzidas por Jonathan Cohen em sua pesquisa meticulosa. Ainda não sei como Cohen encontrou tempo para fazer isso tudo enquanto ainda mantinha seu trabalho diário de cuidar da programação musical do programa de televisão *Late night with Jimmy Fallon*. Mas, no fim das contas, estamos falando da habilidade hercúlea de um fã do Pearl Jam em uma missão.

Obrigado também aos próprios integrantes da banda por nos abrirem seus lares, suas vidas e seus arquivos. Eles são sujeitos amigáveis, mas reservados, como seus fãs sabem muito bem. O próprio ato de liberar suas informações e lembranças, pistas, mitos e fatos, tudo isso é parte do senso de reinvenção permanente da banda. Algumas pessoas poderiam nunca ter esperado uma abordagem tão aberta. Porém, mais uma vez, como dizemos em *Pearl Jam Twenty*, eles se tornaram com o tempo a mais autenticamente imprevisível banda de rock.

Apreciem este mapa de uma jornada abastecida por paixão, música, instintos, humor, amor e pelo poder do momento quando o Pearl Jam entra no palco no escuro e todos ficam imaginando, *Onde eles nos levarão agora?* Com isso em mente, começarei uma nova caixa e a dedicarei a alguns dos personagens indeléveis sem os quais eu não teria este tesouro de memórias e música de vinte anos de amor à banda. Obrigado, Nancy, Buddy, Kelly, Eric, Jeff, Stone, Eddie, Mike, Dave, Jack, Matt, Chris, Kevin, George, Pete e Neil. Feliz aniversário, rapazes.

Aumentem o som!

**Cameron Crowe
Janeiro de 2011**

JEFF AMENT

Nascimento: 10 de março de 1963, em Havre, Montana. Seu pai, um barbeiro, foi o prefeito de Big Sandy, Montana, por 15 anos. Sua mãe tocava piano e apresentou Jeff aos discos, livros e ao desenho. Ament largou a Universidade de Montana depois de seu segundo ano em 1983 e, com seus companheiros da banda Deranged Diction, mudou-se para Seattle, onde trabalhou no infame café Raison d´Etre no bairro de Belltown para guardar dinheiro e pagar pela escola de artes. Pouco tempo depois, sua banda ruiu, e ele se juntou ao Green River com Stone Gossard. Quando esse grupo se separou em 1987, ele e Gossard recomeçaram do zero com o Mother Love Bone. A banda estava se preparando para lançar seu primeiro álbum quando o vocalista Andrew Wood morreu de overdose de drogas, em março de 1990.

Qual foi seu primeiro instrumento? Quando e onde você começou a tocar?

Tive aula de piano da primeira à sexta série em Big Sandy, Montana, com a Sra. Giebel. Cortei sua grama, recolhi folhas e tirei neve de sua calçada para ajudar a pagar. Da quinta série até o segundo ano do segundo grau, toquei tarol e percussão na banda da escola e também cantei no coral. Esqueci tudo isso quando escutei os Ramones e comprei o mesmo baixo que Dee Dee tocava.

Qual foi a inspiração que o levou a querer fazer música?

Inicialmente, Ted Nugent, Aerosmith e Kiss, até eu escutar os Ramones, Devo, Clash e todas as bandas de hardcore da Califórnia. Tocar música era uma ocupação incrivelmente distante do que eu achava que era possível.

Quais são suas primeiras lembranças de uma influência ou um herói musical?

Minha mãe tocando "Proud Mary" no aparelho de som, cantar "The Sound of Silence" com meus colegas da primeira série e ver o Jackson 5 no *American Bandstand*. O irmão da minha mãe, meu tio Pat, foi à Alemanha com a Força Aérea e voltou com todos esses discos de rock e um aparelho

de som de primeira. Ele tinha cabelo comprido e havia tapeçarias em seu quarto. Lembro que ele tinha um suporte de metal para sua garrafa de vinho Spinata, do qual eu ocasionalmente bebia um pouco escondido. Ele colocava fones de ouvido em mim e botava para tocar algo como *Abraxas* do Santana, ou Cream. Aquilo simplesmente me arrebatava. Eu tinha 7 anos e encontrei esse outro mundo.

Quais são alguns dos primeiros e mais influentes shows a que você foi?

Meu primeiro show foi do Styx na sua turnê Equinox, em 1975. Eles tocaram em Havre, Montana, no NMC Armory. Não fui a outro show até que vi o Van Halen em Great Falls, em 1979. Os shows mais influentes que vi no começo foram X, The Clash e The Who na minha primeira visita a Seattle com alguns amigos em 1982. Eu me mudei para Seattle no ano seguinte e ver o Black Flag, os Ramones, Bad Brains e um monte de bandas de hardcore no Metropolis teve a maior influência na minha vida musical.

Quais são algumas das melhores lembranças que você tem de fazer os primeiros shows com suas primeiras bandas?

Poder tocar em um PA de verdade sempre foi uma grande emoção. O Hüsker Dü nos dando um baseado e vinte dólares por abrir para eles quando o promotor nos sacaneou. No geral, tentar impressionar os amigos. Caramba, é assim que as coisas são.

MATT CAMERON

Nascimento: 28 de novembro de 1962, em San Diego. Cameron se mudou para Seattle em 1983 e rapidamente se introduziu na cena musical do lugar. Em 1986, ele assumiu o banco da bateria no Soundgarden, uma posição que manteve até a banda se separar em 1997.

Qual foi seu primeiro instrumento? Quando e onde você começou a tocar?

Meu primeiro instrumento foi uma bateria usada, aos 11 anos. Eu vinha batucando em tudo na casa desde os 3 anos. Por sorte, meus pais me apoiaram muito. Ambos eram grandes fãs de jazz.

Qual foi a inspiração que o levou a querer tocar?

Poder me expressar, tentar ser como meus heróis e atrair garotas, nessa ordem.

Quais são suas lembranças mais antigas de uma influência ou de um herói musical?

Buddy Rich, Count Basie, David Bowie. Vi todos esses artistas quando tinha entre 11 e 13 anos.

Quais são alguns dos primeiros e/ou mais influentes shows a que você foi?

Entre o meio e o final dos anos 1970, tive a honra de ver Queen, Kiss, Bowie, Cheap Trick, Thin Lizzy, Shelly Manne, Bobby Hutcherson e Jaco Pastorius. Minha mente se abriu de uma forma incrível muito cedo. Não sinto falta dos fogos de artifício que as pessoas costumavam levar aos shows naquela época. Parecia que uma guerra estava estourando entre as bandas. Também me lembro de muitos garotos que pegaram pesado demais no dia de um grande show e acabaram desmaiados em uma poça de vômito durante o show. Eu queria absorver cada detalhe, então a ideia de ficar muito doidão para apreciar a experiência de um show não fazia nenhum sentido para mim. Acho que eu já era meio careta.

Quais são algumas das melhores lembranças que você tem de fazer os primeiros shows com suas primeiras bandas?

Tocar na minha festa de formatura do segundo grau em 1980 com a banda Faultline, na Fiesta Island em San Diego. Levamos um gerador, estacionamos duas caminhonetes em um V atrás de nós e começamos a tocar. Nossos colegas (a maioria da turma do cigarro) estavam curtindo e amando cada momento. Duas músicas depois de começarmos nossa apresentação, os policiais apareceram e pediram que mostrássemos nossa autorização. Oops. Não foi um belo começo para o verão de 1980.

Tocar no Metropolis em 1983 com a banda Bam Bam, no meu primeiro ano em Seattle, foi genial, porque achei uma cena musical que me aceitava completamente.

Meu primeiro show do Soundgarden em 1986 no Ditto Tavern foi um batismo de fogo. Eu tinha me juntado à banda uma semana antes do show e queria impressionar. O baterista que eu tinha substituído, Scott Sundquist, estava na primeira fila criticando cada movimento meu. Ainda me lembro dele falando da frente do palco "Tambor de bateria muito alto!" "Muito rápido" etc. Abrir para o Love and Rockets em 1986 foi um grande momento do Soundgarden para mim. Nunca tínhamos feito um show em um teatro antes, apenas em bares da região e coisas assim, então estávamos um pouco nervosos. Nossa primeira música, "Entering", se parecia muito com "Bela Lugosi´s dead," da banda anterior deles, Bauhaus. As duas músicas têm uma introdução de bateria parecida; então, quando veio a deixa, comecei a batida, e me lembro das pessoas nas duas primeiras filas se olhando meio confusas. Assim que Hiro Yamamoto e Kim Thayil tocaram as primeiras notas distorcidas de guitarra, não houve mais confusão. Aquele era o primeiro grande palco em que a banda tinha tocado — o Moore Theatre em Seattle — e depois do show percebi que tínhamos um som que podia preencher uma casa de qualquer tamanho e podíamos nos equiparar a qualquer um.

Finalmente, em 1998, um ano depois do fim do Soundgarden, recebi uma ligação de Stone e Eddie me perguntando "Ei, Matt, o que você vai fazer nesse verão?".

STONE GOSSARD

Nascimento: 20 de julho de 1966, em Seattle. Sua primeira banda foi o March of Crimes, com o futuro baixista do Soundgarden, Ben Shepherd, seguida logo depois pelos Ducky Boys. Gossard e Jeff Ament se encontraram em uma casa de shows de rock em Seattle, em 1984, e passaram três anos tocando juntos no Green River. Como foi mencionado, depois que essa banda se separou eles formaram o Mother Love Bone.

Qual foi seu primeiro instrumento? Quando e onde você começou a tocar?

Tirando um trompete na terceira série e um pouco de coral de meninos na quarta (por volta de 1975), meu primeiro instrumento de verdade foi o bandolim que ganhei em 1980. Existia uma banda chamada The Probes na minha escola que estava arrasando e fazendo todo mundo dançar. Eles não tinham um bandolim, então achei que, se aprendesse alguns truques, eu poderia entrar. Era muito mais difícil do que pensei. Nunca me convidaram para entrar para a banda.

O que o inspirou a querer começar a fazer música?

Em 1981, estimulado por Steve Turner, comprei um baixo e depois uma guitarra e formamos os Ducky Boys com Jeff Covell e Chris Peppard. Steve me disse que o rock de garagem era o caminho e que você podia ser ruim e ainda ter músicas bacanas e uma banda. Foi uma revelação. Ele gostava do punk mais underground e barulhento, que eu realmente não entendia muito bem. Mas também adorava o Alice Cooper e até mesmo o Black Sabbath. Nunca me esqueci daquele conselho.

Quais são suas primeiras lembranças de uma influência ou herói musical?

Cantar no jardim de infância, talvez "Row, Row, Row Your Boat". Além disso, as rádios AM dos anos 1970 e Simon & Garfunkel.

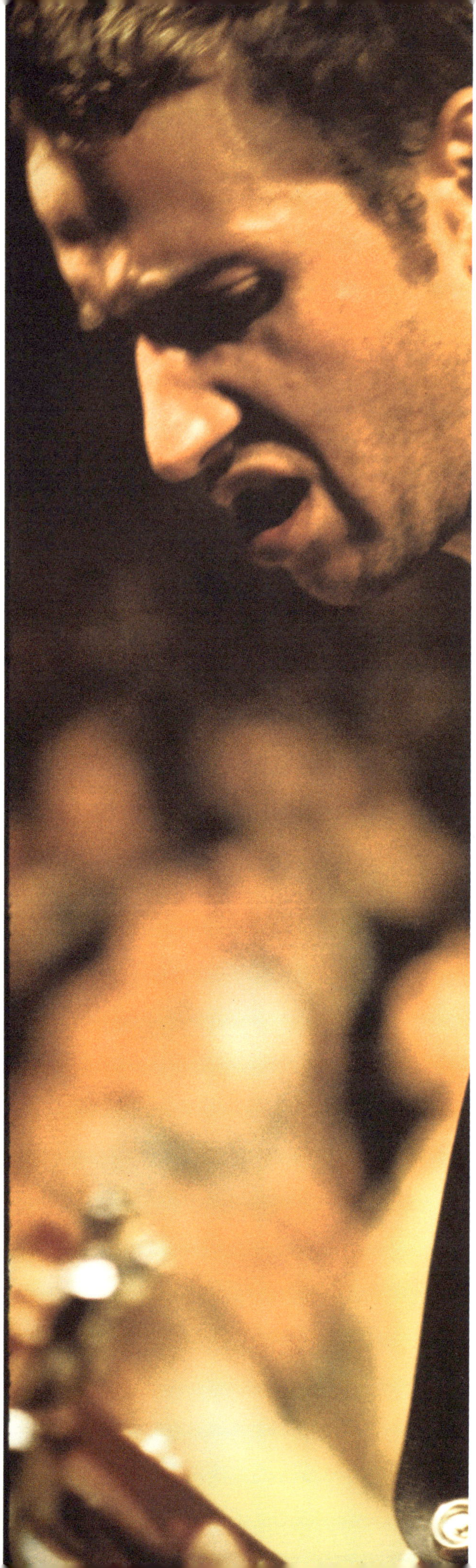

Quais são alguns dos primeiros e/ou mais influentes shows a que você foi?

O tributo de Randy Hansen a Jimi Hendrix em 1979, então o UFO no Hec Edmundson Pavilion. Meu primeiro show punk foi o Black Flag no Eagles Auditorium em 1982 ou 1983.

Quais são algumas das melhores lembranças que você tem de tocar nos primeiros shows com suas primeiras bandas?

É divertido agora, mas aquilo costumava me assustar. Eu ficava nervoso. Mas assim que começamos a ficar bêbados, melhorou. Rock'n'roll num esquema mais "esqueça de tudo".

MIKE MCCREADY

Nascimento: 5 de abril de 1966, em Pensacola, Flórida, mas se mudou para San Diego ainda bebê e então para Seattle aos 4 anos. Sua primeira banda era chamada Warrior; a segunda, Shadow, foi a banda com a qual ele se mudou para Los Angeles numa tentativa fracassada de alcançar o estrelato no mundo do rock. Completamente de saco cheio do mundo da música, McCready voltou a Seattle; trabalhou em um restaurante italiano e teve aulas em uma faculdade comunitária quando começou a tocar com um amigo do ensino médio, Stone Gossard, na produção do material que acabou se tornando o primeiro disco do Pearl Jam.

Qual foi seu primeiro instrumento? Quando e onde você começou a tocar?

Minha primeira guitarra foi uma Les Paul da Matao dada pelos meus pais. Ela era preta e custou cem dólares. Eles disseram que eu ganharia uma guitarra se tivesse aulas, e eu tive, com Mike Wilson. Ele era um professor fantástico que me ensinou as escalas e músicas do Kiss, e também conseguiu fazer isso ser divertido, então eu quis continuar. Meu amigo Danny Newcomb (Goodness, Rockfords) em 1978 tocava "Love Is Like Oxygen" do Sweet por horas. Eu também me juntei à sua banda, Warrior, com Chris e Rick Friel. Nós tocávamos muito, mas no fim das contas foi mais que isso. Eu tinha 11 anos, e essa experiência mudou minha vida para sempre. Lembro de jogar a guitarra para o alto no auditório da Eckstein Junior High, e ainda tenho uma foto disso. Mais tarde quis transformá-la em uma Gold Top, então eu raspei — isso mesmo, raspei — a camada mais externa da tinta com um formão e depois a pintei com tinta spray dourada. Bem... Ela nunca mais foi a mesma. Gostaria de saber onde está hoje.

Qual foi a inspiração que o levou a querer fazer música?

Bem, tenho que dizer que foi o Kiss. Eu era um menino comportado e então o Kiss apareceu. Lembro de ficar pulando pela casa com uma raquete de tênis fingindo que era Paul Stanley ou Ace Frehley. Também era bacana e muito divertido tocar em uma banda — provavelmente também para conhecer meninas. Fiz meu primeiro "show" na festa de aniversário de Jenny W. em 1978.

Quais são suas primeiras lembranças de uma influência ou herói musical?

Meu pai tinha o disco *Band of Gypsys* do Jimi Hendrix, e me lembro de ser arrebatado por aquilo. Certamente a banda local TKO foi uma enorme influência para mim e para o Shadow. Nós adorávamos suas músicas e ver Brad Sinsel ao vivo. Para mim, foi a primeira manifestação tangível de uma grande banda de Seattle. Os caras do Kiss, novamente, eram super-heróis musicais para mim. "Larger than life" (não, não vou pagar por isso, Gene). Eu tinha um quarto do Kiss, com todas as paredes cobertas de referências à banda. Alice Cooper também me marcou. O Heart deixou sua marca na música de Seattle e me influencia até hoje. Adoro a forma de tocar guitarra da Nancy Wilson e os vocais da Ann. Mais tarde, Van Halen, Queen, Ted Nugent, Cheap Trick (razão pela qual jogo palhetas para a plateia).

Quais são alguns dos primeiros e/ou mais influentes shows a que você foi?

The Heats no Mural Amphitheatre; Van Halen na turnê do *Van Halen II* na Seattle Center Arena; Cheap Trick no Hec Ed Pavilion (esperei o dia inteiro e faltei à escola); TKO no Lake Hills, no Moore Theatre ou em qualquer lugar no início dos anos 1980; o Kiss em 1979; Scorpions, Iron Maiden, Girlschool no Hec Ed Pavilion; Motörhead no Paramount Theatre; The Girls em 1980 abrindo para os Ramones; e Silly Killers no Laurelhurst Club House. (Danny e eu assistimos pela janela.) Provavelmente todos os shows do Warrior e do Shadow deram início ao que sou hoje.

Quais são algumas das melhores lembranças que você tem de tocar os primeiros shows com suas primeiras bandas?

Uau. Vamos ver.

A festa de aniversário de Jenny W. em 1978. O Warrior tocou algumas músicas próprias: "The Wah Song", "Acid", "R.O.W."; também "One Way or Another" (Blondie), "Deuce" (Kiss), "Day Tripper" (Beatles).

Em 1979, o Warrior no show de talentos da Eckstein Junior High. Houve uma grande controvérsia sobre Danny Newcomb tocar o hino americano com os dentes. Ele fez isso quando lhe disseram que não conseguiria. Muito bem, Danny! Em 1979, um show do Warrior para a Symphony Foundation debaixo do monotrilho. Eu usei uma roupa psicodélica que eu mesmo tingi. Tenho certeza de que a orquestra sinfônica nos odiou.

Em 1983, o Shadow e o Wild Dogs na Igreja Batista de Freemont; e o Shadow, com Overlord e Culprit no Norway Center. Em 1982, ser a atração principal no Port Orchard Armory. Demos autógrafos e pegamos a barca.

Em 1983, o primeiro Headbangers Ball no Moore Theatre com o Overlord e o Culprit. Enorme sucesso! O segundo Headbangers Ball com o Shadow, Metal Church e TKO. Saímos do palco vaiados. Além disso, Jeff Ament apareceu depois que nosso vocalista, Rob Webber, o convidou para o show. Adivinha quem estava fazendo um solo de guitarra, esmerilhando em sua Kramer Pacer quando ele entrou? Dei a Jeff uma foto disso no ano passado. Quem diria que estaríamos mais tarde tocando um ao lado do outro depois de mais de setecentos shows?

Em 1985, o Shadow (nosso último show com cinco integrantes) no Gorilla Gardens, na sala metal, e o Green River na sala punk. O primeiro show do Shadow como um trio (Rick Friel, Chris Friel e eu) em uma sala do Seattle Center para cerca de cem pessoas antes de nos mudarmos para Los Angeles. Dezembro de 1986, o primeiro show do Shadow no Roxy, em L.A. Só nos custou setecentos dólares para tocar naquele dia! Pelo menos Tim Dijulio, Duff McKagan, Lauren e cerca de outras duas pessoas estavam lá à meia-noite em um domingo. Tocamos no Whisky cerca de um mês depois. O Green River tocou na mesma rua no Club Lingerie e fomos até lá dar um oi. O Shadow tocou no Fender's, abrindo para o Andy Taylor do Duran Duran em 1987. Conheci o Rod Stewart lá. Nosso último show em L. A. foi no Club Lingerie em 1987. Eu me tornei um guitarrista solo naqueles anos de vacas magras em L.A. — comendo miojo e pagando meus pecados.

EDDIE VEDDER

Nascimento: 23 de dezembro de 1964, em Evanston, Illinois, mas viveu a maior parte de sua infância e adolescência no sul da Califórnia. Quando tinha por volta de 20 anos tocou em várias bandas de San Diego, incluindo Indian Style e Bad Radio. Sua amizade com o ex-baterista do Red Hot Chili Peppers, Jack Irons, levou a seu recrutamento pela banda que se tornaria o Pearl Jam.

Qual foi seu primeiro instrumento? Quando e onde você começou a tocar?

Um ukulele velho. Para manter as cordas tensionadas eu tive que envolver a cabeça dele com fita crepe. Meu primeiro instrumento, de certa forma, foi um daqueles bloquinhos verdes, quando eu era bastante novo. Eu escrevia canções, colocando setas sobre as notas para saber qual nota era mais alta que a outra. A coisa do ukulele provavelmente aconteceu quando eu tinha 10 anos. Minha mãe ia a bazares em garagens ou jardins, limpava todos os brinquedos e os colocava como presentes sob a árvore. Ganhei uma pequena pista de corrida e uma peça fundamental estava faltando. Acho que era provavelmente um bazar em um jardim, e eles apenas nos deram o ukulele em um ato de piedade.

Qual foi a inspiração que o levou a querer fazer música?

Eu simplesmente amava aquilo. Eu tinha um toca-discos desde muito, muito cedo; uma daquelas vitrolinhas de plástico para crianças que vinham com um compacto de *Puff The Magic Dragon*. Se íamos visitar parentes, eu levava minha vitrolinha de plástico, achava um quarto e ficava sentado lá com meus discos. Eu provavelmente tinha três. Então passei a atacar a coleção de compactos do meu tio, e comecei a gostar de música de adulto bem rapidamente. O divisor de águas foi *Yellow Submarine*. Lembro de ter tomado emprestado, ou roubado, esse single do meu tio. Ele é dez anos mais velho que eu; então, se eu tinha 5 anos, ele tinha 15, e alguns discos dele eram muito legais. Ele usava uma jaqueta do exército. Era um cara simplesmente incrível. Isso aconteceu provavelmente em 1969, 1970. Ele me dava discos, mas então saía com seus amigos e eu pegava mais. Eu me lembro claramente de minha mãe no telefone dizendo "Você está com o *Hot Rocks*?". E eu falava (encabulado) "Hum, sim", enquanto escutava no último volume "Brown Sugar" ou "Mother's Little Helper".

Quais são suas primeiras lembranças de uma influência ou herói musical?

Quando eu tinha 6 anos, meus pais começaram uma comunidade. Meu padrasto estava estudando direito e minha mãe trabalhava como garçonete. Eles descobriram que podiam receber dinheiro se fossem pais adotivos e vivessem em uma casa com outras dez ou 12 crianças, com idade entre 10 e 16 anos. Havia crianças ruivas e crianças negras. Isso foi em Evanston, Illinois, em um local onde a cidade começava a ficar perigosa. Era literalmente do lado errado da linha de trem. Era um tanto perigoso quando chegamos lá. Meus pais fizeram um trabalho muito bom encontrando meios para reverter aquela situação. No porão tinha um toca-discos, e todos os garotos estavam escutando Sly & the Family Stone e James Brown. Então eu, que escutava Jackson 5, passei a ouvir coisas mais pesadas como Sly, James Brown e Ottis Redding.

A certa altura, um dos garotos, que talvez tivesse 15 anos, ganhou uma enorme coleção de discos porque havia salvado a vida de um sujeito, e essa foi outra coisa que caiu do céu, que nos deu mais opções para escolher. Àquela altura, você nem sabia o que escutar primeiro. Você olhava para as capas dos discos e falava "Uau. Como será que é esse Uriah Heep?" [Risos]. Depois daquilo, comecei a pegar blocos e escrever minhas pequenas canções.

No segundo grau, eu estava trabalhando na farmácia Long's Drugs em Encinitas, no norte de San Diego, e o gerente assistente me deu duas gravações não autorizadas em vinil: *The Who Live at Long Beach* e *The Genius of Pete Townshend*, que eram todas as *demos* do *Who's Next*. Eu comecei a escutar Pete tocar todos os instrumentos, e isso abriu uma grande porta para mim.

Quais são alguns dos primeiros e/ou mais influentes shows a que você foi?

Eu vi Bruce Springsteen and the E Street Band com meu tio em 1977 no Auditorium Theatre em Chicago. Foi o primeiro de qualquer show que vi ao vivo, acho, a não ser que tenha tido algum no ano anterior. Havia um pequeno teatro chamado La Paloma em Encinitas, na Califórnia. Era verão. *The Last Waltz* foi lançado. A essa altura, eu tinha tido algumas aulas de guitarra. Meu professor de guitarra e eu fomos ver Rick Danko tocar solo ao lado de Jack Tempchin, que compôs "Peaceful Easy Feeling" e "Already Gone" para os Eagles. Rick Danko tocou violão a maior parte do tempo, mas cantou "Stage Fright" em playback.

Naquela época, nenhuma das bandas que eu queria ver tocava para todas as idades. Então tive que arranjar uma carteira de identidade falsa para entrar em shows de punk rock. Lembro de ter entrado em um show do X e de aquilo ser realmente importante para mim. Fiquei bem na frente e Exene Cervenka me entregou uma Miller Lite para que eu a segurasse entre as músicas. Eu apenas tinha a sensação de que não podia beber aquilo; eu só podia segurá-la enquanto ela tocava. Também vi o Pretenders no Golden Hall, em San Diego. Não havia grade de contenção nem retorno entre mim e Chrissie Hynde. As pessoas estavam empurrando. Fui empurrado para a frente e minha mão parou sobre a bota esquerda de Chrissie Hynde. Ela se soltou imediatamente. Foi tão incrível. Vi o Sonic Youth na turnê do *Daydream Nation*. Não sabia se era a melhor coisa de todos os tempos ou se eles estavam nos desrespeitando [risos]. Na manhã seguinte eu sabia que estava mudado.

Quais são algumas das melhores lembranças que você tem dos primeiros shows com suas primeiras bandas?

No meu segundo ano do segundo grau, toquei com um amigo da minha turma que sabia tocar mais ou menos. Ele trabalhava no mercado, tinha um espaço para ensaiar na sua casa e um bom amplificador. Mas ele gostava realmente dos Eagles, o tecladista gostava do Styx e o baixista gostava de The Cars e dele mesmo. O baterista estava na banda da escola. E naquela época eu preferia The Who, PiL e Springsteen. A banda era uma merda. Todos cantavam uma ou duas músicas. Você tocava em festas e simplesmente era horrível. Por pior que fosse a banda, a parte da noite que o resto dos rapazes mais odiava era quando eu cantava. No fim, o que mostra como éramos ruins, eles falaram "Hum, acho que vamos acabar com a banda". E depois de uma semana, outro cara com uma guitarra melhor e um amplificador melhor tinha tomado meu lugar.

CAPÍTULO UM

1962—1989

OS PRIMEIROS ANOS: 1962-1989

Anos antes de sua música ajudar a definir uma geração, os membros do Pearl Jam eram apenas cinco garotos tocando air guitar em frente aos espelhos de seus quartos, possivelmente com o rosto pintado como os integrantes do Kiss. Logo eles começaram a aprender a dominar instrumentos em sótãos, porões e garagens, fazendo seus primeiros shows pagos, ficando embasbacados com seus primeiros shows em arenas e se apaixonando pela magia e pelo poder do rock´n´roll.

Os laços que unem os integrantes da banda são intricados, indo de Chicago ao sul da Califórnia, a Seattle e de volta. Mas o alicerce mais resistente do Pearl Jam é o Green River, uma banda que contava com o guitarrista Stone Gossard e o baixista Jeff Ament, e que foi formada em Seattle no verão de 1984.

Depois de terminar seu segundo ano na Universidade de Montana, Ament desistiu dos estudos e se mudou para Seattle para tentar uma carreira como músico com sua banda da época, Deranged Diction. Mas o grupo não foi para a frente e no verão seguinte Ament se juntou ao vocalista Mark Arm — que conhecera na casa de shows de punk rock Metropolis, de Seattle —, ao guitarrista Steve Turner e ao Baterista Alex Vincent, para formarem o Green River. O primeiro show do grupo foi em uma cervejada em Seattle no dia 1 de julho de 1984. No outono, apesar de ter causado uma péssima primeira impressão em Ament, um Gossard recém-saído do segundo grau entrou para a banda na guitarra base.

"Minha primeira banda tinha se separado, e Steve tinha se juntado a ela nos últimos seis meses", diz Arm. "Estávamos pensando em começar uma banda nova e gostamos do som e da atitude de Jeff no Deranged Diction, então falamos com ele. Ele usava um pedal de distorção e pulava muito alto — você sabe, as coisas importantes. Originalmente éramos nós quatro, com Alex tocando bateria. Stone se envolveu, mas não me lembro exatamente como isso aconteceu. Ele estava apenas começando a tocar guitarra. Ele andava conosco, e acho que simplesmente lhe perguntamos se queria tocar conosco.

"Mark me apresentou a Jeff e entre cinco e trinta segundos depois disso, acho que ele já queria me dar um soco, porque eu tinha sido recentemente apresentado ao excitante mundo do sarcasmo", diz Gossard. "Aquele, para mim, era o maior prazer que alguém podia ter: assistir aos filmes do Monty Python, fazer afirmações irreverentes e fazer piada com qualquer coisa sobre o que se pudesse fazer uma piada, mesmo que não fizesse sentido. Ele não podia ser mais sério. Mas por alguma razão, ele ainda achou que talvez fosse uma boa ideia eu fazer um teste para entrar no Green River, porque acho que ele ouviu falar que eu tinha um amplificador Marshall. Aquele foi um primeiro encontro interessante. Eu não percebi que estava irritando. É claro que ele só me contou isso depois de anos."

Ament pode não ter gostado muito do senso de humor de Gossard, mas não podia negar que a nova aquisição deixava o som do Green River muito mais pesado. "Àquela altura, Steve estava interessado em um som garageiro mais limpo, uma coisa meio 13th Floor Elevators", conta Ament. "Com certeza, acho que Stone se sentou e aprendeu as músicas com Steve e Mark, talvez um pouco antes de nosso primeiro ensaio, e aquilo ficou ótimo. Soava mais como o que eu acho que todos nós esperávamos que a banda fosse soar."

OUTROS INGREDIENTES

No momento em que Ament e Gossard tinham começado a se estabelecer musicalmente na cidade, o guitarrista Mike McCready já vinha tocando em bandas de Seattle há cinco anos, primeiro com o Warrior e então com o Shadow. Gossard e McCready tinham, na verdade, estudado na mesma escola e frequentemente conversavam sobre seu amor compartilhado pelo hard rock.

"Acho que tínhamos 14 anos quando nos conhecemos", diz McCready. "Eu tinha minha banda, Shadow, e ele era o cara engraçado e sarcástico que costumava aparecer, e sempre ríamos. Ele ainda não tinha começado a tocar guitarra. Em Seattle, no começo dos anos 1980, o público de punk rock e o público de metal se misturavam, porque não éramos muitos. Então nos encontrávamos em festas. Ele era um fã de rock. Gostava de Iron Maiden. Nós costumávamos trocar fotos de rock. Esse era o nosso negócio. Soa tão tolo hoje em dia, tipo 'Tenho essa do Michael Schenker; troco por duas do David Lee Roth!'. Nós amávamos o David Lee Roth e o Van Halen."

Naquela época havia outra banda de Seattle estabelecida, chamada Malfunkshun, e seu vocalista heroico, Andrew Wood, logo tocaria as vidas dos futuros integrantes do Pearl Jam de forma profunda. Wood só tinha 14 anos quando ele e seu irmão Kevin formaram o Malfunkshun em 1980, mas mesmo com a pouca idade ele já tinha tudo o que era necessário para uma personalidade roqueira única.

"Foi provavelmente um dos primeiros shows ao vivo a que fui. Eu provavelmente estava no penúltimo ano do segundo grau; talvez no último", Gossard se lembra de sua exposição inicial ao Malfunkshun. "Lá estava Andy de lingerie, com luvas, meia calça, sapatos de salto e um boá. Eles tocavam umas músicas lentas e pesadas, parecidas com Black Sabbath, que naquela época ninguém estava tocando. Era glam e punk, e mais esse tributo ao Sabbath e ao Kiss. Bandas como aquela eram capazes de levar um grupo de vinte pessoas, entre moderadamente embriagadas e completamente bêbadas, à loucura em seu próprio mundinho no centro de Seattle e fazer a ocasião se tornar uma daquelas noites sobre as quais você fala por anos.

"Andy ainda não era um astro do rock, mas ele seria um astro do rock", continua Gossard. "Você o via e falava 'Estou no seu time. Quero ficar em qualquer lugar perto de você.' E era assim que a maioria das pessoas se sentia em relação a ele. Era tão fácil para Andy reunir pessoas à sua volta e ter pessoas sentadas ao seu redor rindo, querendo passar tempo com ele. Provavelmente era um fardo o simples fato de ele ter tanto carisma.

Mas, fora do palco, Wood lutava ferozmente contra o vício em drogas, o que causou uma temporada na clínica de reabilitação, em 1985, que deixou o Malfunkshun em compasso de espera. Quando completou o programa, ele foi morar com outro cantor local talentoso, chamado Chris Cornell, cuja banda, Soundgarden, tinha se formado apenas um ano antes.

"O primeiro cara para quem liguei perguntando se gostaria de dividir o apartamento comigo não foi Andy — foi Stone Gossard", Cornell se lembra. "Ele estava morando com os pais, acho, e atendeu o telefone e disse 'Entendo, não, estou bem, não quero realmente mudar minha situação de moradia nesse momento'. Ele morava com os pais, então achei que isso era um pouco estranho, mas pensei, que se dane, está ótimo. Stone disse 'Mas Andy acabou de sair da clínica de reabilitação e pode estar precisando de um lugar'. Eu não o conhecia direito, mas pensei, bem, isso seria interessante. Ele parece ser um cara interessante. Eu liguei para Andy e ele falou 'Claro, estou indo para aí'. Meu irmão, Peter, que morava comigo naquela época, estava indo embora e já tinha pago uma parte do aluguel. Ele encontra Andy na porta e fala 'Sim, eu já paguei o aluguel pelos próximos dois meses, então você vai ter que pagar para mim primeiro'. Andy diz 'Claro, estamos combinados'. E ele entrou e

foi isso. Ele se mudou para lá e quando me dei conta, o Malfunkshun estava ensaiando na sala da minha casa.

RIO ABUNDANTE

Enquanto isso, o Green River estava se tornando uma atração local imperdível, achando espaço em shows com titãs do rock underground como Dead Kennedys e Sonic Youth e atraindo a atenção do nascente selo de Nova York, Homestead Records. Insatisfeito com a direção musical do grupo, Steve Turner saiu da banda no verão de 1985 para se matricular na faculdade, mas a banda estava decidida e embarcou em sua primeira turnê em outubro.

Apesar de o público ser geralmente esparso e algumas vezes inexistente, foi uma experiência arrebatadora para a banda tocar em casas famosas como o CBGB de Nova York. Também foi uma revelação estar no meio das incontáveis cenas musicais inspiradas pelo punk rock e pelo hardcore ao redor do país, particularmente em Detroit, onde um show no Halloween abrindo para a banda que Glenn Danzig formou depois dos Misfits, Samhain, acabou em confusão. "Eu estava usando uma camisa rosa ou algo assim e fui literalmente arrancado do palco e esmurrado", diz Ament. "Os punks de Detroit não aceitavam nada assim."

Antes do fim do ano, o EP de estreia do Green River, *Come On Down*, foi lançado pela Homestead. Anos depois ele seria descrito como o primeiro de todos os lançamentos do "grunge", mas na época, *Come On Down* era simplesmente o tipo de rock'n'roll que podia fazer você pular pela sala em um momento, e no instante seguinte balançar a cabeça chapado, acompanhando o baixo arrastado.

ENTRA MATT CAMERON

Seattle tinha sua cota de bons bateristas nos anos 1980, mas ninguém que se comparasse a Matt Cameron, que, aconselhado por um amigo, viera de San Diego em 1983 para tentar uma carreira como músico. "Saí em uma caminhonete Datsun e ela quebrou na parte central da Califórnia, então tivemos que dormir na casa de um mecânico durante dois dias", diz ele. "Eu não sabia se a mudança seria permanente ou não, mas eu estava me preparando mentalmente para que isso acontecesse. Minhas primeiras reações foram de fato positivas. Vindo de San Diego, que é um lugar enorme, Seattle parecia pequena e mais fechada. As pessoas que faziam sucesso também eram as pessoas que apoiavam as outras bandas. Isso definitivamente te dava a sensação de fazer parte de um clube."

Cameron tinha começado a ter aulas de bateria aos 9 anos e aos 13 estava fazendo sua melhor imitação de Peter Criss enquanto tocava em uma banda cover do Kiss. "Nós nos chamávamos Kiss. Quase fomos processados pelo Gene Simmons", diz Cameron. "Ele estava de olho em todas as bandas que imitavam o Kiss naquela época." Aos 15 anos, Cameron se viu cantando a canção "Puberty Love" na notória paródia de filme B de 1978 *O ataque dos tomates assassinos*, sob o comando do diretor John De Bello, que tinha estudado com sua irmã mais velha. E como Ament, Gossard e McCready, Cameron tinha sido arrebatado pela exposição adolescente às maiores bandas de rock da época, especialmente um show no dia 16 de dezembro de 1977 do Queen na San Diego Sports Arena, em sua turnê News of the World. "Ainda hoje, acho que esse é o melhor show que já vi", diz ele. "Mudou minha vida."

Assim que se acomodou em Seattle, Cameron tocou em algumas poucas bandas antes de se juntar a Jack Endino, Daniel House e Ben McMillan no Skin Yard, em 1985, e muitas vezes cruzou o caminho e dividiu o palco com Ament e Gossard, do Green River. No começo de 1986, a cena de Seattle tinha se destacado o suficiente para garantir sua própria coletânea, *Deep Six*, que a C/Z Records lançou em março. Além do Green River e do Skin Yard, o disco incluía faixas dos Melvins, Malfunkshun, Soundgarden e U-Men.

"Ninguém tinha feito uma gravação profissional de verdade antes", diz Cameron. "Tivemos um show de duas ou três noites para celebrar aquele disco, e acho que foi quando vi o Malfunkshun tocar pela primeira vez e conheci Andy. Achei que eles tinham roubado o show. Eles eram simplesmente incríveis ao vivo." Gossard complementa: "A música do Malfunkshun naquele disco, 'With yo' heart (not yo' hands)', você vê o gênio de Andy Wood funcionando ao misturar punk, metal e rock de rádio FM."

Em junho, Cameron saiu do Skin Yard para se juntar a Cornell, ao guitarrista Kim Thayil e o baixista Hiro Yamamoto no Soundgarden, começando uma parceria criativa que duraria mais de uma década e alçaria o grupo a uma popularidade mundial, ao lado de outras bandas de Seattle como Nirvana, Alice in Chains e Pearl Jam.

"Kim, Chris e Hiro tinham uma banda chamada The Shemps", diz Cameron. "Eles tocavam covers do The Doors e não eram tão bons, mas me lembro de ver o vocalista e pensar, uau, esse cara é incrível! Quando eles formaram o Soundgarden, eu sempre tentava assistir a seus shows. Eles eram um desses grupos que desde a formação tinham uma sonoridade própria. Quando o outro baterista deles, Scott Sundquist, decidiu que não queria excursionar, liguei para Kim na mesma hora e disse 'Cara, quero entrar para a banda'. Chris falou 'Sim, vamos tocar com ele', porque tinha me ouvido tocar anteriormente. Então não foi necessariamente um teste, mas aprendi algumas de suas músicas, e cerca de uma semana depois estávamos tocando no Ditto Tavern."

SAI GREEN RIVER

Logo antes de lançar o single de sete polegadas "Together We'll Never", com "Ain't Nothing To Do", dos Dead Boys, no lado B no seu próprio selo ICP em novembro de 1986, o Green River se alinhou com Bruce Pavitt, cujo fanzine *Subterranean Pop* tinha ajudado a espalhar o evangelho do rock independente ao redor do país no começo dos anos 1980. Agora Pavitt estava tentando começar sua própria gravadora e juntar forças com o Green River parecia a forma perfeita de lançá-la. O único problema: Pavitt estava sempre sem dinheiro. Na verdade, só em julho de 1987 a recém-rebatizada Sub Pop lançou o EP de cinco faixas do Green River, *Dry As a Bone*, que o grupo tinha gravado no verão anterior com Jack Endino.

Dry As a Bone afiava ainda mais o som sujo e com pitadas punk da banda, instigando Pavitt a chamá-lo no material de divulgação de "grunge ultrachapado que destruiu os padrões de conduta de uma geração". Mark Arm vinha usando o termo *grunge* para descrever a música da cidade há vários anos àquela altura, incluindo em uma carta de 1981 para o fanzine de Seattle *Desperate Times*, mas ao ser apadrinhado por Pavitt o termo logo ganhou vida própria.

No entanto, o Green River não estaria ali para aproveitar a carona. Mais uma vez, devido à instabilidade financeira da Sub Pop, a gravadora tinha em suas mãos um disco completo da banda, intitulado *Rehab Doll*, mas não tinha planos para lançá-lo no futuro próximo. Além disso, Ament e Gossard estavam batendo cabeça continuamente com Arm sobre a direção musical e da carreira da banda; e depois de um show no dia 24 de outubro de 1987, abrindo para o Jane's Addiction no Scream, em Los Angeles, o Green River se separou de forma amarga.

"Sempre houve esse tipo de circunstância na cena de Seattle — gente que se acha mais *cool* que os outros", diz Cameron. "Jeff e Stone foram rotulados como o elemento comercial da cena, ou o que quer que fosse. Isso é tudo bobagem, porque eles não estavam tentando escrever de uma certa forma. É apenas como as

Green River

coisas aconteceram, e eles estavam sendo honestos com seus instintos artísticos, e eu sempre apreciei seus instintos. Compor um bom refrão de rock é uma das coisas mais difíceis que você pode fazer como compositor. Fazê-lo soar grande, melodioso, poderoso e conseguir que seja sentido no rádio ou em uma apresentação, cara, isso não é fácil."

Apesar de sua vida curta, a influência musical do Green River seria sentida fortemente em Seattle e além dos limites da cidade nos anos seguintes, sobretudo graças a sua mistura de punk e hard rock. "Naquela época, essas duas coisas eram normalmente separadas de forma muito extrema em virtude do estigma social associado a gostar de um ou do outro", diz Gossard. "A influência de bandas como Motörhead ajudou a fazer uma ponte entre os mundos do metal e do punk. De repente, você podia pegar o amadorismo experimental do punk rock e a empolgação de tocar em um bar, mas também tocar em algumas coisas que faziam o heavy metal tão poderoso e excitante. Nós tínhamos uma atitude realmente "faça-você-mesmo". De cara, fizemos discos sem saber muito sobre como fazê-los. Criávamos as nossas próprias capas e pagávamos pelas nossas turnês. E éramos da Sub Pop, que se tornou um selo extremamente influente. Nosso material será sempre visto em comparação com o que veio depois dele, claro, tudo o que veio depois dele é muito influente. O Green River provavelmente foi influente de sua própria forma, mas ninguém teria ouvido falar do Green River se o Nirvana não tivesse aparecido. O Nirvana capturou todo aquele fenômeno de combinar a arte do punk e do rock e fazer aquilo soar como algo novo."

Ament e Gossard não perderam tempo para seguir adiante. A dupla tinha começado a tocar informalmente com Andy Wood e Regan Hagar, do Malfunkshun, antes de o Green River se separar oficialmente e, no fim de 1987, o novo grupo, provisoriamente chamado de Lords of the Wasteland, estava fazendo shows abertos. "Acho que tocamos em um salão de cabeleireiro uma vez, tocando covers", Gossard fala. "Era apenas uma decorrência de ter o mesmo local de ensaio. Todos reconheciam os talentos de Andy àquela altura, então eu queria tocar com ele logo que fosse possível."

Hagar não tinha nenhuma razão para achar que a nova banda iria interferir com o Malfunkshun. Mas pouco tempo depois do primeiro show do Lords of the Wasteland, ele percebeu que as duas bandas não podiam coexistir. "Andy e eu éramos do Malfunkshun e caminhamos até a sala compartilhada onde o Green River, o Malfunkshun e agora o Lords of the Wasteland ensaiavam", diz ele. "E lá estavam Jeff e Stone com Greg Gilmore, o baterista número um da cidade. Andy e eu apenas demos meia-volta e saímos. Recebi a ligação naquela noite: 'Greg vai tomar o seu lugar nessa banda, e esperamos que tudo esteja bem'. Eu era jovem e meu ego estava totalmente intacto. Eu lidei com isso e mantivemos nossa amizade, porque o Malfunkshun ainda existia na minha cabeça. Quando você menos espera, a nova banda está atraindo o interesse de gravadoras e tudo está acontecendo para eles como uma bola de neve. Aconteceu muito rápido. Não existia mais Malfunkshun. Não havia mais tempo para isso.

A JOGADA DE MIKE

Para Mike McCready, então com 20 anos, e sua banda Shadow, o tempo de ficar rodando Seattle na esperança de fazer sucesso tinha acabado. No final de 1986, os músicos arrumaram as malas e se mudaram para Los Angeles para tentar arranjar um contrato de gravação. Lá eles trabalharam duro por mais de um ano, vivendo de macarrão instantâneo e juntando suas economias para arrumar shows em esquemas "pague para tocar" em casas como o Roxy e o Whisky a Go-Go, muitas vezes nos piores horários imagináveis.

No início de 1988, desiludidos com a experiência de Los Angeles, o Shadow se mudou de volta para Seattle e se separou. McCready deixou seus sonhos musicais em compasso de espera e se matriculou no Shoreline Community College. "Havia mais de dez mil bandas por lá e as chances de uma banda estourar eram muito pequenas", diz ele. "Acho que as vozes de meus pais estavam no fundo da minha cabeça dizendo 'Você precisa de algo para garantir seu futuro'."

A PEÇA QUE FALTAVA

Enquanto isso, em San Diego, havia outro músico batalhador à beira de uma ruptura. Eddie Vedder nasceu em Evanston, Illinois, mas se mudou para San Diego ainda pré-adolescente e passou parte de sua adolescência lá e em Los Angeles. Vedder tinha aparecido em comerciais de TV e em anúncios impressos quando jovem, e sua paixão por atuar no teatro cresceu quando chegou ao segundo grau. Mas suas verdadeiras obsessões eram o surfe e o rock´n´roll; Vedder tinha conhecido a lenda do surfe Mark Richards e também tinha ido ao seu primeiro show de Bruce Springsteen, ambos poucos meses antes de seu aniversário de 13 anos.

Durante a década seguinte, Vedder teve empregos temporários (na construção civil, em uma companhia de petróleo, como garçom, como vigia noturno) e tocou em uma sucessão de bandas esquecíveis, quase sempre como guitarrista base e não como vocalista principal. A maior parte de sua energia era devotada a fazer suas próprias *demos* de quatro canais em casa usando um walkman e um aparelho de som portátil, até que ele economizou dinheiro suficiente para comprar um porta-estúdio profissional de quatro canais da Tascam, em 1984. "Usei aquele troço como um burro de carga", diz ele. "Eu realmente aprendi a compor em uma época em que a música popular não estava se comunicando comigo. Escrever minhas próprias canções era uma forma de criar música que eu não estava ouvindo no rádio nem em nenhum outro lugar."

Vedder também fez amizades rapidamente na cena musical de San Diego, onde sua avidez para devotar sua vida ao rock´n´roll impressionou seus companheiros. "Eu trabalhava no meio da noite e era assim que ganhava a vida", contou ele à revista *Just Rock* em outubro de 1991. "Eu sempre fui um músico e nunca quis trabalhar de nove às cinco. Naquela época era como se eu fosse um artista que não tinha um emprego. Eu ficava acordado a noite toda, lendo e escrevendo. Quando chegava em casa, em meu pequeno apartamento, todos já tinham saído para o trabalho e eu podia fazer tanto barulho quanto quisesse. Depois gravava tudo o que tinha composto."

No final de 1987, Vedder respondeu a um anúncio no semanário alternativo *San Diego Reader* postado pela banda local Bad Radio, que procurava um vocalista. A fita *demo* que Vedder mandou para ser avaliada incluía um cover de "Atlantic City", de Bruce Springsteen, e foi boa o suficiente para lhe valer um teste em carne e osso.

"O estúdio em que eles ensaiavam era mantido por um sujeito russo, Valery Saifudinov, que tinha uma banda de metal chamada Flight 19", diz Vedder. "De alguma forma eu entrei lá e consegui o trabalho. Ao mesmo tempo, alguns amigos meus que estavam na faculdade ajudavam a promover uma noite que era totalmente gótica. Em San Diego a cena de shows não era muito grande. As pessoas só saíam de casa para ver um show se as bandas aparecessem na MTV. A impressão que tínhamos era que não dava para fazer nada acontecer em um âmbito local, embora existisse uma boa banda chamada Night Soil Man, e outra chamada Donkey Show. Comecei a fazer os flyers para uma coisa chamada Red Tape. Nós ocupávamos um bar esportivo, escurecíamos todo o local com plástico

preto, colocávamos uma máquina de fumaça e pendurávamos algumas pinturas. De repente eu tinha uma forma de arrumar um show. Eu tinha uma entrada.

ESSE É O MEU TIPO DE AMOR

Em Seattle, Ament e Gossard correram com sua nova banda — agora chamada Mother Love Bone e complementada pelo guitarrista Bruce Fairweather — até o Reciprocal Recording Studios para gravar *demos* em fevereiro de 1988. Porque Chris Cornell e Andy Wood ainda estavam vivendo juntos, Matt Cameron teve uma prova inicial do grupo e ficou impressionado com a velocidade com que os elementos diferentes do Malfunkshun e do Green River se misturaram em algo novo.

"Foi então que eu realmente comecei a apreciar as composições de Stone", diz ele. "Acho que aquela era uma banda que realmente forçava sua sensibilidade pop — o tipo de sensibilidade de grandes refrãos de rock que ele passou a dominar completamente mais à frente." Wood divertia-se com o processo criativo, inspirando seus novos companheiros de banda a pensar no Mother Love Bone como mais do que apenas uma banda de rock´n´roll. "Andrew era um artista mais do que qualquer outra coisa", diz Ament. "Era assim que ele ia encontrar prazer na vida: compondo e gravando músicas."

"Ele tinha aquela atitude do tipo 'tudo é possível'", complementa Cornell.

Em um golpe irônico de *timing*, justo quando o Mother Love Bone estava acontecendo, a Sub Pop finalmente lançou *Rehab Doll*, do Green River, em junho de 1988, oito meses depois de a banda se separar. "Quando chegou a hora de lançar o disco, Bruce Pavitt falou 'Bem, eu não tenho dinheiro. Vocês podem me ajudar a prensar esses discos?' Nós guardamos nosso dinheiro por quatro ou cinco meses e todos conseguiram, tipo, duzentos ou trezentos dólares", diz Ament. "Prensamos mil discos e ajudamos a pagar por alguns anúncios em fanzines como o *Forced Exposure* e o *Matter*. Ainda me lembro do dia em que os discos chegaram. Fomos até o apartamento de Bruce e lá estavam cinco ou seis caixas com quinhentos discos. Acho que os outros quinhentos discos foram para alguma distribuidora, e aquilo foi o começo da Sub Pop. O incrível é que, no meio dos anos 1990, nós recebemos de volta aquele investimento inicial. Todos nós recebemos, uns quatrocentos dólares de volta, em notas de vinte. Eu gastava essa grana todo dia. Comprava um pedaço de pizza e falava 'Essa é por conta de Bruce Pavitt'. Foram os melhores quatrocentos dólares que eu já gastei, porque era um puta dinheiro naquela época.

ASSINE NA LINHA PONTILHADA

Embora o Mother Love Bone tivesse pouco em comum com o som ou o estilo da cena rock decadente de Los Angeles que tinha transformado o Jane´s Addiction e o Guns N´Roses em duas das maiores bandas do país, grandes gravadoras começaram a farejar por volta do verão de 1988. Despreparado, Ament procurou um conhecido chamado Kelly Curtis, que tinha largado o segundo grau nos anos 1970 para servir como roadie da cultuada banda de rock de Seattle, Heart, e estava naquela época trabalhando em uma produtora local.

"Eles não conheciam ninguém que tivesse algum tipo de conexão em L.A. com advogados, empresários ou gravadoras", diz Curtis. "Eu tinha vindo da escola do Heart, o que não parecia fazer muito sentido para nenhum de nós, tirando o fato de eu ter alguma experiência no mundo dos negócios da música. O acordo era se eu ia ajudá-los a conhecer algumas pessoas. Eu disse 'claro'. Então viajamos para L.A. para marcar algumas reuniões com advogados e gravadoras. Não me lembro se nos encontramos com empresários ou não, mas com o tempo percebi que deveria fazer aquilo. Estávamos nos dando bem o suficiente para seguir em frente. Aquilo apenas evoluiu naturalmente."

Em Los Angeles, Curtis apresentou o Mother Love Bone à advogada Michele Anthony, que já estava representando o Soundgarden e o Alice in Chains. "Kelly me convidou para um de seus shows no Troubadour, em L.A., e eu me apaixonei completamente por eles", diz Anthony, que logo passou a representar o Mother Love Bone. "Eu amava a música que eles estavam fazendo. E amava Andy. Ele era uma figura. Eu me lembro de quando ele me contou como ia gastar seu dinheiro. Sua lista tinha de tudo, desde esmalte para unhas até uma casa. Ele não podia esperar para tocar em arenas para poder comprar casas maiores. Ele pensava grande. Uma arena teria sido muito pequena para ele."

Pouco tempo depois, o Mother Love Bone se encontrou no centro de um leilão entre gravadoras, no fim do qual eles assinaram com o selo da PolyGram Records chamado Mercury. "Nós chamamos aquilo de 'turnê dos restaurantes de Seattle'", lembra Ament. "Nós levávamos o cara da Atlantic Records para sair e pedíamos garrafas de Bordeaux — tipo, jantares de quatro mil dólares. Estávamos simplesmente na melhor fase de nossas vidas. Tivemos, tipo, vinte desses jantares com dez selos diferentes e dissemos 'Temos que fazer algo a respeito disso'. Bem no último minuto, Michael Goldstone apareceu, representando a PolyGram, e a PolyGram tinha o melhor catálogo naquela época. A Geffen tinha o Guns N´ Roses e o Junkyard e todas aquelas bandas que estavam acontecendo em Los Angeles. Parecia que eles já tinham bandas boas demais. Então acabamos assinando com a PolyGram."

Em janeiro de 1989 o Mother Love Bone gravou seu EP de estreia, *Shine*, no estúdio London Bridge, em Seattle. Lançado em 20 de março, ele incluía o que se tornaria a música pela qual a banda seria conhecida, o épico de oito minutos "Chloe Dancer/Crown of Thorns".

"Essa é uma música que Andy e eu escrevemos juntos, então é um esforço musical combinado que mostra os gostos de nós dois", diz Gossard. "Ela é simples. E a letra tem uma qualidade ambígua. É assustadora e bonita, mas ao mesmo tempo é colorida. Ela tem o sabor que Andy amava trazer a tudo que fazia."

Começando em março, o Mother Love Bone saiu em uma extensiva turnê norte-americana com a banda inglesa fã de couro e spray de cabelo, Dogs D´Amour. Os shows muitas vezes tinham pouca plateia e viajar em espaços apertados levava a inevitáveis discussões dentro da banda. Mas Wood tinha um jeito para ganhar até mesmo a plateia mais apática, e ele e Ament se pegaram conversando sobre um amor compartilhado por música obscura e esportes.

"Ele gostava muito de esportes, apesar de não ser nem um pouco atlético", diz Ament. "Ele tinha uns video games de futebol americano da Coleco, e tinha páginas de caderno com times e

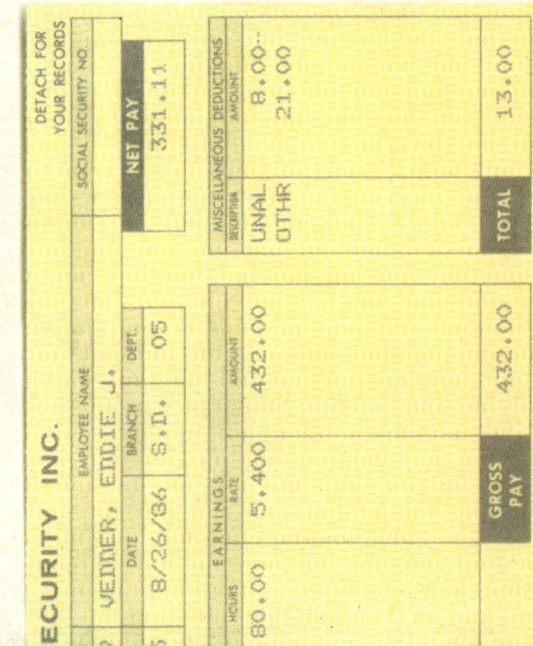

resultados. Ele jogava centenas de jogos por semana e catalogava os resultados e os destaques. Durante toda a turnê do Mother Love Bone, era isso que acontecia no banco traseiro da van."

No fim de 1989, o Mother Love Bone tinha acabado o trabalho em seu álbum de estreia, *Apple*, que foi gravado em Sausalito, na Califórnia, e também em Seattle. Mergulhado em influências de rock clássico, mas distinto pelos vocais preponderantes de Wood, *Apple* pressagiava um grande ano diante da banda. Mas o ressurgente vício em drogas, que agora incluía ocasionais aventuras com heroína, pairava sobre o Mother Love Bone como uma nuvem carregada. Perto do Dia de Ação de Graças, amigos promoveram uma intervenção depois da qual Wood voluntariamente se internou em um programa de reabilitação no Valley General Hospital, em Monroe, logo no nordeste de Seattle. Durante aquele tempo, o Mother Love Bone esteve no limbo.

O GOLPE FINAL

Em San Diego, Eddie Vedder e o Bad Radio continuavam batalhando, embora Vedder ainda estivesse buscando confiança para se soltar no palco. Muitas vezes ele ficava enraizado firmemente no mesmo lugar, quase sem olhar para a plateia. "Nós participávamos de uma batalha de bandas local onde se você tocasse na sexta-feira e ganhasse, você tocava na outra sexta-feira", diz Vedder. "E então, se você ganhasse essa, sua música era tocada no rádio uma vez. Depois talvez você ganhasse trezentos dólares em equipamentos de péssima qualidade. Ainda assim nós ganhávamos. É interessante, olhando para trás. Eu tinha medo da rejeição, mas sempre que seguia em frente e botava minha cara para fora, eu recebia um reforço positivo."

No dia 21 de novembro de 1989, Vedder não poderia ter escolhido um momento melhor para ser proativo. Naquela noite ele encontrou o ex-baterista do Red Hot Chili Peppers, Jack Irons, pela primeira vez em um show de Joe Strummer no Bacchanal, em San Diego. Irons tinha tocado bateria em *Earthquake weather* — o então novo álbum de Joe Strummer, antigo vocalista e guitarrista do Clash —, e também estava em turnê com ele.

"Naquela turnê, eu conheci em São Francisco a mulher que viria a ser minha esposa, e então, um ou dois dias depois, conheci Eddie", diz Irons. "Eu não o conhecia antes do show de San Diego, mas ele depois me disse que ajudava em shows e entrava de graça. Assim, poderia conhecer os caras que eu estava interessado em conhecer. Ele sabia quem eu era em razão de meus dias com o Chili Peppers, e naquela noite ele se apresentou. A certa altura a luz acabou, e ele tinha a lanterna. Apenas me lembro de nos tornarmos bons amigos a partir daquele momento. Eu estava morando em L.A. e ele ia até lá e passava tempo comigo e minha mulher. Nós jogávamos basquete. Ele acabou ficando amigo de todos os meus amigos."

"Carreguei o equipamento de Joe Strummer naquela noite", diz Vedder. "Eu me lembro de ouvir uma gravação não autorizada do Red Hot Chili Peppers no meu Toyota Corolla com Jack, apesar de ser Cliff Martinez tocando bateria e não Jack. Quinze minutos depois de o set de Joe começar, a banda de abertura sabotou a energia na casa de show por causa de uma discussão envolvendo dinheiro. Peguei lanternas e levei todo mundo para o camarim, então segurei a luz para Joe enquanto ele apertava um mesclado de tabaco e maconha. Veja você que eu não fumava cigarro na época, então aquilo me deixou fora de mim. Noventa minutos se passaram até a energia voltar. Tirei uma foto com Joe depois do show usando minha polaroid e ele a assinou. Nenhum de nós dois tinha a menor noção de que ele seria muito responsável pela existência de nossa banda."

O Pearl Jam sempre preferiu deixar sua música falar por si própria. Mas o que vem a seguir é a história de seus primeiros vinte anos, em suas próprias palavras.

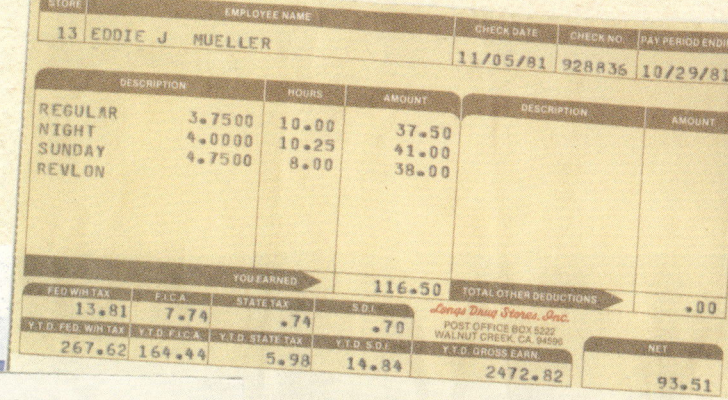

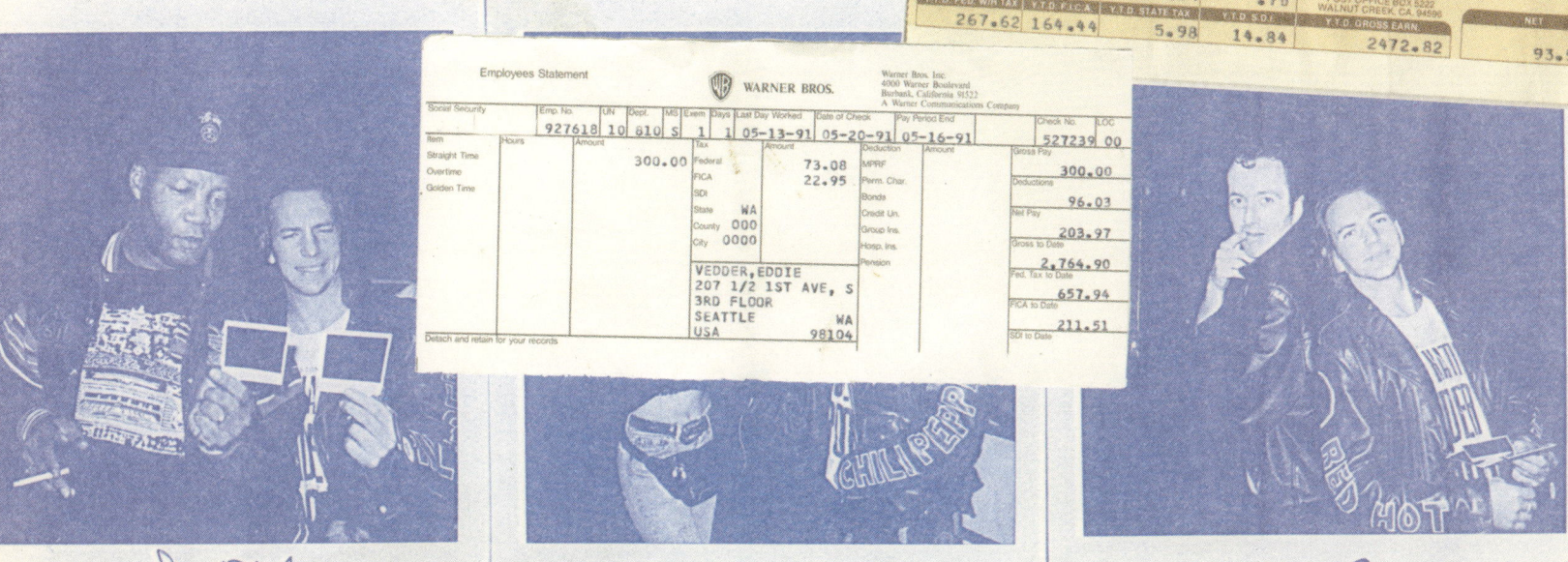

me & Ray
Strummer's Man Man

1990

Tudo parece tão improvável: uma mistura de nascimento, morte, prazer, tragédia e coincidência que deu ao mundo uma banda chamada Pearl Jam. Meses antes, eles tinham colocado música em segundo plano enquanto labutavam em restaurantes e postos de gasolina. Mas, independentemente da forma como esses cinco cúmplices se encontraram compondo músicas juntos, eles sabiam que tinham pela frente algo mais profundo e mais vital do que qualquer coisa que já tivessem experimentado. E, a partir daquele humilde começo no porão encardido de uma galeria de arte de Seattle, emergiu uma banda que mudaria irrevogavelmente a mente, o corpo e a alma do rock´n´roll.

11 de fevereiro
Bacchanal, San Diego

O Bad Radio, tendo recentemente ganhado a batalha de bandas da Junta de Artes Culturais da San Diego State University, faz seu último show com Eddie Vedder e então acaba temporariamente. O grupo se reúne no fim do ano com o vocalista original Keith Wood e se muda para Los Angeles em busca de um contrato de gravação.

Jack Irons: Eu certamente fui ver Eddie tocar uma ou duas vezes. Ele apenas mencionava o que fazia. Ele era muito blasé com isso. Era tímido. Não estava dizendo "Isso é o que eu *faço*". Eu o vi uma ou duas vezes e me lembro de achar que ele era um bom vocalista. Ele com certeza me deu músicas para escutar, que eu achei que eram boas.

Eddie Vedder: No Bad Radio, nós saíamos na mão quando eu dizia à banda que eles precisavam trabalhar mais duro. Eu falava "não vou colocar flyers nos para-brisas das pessoas antes de ir para o trabalho se vocês não forem ajudar". Ou "onde foram parar esses flyers?". "Oh, eles ainda estão na minha mochila", e era o dia depois do show. Eles tiravam sarro de tocar para pessoas mortas na noite gótica. Eu apenas falava "Vão se foder!". Nós conseguimos um show e talvez até recebêssemos cinquenta dólares. Normalmente não recebíamos absolutamente nada.

9 de março
The Central, Seattle

O Mother Love Bone faz seu último show.

Jeff Ament: Foi a mesma noite do primeiro show do Lenny Kravitz no Backstage. Andy e eu estávamos tristes por não podermos ir.

Stone Gossard: A banda estava com dificuldades. O estresse era grande. Não compúnhamos muito há um bom tempo. O prazer tinha desaparecido. Estávamos tentando fazer valer o contrato de gravação, mas não acredito que algum de nós achou que alcançaríamos o sucesso. Nós sentíamos que tínhamos saído e gastado 150 mil dólares, mas estava excelente? Escutávamos Guns N´ Roses e ficávamos imaginando como seria possível competir com algo assim. Andy tinha ficado limpo e sóbrio durante meses antes de morrer. Nós sabíamos que ele estava lutando, mas ele era um otimista. Ele queria acreditar que veria sua oportunidade como uma pessoa sóbria e uma pessoa que teria um pouco mais de controle sobre seu destino se fosse capaz de dizer o que era importante para ele como artista. Ele estava em uma banda com muitas personalidades que se comportavam como macho dominante. Provavelmente se sentia atacado metade do tempo na banda, simplesmente porque Jeff, Greg e eu tínhamos visões fortes sobre aonde queríamos chegar. E também não estávamos necessariamente na mesma sintonia. A banda estava fragmentada, e aquilo era uma luta. Mas nós sempre nos divertíamos e conseguíamos encontrar formas de passar pelo que precisávamos passar.

19 de março

Três dias depois de ser encontrado inconsciente em sua casa por sua noiva, Xana LaFuente, Andrew Wood morre de overdose de heroína, aos 24 anos, a menos de um mês da data planejada para o lançamento do disco de estreia do Mother Love Bone, *Apple*. O projeto acaba saindo no dia 19 de julho, e depois recebe uma nova embalagem e é lançado levando o nome da banda e com faixas extras, em 1992.

Stone Gossard: Eu sabia que ele estava com dificuldades. Nós víamos muitas pessoas enfrentando dificuldades em Seattle naquela época. Nós sabíamos que ele estava tentando ficar sóbrio. Mas você não pode realmente ser um viciado e ser superprodutivo. Bem, talvez alguém possa, mas ele não seria capaz de fazer isso, e nós não seríamos capazes de lidar com isso se ele fosse diagnosticado como um viciado, quero dizer, acho que teríamos que aceitá-lo como viciado e, tipo, celebrar isso de alguma forma, o que acho que nenhum de nós estava preparado para fazer.

Jeff Ament: Andy e eu estávamos malhando em uma academia na Pioneer Square. Acho que sua última estadia em uma clínica de reabilitação tinha sido há seis ou oito meses. Ele estava em um programa para ficar saudável e em forma para poder sair, fazer suas coisas e correr pelo palco. Naquela manhã nós devíamos nos encontrar para malhar, e ele ligou e disse: "Ei, cara, não estou me sentindo muito bem." Sua voz estava meio rouca. Pensando sobre aquilo agora, ele estava doidão, mas no momento eu não percebi. Ele parecia estar doente; nada demais.

Naquela noite, Greg, Bruce e eu fomos até o Oxford Bar para encontrar com um cara que possivelmente seria nosso *tour manager*. Tomei algumas cervejas e fui para casa de bicicleta e, quando cheguei lá, havia um bilhete esquisito na minha porta que dizia "Ei, acho que seu vocalista está com problemas". Eu entrei em casa e havia cinco mensagens da namorada de Andy, Xana, simplesmente histérica. Peguei minha bicicleta novamente, voltei ao Oxford e Greg e Kelly estavam lá. Nós todos entramos em um táxi e seguimos para o Harborview Medical Center, mas Andy já estava respirando por aparelhos. Depois disso, toda vez que pessoas começavam a se envolver com drogas eu desejava ter uma foto para mostrar de quando Andy estava no hospital, porque foi realmente horrível. Fiquei em negação por um tempo. Eu estava puto demais com ele e me desliguei do que tinha acontecido. Eu realmente não tinha a habilidade para lidar com algo desse tipo naquela época.

24 de março
Paramount Theatre, Seattle

A vida de Andrew Wood é celebrada em um funeral.

Mother Love Bone

Jeff Ament: As coisas começaram a mudar entre mim e Stone depois que Andy morreu. Eu me lembro de andar muito com ele, e algumas vezes não falar muita coisa. Ele não falava realmente sobre o fato de estar compondo algumas músicas, mas eu ouvia isso por outras pessoas.

21 de julho
The Gorge, George, Washington

Mike McCready tem um momento que o faz repensar sua vida vendo Stevie Ray Vaughan ao vivo. McCready tinha se mudado para Los Angeles há vários anos com sua banda Shadow em busca de um contrato de gravação, mas voltou para Seattle falido e desiludido com a possibilidade de ter uma carreira em música. Ultimamente ele trabalhava no restaurante italiano Julia´s, estudava no Shoreline Community College e quase não tocava mais guitarra.

Mike McCready: Naquela época eu estava muito deprimido com a vida. Eu não estava tocando. Eu tinha desistido. Enquanto Vaughan tocava, estava muito ensolarado. Mas assim que ele começou a tocar "Couldn´t Stand the Weather", umas nuvens imensas apareceram no céu e a chuva começou a cair com força. Quando a música acabou, a chuva parou! Foi como uma experiência religiosa, e isso me mudou. Isso me tirou do estado mental negativo em que eu estava e me fez tocar novamente. Agradeço a ele para sempre por isso.

Verão

Depois de se reencontrarem em fevereiro numa festa, Stone Gossard e seu velho colega do primeiro grau, Mike McCready, começaram a tocar juntos no porão da casa dos pais de Gossard. Pouco tempo depois, McCready estava fazendo campanha para outro velho amigo se juntar a eles.

Jeff Ament: Eu conheci Mike quando ele era do Shadow. O vocalista, Rob Webber, estava colocando sua roupa para um show do outro lado da calçada do restaurante em que eu trabalhava, então ele me convidou para ir ao show. Quando entrei, tinha um garoto pequeno e magrelo usando uma roupa de lycra folgada no palco, tocando um solo no estilo do de Eddie Van Halen em *Eruption* com o pé no retorno — arrasando. Mas eu pensei, isso é tão ridículo. Olhe para aquele garoto. Ele parece que tem 11 anos.

Eu falei "Cara, vou odiar esses sujeitos. Isso vai ser horrível", porque eu era mais do tipo punk rock hardcore naquela época. Com o passar dos anos, alguns dos amigos deles começaram a andar com alguns de nossos amigos e começamos a frequentar as mesmas festas. Mike sempre estava nessas festas tocando guitarra, simplesmente arrasando em riffs de Steve Ray Vaughan. Eu nunca tinha compartilhado o mesmo aposento com alguém que tinha tamanha destreza, ou que pudesse tocar blues daquele jeito. Depois que Andy morreu, ouvi dizer que Stone e Mike estavam tocando juntos, e falei "Isso é incrível". Tínhamos tido guitarristas bons antes, mas nunca contamos com um cara que pudesse sobressair daquela forma. Mike tem essa habilidade. Ele pode simplesmente mandar tudo para o espaço.

Mike McCready: Stone era o sujeito mais sarcástico e mordaz que eu conhecia. Quando ele aparecia, nos matava de rir. Jeff me disse que por ser de Montana, se alguém é sarcástico com você, você apenas lhe dá um soco, sabe? E acho que isso é o que quase aconteceu quando Jeff e Stone se encontraram pela primeira vez. Mark Arm interveio. Havia aquele sarcasmo profundo ou o tipo profundo de comportamento passivo-agressivo que rola, que provavelmente não era parte do mundo de Jeff Ament em Montana.

Stone e eu estávamos começando a tocar juntos, e me lembro de estarmos andando em um Rabbit da Volkswagen para levar nossas guitarras para serem reguladas. Tínhamos acabado de começar, apenas ele e eu, essa coisa do Pearl Jam e eu falei "Temos que botar Jeff nessa banda". E me lembro de Stone contrariado. Ele não gostava da ideia. Acho que eles tinham algumas coisas para conversar que não estavam resolvidas, certamente por causa da morte de Andy e toda aquela coisa do Love Bone. Mas sabendo como aqueles sujeitos trabalhavam bem juntos, vendo como eles lançavam discos, como eles se promoviam, como compunham músicas juntos, eu falei "Precisamos ter Jeff nessa banda". Eles saíram para jantar, e então a próxima coisa que percebi foi Jeff se aproximando, e falei (sussurrando) "É isso aí!". Espero ter sido importante. Eu insisti para que isso acontecesse.

Stone Gossard: Conheci Mike McCready provavelmente quando estava na sétima série. Ouvi falar de uma banda chamada Warrior e eram uns garotos que estavam na sexta ou sétima série, que tinham amplificadores Marshall e Flying Vs. E eu não podia acreditar nisso. Eu falava "Espere um minuto, esses caras já estão tocando em bandas?". Eu mal havia sido apresentado ao Led Zeppelin nessa época. Anos se passaram, e eu o vi acompanhando na guitarra alguns discos de blues em uma festa. Acho que ele estava improvisando em cima de Albert King ou algo assim. Essa não era realmente minha praia. Eu estava apenas olhando para meu passado e dizendo "Mike McCready! Eu o conheço. Ele é bom". Não pensamos muito sobre isso. Apenas fizemos. Nós nos encontrávamos de tempos em tempos antes disso, mas ele estava voltando a assistir a shows e estávamos correndo os mesmos círculos; então era natural que nos reconectássemos.

A única música que era do Love Bone era "Alive", naquele tempo chamada de "Dollar Short". Andy, na verdade, tinha uma letra para ela. Não acho que algum dia tenhamos gravado uma versão completa dela, embora possa haver uma gravação não autorizada desse trabalho. Acho que a tocamos em Portland. Era exatamente o mesmo arranjo de "Alive", mas Andy tinha uma letra completamente diferente para ela. Na maior parte eram meus arranjos e eu apenas os estava mostrando a Mike.

Jeff Ament: Alguns de meus amigos eram de uma banda chamada War Babies, cujo baixista não deu certo. E eu imediatamente fui recrutado para fazer alguns shows e gravar uma porção de músicas com eles. Àquela altura, eu pensei em talvez voltar à escola de arte. Eu achei que talvez a nossa única chance de ser uma banda de rock tivesse passado. Parecia impossível que o raio caísse novamente no mesmo lugar. Eu ainda sentia amor por fazer algum tipo de trabalho gráfico ou ser um pintor. Só fiz faculdade por dois anos, e de certo modo achei que isso tinha ficado inacabado.

Quando comecei a tocar com o War Babies, simplesmente me apaixonei por tocar música mais uma vez. Richard Stuverud — com quem eu ainda toco até hoje — era o baterista daquela banda, e nos divertíamos muito, cara. Nós nos encontrávamos cedo, retrabalhávamos as músicas e eu tocava para eles algumas músicas do Clash ou do Prince e dizia coisas tipo "Cara, vamos sair do domínio do AC/DC e dar um balanço meio funk, tipo Clash, e isso vai tornar a música mais interessante". Bem naquela época Stone disse "Ei, estou pensando em gravar umas músicas. Você quer tocar baixo nelas?".

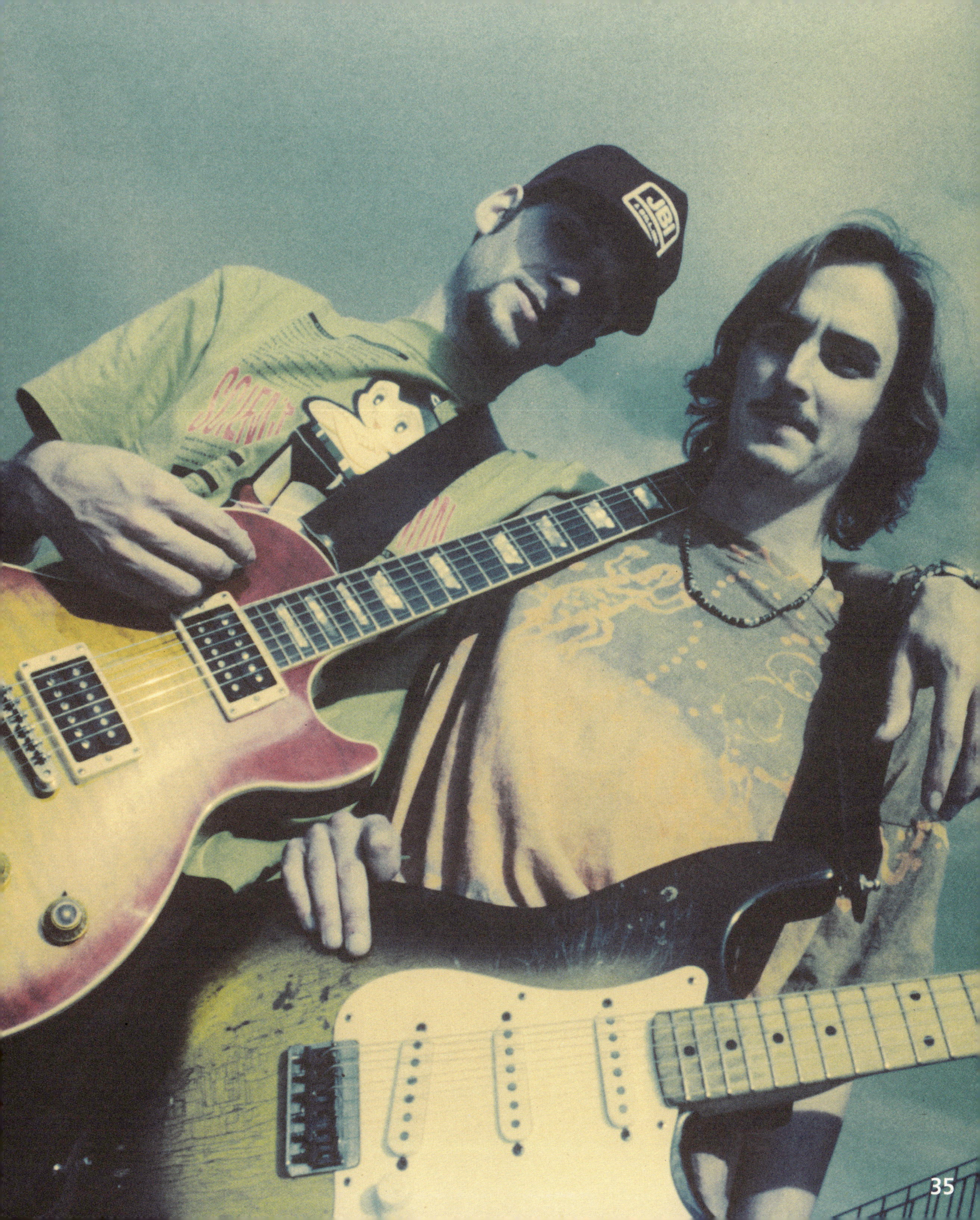

1990

Enquanto as coisas começavam a progredir um pouco, estávamos fazendo promoção para o disco do Mother Love Bone e andávamos bastante juntos. Eu sempre começava a dar pistas de que se iríamos fazer aquilo, eu queria fazer de uma forma melhor. Acho que nas bandas passadas em que estivemos havia muito comportamento passivo-agressivo e eu já estava cansado disso. Se fosse fazer parte de uma banda, já era velho o suficiente para querer fazer parte de uma banda com sujeitos com quem eu pudesse falar abertamente, em quem eu pudesse confiar. Nós saímos e jantamos no Queen City Grill, em Seattle, e expusemos um ao outro novos limites, princípios e coisas que esperávamos um do outro em termos de relacionamento. E isso foi muito importante. Foi a primeira vez em que fomos realmente honestos e abertos sobre como nos sentíamos.

Fim de julho

Eddie Vedder se junta a amigos músicos que moram em L.A., como Jack Irons, o ex-baterista do Red Hot Chili Peppers e então baterista do Eleven, e ainda Flea, Cliff Martinez e o guitarrista Dix Denney em uma viagem para acampar no Parque Nacional de Yosemite. Na viagem de volta para casa, Vedder escuta uma fita do Mother Love Bone pela primeira vez no carro de Irons.

Uma página do diário de Vedder datada de 23 de julho de 1990 diz: "'Bote-os para fora, chicote'. O sol está se elevando para nos saudar enquanto seguimos ao longo dessa estrada sinuosa para o norte na direção do nosso ponto de partida no Vale de Yosemite. Improvisamos uma sessão de quatro horas de sono em um fliperama em funcionamento. Velocidades de até 110 quilômetros por hora. O carro de Jack é grande... Muito grande e preto. Preto empoeirado. A grade da frente está quebrada, foi um acidente, que lhe dá um sorriso sem dentes. Sinto-me muito seguro nesse carro."

Jack Irons: Ele definitivamente ganhou a reputação de "Crazy Eddie" naquela viagem. Aquele tipo de energia aparecia nos primeiros anos de Pearl Jam, quando ele ainda era jovem e podia fazer aquilo a si mesmo. Ele estava apenas se divertindo e era bastante destemido.

Eddie Vedder: Aceitei cada desafio ao longo da trilha. Se havia um escorrega para descer, eu escorregava ainda mais longe. Fiz coisas que normalmente não faria, mas que tenho feito desde então. Aquilo me mudou. Certa vez eu estava num escorrega em uma pedra comprida. O cara do Thelonious Monster and the Weirdos, Dix Denney, estava na minha frente. Ele tinha começado de uma parte mais baixa do escorrega, e eu já tinha ganhado uma grande velocidade logo atrás dele. Para não atropelá-lo, desviei para a esquerda, me jogando em uma enorme e turbulenta corredeira que seguia fortemente o seu curso como sempre fez há anos e anos. Acho que ouvi todos os caras ao lado [faz um barulho de susto], apesar do som da corredeira, e soube que estava em apuros. Apenas segui adiante, enquanto todos ficaram paralisados sem conseguir me ver no meio da confusão. Finalmente, uns 20 metros adiante, eu saltei como uma rolha e todos aplaudiram.

Agosto

Sem um vocalista permanente ou um baterista a bordo, Ament, Gossard e McCready gravam no Reciprocal Studios, em Seattle, *demos* instrumentais das músicas que viriam a ser "Alive", "Once, Footsteps", "Black", "Breath", "Even Flow", "Animal" e "Alone". Matt Cameron, do Soundgarden, aceita o convite de Gossard para tocar bateria; o antigo colega de McCready no Shadow, Chris Friel, também toca bateria em algumas das faixas.

Matt Cameron: Achei que levaria muito tempo para que aqueles sujeitos ficassem bem. E fiquei surpreso e realmente inspirado pela rapidez com que eles voltaram a fazer mais música. Ao invés de deixar aquilo ser um evento que selasse seu destino de uma forma negativa, eles tiraram inspiração daquilo de alguma forma, embora talvez uma inspiração mais sombria. Eles continuaram a fazer música e, no fim das contas, foi então que comecei a tocar com aqueles sujeitos: em todas aquelas músicas que Stone tinha composto depois que Andy faleceu. Eu fiquei embasbacado por ver como a música era de certa forma diferente do Mother Love Bone. Ela tinha um pouco mais de ressonância emocional. Stone desenhava umas tabelas de acordes enormes que eram quase tão grandes quanto aquela parede, com, tipo, "G-B-E-D", só para que pudéssemos saber onde estávamos. Jeff e eu sempre zombamos dele por causa de suas enormes tabelas de acordes.

Durante uma viagem a Los Angeles, Ament e Gossard tinham dado uma fita cassete com cinco músicas das gravações recém-terminadas a Jack Irons, cujo estilo eles admiravam há muito tempo, com a esperança de que Jack se juntasse a eles na banda nascente.

Jeff Ament: Stone e eu decidimos que ajudaríamos a promover o disco do Love Bone quando ele saísse, e foi um processo um pouco árduo, porque você estava em L.A. dando entrevistas e falando sobre Andy. Todo mundo queria saber o lado sujo do que tinha acontecido e por que Andy tinha morrido. Mas nesse meio-tempo Stone tinha composto essas músicas, e consideramos que talvez quiséssemos continuar tentando fazer música. Então estávamos procurando um baterista e um vocalista. Jack Irons, que tocou no Chili Peppers, era um de nossos bateristas favoritos naquela época. E nos encontramos com ele com a ideia de tentar fazer uma banda existir ao redor dele. Nós o encontramos e jogamos uma partida de basquete com Jack, John e Dix Denney, dos Weirdos. Flea e acho que até mesmo Anthony Kiedis estavam lá. Naquele fim de semana dissemos a Jack: "Bem, se você não estiver interessado, se souber de algum outro baterista ou algum outro vocalista..."

Jack Irons: Minha mulher e eu decidimos que queríamos ter um filho. E essa proposta foi feita na época em que minha mulher ficou grávida e eu não tinha nenhum dinheiro. Me ofereceram uma turnê com o pessoal do Redd Kross, que estava disposto a me pagar mil dólares por semana por nove semanas. Eram nove mil a mais do que eu tinha, então disse "Certo. É isso que vou fazer". Então, bem naquela época, Stone e Jeff entraram em contato comigo. Eles estavam hospedados em um hotel em Los Angeles e perguntaram se eu podia ir visitá-los. Eu não conhecia o Mother Love Bone muito bem. Eu era um cara de L.A. e eles eram caras de Seattle. Isso foi bem antes de tudo começar a estourar e o som de Seattle passar a se tornar o som do mundo. Eles falaram "Você quer começar uma banda conosco?". E eu apenas disse "Não posso". Eles estavam interessados em mim porque fiz parte do Chili Peppers. Acho que foi isso que os atraiu a mim. Stone disse: "Bem, temos uma fita *demo*. Não quer escutar o material? E, claro, se souber de algum vocalista, passe adiante."

Meio de setembro

Enquanto estavam em Los Angeles para ir a uma convenção de rock da Concrete Foundations, Ament e Gossard convidam

1990

Vedder para ir a seu quarto no hotel Hyatt Regency para um breve encontro cara a cara, depois de Jack Irons lhes contar que ele poderia ser uma boa escolha para seu novo projeto. Em visita à cidade, vindo de San Diego, Vedder vai de carro da casa de Irons, em Los Angeles, até o hotel. Até hoje, nenhum dos principais envolvidos consegue se lembrar se Vedder já tinha recebido a *demo* instrumental ou se Irons deu a fita logo depois, antes de sair em turnê com o Redd Kross.

Jeff Ament: É possível que ele tivesse acabado de receber a fita e ainda não a tivesse escutado.

Eddie Vedder: Talvez eu lhes tivesse mandado a fita com meus vocais e eles ainda não tivessem escutado. Essa é a única coisa em que posso pensar.

Stone Gossard: Ed simplesmente apareceu e dissemos oi. Mas será que isso foi antes de lhe darmos a fita, ou depois que ele nos deu algo para escutarmos? Sei que Jeff e eu tivemos um encontro com ele antes de ele vir a Seattle.

Eddie Vedder: Uma coisa que me lembro de falar na reunião no hotel foi que eu sempre gostei de trios e quartetos. Em uma banda com cinco integrantes, começa a ficar difícil lembrar o nome de todo mundo. Isso é bem vergonhoso lembrando agora, mas eu disse "De forma alguma eu consigo tocar os solos, mas se vocês quiserem que seja um quarteto, eu poderia aprender as bases se Stone quisesse fazer os solos". Em essência, eu estava sugerindo que nos livrássemos de Mike McCready, embora, claro, eu não o conhecesse e não o tivesse visto tocar. Eu falei "Pessoalmente, sempre gostei de quartetos" sem saber que eu estava insultando não apenas o Mother Love Bone, como também sua nova banda [risos]. Eles provavelmente disseram "Uh. Quem é esse babaca?". Desculpe, Mikey!

13 de setembro

Adicionando seus vocais sobre as músicas instrumentais em seu gravador de quatro canais, as três composições de Vedder são uma mini-ópera chamada Momma-Son, consistindo das músicas "Alive", "Once" e "Footsteps". Em "Alive" o narrador é informado por sua mãe que o homem que ele achava que era seu pai na verdade não era — uma reviravolta que Vedder tinha experimentado em sua própria vida. Em *Once* o narrador se torna enlouquecido e homicida ("Once upon a time, I could control myself" [um dia já fui capaz de me controlar]), e ao chegar a "Footsteps" ele está refletindo sobre sua vida desperdiçada de uma cela na prisão. Naquele dia, Vedder tinha surfado na Pacific Beach, escrito as letras e então enviado as músicas, que ele havia gravado por cima de uma fita cassete do *Merle Haggard's Greatest Hits*, para Jeff Ament, em Seattle.

Eddie Vedder: Jack me deu a fita, as músicas instrumentais, e eu a levei para o trabalho e era o turno da meia-noite. Então escutei o material um monte de vezes e caí no mar no dia seguinte. Eu tinha que surfar. Aquilo estava na minha cabeça. E então eu escrevi, tipo, três músicas, acho que aquele dia, e enviei o material por volta de quatro horas, antes de ter que voltar ao trabalho, porque eu tinha um turno cedo naquele dia. A capa, fosse qual fosse, foi simplesmente rabiscada. Tinha o meu número de telefone nela, para o caso de eles quererem me ligar. Sutil. Tudo se juntou como uma peça, bem quando eu estava na água. Estava muito enevoado também naquele dia. Eu me lembro de que não dava nem para ver as ondas vindo. Não dava para ver a 6 metros de distância, então só dava para ficar esperando. E talvez eu estivesse um pouco afastado, porque eu apenas fiquei à deriva e talvez... agora que estou pensando sobre isso, não me lembro de surfar muito naquele dia. Só me lembro de estar lá na água. Não me lembro das ondas que peguei naquele dia. E, você sabe, surfistas se lembram de suas ondas. Eu não peguei nenhuma onda naquele dia a não ser, bem, uma — uma bem grande.

19 de setembro

A fita cassete de Vedder chega a Seattle e impressiona Ament, Gossard e McCready, que ligam para ele e o convidam a voar imediatamente para Seattle para um teste.

Jeff Ament: Recebemos uma fita que tinha "Alive", "Once" e "Footsteps". E elas estão praticamente da mesma forma que acabaram ficando no disco. Acho que ele simplesmente ficou acordado a noite toda e compôs essa trilogia louca de canções que se centravam num personagem em particular. Na primeira audição, eu pensei, uau, isso é bom mesmo. Escutei mais duas vezes e achei que era incrível. Então liguei para Stone e disse "Acho que você precisa vir até aqui e confirmar".

Stone Gossard: As escolhas de Ed foram definitivamente diferentes do que eu teria esperado. O material de Ed foi guiado pelas letras. Ele tinha que achar a melodia certa para que a letra tivesse um impacto. Acho que eu estava acostumado a vocalistas que apenas encontram a melodia primeiro e depois encaixam as palavras por cima.

Mike McCready: Acho que foi o destino ou algo assim. Tinha que ser algum tipo de sorte ou *timing*. Demos uma fita a Jack Irons e por acaso ele conhecia Ed de um acampamento. Um dia Ed foi surfar e fez letras para três músicas. Há algo a mais no universo acontecendo que vai além de qualquer planejamento. Porque você pode planejar o quanto quiser, mas a vida vai acontecer da forma que tiver que acontecer. Teve um sujeito que testamos antes, mas quando conhecemos Ed sabíamos que era ele. Não poderíamos ter planejado isso. De forma alguma. É simplesmente uma história fantástica o modo como tudo isso aconteceu.

Eddie Vedder: Todo o processo levou 12 horas. Eu podia não ter feito aquilo. Eu poderia ter deixado para lá e não ter escrito aquelas três músicas.

Jack Irons: Em algum momento da turnê do Redd Kross, ouvi dizer que Eddie já estava em Seattle. Foi simples assim.

Matt Cameron: Eis uma história engraçada. Nunca recebi uma fita de verdade das sessões que fiz com aqueles sujeitos. Depois que fiz as *demos*, não ouvi qual foi o resultado até Eddie chegar a Seattle e começar a trabalhar com a banda; foi aí que soube que eles tinham um novo vocalista. Quando fiquei sabendo da música que acabou virando "Alive" e escutei a gravação e a mixagem dela, achei que podia ser uma música muito, muito boa com vocais. Quando ouvi o que Eddie tinha feito com aquilo, era um complemento perfeito para a música que tínhamos feito. Alguns cantores apenas têm um instinto que não se pode ensinar. Senti uma conexão ali que parecia perfeita para a música.

7 de outubro
Pacific Amphitheatre, Costa Mesa, Califórnia

No dia anterior a sua primeira viagem a Seattle, Eddie Vedder vai ao festival Gathering of the Tribes, um evento musicalmente diversificado que precede o

Lollapalooza e é organizado por Ian Astbury da banda The Cult. O evento tem shows do Soundgarden, Iggy Pop, The Cramps, Ice T, The Indigo Girls e do Public Enemy, entre outros. Vedder assiste ao show do Soundgarden a 15 metros do palco. Ele não poderia imaginar que cerca de 24 horas depois estaria dividindo um microfone com Chris Cornell.

8 de outubro

Eddie Vedder chega a Seattle para tocar pela primeira vez com Ament, Gossard, McCready e o veterano baterista local recentemente incorporado, Dave Krusen. "Black", "Just a Girl", "Breath", "Alone", "Oceans" e "Release" estão entre as primeiras músicas trabalhadas em uma sala de ensaio no porão da Galleria Potatohead. Essa visita inicial dura sete dias, com Vedder voltando a San Diego de má vontade para honrar compromissos de trabalho em um posto de gasolina.

Jeff Ament: Eu me lembro de quando Ed veio à cidade pela primeira vez. Logo antes de entrar no avião para vir, ele disse "Quando chegar aí, quero que vocês me busquem e quero ir direto para o estúdio, não quero ficar enrolando. Quero apenas ligar os instrumentos e mandar ver. Não quero conhecer a cidade e não quero sair para comer nem nada assim". E foi basicamente isso o que fizemos naqueles primeiros cinco ou seis dias. Nós acordávamos, tomávamos uma xícara de café e íamos até o estúdio tocar, até ficarmos com fome. Então saíamos, comíamos um burrito vegetariano, voltávamos e continuávamos mandando ver. Às vezes, nos dávamos o luxo de ir até o Cyclops comer algo no jantar, tomávamos algumas bebidas e voltávamos, talvez trazendo uma garrafa de vinho conosco. Era um assunto de tempo integral. Eram 16 horas fazendo música, e fizemos isso durante cinco dias.

Eddie Vedder: Eu lembro de ter me identificado com Jeff no telefone e de conversar sobre a parte gráfica e sobre todas as responsabilidades que deve ter um integrante de uma banda. Esse não é um trabalho para preguiçosos, e não é uma coisa de astro do rock. É música, é arte. São todas essas coisas que temos em comum, que nos levaram a dividir o quarto quando começamos a excursionar. Nós simplesmente nos conectamos e nos tornamos muito próximos. Fiquei na casa dele na primeira vez que fui e ele aguentou um bocado, porque no começo foi um pouco difícil para mim ter que ir para lá. Ele era o xamã. Ele era a pessoa quem eu estava seguindo. Ele era como um lastro. Era bom ter alguém assim.

Stone Gossard: Bem, estávamos ensaiando. Você entra lá e passa a lista de músicas. Ed tinha cinco ou seis músicas, e nós tínhamos outras quatro ou cinco que estávamos preparando. Nós lhe mostrávamos algo e ele dizia "Vou ter algo para essa música amanhã". Jeff começa a falar imediatamente sobre fazer um show no fim da semana. Realmente não tínhamos tempo para começar a nos preocupar com o que seríamos, apenas que precisávamos de oito músicas. Estávamos apenas trabalhando duro; testando ideias, improvisando em partes e gravando. A personalidade totalmente empolgante de Ed não surgiu até excursionarmos por alguns meses. Quando começou a conhecer o público e a interagir com o ambiente, ele se transformou. Ele tinha uma voz incrível, e era batalhador e capaz de compor quando fosse necessário. Mas em relação àquela coisa de perder a cabeça, isso não aconteceu por um tempo.

Dave Krusen: Stone tinha algumas músicas que ele havia gravado em *demos* e começamos a trabalhá-las, mas também, ao mesmo tempo, estávamos trabalhando com material novo. Eddie tinha uma parte da letra de "Alive" e talvez mais alguma que ele já tinha escrito. Tão rápido quanto estávamos trabalhando naquelas músicas, outras músicas novas iam se formando. Foi a coisa mais rápida e mais criativa de que eu já fiz parte. Era tão veloz, e as ideias estavam fluindo tão rápido. Apenas me lembro que Eddie tinha papéis espalhados por todo lado e ficava o tempo todo rabiscando ideias de letras.

Mike McCready: Metade da cabeça de Eddie estava raspada e ele estava vestindo uma camiseta do Butthole Surfers, com uma bermuda, botas Doc Martens e uma jaqueta de couro. Eu estava animado para conhecê-lo, porque quando o escutei pela primeira vez na *demo*, falei "Quem é esse cara? Ele é de verdade?" Era bom demais para ser verdade. Na minha cabeça, "Alive", "Footsteps" e "Once" soavam bem.

13 de outubro

A nova banda grava dez músicas ("Even Flow", "Once", "Breath", "Release", "Just a Girl", "Alive", "Goat", "Alone", "Oceans" e "Black") e um punhado de improvisos e ideias inacabadas, incluindo uma que mais tarde se tornaria "Yellow Ledbetter", ao vivo para fita de áudio digital para registrar oficialmente a primeira semana juntos.

Jeff Ament: Nós gravamos dez músicas e isso acabou sendo a base do primeiro disco. Então aquela primeira semana foi muito boa!

14 de outubro

Depois de ter sido advertido repetidamente por Vedder para não se atrasar, Mike McCready busca o vocalista às cinco da manhã e o leva ao aeroporto Sea-Tac para seu voo bem cedo para voltar a San Diego. Naquela noite, Vedder trabalha nos bastidores para a produtora de eventos Avalon Attractions em um show de James Taylor no Open Air Theatre, no campus da San Diego State University. Cinco ou seis dias depois, ele volta a Seattle para continuar o trabalho com Gossard, Ament, McCready e Krusen.

22 de outubro
Off Ramp, Seattle

A nova banda, temporariamente chamada de Mookie Blaylock, depois de um dos cards do jogador do New Jersey Nets aparecer na caixa da fita das demos instrumentais, faz seu primeiro show diante de aproximadamente duzentas pessoas. O setlist consiste de "Release", "Alone", "Alive", "Once", "Even Flow", "Black", "Breath" e, como bis, "Just a Girl", que apareceria apenas mais uma vez em um setlist do Mookie Blaylock ou Pearl Jam.

Jeff Ament: Foi realmente intenso. Foi muito introvertido, porque tudo era muito novo e queríamos ter certeza de que estávamos tocando nossas partes direito. Acho que Eddie estava surtando um pouco por estar cantando em frente a esses caras que eram de uma grande banda de Seattle. Todos estavam realmente nervosos, apesar de não ser um show grande. Foi bem simples, mas a sensação de subir lá e tocar foi boa.

Dave Krusen: No primeiro show, me lembro de estar realmente nervoso, principalmente porque as músicas foram trabalhadas tão rápido que eu estava preocupado com a possibilidade de esquecer uma parte. Eu me lembro de ter ficado muito animado para fazer o show. Eddie estava muito tímido naquele primeiro show. Ele estava com um

T-Shirt design by Jeff Ament

gorro puxado sobre seu rosto, basicamente. A primeira noite foi muito controlada se comparada com a forma como aquilo acabou progredindo.

Stone Gossard: Kim Thayil, do Soundgarden, veio falar comigo depois do show e disse que tinha gostado particularmente da música "Evening Flow". Você sabe como a noite apenas flui? [Risos]. Havia provavelmente 150 pessoas lá, mas não me lembro de nada além disso. Acho que não sabíamos tocar nossas músicas muito bem.

Mike McCredy: Eu me lembro de não querer fazer o show, porque Jeff e Stone ainda tinham contrato com a PolyGram. Achei que se mostrássemos às pessoas como éramos bons, eles não os deixariam sair do acordo. Então achei que era uma ideia ruim, mas Stone disse "Ah, foda-se. Vamos tocar". Randy Johnson, o famoso lançador do Seattle Mariners, estava lá. Assim como os caras do Soundgarden. Estava realmente cheio. O lugar era um muquifo. Mas foi muito empolgante. Abrimos com "Release" e me lembro que isso foi estranho, porque achei que deveríamos começar com algo mais pesado. A intenção de Ed era atraí-los lentamente. O lugar era muito pequeno, estava quente, foi muito divertido e acabou realmente rápido. Eu me lembro de Ed estar muito, muito tímido e apenas ficar parado. Também me lembro de perceber que meus sonhos estavam começando a se tornar realidade.

Chris Cornell: Sem dúvida, aquele foi o melhor show inaugural que vi em toda a minha vida. Fácil, sem comparação. E isso não tem nada a ver com a minha percepção de como eles são bons como uma banda ao vivo hoje em dia. Eu me lembro exatamente do que estava pensando na época, e era que eles eram absurdamente maravilhosos. A única outra coisa que me lembro sobre aquele show é de ficar parado ao lado de Kelly Curtis, que tinha passado o inferno com o que aconteceu com Andy. Ele estava radiante e disse "Bem, sou um cara feliz nesse exato momento". Ele sabia e eu sabia que tínhamos visto um show incrível e que o Pearl Jam era uma banda fenomenal.

Nancy Wilson: Eddie estava cantando muito bem, mas ficou olhando para os pés a maior parte do show. Ele realmente tinha se afundado diante de uma plateia grande de Seattle. Eles tinham acabado de perder Andy Wood, então as pessoas procuravam um substituto. Eles estavam parados e o julgavam. Tenho certeza de que ele foi quem sofreu mais com isso. Ele queria ser digno de alguma forma. Seu espírito estava vindo de um lugar tão emocionalmente honesto e poderoso, e ele navegava aquilo como um verdadeiro surfista.

23 de outubro

Depois de uma segunda semana de ensaios e de sua estreia ao vivo, os integrantes do Mookie Blaylock se juntam na Galleria Potatohead para gravar novas versões das mesmas dez músicas e outras sobras que tinham gravado no dia 13 de outubro. A banda então segue para o Seattle Kingdome para assistir a um jogo de basquete da pré-temporada da NBA entre Seattle Supersonics e Chicago Bulls. Chicago ganha por 102 a 90.

Última semana de outubro

Com Vedder ainda em Seattle por mais alguns dias antes de voltar a San Diego, Stone Gossard e Jeff Ament vão a Nova York. Lá eles se encontram com o representante de A&R do Mother Love Bone, Michael Goldstone, que tinha sido recentemente trazido para a Epic pela vice-presidente executiva da Sony Music, Michele Anthony, que tinha sido a advogada do Mother Love Bone. O empresário Kelly Curtis, também na viagem, sofre um pequeno contratempo:

Jeff Ament: Stone e eu íamos encontrar com Michele e Michael para jantar, mas Kelly não apareceu. Ele foi apanhado andando pela rua porque a polícia achou que ele se parecia com um criminoso procurado! Isso foi antes de existirem telefones celulares, então ficamos pensando "Que porra aconteceu?". Não descobrimos até a manhã seguinte.

Kelly Curtis: Não fui preso, mas fiquei em uma cela por umas duas horas até ser colocado em uma fila para identificação. Foi a coisa mais esquisita do mundo. Eram todos sujeitos baixos e carecas. A polícia nunca me falou nada. Simplesmente fui liberado depois da identificação. Aqueles sujeitos continuaram sem mim, com certeza.

Mais tarde na mesma viagem, Curtis negocia com sucesso a liberação de Gossard e Ament de seu contrato com a PolyGram, abrindo caminho para que sua nova banda assinasse com a Epic.

Kelly Curtis: Rick Dobbis estava à frente da PolyGram há pouco tempo naquela época. Então nós pensamos: há um sujeito novo aqui que não tem nenhuma história conosco, talvez se implorássemos para sermos liberados, ele simplesmente nos liberaria. Contratamos o advogado, um sujeito chamado Richard Lehrer, que tinha negociado o novo contrato de Dobbis. Achamos que existiria uma relação: tipo, pelo menos esse advogado conhecia esse cara e nos ajudaria. Tínhamos uma história longa quando estávamos tentando arranjar dinheiro pra gravar demos e a PolyGram não nos dava nada, mas ainda estávamos ligados por contrato a eles. Jeff, Stone e eu fomos lá e perguntamos se podíamos, por favor, ir embora. Nosso vocalista tinha morrido e nada estava acontecendo. Não lhe contamos que tínhamos encontrado o vocalista mais incrível e que tínhamos um disco quase pronto. Michael tinha saído da PolyGram àquela altura e Michele tinha ido para a Sony. Ele disse "Sim, eu os libero". Nós íamos encontrar Michele e Michael no centro da cidade em um restaurante para celebrar. Stone, Jeff e eu estávamos no restaurante e Rick Dobbis entrou. Achamos que isso fosse botar tudo a perder. Ele veria que estávamos falando com a Sony e então voltaria atrás no nosso acordo. Ele veio até nós e perguntou como estava nosso jantar, e dissemos que estava ótimo, embora não tivéssemos comido nada; tínhamos apenas pedido cervejas. Um de nós teve que sair e acenar para que Michael e Michele fossem embora.

Michele Anthony: Quando me juntei à Sony, uma das primeiras coisas que fiz foi trazer Michael Goldstone. Quase imediatamente começamos a traçar um plano para trazer a nova banda de Jeff e Stone para o selo. Existia um sentimento muito forte de uma família unida naquilo, mesmo antes de eles chegarem.

13 de novembro
Off Ramp, Seattle

Formado como um tributo ao falecido Andy Wood, O Temple of the Dog — um híbrido do Mookie Blaylock com o Soundgarden, que contava com Jeff Ament, Stone Gossard, Mike McCready, Chris Cornell e Matt Cameron — faz seu primeiro e único show completo enquanto estava no meio da gravação de seu álbum de estreia.

Jeff Ament: Fizemos só uns dois ensaios, então estávamos totalmente focados em tocar as músicas direito.

Mike McCready: Cara. O solo é muito avacalhado em "Reach Down"!

Dezembro

Eddie Vedder junta todos os seus pertences em sua caminhonete e se muda permanentemente de San Diego para Seattle, onde se alterna entre dormir no porão de Kelly Curtis e na sala de ensaio da banda.

Stone Gossard: Quando estava vindo da Califórnia uma vez, ele fez um desenho para mim em um voo. Acho que era um poema. Eu pensei "Acho que ninguém nunca me deu uma obra de arte". A sensibilidade dele para esse tipo de coisa era tão grande. Passava muito longe do que eu conseguia compreender. Acho que levou anos para que eu entendesse Eddie. "Release" — ele estava realmente vindo de um lugar diferente que eu não entendia completamente.

Jerry Cantrell: Eu estava morando naquela época com Kelly Curtis e sua mulher. Eles me adotaram e fiquei morando em seu porão. Eu me lembro quando Eddie apareceu. Ele estava ficando na casa também, então ambos ficamos acampados no porão por um tempo. Eu realmente gostei dele logo de cara.

16 de dezembro

O Mookie Blaylock é entrevistado na estação de rádio de Seattle KISW-FM. Durante o bate-papo, a banda explica como encontrou Eddie Vedder e acaba oferecendo brindes para as pessoas que ligavam sugerindo nomes para a banda. Além disso, distribuíram ingressos para o show na semana seguinte, quando abririam para o Alice in Chains no Moore Theatre. A *demo* de "Once" é tocada no fim do bloco.

19 de dezembro
The Vogue, Seattle

O Mookie Blaylock faz seu segundo show ao lado das bandas Bathtub Gin e El Steiner.

Eric Johnson: Nos dois primeiros shows, Eddie estava bastante tímido. Ele também tinha uma aparência um pouco diferente da aparência dos sujeitos de Seattle. Ele usava bermuda, então parecia um surfista. No entanto, sua voz já era incrível desde o início. Todos na cidade conheciam Jeff e Stone. Mas Eddie era um sujeito totalmente novo, e muitos olhos estavam sobre ele.

22 de dezembro
Moore Theatre, Seattle

O Mookie Blaylock abre para o Alice in Chains. No fim do set, Chris Cornell se junta à banda no palco para tocar duas músicas do disco do Temple of the Dog, culminando com ele levantando Eddie Vedder sobre seus ombros.

Chris Cornell: Eddie estava nos meus ombros e acho que nós dois estávamos escalando as vigas. Eu me lembro de estar correndo e de ele gritar comigo porque não era muito confortável correr com alguém batendo com o ombro na sua barriga.

Jerry Cantrell: Chris era esse tipo de sujeito. A maioria de nós em Seattle sempre deu muito apoio uns aos outros. Não existia muito essa coisa de falar mal ou tentar derrubar os outros. Era uma admiração mútua. E o que Chris fez foi admirável, ele amava aqueles sujeitos.

Nancy Wilson: Em Seattle, há um senso de comunidade que não é competitivo. É algo iluminado, na minha opinião. Chris Cornell poderia ter afastado Eddie e dito "Não, o Soundgarden vai ficar com toda a glória agora". Mas ele subiu no palco com o recém-chegado e lhe passou confiança. Isso ajudou as asas de Eddie a crescerem bem rápido.

31 de dezembro

Os integrantes do Mookie Blaylock, acrescidos de amigos do Soundgarden e do Alice in Chains, celebram a chegada do Ano Novo com um sarau à moda antiga no rancho do jornalista e cineasta Cameron Crowe e de sua esposa, Nancy Wilson, do Heart, nos arredores de Seattle. Uma parte do grupo volta à cidade para uma festa que conta com o show da popular banda dos anos 1980, The Romantics, organizada por amigos de Kelly Curtis da cena local de produção de shows. Um integrante do Mookie Blaylock que não terá seu nome revelado bebeu um pouco demais, incitando os outros a cunhar a frase "Não há nada como champanhe grátis".

Nancy Wilson: Fizemos como os índios costumavam fazer: nos sentamos em uma roda e tocamos instrumentos acústicos, nos lembrando de canções que conhecíamos ou inventando canções novas. Eu me lembro de ir dormir logo antes do sol nascer. Na tarde seguinte, fui até a cozinha e lá estava um bilhete de Jerry que dizia "Olhe para o elefante". Eu tinha um pequeno elefante mecânico de dar corda que rodopiava; foi um presente de Chris Cornell. Aparentemente, Jerry tinha ficado obcecado com ele durante a noite, e pela manhã ele estava dando champanhe aos cavalos.

45

Temple of the Dog

A morte de Andy Wood por overdose de heroína em março de 1990 teve um impacto cataclísmico na cena musical de Seattle, que tinha nutrido suas ambições musicais até a beira do estrelato. Para Jeff Ament e Stone Gossard, isso não só significou a perda de um de seus melhores amigos, mas também o fim do Mother Love Bone, a banda à qual eles tinham devotado os últimos dois anos de suas vidas.

Chris Cornell, que dividia o apartamento com Wood e era a pessoa com quem ele falava sobre música, recebeu a notícia de que o amigo tinha sofrido uma overdose enquanto estava em Nova York, a caminho de Seattle, na volta de uma turnê europeia do Soundgarden. Wood estava sendo mantido vivo por aparelhos, mas os médicos informaram sua família que ele nunca recobraria a consciência.

"A namorada de Andy, Xana, disse 'Vocês não podem desligá-lo até Chris chegar aqui'", lembra Cornell. "Então imediatamente peguei um avião para Seattle e entrei, sem dormir, num quarto de hospital com seus parentes mais próximos, a maioria dos quais eu nunca tinha visto, além dos integrantes de sua banda e de todos seus amigos e irmãos.

"Até aquele momento, a vida era muito boa para nós. Éramos apenas um grupo de músicos reunidos, fazendo música. Vivíamos fechados em nosso mundo. Tínhamos apoio e apoiávamos uns aos outros. Andy era como um raio de luz sobre aquilo tudo. Acho que vê-lo ligado a aparelhos fez com que aquele cenário perdesse a sua inocência."

O Soundgarden precisava voltar à Europa para mais shows quase imediatamente, e Cornell começou a canalizar seu pesar em novas músicas, escrevendo duas canções sobre Wood chamadas "Say Hello 2 Heaven" e "Reach Down". "Nós éramos invencíveis", diz ele. "Ninguém ia morrer e, se alguém fosse morrer, não seria ele. E se fosse acontecer, não ia acontecer daquela forma. O impossível repentinamente estava acontecendo de forma irrevogável na nossa frente e estávamos todos sentados ali sem nenhuma ferramenta para lidar com isso. Acho que é daí que as canções vieram, porque as semanas seguintes foram simplesmente um horror."

Em "Reach Down", Cornell imaginou que ele estava "criando um diálogo" entre ele mesmo e Wood. Wood "estava me dizendo que tudo estava bem. Eu visualizava o momento em que ele realizava seu sonho, que era estar em um palco tocando diante de uma plateia do tamanho do US Festival: 'Reach down, pick the crowd up, carry it back in my hands.' Ele está esticando seus braços na direção das enormes multidões de fãs adoradores e os puxando até ele, e agora o círculo estava fechado e ele tinha alcançado seu sonho".

Cornell rapidamente reconheceu que não tinha um próximo passo em mente para o que estava compondo. "Eu pensava 'Por que estou compondo essas músicas e o que eu posso fazer se elas absolutamente não soam para mim como músicas do Soundgarden?'. Porque não soavam", diz ele. "Eu apenas tinha essa noção de que elas seriam ótimas como tributo a Andy, simplesmente para tentar fazer as pessoas pensarem nele. Talvez eu pudesse gravar aquelas duas canções com os integrantes do Mother Love Bone e poderíamos lançá-las como um single", possivelmente no selo local Sub Pop Records.

Naquele verão, quando chegou em casa após uma viagem para o exterior, Cornell gravou *demos* das duas faixas, copiou-as em uma fita cassete para Gossard e Ament e a deixou no escritório de Kelly Curtis. "E então acho que simplesmente fiquei com medo. Não corri atrás daquilo nem um pouco", ele admite. Várias semanas depois, Ament ligou e manifestou sua aprovação total do trabalho em progresso.

"Ele foi muito lisonjeiro com relação às músicas e extremamente encorajador", diz Cornell. "Isso me deu a confiança para dizer que talvez devêssemos gravar. Jeff não foi hesitante. Ele falou 'Sim, poderíamos fazer isso. Talvez pudéssemos compor mais uma canção ou duas e tocar músicas solo do Andy para as pessoas poderem ouvi-lo'. Isso foi muito empolgante para mim, as pessoas iriam ouvir as músicas do Andy. Era a minha missão.

"Acho que Stone gostou mesmo da ideia, e imediatamente recebi notícias de Jeff. Ele disse que tinha ouvido algumas reclamações por parte da família e dos amigos de Andy. Eles expressaram a preocupação de que talvez estivéssemos tentando explorar Andy. E isso não foi muito legal. Jeff respondeu algo como 'Bem, foda-se. Nós simplesmente faremos nosso próprio disco'. Ele disse isso do mesmo jeito que Andy provavelmente teria dito. Era tudo de que precisávamos, alguém para dizer 'Não, vamos simplesmente fazer isso'. Trabalho muito bem nesse tipo de ambiente. Se há encorajamento e paixão por trás de algo, eu trabalho de forma incansável. Então simplesmente comecei a fazer aquilo, escrever mais músicas."

A animação de Ament com relação ao projeto também era fruto de seu interesse em ajudar Cornell a fazer música que soasse diferente do Soundgarden. "Eu amava o Soundgarden, mas vi uma oportunidade de nós sermos a banda de Chris e fazermos algo tão louco quanto fosse possível", diz ele. "Decidi tocar baixo fretless em grande parte do material, para fugir um pouco da coisa do 'rock'. Há muitos harmônicos e estilos esquisitos de tocar. A forma como Chris compôs as músicas fazia parecer que ele queria que aquilo fosse um pouco mais como um projeto de arte."

Simultaneamente, Ament, Gossard e McCready estavam tocando o material que ia acabar aparecendo na estreia do Pearl Jam, *Ten*, que para Cornell parecia formar um conjunto tanto musicalmente quanto emocionalmente com suas novas criações como "Wooden Jesus" e "Your Saviour". Mas houve um contratempo momentâneo quando Cornell percebeu que havia tido uma experiência desagradável anos antes envolvendo a banda anterior de McCready, Shadow.

"Originalmente pensei que seria apenas o Mother Love Bone e eu", diz ele. "Acho que Jeff me contou 'Stone tem um cara, Mike McCready. Ele é um ótimo guitarrista'. Então o volume diminuiu um pouco: 'Ele é de uma banda chamada Shadow', talvez esperando que eu não fosse me lembrar do nome. Na verdade, antes de conhecer qualquer um no Soundgarden, eu estava dando uma olhada na *Rocket*, a revista mensal que tinha anúncios de vagas em bandas. Nela, em algum lugar tinha uma banda chamada Shadow; eles precisavam de um vocalista. Eu liguei para o sujeito; não era McCready. Dirigi até sua casa em Bellevue e ele me deu uma fita cassete. Ele morava com os pais. Não senti uma vibração boa vinda dele. Coloquei a fita e não senti uma vibração boa vinda da fita. Depois me lembro que recebi uma ligação do cara, que disse que queria a fita cassete de volta. Queria que eu cruzasse o lago de carro novamente. Eu disse 'Não, sinto muito, eu realmente não quero entrar para a banda'. E ele disse 'Bem, eu quero minha fita de volta'. Sério? Sua fita cassete de baixa fidelidade sem etiqueta? Você precisa disso de volta mesmo, não é? Então me lembrei dessa atitude quando ouvi o nome 'Shadow', mas eu confiava em Stone. Não tinha como esse cara não ser bom."

Com McCready e o baterista do Soundgarden, Matt Cameron, que também tinha tocado nas *demos* feitas por Gossard, Ament e McCready, a bordo, os ensaios iniciais para o projeto inspirado por Wood ocorreram no começo de outubro na galeria de arte Galleria Potatohead na Segunda Avenida, no bairro de Belltown de Seattle. Quando ficou claro que havia material suficiente para um álbum inteiro, os músicos, agora se chamando de Temple of the Dog por causa de um trecho da letra da música "Man of Golden Words", do Mother Love Bone, se mudaram para o London Bridge Studios para começar o trabalho.

"Provavelmente tivemos quatro ensaios do Temple", diz Gossard. "As músicas que Chris compôs estavam boas, e eu tinha três arranjos que também se tornaram músicas do Temple, incluindo uma que Jeff escreveu comigo, 'Pushing Forward Back'. Chris é simplesmente um mestre e já era um profissional naquela época. Ele apenas pegou aqueles arranjos, os juntou e começamos a gravar."

Querendo que a música representasse a imagem de Wood tocando para um público gigantesco de um festival, Cornell tinha concebido os 11 minutos de "Reach Down" como "um opus de guitarra à la Neil Young; um 'foda-se' para o mundo de pessoas que não quer ouvir um solo de guitarra". Quando McCready tentou um solo anormalmente tímido durante um dos primeiros ensaios, Cornell o incentivou a ir mais fundo e se soltar.

"Eu falei 'Vamos chegar no solo de novo e vou sair da sala quando ele começar. Apenas continue solando até eu voltar. Não pare até você me ver'. Saí por um tempo realmente longo", diz ele. "Dava para dizer ao escutar aquilo que todo mundo tinha ficado sem ideias, e eles apenas estavam torcendo para aquilo acabar. Então deixamos rolar e não a tocamos novamente até estarmos no estúdio. Acho que fiz a mesma coisa no estúdio — apenas saí e voltei. Estávamos gravando e estava bem na hora do solo de guitarra. Ele começa a tocar e nada acontece. Nós falamos 'Não, não, não, não, não. Essa é a sua hora de brilhar'. E ele tocou de novo e eu comecei a pensar: talvez ele não seja incrível. Todos nós nos juntamos em volta dele em um momento e dissemos 'Você está sendo educado. Esse é o momento para você quebrar essa porra toda'. E então ele saiu do sério. Dá para ver que ele estava tentando lembrar cada truque que já tinha aprendido. Cinquenta segundos do solo se passavam e ele tentava barrar o que tinha feito anteriormente, e continuou nessa até que seu fone voou de seus ouvidos. No último minuto do solo, ele estava tocando sem escutar a música. Foi a primeira vez que eu acho que qualquer um deles viu isso. Nós falamos 'Puta merda! Ele está alucinado. Ele tem problemas que surgirão novamente, então boa sorte, rapazes. Mas isso foi incrível'."

Ament diz que gosta de "Reach Down" porque consegue visualizar tanto Wood quanto Cornell como o tema da música. "Andy era o cara que estendia a mão e te ajudava a levantar", diz ele. "Mas de certa forma, Chris era o cara que estava nos apoiando, fazendo o possível para erguer a mim e a Stone, dizendo 'Vamos lá, rapazes'. Isso foi muito importante para mim na época. Mesmo quando resolvemos voltar a tocar juntos, eu não estava cem por cento certo de que era isso o que eu queria fazer, e acho que Stone também não estava. Ser capaz de tocar com todos esses músicos maravilhosos teve um grande impacto sobre mim em termos de decidir se eu ia fazer música novamente ou se ia voltar para a escola de artes. Então, obrigado, Chris e Matt."

A música que se tornaria o destaque do álbum, "Hunger Strike", nasceu do admitido ódio compulsivo-obsessivo de Cornell por números ímpares. A certa altura durante o processo de composição, havia nove músicas completas "e eu odiava isso", diz ele. "Então eu tinha essa outra canção que escrevi rapidamente para que pudéssemos ter dez, porque eu simplesmente preciso ter dez. E essa era "Hunger Strike".

"A música basicamente tinha um verso, e alguns acordes e um refrão que se repete. Acho que foi a única música na minha vida que escrevi chapado, porque isso nunca funcionou para mim. Nunca fui um grande maconheiro. Mas eu tinha fumado maconha por um motivo qualquer e estava brincando com o arpejo e simplesmente pensei na melodia. Escrevi a letra muito rápido. Eu não conseguia escrever mais nada naquele conceito. Aquela estrofe era tudo. Ela dizia tudo que você podia dizer sobre aquele sentimento. Eu devo ter tentado escrever uma segunda estrofe, mas provavelmente ficou horrível, portanto apenas achei que estava pronto e que aquela seria uma música com um arranjo esquisito que seria uma faixa para colocar no fim do disco.

"Eu estava tentando expressar minha gratidão pela minha vida, mas também o desprezo pelas pessoas que não acham que isso é suficiente, as que querem mais. Normalmente não há como ter muito mais do que você precisa sem tirar de outra pessoa que não tem como lhe dar aquilo. Diz respeito a tirar vantagem de uma pessoa ou de pessoas que realmente não têm nada."

No mesmo dia em que Eddie Vedder chegou a Seattle para tocar com seus futuros parceiros de Pearl Jam pela primeira vez, Cornell tinha agendado um ensaio do Temple of the Dog. Tirando o momento que deu um oi rápido para Cornell no corredor,

Vedder ficou em seu canto enquanto a banda passava suas músicas. Mas quando eles começaram a tocar "Hunger Strike", Vedder deu um passo que mudaria sua vida para sempre.

"Então estávamos no ensaio e lhes mostrei a música e chegamos até o refrão", diz Cornell. "Tem uma parte grave e uma parte aguda. Vou cantar as duas agora, para eles entenderem. É a magia dos *overdubs*, eu posso cantar as duas partes e o som vai ficar ótimo. Nenhum problema. Então eu estava cantando: *Going hungry, going hungry, going hungry*. Eu não estava cantando bem. A parte aguda é difícil de cantar mesmo, mas eu estava conseguindo. De repente, sinto uma presença sombria por cima do meu ombro. Há apenas um microfone, e o refrão começa novamente e ele entra para me dizer que tem um plano. E eu não o conheço. Nós tínhamos nos cumprimentado. E aquilo não foi de uma forma intrusiva ou egoísta. Era literalmente quase como se ele tivesse pena de mim e estivesse apenas tentando me ajudar a passar por aquele momento, porque eu estava tendo dificuldades. Então ele canta o *Going hungry, going hungry, yeah*. Eu cantei a parte aguda e então ele cantou novamente. De repente uma lâmpada se acendeu em minha cabeça e eu pensei 'Porra, a voz dele é incrível naquele tom profundo. Na parte grave em que estou cantando minha voz não está tão convincente'. Eu pensei 'Espere um minuto. E se eu cantasse a primeira estrofe sozinho, apenas a guitarra e eu, e então a banda entrasse? Ele canta, é a mesma estrofe, mas é uma voz diferente, então vai ser como uma canção de verdade, com duas estrofes'.

"Naquele momento, ainda na minha mente, eu pensava 'Essa vai ser simplesmente uma música número oito melhor', sabe? Acho que tive que copiar a letra e a tentamos ali e ela ficou boa imediatamente. Ela foi de 'Oh, sim, ela funciona, gostamos dela' a 'Essa é, tipo assim, uma canção realmente incrível'. O vocal de Eddie mudou o sentimento da letra também. De repente ficou mais gospel. Ela se tornou mais significativa para mim. Naquele momento achei que era porque outra pessoa a estava cantando.

"Acho que esse foi o momento em que achei que o conhecia", diz Cornell. "Sou um cara que está sentado aqui tentando produzir um disco e tenho essa música que eu quero que soe muito bem e não quero passar vergonha, e ele simplesmente a fez soar melhor do que eu estava fazendo sozinho."

Vedder diz que ele podia ouvir Cornell tentando cantar as duas partes e no meio da música, "eu me adiantei e mandei ver. E me lembro de ficar um pouco nervoso por fazer isso, mas ele ficou realmente feliz com a forma como a coisa acabou soando, o que foi ótimo. O fato de ele ter pedido para eu cantar no disco, quero dizer, era a primeira vez que eu participava de um disco de verdade. Então essa pode ser uma de minhas músicas favoritas que já cantei; aliás, com certeza a mais significativa. Era a primeira vez me escutando em um disco, e era uma música tão maravilhosa".

"A verdade é que ele canta harmonias de forma fantástica", Gossard divaga. "O melhor cantor de backing vocals de todo o rock, Eddie Vedder. Aquilo foi a coisa mais fluida e musical com que qualquer um de nós já tinha se envolvido, e que simplesmente na mesma hora soou bem. E ainda hoje esse é provavelmente um daqueles momentos. Quando tudo o que acontecia era mágico. Pegue a composição de Chris Cornell e sua voz e suas letras, e Matt Cameron, então eles perguntam se queremos fazer parte daquilo... Estávamos simplesmente no paraíso naquele momento. Chris já tinha nos pedido para tocar em suas músicas, então fazer um convite para Ed participar foi apenas outro gesto enorme, gracioso e generoso que dizia 'Não vou apenas ajudá-los com esse disco e essas músicas que escrevi, mas também vou escrever algumas letras para algumas músicas que vocês compuseram, Stone e Jeff, e vou até mesmo pedir para o seu novo vocalista, cuja voz eu ainda nem escutei de verdade, para cantar nela também.'"

Cameron acrescenta: "Eddie não apenas se impôs na ocasião, mas ele também igualou o talento de Chris e Stone no estúdio e entendeu o tipo de disco que estávamos fazendo — uma coisa muito difícil para alguém de fora da nossa cena se relacionar àquela altura."

Apesar de não saber na época, a junção de Eddie com o mundo do Temple tinha começado no último mês de setembro, quando ele recebeu uma fita cassete que tinha três músicas instrumentais gravadas por Gossard, Ament e McCready de seu amigo Jack Irons. Ele gravou por cima da fita suas próprias letras e melodias vocais, transformando a faixa que Gossard tinha intitulado "Troubled Times" na canção "Footsteps" — e, no processo, garantindo o teste em Seattle. Na mesma época, Cornell, sem saber da existência de Vedder, muito menos do fato de que ele tinha as mesmas músicas em suas mãos, escreveu uma canção totalmente diferente a partir da música instrumental e chamou de "Times of Trouble". Essa música apareceu no disco do Temple of the Dog. Talvez para não confundir as pessoas, o Pearl Jam não divulgou "Footsteps" até a primavera de 1992.

À medida que Vedder se familiarizava com a cena musical de Seattle nos dias que se seguiram, Cornell foi se tornando um guia e uma companhia constante. Na primeira noite em que eles saíram juntos, Vedder se lembra de terminar "em um pequeno parque com ele e seu amigo Eric, correndo atrás de seu cachorro, Bill, na lama com uma embalagem de doze cervejas das mais baratas que se podiam comprar, uma cerveja chamada Schmidt. Aquela era a diversão. Era tipo 'Uau. É isso o que eles fazem para se divertir aqui no norte — correm atrás de um cachorro na lama com cerveja barata? Isso vai ser excelente'. E isso permaneceu desse jeito por anos".

"Algumas vezes", Cameron divaga, "eu imagino se aquilo era um vazio que Chris sentia pela morte de Andy, tipo arrumar outro cantor igualmente talentoso com quem ele pudesse trocar ideias ou com quem pudesse apenas basicamente se identificar. Sempre pensei sobre isso. Ele realmente acolheu Eddie logo que se mudou para cá, e sei que Eddie sentia um verdadeiro aconselhamento com a relação com Chris nos primeiros estágios. Acho que isso lhe deu muita confiança para ir fundo em muitas das músicas que estavam diante dele. Chris tem um papel maior do que ele sabe na gênese de *Ten* e do começo do Pearl Jam".

O Temple of the Dog fez apenas um show oficial, no dia 13 de novembro de 1990 no Off Ramp, em Seattle, e gravou um disco homônimo antes do fim do ano. Depois do lançamento do projeto na primavera de 1991, os membros se juntaram um punhado de vezes para tocar canções do Temple nos shows das bandas de seus integrantes durante o ano seguinte. Mas ao final de 1992, Pearl Jam e Soundgarden estavam entre as bandas de rock mais populares do planeta, e apesar de "Hunger Strike" ter se tornado um grande sucesso nas rádios de rock no meio da febre do grunge, O Temple of the Dog ficou na retaguarda.

Ainda assim, sua importância para os principais envolvidos ainda se agiganta mesmo vinte anos depois, com Ament convencido de que o álbum do Temple permanece "uma das melhores coisas que qualquer um de nós já fez, em termos do grupo de canções".

"O que surgiu de uma tragédia deu vida a algo que era realmente positivo e cheio de impacto em minha vida, que não teria existido se não tivéssemos aquela confiança e camaradagem um com o outro", diz Cornell. "Eu tinha uma banda com Matt e ele sempre foi minha primeira opção de alguém para tocar bateria em algo, mas eu nunca tinha tocado com Stone ou Jeff, não conhecia McCready, acho, e nunca tinha visto Eddie. Então aquilo nunca teria acontecido."

"Aquele disco continua sendo uma prova de como o Soundgarden e o Pearl Jam poderiam se misturar para formar seu próprio som", diz Gossard. "Nunca soamos tão pesados, e o Soundgarden nunca soou tão melodioso e relaxado."

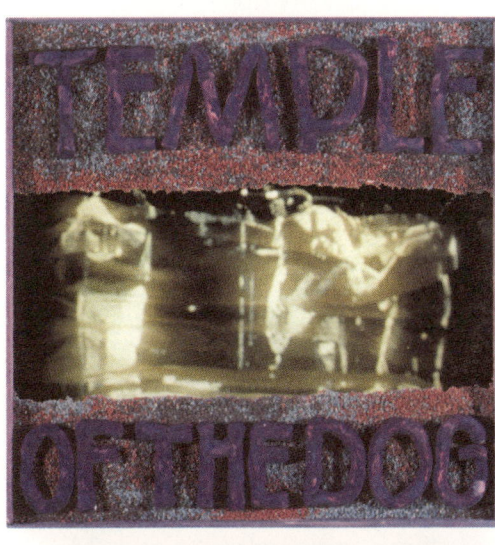

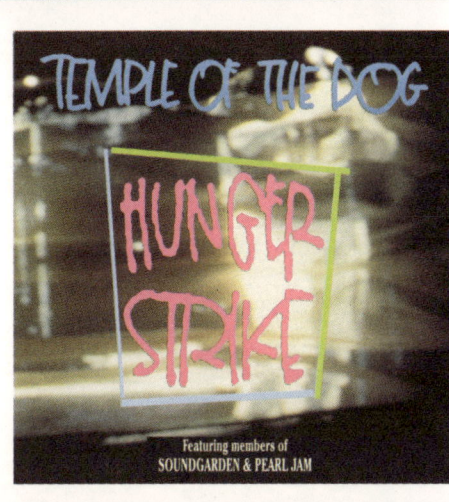

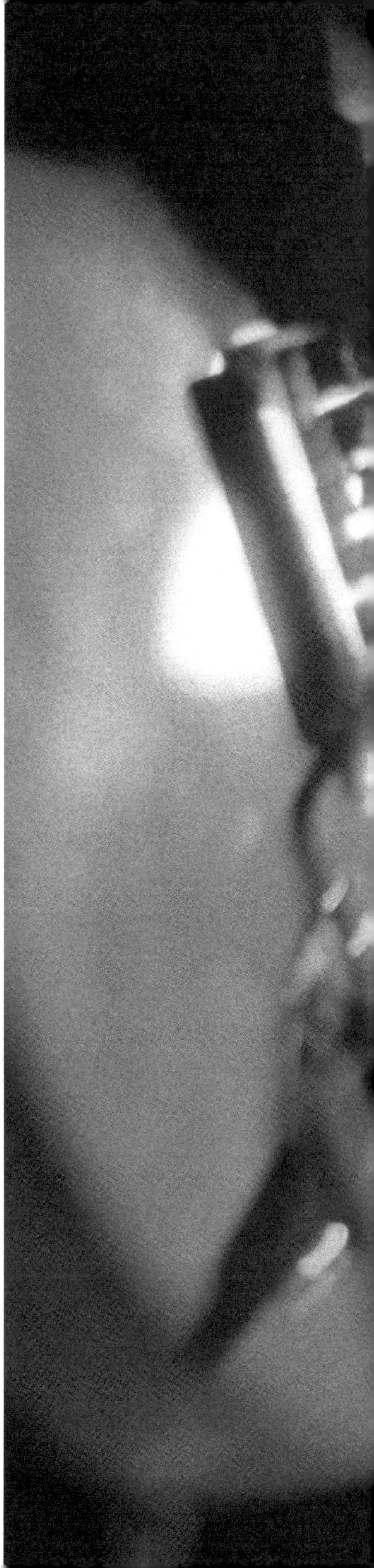

CAPÍTULO 1991

1991

O Pearl Jam não tinha nem um nome de verdade quando se preparava para sua primeira turnê no começo de 1991, mas tinha as músicas que estavam prestes a formar um dos álbuns mais icônicos da história recente do rock. A essa altura, o sucesso ainda era gradual, fosse ganhando programadores de rádio um de cada vez ou conquistando plateias de casas de shows em pequenas cidades com performances cada vez mais deslumbrantes. Com *Temple of the Dog* e *Ten* nas lojas e o Pearl Jam pronto para aparecer e colaborar com música para um filme de Cameron Crowe sobre pessoas de 30 e poucos anos em Seattle, não demorou muito para a banda chegar ao ápice do superestrelato total. Mas não havia tempo para o Pearl Jam repousar sobre seus louros. Em vez disso, a banda avançou com toda sua força, levando junto milhões de fãs no que estava prestes a se tornar uma viagem superabrangente.

Começo de janeiro

Eddie Vedder, Stone Gossard e Mike McCready dão uma rápida entrevista na estação de rádio de Seattle KXRX-FM e tocam demos de "Once" e "Even Flow".

10 de janeiro
Harpo's Cabaret, Victoria, British Columbia

Em seu primeiro show fora de Seattle, O Mookie Blaylock abre para o Alice in Chains. Confrontado por uma plateia desinteressada e barulhenta, Vedder arremessa a base de seu pedestal de microfone na parede do fundo da casa de shows no meio do set.

Jeff Ament: Estávamos um pouco preocupados. Não queríamos decapitar ninguém antes de fazermos um disco [risos]. Não demorou muito para ele sair de sua concha, com certeza.

29 de janeiro

O Mookie Blaylock grava *demos* de várias músicas com o produtor Rick Parashar no London Bridge Studios, em Seattle. "Alive", "Wash" e um cover de "I´ve Got a Feeling", dos Beatles, são escolhidas para lançamento em abril pela Epic como um single promocional porque elas representavam melhor a vibração da nova banda.

Jeff Ament: Nós sabíamos que "Alive" seria uma faixa do álbum. Achávamos que "Wash" tinha potencial, mas que talvez ela devesse se desenvolver um pouco mais. "I´ve Got a Feeling" foi apenas um momento leve no estúdio. "Let It Be" foi o primeiro disco cheio que comprei na minha vida, então basicamente todas as músicas naquele disco me levam de volta a ter 8 anos novamente. Adorei o fato de Ed ter tomado liberdades líricas com a parte do "Everybody had a good time" e incluir Andy nela. Aquele era um grupo de músicas de transição profunda. Aquilo dizia de alguma forma que estava tudo bem seguir adiante. Ed era muito sensível em relação ao mundo que ele estava adentrando.

7 de fevereiro
Florentine Gardens, Los Angeles

O Mookie Blaylock começa uma breve turnê na Costa Oeste abrindo para o Alice in Chains, oferecendo as primeiras performances ao vivo de "Garden" e "Brother", sendo que a última não seria tocada novamente por outros dezoito anos. A música acabou sendo lançada como uma instrumental na coletânea de 2003, *Lost Dogs*, e então com vocais na reedição de 2009 de *Ten*.

Jeff Ament: Foi bom para nós sair da cidade e ir para onde ninguém sabia nada sobre nós. Os primeiros três ou quatro shows foram em Seattle e todos os olhos estavam sobre o cara novo. Essa foi a melhor coisa que podíamos ter feito.

Jerry Cantrell: Sendo um fã do Green River e do Love Bone, e também sendo amigo daqueles sujeitos, achei que o Mookie Blaylock estava um pouco sem foco no princípio. Talvez não por causa da situação de Stone e Jeff, mas apenas a banda não tinha uma forma definida. Era certamente um som diferente, o que, obviamente, eles estavam tentando criar. A parte de que me lembro é que eu gostava da banda e gostava da música. Como com qualquer coisa diferente, especialmente vindo de pessoas que você conhece, demora um minuto para você se apegar. Coisas tinham acontecido conosco e estávamos no nosso caminho. Esses sujeitos estavam começando de novo. Nós queríamos apenas lhes dar tanto apoio quanto eles nos tinham dado no começo da nossa banda.

25 de fevereiro
Off Ramp, Seattle

Escalado como um dos astros do novo filme de Cameron Crowe sobre Seattle, *Vida de solteiro*, Matt Dillon sai pela cidade com Eddie Vedder, Jeff Ament e Stone Gossard depois de um show do Mookie Blaylock com o Alice in Chains.

53

Cameron Crowe: Eu estava tentando bancar o conselheiro: "Vamos todos a essa casa de show ver aquelas bandas." Aquela realmente era a versão do inferno de John Hughes. E então eu entro no clube com todos aqueles atores, e nos sentamos no canto. Estava muito cheio, as pessoas jogavam garrafas de cerveja; e depois de pouco tempo (a atriz) Kyra Sedgwick diz "Eu realmente entendo a 'maravilhosa' cena que está rolando aqui. Vou para casa agora". Então a menina que trabalhava no figurino diz "Ótimo. Isso é *ótimo*. Tchau!". Acabou que ficaram Matt Dillon e (o ator) Campbell Scott até o fim do show, pogando.

Mark Arm: Eu vi um show do Mookie Blaylock no Off Ramp. Eu os acompanhava à distância. Era como se estivéssemos espionando, mas havia um interesse genuíno no que nossos amigos estavam fazendo. Nós tínhamos aquela história compartilhada.

10 de março

Eddie Vedder e Jeff Ament são entrevistados na estação de rádio de Seattle KISW e anunciam que o Mookie Blaylock vai mudar seu nome para Pearl Jam, e também que a banda vai começar no dia seguinte a gravar seu disco de estreia para a Epic Records no London Bridge Studios, em Seattle. *Demos* de "Release" e "Once" também são tocadas.

Jeff Ament: Stone, Ed e eu fomos a Nova York assinar o contrato com a Sony e vimos no jornal que Neil Young tocaria no Nassau Coliseum com o Sonic Youth e o Social Distortion no dia 22 de fevereiro. Então entramos em uma van, fomos até Nassau e vimos o show, e o Sonic Youth foi realmente incrível naquela noite. Neil tocou apenas umas oito músicas, mas foi um show de três horas. Estávamos quase em pânico tentando descobrir um nome para a banda e ele estava tocando essas músicas longas, como uma *jam session*, e apenas colocamos o *Jam* no fim de *Pearl*. É um nome meio idiota, mas tem muito significado. Tem um peso por trás dele, apesar de não parecer.

Vedder adorava perpetuar a história inventada de que o nome da banda era inspirado por uma receita especial de sua "bisavó Pearl".

Eddie Vedder: Tenho algo de indígena em mim, e acontece que ela costumava fazer uma conserva alucinógena. Gostaria que isso tivesse sido passado pela família. Se foi passado, parou cerca de uma geração antes de mim. Nunca cheguei a provar nada disso. Mas ainda estou à procura daquela receita secreta de Pearl jam.

Março-abril

Eddie Vedder, Stone Gossard e Jeff Ament gravam suas cenas para *Vida de solteiro* em Seattle, representando membros da banda Citizen Dick, liderada pelo personagem de Matt Dillon, o vocalista Cliff Poncier. Sua aparição mais extensa é em uma cena em que os integrantes da banda estão sentados em um café e descobrem uma resenha de um jornal local que fala mal de Poncier por causa de suas "baboseiras pomposas e egocêntricas". Em uma tentativa de não magoá-lo, eles não leem o texto em voz alta, mas Poncier consegue perceber que a resenha é negativa. O texto termina com uma menção sobre Poncier ser "habilmente apoiado" por Gossard, Ament e Vedder e depois disso Vedder diz a um Poncier abatido: "Um elogio para nós é um elogio para você!" Ament emprestou várias peças do seu guarda-roupa a Dillon para ajudá-lo a dar vida ao papel de Poncier.

Jeff Ament: Quando estávamos gravando o filme, não éramos ninguém. O disco não tinha nem saído. Éramos apenas alguns caras em uma banda de rock que Cameron conhecia em Seattle e que podiam fazer esse pequeno papel no filme. Eu estava envolvido no departamento de arte e todos nós ajudamos Matt Dillon a se preparar para o papel. Durante o ano seguinte, antes de o filme ser lançado, nós estouramos e, de repente, o foco do filme não era mais tanto esse bairro de Seattle — era um filme em que o Pearl Jam aparecia, e também o Alice in Chains e o Soundgarden e todas essas bandas de Seattle. Isso provavelmente foi esquisito para Cameron, porque de repente estava fora de suas mãos. Aquilo se tornou um filme sobre outra coisa.

Eddie Vedder: Se não fosse por causa de *Vida de solteiro*, não sei se eu teria me sentido bem em largar meu emprego em San Diego. Eu tinha certa segurança lá, sem trocadilhos. Trabalhar com o filme foi uma aventura. Ver tudo aquilo acontecendo nessa cidade — foi bem quando cheguei aqui e comecei a aprender sobre ela. E havia um filme sendo feito sobre ela e juntando todas essas pessoas. Além disso, acho que ganhei mil dólares para dar três aulas de guitarra a Matt Dillon, e isso me manteve de pé.

Ed's bank balance

16 de abril

O disco homônimo do Temple of the Dog é lançado pela A&M Records.

Jeff Ament: Não tínhamos nenhuma expectativa em relação ao primeiro disco do Pearl Jam. No máximo, achamos que fazer o Temple nos reintroduziria um pouco. Os dois discos eram bons e estávamos animados por lançar música. Alguns meses antes daquilo eu ainda não sabia se queria mesmo fazer música.

Maio

A Epic Records envia o sampler que contém "Alive", "Wash" e "I´ve Got a Feeling" para membros da lista de correspondência do Mother Love Bone e do Soundgarden. Dentro dele está o primeiro informativo para os fãs do Pearl Jam, escrito a mão por Jeff Ament, que apresenta Vedder, Krusen e McCready como "os caras novos" e na capa

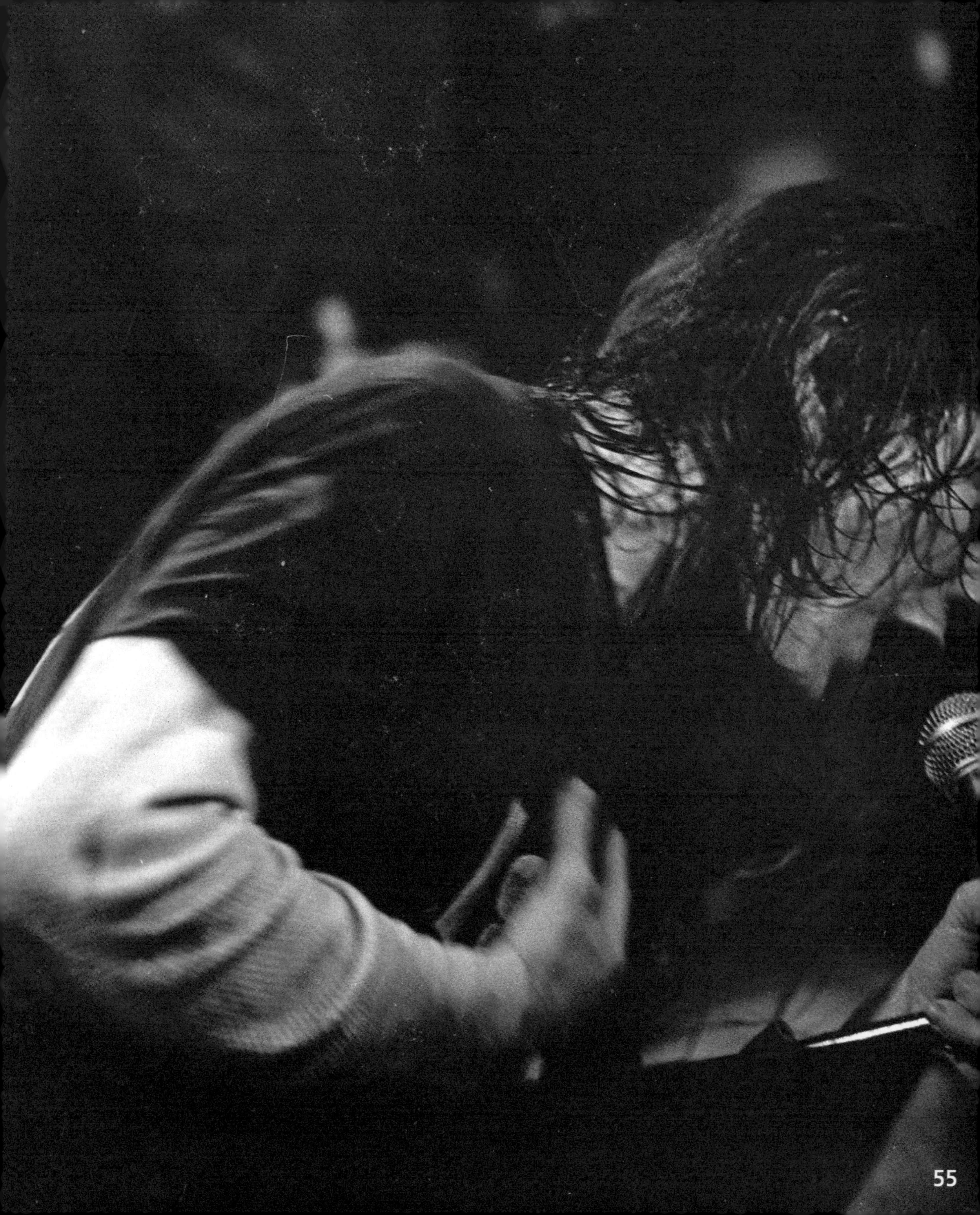

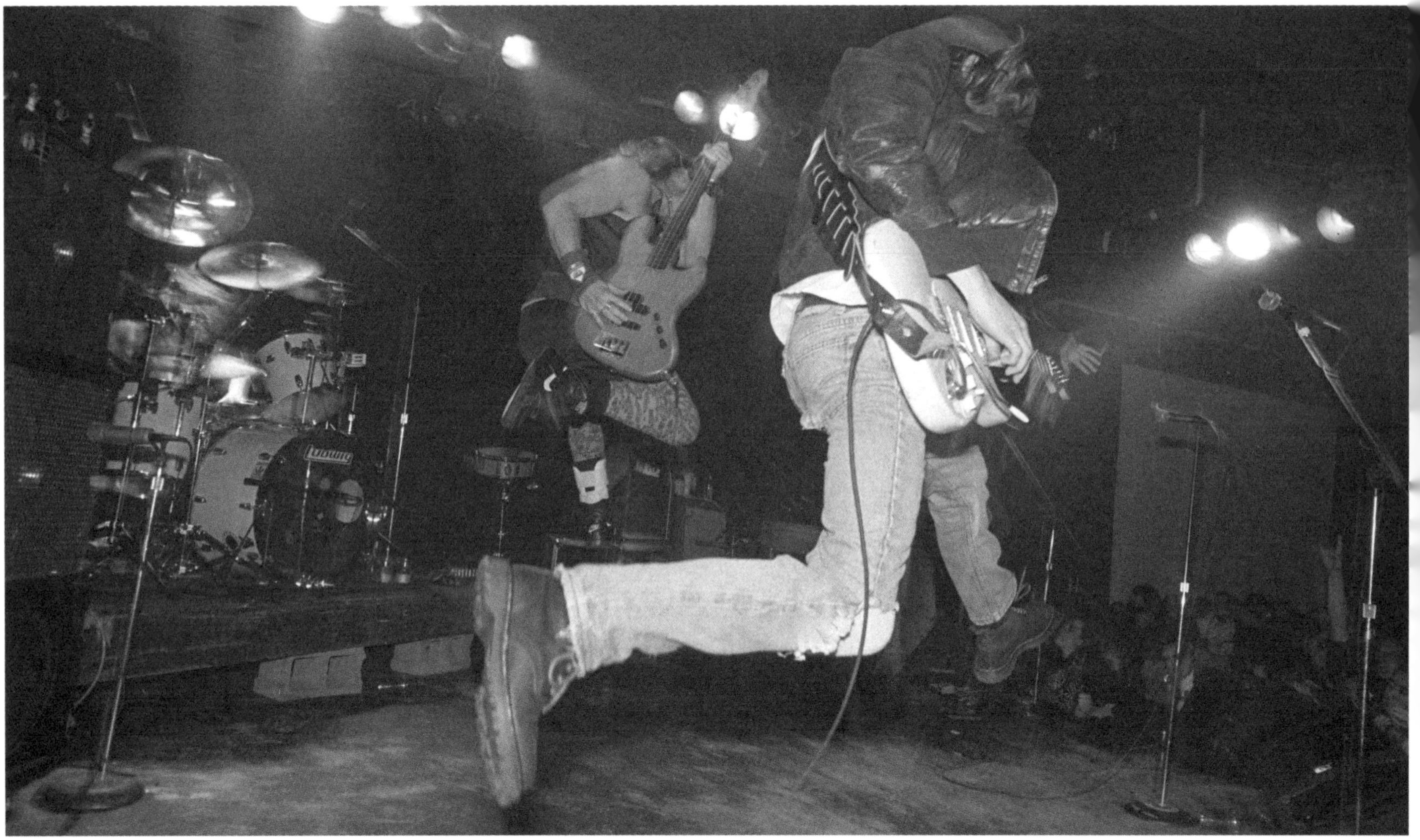

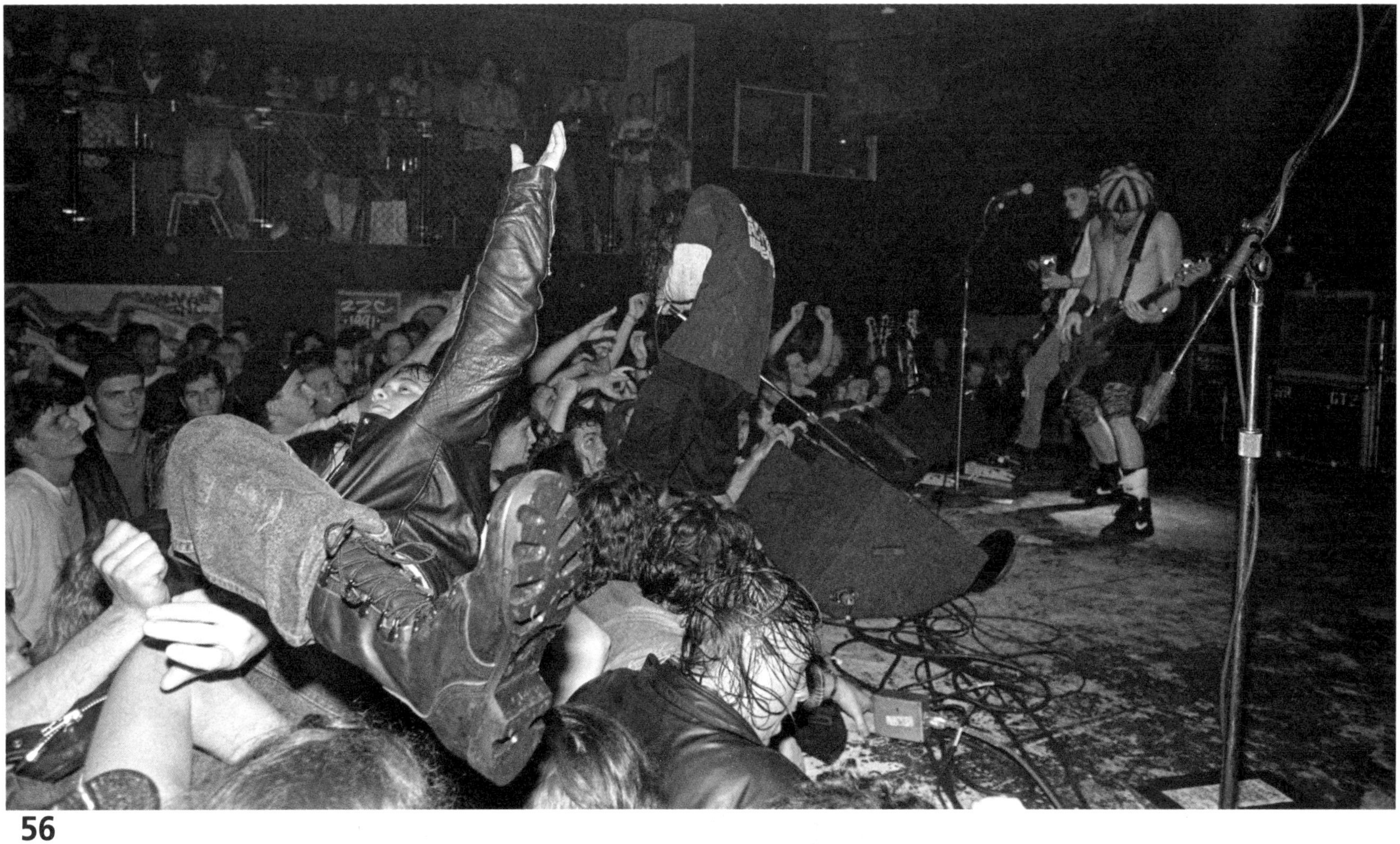

da fita está o "Stickman", desenhado por Jeff Ament, que logo seria tatuado em milhares de fãs ao redor do mundo.

Jeff Ament: Desenhei o stickman na noite depois que Kelly Curtis me disse que precisávamos de uma capa para a fita cassete que seria distribuída com "Alive". A "arte" realmente apenas representa a forma como eu estava me sentindo naquela época, tocando na melhor banda que eu já havia tocado, e todos nós estávamos em um espírito tão criativo. Aquilo não tinha realmente nada a ver com a música. Era assim que fazíamos naquela época: eram inúmeros prazos para o dia seguinte. A banda fazia tudo. Bom ou ruim, aquilo era nosso.

Michele Anthony: Na época em que eles estavam assinados com a Epic, Kelly, Michael, Jeff, Stone e eu já tínhamos uma história com o Mother Love Bone e a experiência com a morte de Andy consolidou a base para confiarmos e respeitarmos uns aos outros. Os integrantes do Pearl Jam, desde o começo, sempre tiveram uma ideia clara de quem eles eram musicalmente e quem eles queriam ser no mundo. Uma grande parte do meu papel em suas vidas, apesar de eu estar à frente da companhia maior com Tommy Mottola, era realmente manter todo mundo fora de seu caminho e escutar suas ideias. Achei que podia prestar o melhor serviço para eles ajudando-os a implementar sua visão.

25 de maio
RKCNDY, Seattle

O Pearl Jam toca em um show para celebrar o fim da produção do filme de Cameron Crowe, *Vida de solteiro*. Esse é o último show do baterista Dave Krusen com o Pearl Jam.

Dave Krusen: Sou um alcoólatra em recuperação já há anos. Mas na época meu alcoolismo era realmente grave. Eu não conseguia parar de beber, o que me levava a tomar atitudes idiotas. O Pearl Jam me deu tantas oportunidades para me recuperar e eles foram muito bondosos com relação a isso, sem nunca me forçar e me confrontar. Eles me deram todas as oportunidades do mundo e eu simplesmente não era capaz de parar. Era tanta coisa acontecendo naquela época. Eu tinha um relacionamento que não ia muito bem, e estava prestes a ter um bebê. Eu tentava ficar por perto para tentar "fazer a coisa certa", o que acabou não sendo a coisa certa. Na época achei que estava fazendo a coisa certa.

No show do RKCNDY, acabei ficando tão bêbado que me meti em uma enorme confusão em uma festa pós-show. Comecei uma discussão com minha namorada, o que levou a uma briga com, outro sujeito, o que levou à chegada da polícia, o que me levou a desaparecer por dois dias em que apaguei. Finalmente, a banda se encontrou comigo e apenas falou "Você sabe, você precisa procurar ajuda, porque obviamente você está bebendo de forma descontrolada". Eu tive uma atitude muito ruim com relação àquilo, e então finalmente disse "Querem saber, vocês têm razão. Vou para a clínica de reabilitação".

Mike McCready: Testamos Brad Wilk do Rage Against the Machine, que eu acho que era amigo do Eddie naquela época, em Surrey, na Inglaterra, enquanto estávamos masterizando *Ten*, e foi bacana, mas não deu certo. Ele era um baterista realmente pesado, como você sabe pelo Rage Against the Machine. Simplesmente não funcionou com a nossa situação.

4 de julho
RKCNDY, Seattle

O Pearl Jam volta a Seattle depois de mixar seu álbum de estreia nos arredores de Londres para fazer um show em casa com o novo baterista, Matt Chamberlain, que tocava com Edie Brickell & New Bohemians, que tinha sido recomendado por um amigo do representante de A&R da Epic, Michael Goldstone. A banda então sai em uma turnê de seis shows, incluindo seus primeiros shows em Nova York.

Matt Chamberlain: Eles mandaram a passagem para que eu fosse a Seattle. Na época eu morava em Dallas, onde Eddie estava. Fui a Seattle e acho que ensaiamos por cerca de uma semana. Não foi muito tempo, porque me lembro de sentir que tinha que ralar para conseguir. Eles tinham um pequeno espaço em Belltown, bem ao lado do Crocodile Cafe. Era no porão de um ferreiro/loja de materiais de ferro — era um estúdio de ensaio de uma banda de rock totalmente caindo aos pedaços. Stone e Jeff me buscaram no aeroporto, então comemos alguma coisa e fomos direto para o estúdio. Havia um pequeno quarto lateral lá embaixo. Um sujeito sai de lá com o cabelo espetado, parecendo acabado. Era Eddie. Ele estava morando no estúdio e tinha acabado de ter uma infecção alimentar na noite anterior, então ele estava muito mal. Eles trouxeram minha bateria. Eu a desempacotei, montei e nós basicamente apenas tocamos as músicas durante uma semana. Nesse tempo, eles me levaram a todos esses lugares divertidos e saímos com várias pessoas interessantes. Que época maravilhosa para estar em Seattle.

Tínhamos uma van Econoline com um trailer. Dirigimos pelo deserto e o ar condicionado quebrou. Paramos um bocado para que todos pudessem se refrescar. De alguma forma acabamos em Boston e acho que realmente dirigimos todo aquele caminho cruzando o país para aquele show.

12 de julho
JC Dobbs, Filadélfia

"State of Love and Trust" é tocada pela primeira vez nesse show.

Matt Chamberlain: Na segunda ou terceira música, as pessoas se aproximavam do palco. No fim de todos os shows em qualquer desses lugares as pessoas estavam gritando "É isso aí!", e se divertiam pra valer. Adoravam. Naquela época, Eddie levava a coisa muito a sério. Depois de cada show, ele estava encharcado, sem conseguir falar. Ele ficava sem falar por um tempo. Ele pulava como um maluco durante uma hora. Era uma experiência catártica para ele naquela época. Uma coisa que me lembro sobre ele que me faz rir... eu achava aquilo incrível. Ele usava uma camisa do Butthole Surfers, do disco *Locust Abortion Technician*: aquele que tem a imagem perturbadora das crianças etíopes. Ele vestia essa camiseta e tinha uma bermuda camuflada com um buraco na bunda que ele tapava com fita. E botas Doc Martens brancas. Ele lavava suas roupas no quarto do hotel. Todos eram duros. Tive que emprestar vinte dólares a Stone a certa altura, porque ele não tinha dinheiro suficiente para almoçar.

13 de julho
The Marquee, Nova York

O primeiro show do Pearl Jam em Nova York é diante de uma plateia cheia de pessoas da indústria fonográfica que estavam na cidade para o New Music Seminar. Quatro noites depois, a banda toca na lendária casa de Lower Manhattan, Wetlands Preserve, com o líder do Motörhead, Lemmy Kilmister, entre os espectadores.

58

21 de julho
Cabaret Metro, Chicago

O Pearl Jam abre um show dividido por seis bandas, ao lado de Raygun, Urge Overkill, Ned´s Atomic Dustbin, The Jayhawks e Soul Asylum, celebrando o nono aniversário dessa famosa casa de show de Chicago.

Matt Chamberlain: Em Chicago ninguém sabia que porra era Pearl Jam. Nós passamos o som e as portas se abriram imediatamente depois disso. Éramos os primeiros em uma noite com outras bandas muito mais estabelecidas. Eu me lembro de ver o Urge Overkill; eles estavam detonando.

3 de agosto
RKCNDY, Seattle

No dia seguinte ao do lançamento de "Alive" como single nos Estados Unidos, o Pearl Jam volt ao RKCNDY para gravar um vídeo em preto e branco para a música durante um show. Josh Taft, um amigo de longa data de Stone Gossard, serve como diretor; a banda insiste em gravar o áudio ao vivo em vez de dublar sobre uma versão pré-gravada, o que era uma novidade na MTV naquela época. O clipe captura a energia desenfreada dos primeiros shows da banda, com fãs pulando no palco o tempo todo e Eddie Vedder pendurado de cabeça para baixo de uma parte da estrutura de iluminação. Uma mini-reunião do Temple of the Dog acontece mais tarde no show, com Chris Cornell cantando em "Reach Down" e "Pushing Forward Back". O vídeo de "Alive" acaba sendo lançado em setembro.

Jeff Ament: Estávamos vendo nossos amigos fazerem vídeos, como o Soundgarden e o Alice in Chains, e parecia absolutamente ridículo gastar tanto dinheiro. Um vídeo podia custar tanto quanto o orçamento inteiro da gravação de um disco. Fomos até Josh e dissemos "Não queremos gastar mais do que 20 mil dólares", e ele disse que era capaz de fazer isso. O orçamento de iluminação era minúsculo e provavelmente filmamos com três ou quatro câmeras. E queríamos que a música fosse ao vivo, para que fosse um pouco mais representativo do que era estar em um de nossos shows. Os vídeos dublados já estavam ultrapassados, na nossa opinião. Daquela forma, se o vídeo fracassasse, não ficaríamos no vermelho por causa disso e a gravadora não nos mandaria embora por gastar três quartos de um milhão de dólares em dois vídeos.

Matt Cameron: Aquilo deveria ser uma filmagem, embora eles tivessem filmado o show inteiro por precaução. Era tão bizarro! Em Seattle, eles tinham uma enorme legião de seguidores, porque os integrantes da banda tocavam na cidade há anos. O RKCNDY também não era muito grande e estava lotado de pessoas bêbadas, se divertindo e pulando umas em cima das outras.

Dave Grohl: Eu me mudei para lá em 1990, então perdi o Green River, o Mother Love Bone e um monte das bandas lendárias de Seattle de antes de a cidade estourar. Mas me lembro da primeira vez que ouvi o Pearl Jam. Eu estava vivendo no oeste de Seattle e entrei na minha caminhonete para dirigir até o 7-Eleven, e ouvi "Alive" no rádio. Foi engraçado, porque antes de eu saber quem era, ou qualquer coisa a respeito da banda, eu simplesmente visualizei uns sujeitos realmente grandes, gordos e cabeludos. Essa foi a primeira coisa que veio à minha mente. Eu imaginei que eles se pareciam com os caras do Poison Idea, ou do Canned Heat, ou algo assim: uma banda de sujeitos grandes e cabeludos. Não sei por quê. Talvez porque aquilo soasse como rock clássico para mim. Aquilo não soava como punk rock para mim; soava como uma banda de rock´n´roll. Foi um pouco antes de *Nevermind* ser lançado. E foi antes de tudo estourar.

15 de agosto

O baterista Matt Chamberlain opta por não continuar excursionando com o Pearl Jam. No começo do mês, antes de sua decisão ser definitiva, ele sugere como um substituto potencial outro baterista, um conhecido seu de Dallas, Dave Abbruzzese, que vai até Seattle para checar o Pearl Jam a tempo de ver a gravação do vídeo de "Alive" no RKCNDY. Quando Chamberlain confirma que está deixando a banda, Abbruzzese rapidamente volta a Seattle e é contratado para se juntar ao Pearl Jam. Pouco tempo depois, Chamberlain se junta à banda da casa do programa da NBC, *Saturday Night Live*.

Matt Chamberlain: O acordo era assim: eles queriam que eu entrasse a bordo com eles e excursionasse todo o ciclo do álbum. Eu literalmente tinha acabado de sair da estrada e acabado de sair de uma situação de banda. Eu não tinha nada a ver com Pearl Jam. Eu só estava lá para ajudar. Eu nem conhecia aqueles caras. E então eles basicamente pediram para que eu me livrasse de tudo em minha vida e me juntasse à banda deles que ainda estava viajando em uma van. Basicamente, eu apenas não tinha nenhuma conexão com eles em um nível pessoal ou musical. Poderia ter sido qualquer baterista — eles apenas precisavam de um. Se eu soubesse que aquilo ia gerar milhões e milhões de dólares, talvez eu tivesse pensado duas vezes. Mas acho que tomei a decisão acertada. Simplesmente não era a minha praia. Eles estavam em uma missão, mas eu estava apenas lá para ajudar por um segundo. Eu era apenas um observador inocente.

Eles estavam perguntando sobre bateristas. Achei que eu podia ajudá-los. Eles não sabiam de ninguém que servisse para o cargo, ou já teriam chamado alguém. Eu conhecia um cara em Dallas. Eu me lembrava de vê-lo tocando pela cidade com uma banda — uma coisa meio funk-rock, como muita gente estava fazendo naquela época. Pensei "Uau. Esse cara tem um quê de John Bonham, mas também um ótimo *feeling*". Isso causou uma boa impressão em mim. Eu realmente não o conhecia tão bem, dessa pequena cena de bares de Dallas, mas por alguma razão ele surgiu em minha cabeça quando Stone perguntou. Eles nem fizeram um teste com várias pessoas porque estavam mesmo desesperados. Eles apenas precisavam de alguém que estivesse disponível e disposto a se mudar para lá. Por sorte, ele deu certo. Não acho que eles tenham testado alguma outra pessoa. Eles lhe mandaram uma fita e ele disse "Isso é foda! Adorei!" Ele surtou e fez a tatuagem do stickman em seu braço. Eu pensei "Excelente! Arranjei alguém".

19 de agosto
RKCNDY, Seattle

O Pearl Jam celebra o lançamento iminente de seu álbum de estreia, *Ten*, pela Epic com outro show no RKCNDY, o último de Matt Chamberlain com o Pearl Jam.

23 de agosto
Mural Amphitheatre, Seattle

O Pearl Jam conclui o calendário de 1991 da série de shows Sounds of Seattle em um show ao ar livre diante de aproximadamente 4 mil fãs, marcando a estreia do novo baterista, Dave Abbruzzese.

27 de agosto

Ten é lançado. Em sua primeira semana, menos de 25 mil cópias são despachadas nos Estados Unidos, nem perto de entrar para a lista dos 200 álbuns mais vendidos da *Billboard*. *Ten* não entra nessa lista até a primeira semana de janeiro de 1992, quando alcança o número 155.

Kelly Curtis: A questão mais importante é que para esse tipo de música não existia um formato de rádio específico. Ninguém sabia o que fazer com aquilo. Havia pessoas na Epic, como Michele Anthony e Harvey Leeds, que defendiam esse novo estilo. Mas eles não conseguiam fazer nenhuma rádio se interessar por isso. Goldstone também estava implacável com a determinação de manter isso vivo. Àquela altura o disco do Nirvana tinha saído e tinha estourado. Demorou um pouco para nós. O maior obstáculo era o rádio. Aquilo era alternativo? Era rock? O que era aquilo? Eles permaneceram promovendo a banda e marcando shows por meses. Isso veio do topo na Sony. Na maioria dos casos, uma banda tinha uma divulgação de dois ou três meses e pronto. Mas eles se mantiveram nisso por seis ou sete meses. Acho que isso se deve a Michele e seu relacionamento com Michael. Eles continuaram a batalhar e a convencer pessoas a irem ver a banda. Então as coisas começaram a acontecer de estação em estação, e dava para sentir uma onda se formando.

Michele Anthony: Em 1991, "alternativo" era Natalie Merchant e Depeche Mode. Não era o que conhecemos como rádio alternativa hoje em dia. O Pearl Jam não cabia facilmente no formato alternativo. O Guns N´Roses era a ponte entre as bandas de rock farofa e a música que mais tarde sairia de Seattle. Parece incrível agora escutar que o Pearl Jam e o Nirvana não se encaixavam em um formato rock, mas muitas daquelas estações ainda estavam tocando Warrant e rock clássico. Nós ficamos literalmente no meio do caminho por uns bons nove meses. A forma de superar isso era fazer as pessoas acreditarem. Como você faz isso? Você as obriga a ver um show.

3 de outubro
Concrete Foundations Forum, Los Angeles

Integrantes do Pearl Jam se juntam a Chris Cornell e Matt Cameron, do Soundgarden, para uma performance improvisada de "Hunger Strike" em uma convenção anual de hard rock.

4 de outubro

O Pearl Jam filma um vídeo para "Jeremy" com o diretor Chris Cuffaro em um armazém em Los Angeles. Um ator adolescente faz o papel do verdadeiro Jeremy Wade Delle, um estudante do segundo grau do Texas de 16 anos cujo suicídio na sala de aula inspirou a música. Porque "Jeremy" não era um single na época, a Epic se recusa a pagar pelo vídeo e ele acaba sendo deixado de lado. Até hoje, ele só foi lançado no website de Cuffaro.

Jeff Ament: Nós amávamos Chris. Nós fizemos fotos com ele pelo menos duas vezes. Esse talvez tenha sido o primeiro vídeo que ele fez. Foi uma colaboração pesada com ele. Ele foi rodado em preto e branco com muito contraste e era mais como uma filmagem de verdade; estávamos em um estúdio com muitas pessoas à nossa volta. Eu me lembro de não ter ficado totalmente descontente com o vídeo. Grande parte da razão por trás de ele não ter sido lançado foi criada pela gravadora. Eles achavam que se fizéssemos um vídeo apropriado para "Jeremy", isso poderia alcançar muitas pessoas, e eles estavam absolutamente certos.

6 de outubro
Hollywood Palladium, Hollywood, Califórnia

O Pearl Jam toca ao lado de Spinal Tap, Alice in Chains e Soundgarden na festa de aniversário de cinco anos da revista *RIP*, e Vedder comenta que vai fazer "um ano amanhã" que conheceu seus companheiros de banda. Outro pequeno set do Temple of the Dog acontece no fim do show com as músicas "Hunger Strike", "Reach Down" e "Push Forward Back".

16 de outubro
Oscar Mayer Theatre, Madison, Wisconsin

O Pearl Jam começa uma turnê norte-americana de dois meses abrindo para o Smashing Pumpkins e o Red Hot Chili Peppers. Um Eddie Vedder grato diz à revista *ROX* "Tenho orgulho do Chili Peppers por levar duas bandas novas em turnê em vez de alguém que garantiria mais ingressos vendidos. É uma grande oportunidade para nós, e é bom para o público. É uma boa mistura de estilos, bem Napolitano, três sabores distintos, algo para todo mundo. Sou o fã do Chili Peppers mais sortudo do mundo".

Jeff Ament: Eu me lembro de estar em turnê em uma van quando alguém nos contou que o Chili Peppers queria que excursionássemos com eles. Não poderia existir nada melhor para nos acontecer naquele momento. Nós sabíamos que íamos abrir. Sabíamos que tínhamos apenas trinta minutos, então sabíamos desde o começo que tínhamos muito trabalho a fazer. Eu ia até o ônibus antes do show, levava meu baixo e tocava bastante. Eu quase ficava todo suado antes de entrar no palco. Ed ficava muito lá, cantando na parte da frente enquanto eu ficava nos fundos. Nós tínhamos a impressão de que se não mostrássemos serviço, poderíamos ser tirados daquela turnê depois de uma ou duas semanas. Enlouquecemos um pouco tentando nos assegurar de que isso não acontecesse.

Michael Goldstone: Para mim, tudo aquilo pareceu começar a acontecer na turnê que eles fizeram com os Pumpkins. Eles vinham crescendo lentamente até aquele ponto, mas os shows começaram a se tornar lendários. Os shows do Limelight e do Wetlands foram aqueles em que a imprensa da Costa Leste começou a acompanhar a banda. Através dos shows, o boca-a-boca estava realmente se espalhando.

Mural
Amphitheatre

26 de outubro
Normandy High School, Parma, Ohio

Antes do show da noite no Cleveland Music Hall, o Pearl Jam joga uma partida de basquete com personalidades locais do rádio e partes do jogo são transmitidas na TV. Vedder e Ament tiram uma foto com o antigo jogador do Cleveland Cavaliers, Jim Chones.

8 de novembro
CBGB, Nova York

O Pearl Jam faz um show surpresa nessa lendária casa de shows de rock de Nova York principalmente para membros do fã-clube e membros da mídia. "Black" é tocada de maneira incomum como primeira música, atendendo a pedidos.

Stone Gossard: O Green River tocou lá em 1985 diante de, tipo, dez pessoas, todos empregados da casa. Eu me lembro de o pessoal do bar ter gostado de nós.

9 de novembro
Tower Records, Rockville, Maryland

O Pearl Jam faz um set acústico de cinco músicas em trinta minutos em uma loja de discos local à tarde, antes de seu show no campus da American University em Washington, DC. No show da noite, "Leash" é tocada pela primeira vez.

12 de novembro
Madison Square Garden, Nova York

Jeff Ament assiste a um jogo do New York Knicks em sua quadra contra o New Jersey Nets, time pelo qual Mookie Blaylock está jogando. Mais tarde, "ele estava descendo o corredor depois do jogo e eu andei em sua direção, gritei seu nome e lhe entreguei uma camiseta. Ele olhou para mim realmente intrigado. Não sei o que ele pensou daquilo tudo". Ament mais tarde manda um disco de ouro para Blaylock e ele retribui a gentileza com um par de tênis pintados com tinta spray dourada. A dupla também joga algumas partidas de basquete, que Blaylock ganha com facilidade.

14 de novembro
Tower Records, Yonkers, Nova York

Outra performance acústica de cinco músicas em uma loja de discos. No meio de "Alive", Vedder muda a letra para fazer uma piada com o estrago causado por dar sete shows em sete dias: "'Is something wrong?' she said / 'Of course there is / I have no voice', he said". ["Há algo errado?", falou ela / "Claro que há / Eu não tenho voz", disse ele]. Algumas horas mais tarde, o Pearl Jam toca "Alive" e "Porch" em um segundo show acústico em uma loja de discos na CD World, em Menlo Park, Nova Jersey, com Dave Abbruzzese tocando bateria em suas próprias pernas.

Dezembro

A revista *Rolling Stone* pede a Vedder para contribuir com uma carta para sua edição O Ano em Debate. Ele escreve "Finalmente a música vai direto ao assunto. Ian canta 'Estamos todos aqui...', Perry canta 'Esses são os dias...', Cornell canta 'O barco está afundando', e ele está certo. Acorde, ou morra dormindo".

10 de dezembro
City Coliseum, Austin, Texas

Vedder continua a aprimorar suas peripécias de escalada se colocando em risco.

Eddie Vedder: Vi algumas traves, algumas vigas no teto e simplesmente tinha que subir até lá. Quando os seguranças tentaram me segurar, falei "Sou da banda e posso fazer o que quiser", e subi. Foi estupidez, mas quando você pode escalar as barreiras e chegar ao teto, isso é uma coisa linda.

11 de dezembro
Trees, Dallas

Depois de abrir para o Smashing Pumpkins e o Red Hot Chili Peppers no Bronco Bowl, o Pearl Jam faz seu próprio show como *headliner* em outra casa de shows no outro lado da cidade. Vedder relata a história verdadeira que inspirou "Jeremy", que ocorreu em uma cidade próxima, Richardson, e se desculpa de brincadeira com a banda local Dr. Tongue por ter roubado Dave Abbruzzese deles.

15 de dezembro
Club DV8, Salt Lake City

Jeff Ament machuca o tornozelo depois de pular sobre o palco durante o show.

63

Jeff Ament: Esse era o único show depois da primeira parte da turnê com os Chilis a caminho de casa para um descanso de dez dias no Natal, antes de terminar a Costa Oeste com os Chilis e o Nirvana. Eu rompi severamente os ligamentos, fiquei deitado o resto da folga e mancando durante a maior parte da turnê depois do Natal.

Eric Johnson: Aquela foi talvez a terceira viagem ao pronto-socorro naquela turnê. Ele estava pulando, e juro que deu para ouvir seu tornozelo estalar mais alto que a música.

Natal

O Pearl Jam lança seu primeiro compacto de sete polegadas exclusivo do fã-clube com duas novas faixas, "Let Me Sleep (It´s Christmas Time)" e "Ramblings".

Jeff Ament: A princípio tivemos a ideia do fã-clube do Mother Love Bone e eram provavelmente cem ou duzentas pessoas. Eu escrevia cartas ou postais a mão para a maioria daquelas pessoas. O que aconteceu com o single foi que Kelly Curtis tinha um punhado dos singles do fã-clube dos Beatles, e se lembrava de recebê-los quando era criança. Achei que aquilo era uma coisa muito legal. A ideia para os primeiros, com "Ramblings", era fazer uma versão demente das saudações dos Beatles nos lados B dos compactos. Então chegou a um ponto em que com "Ramblings" ninguém realmente levou aquilo ao próximo patamar. Não se sabia ao certo o que aquilo seria. Achamos que deveríamos colocar uma música normal ou uma mais experimental no segundo lado.

27 de dezembro
Los Angeles Memorial Sports Arena, Los Angeles

O primeiro de quatro shows com o Nirvana substituindo o Smashing Pumpkins na turnê do Red Hot Chili Peppers. O Pearl Jam conseguiu a vaga depois que o Soundgarden a recusou a fim de excursionar com o Guns N´ Roses. Com o Pearl Jam como a primeira banda da noite, Vedder tem a intenção de impressionar a plateia e correr do palco até o fundo da arena e depois de volta até o palco, mas não sem tropeçar em uma fileira de assentos e fazer o possível para parecer ileso.

Jeff Ament: Em alguns dos primeiros shows naquele outono, como em Madison, Wisconsin, havia apenas algumas centenas de pessoas nos teatros. Mas depois de algumas semanas, eles estavam cada vez mais cheios. No final, quando fizemos a parte da Costa Oeste com o Nirvana, as casas estavam lotadas quando subíamos no palco. Isso mudou em um espaço de tempo muito curto.

Dave Grohl: Eu ouvi "Alive" e percebi que essa era aquela banda, tipo, "Oh! É *aquela* banda". Fui até o palco e Eddie estava pendurado nas vigas em algum lugar. Eu sabia que eles iam ser grandes pra caramba. É uma época engraçada para tentar compreender, porque a banda de todo mundo parecia estar passando da fase de ficar sem gasolina no meio da estrada, para a fase de esgotar ingressos em arenas de 20 mil lugares. Mas havia algo na conexão que eles tinham com a plateia, fosse musical, lírica, ou a energia que estava passando do palco para a plateia. Era inegável. Era apenas uma questão de tempo.

28 de dezembro
Del Mar Pavilion, San Diego

Vedder aprimora as peripécias em suas acrobacias no palco e se coloca em uma confusão quase insuperável enquanto escalava as vigas no meio de "Porch".

Eddie Vedder: Algumas vezes eu chegava à parte em que eu podia começar a subir pelas paredes, e naquele caso, a única coisa para escalar era simplesmente algo de 30 metros de altura [risos]. Eu pensei, bem, isso parece um pouco intenso, mas é realmente tudo o que posso fazer, então vamos ver o que acontece aqui. Tinha uma viga em forma de H em que eu podia me segurar, mas então cheguei ao topo e fui me colocar de cabeça para baixo, me segurando pelos dedos e pelos pés e ela era mais fina. Literalmente eu estava me segurando pelas pontas dos dedos. Estava enlameado e molhado com a umidade que vinha da multidão. Por sorte eu só pesava cerca de 60 quilos na época. Eu estava realmente lutando contra a gravidade. Acho que eram uns 15 metros até eu poder bater em outra corrente em que as luzes estavam penduradas. Eu sabia que tinha minha família na plateia e não podia morrer na frente dos meus irmãos. Acho que desci pela estrutura de iluminação, peguei um fio de microfone, desci por ele até o fundo do palco e quando a música acabou, fui até a lateral e quase vomitei. Nessa

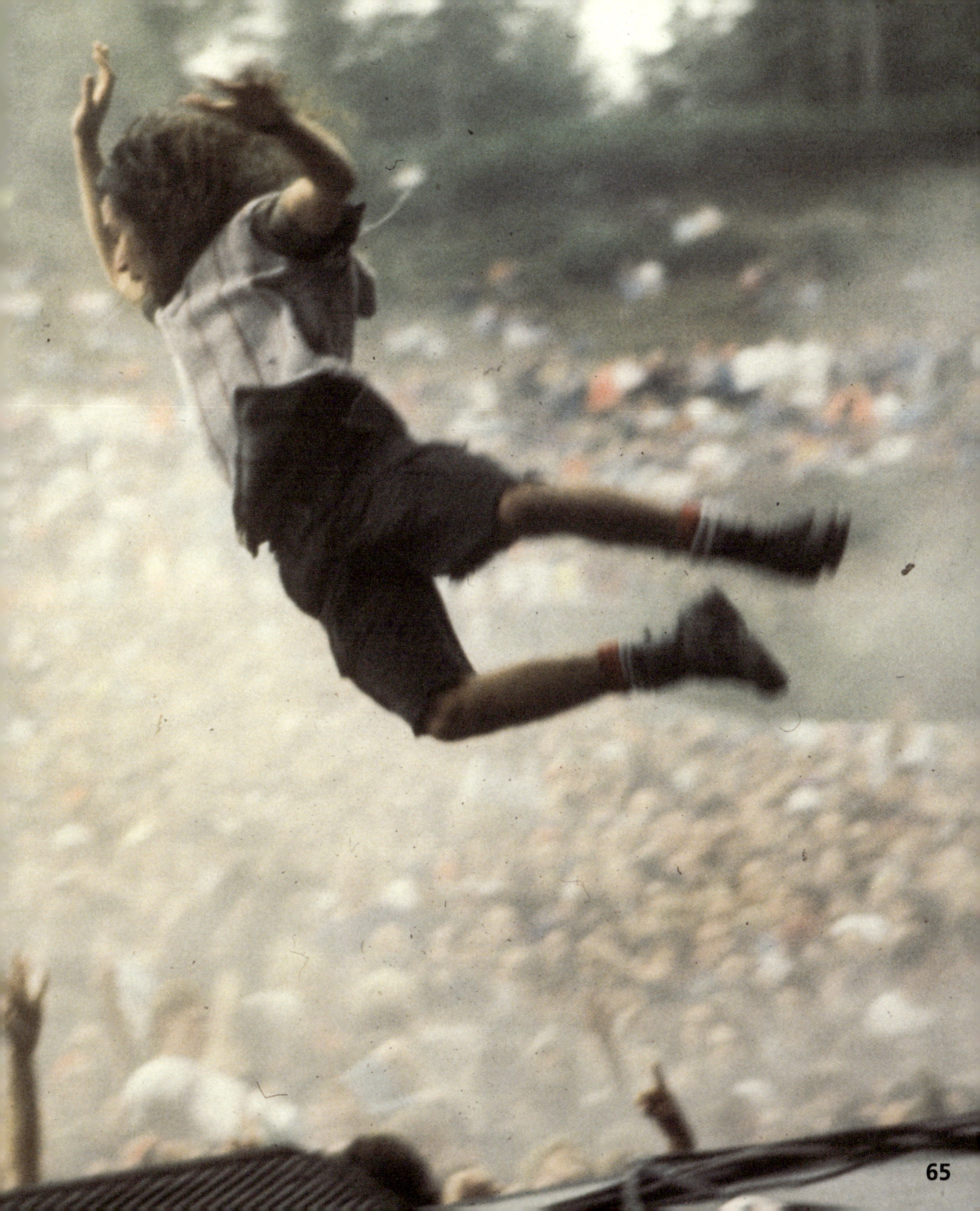

ocasião, me ocorreu que eu havia feito algo bem estúpido. Mas eu estava canalizando algo diferente. Eu me sentia como aquela mãe que dizem ter tirado o carro de cima de um menino de 2 anos. Era esse tipo de aventura.

Naquela altura da vida, e tendo finalmente a oportunidade de tocar para plateias maiores, eu realmente me sentia como se não tivesse nada a perder. Não pensava no que poderia estar me esperando no meu futuro. Só pensava no *agora*. E isso era parte do pacote de qualquer que fosse a mensagem que o grupo e eu queríamos passar para a plateia naquele momento. Colocar sua pele em risco para evocar aquela emoção se tornou parte do programa. Normalmente era instantâneo, mas em noites boas eu notava de antemão que as coisas iam seguir aquele rumo. Eu não ia me esquecer daquelas noites de nossa banda crescendo, e acho que não queria que a plateia se esquecesse também.

Mike McCready: Ele subiu a dezenas de metros de altura, e estava pendurado sobre a plateia. Era algo como "Certo, ele vai fazer isso novamente", porque ele fazia isso por toda parte. Mas ele realmente foi longe demais daquela vez. Eu o tinha visto fazer aquilo várias vezes, e ficava nervoso todas as vezes que ele fazia, como se ele pudesse morrer. Pelo menos ele não se matou.

Eric Johnson: Aquilo foi de longe a coisa mais assustadora que já vi em um show. Dava para ver a viga engrossando e os dedos de Eddie escorregando. Eu fiquei bem debaixo dele o tempo todo. Achei que talvez pudesse tentar amortecer a queda, mas foi só isso. Acho que Eddie de fato queria estar ali. Ele dava tudo em um show, quase como se estivesse jogando por um título toda noite. Ele sempre ia para o meio da plateia em "Porch", e comecei a odiar essa música por causa disso. Aquilo ia me dar uma úlcera.

31 de dezembro
Cow Palace, Daly City, Califórnia

O furacão que era o Pearl Jam em seu primeiro ano chega ao Reveillon com um show ao lado do Nirvana e do Red Hot Chili Peppers. O grupo toca de forma feroz durante seu set de trinta minutos, com Vedder claramente emocionado com a ocasião: "Se eu não fosse dessa banda", declara ele, "ainda estaria aqui com certeza essa noite". Antes de "Porch", alguém começa a tocar o riff de "Smells Like Teen Spirit" do Nirvana. "Apenas lembrem-se que tocamos essa primeiro", brinca Stone Gossard.

Jeff Ament: Eu sentia que aqueles eram os maiores shows de nossas vidas até aquele momento. Estávamos lá com o Nirvana e existia uma competitividade e um pouco de tensão entre nós naquela época. Krist Novoselic, o baixista do Nirvana, veio nos dizer que tinha uma jukebox comunitária entre os trailers do camarim, e ficou chateado porque estávamos tocando Crosby, Stills, Nash & Young e Beatles nela. Então ele colocou um cartaz sobre a jukebox nos dizendo o que não podíamos tocar. Eu estava já praticamente pronto para sair na mão com ele. Tipo "Ótimo! Perfeito. Cai dentro". Nós imediatamente carregamos aquela coisa com tudo que ele disse que não podíamos tocar, então ele vinha e esbarrava na jukebox durante as nossas músicas. Ela acabou simplesmente sendo desligada.

Mike McCready: Estávamos no ônibus depois do show e ouvimos dizer que *Nevermind* ia derrubar Michael Jackson do topo das paradas. Eu me lembro de uma amiga minha subindo em nosso ônibus e procurando por Kurt para lhe dar parabéns, sem perceber que estava no lugar errado. Cada vez mais jovens iam à loucura quando tocávamos, e tudo estava estourando. Eu sentia que éramos bons o suficiente para também conseguir as coisas que o Nirvana tinha conseguido.

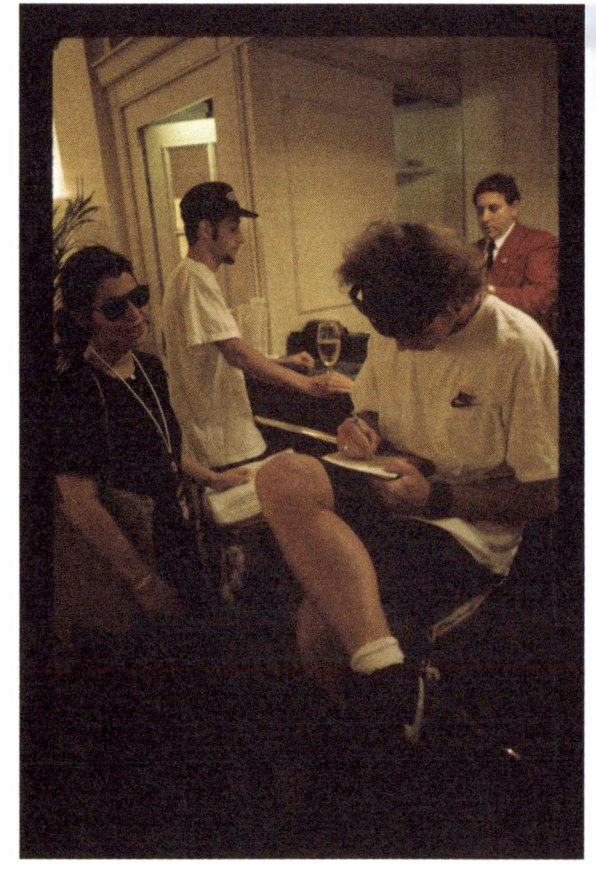

67

Ten

Tudo começou de modo tão inocente naquele dia em Los Angeles em setembro de 1990, quando Jack Irons entregou a seu amigo Eddie Vedder uma fita contendo cinco músicas instrumentais de uma banda de Seattle tão nova que não tinha baterista nem vocalista, muito menos um nome. "Não posso me juntar a eles", disse Irons a Vedder, "mas eles estão procurando um vocalista. Depois me diga o que achou".

Cerca de um mês depois, Vedder estava em Seattle tocando com Stone Gossard, Jeff Ament, Mike McCready e Dave Krusen as canções que formariam o álbum *Ten*, um dos discos mais populares do fim do século XX e um divisor de águas na revolução musical que veio a ser conhecida como grunge. Ao lado do igualmente iconoclasta *Nevermind*, do Nirvana, *Ten* vendeu mais de 13 milhões de cópias, levado por uma nova era de um sucesso comercial antes impensável para o rock alternativo, e transformou o grupo que hoje conhecemos como Pearl Jam em um fenômeno mundial.

As três músicas da fita cassete sobre as quais Vedder gravou vocais em San Diego e mandou de volta a Seattle se tornaram a trilogia ligada pelo tema mãe-e-filho de "Alive", "Once" e "Footsteps". Assim que ele chegou ao noroeste, a banda trabalhou aquelas músicas até chegar a versões mais completas. Eles também começaram a preparar as fundações para as futuras faixas de *Ten*, "Even Flow", "Release" e "Oceans", assim como músicas como "Breath" e "Yellow Ledbetter", que acabaram não entrando no álbum de estreia, mas que aparecem proeminentemente na carreira do Pearl Jam mais adiante.

"Nós passávamos quatro ou cinco horas trabalhando, comíamos algo e então mais quatro ou cinco horas trabalhando", diz Ament sobre o ritmo das primeiras sessões de ensaio. "Foi a primeira vez que todos nós tínhamos nos empolgado de verdade ao criar música como uma banda. Nós amávamos as músicas que fazíamos juntos e podíamos sentir o seu potencial."

"Aquilo tudo simplesmente se encaixou", diz Vedder. "Ninguém teve que realmente abrir mão de algo para agradar os outros. Foi um fenômeno, de certa forma. Todos nós tocávamos há pelo menos seis, sete, oito anos e havíamos estado em bandas diferentes, e sentíamos algo que nunca tínhamos sentido antes, com a honestidade e a forma como tudo estava saindo."

"Black", que evoluiu de uma demo de Gossard intitulada "E-ballad", confirmou os instintos de todos de que o quinteto tinha algo especial: música através da qual eles podiam canalizar seus sonhos mais profundos e seus pensamentos mais sombrios. Em "Black", o narrador tenta juntar os pedaços de um relacionamento partido, primeiro com um estilo quase alegre e observador, mas seus pensamentos se tornam mais pesados e emotivos enquanto a música se eleva até um final fascinante: *I know someday you´ll have a beautiful life / I know you´ll be a star / In somebody else's sky / But why can´t it be mine?* [Sei que um dia você vai ter uma vida linda / Sei que você será uma estrela / No céu de outra pessoa / Mas por que não pode ser no meu?]

Esse sentimento mais tarde se mostrou imediatamente familiar com adolescentes experimentando suas primeiras experiências com o amor, com rompimentos e emoções adultas. "É sobre primeiros relacionamentos", diz Vedder. "A música é sobre perda. É muito raro que um relacionamento resista à atração gravitacional da Terra e aonde ela vá levar as pessoas e como elas vão crescer. Ouvi dizer que não há como ter um amor verdadeiro a não ser que seja um amor não correspondido. É difícil, porque dessa forma o mais verdadeiro é aquele que você não pode ter para sempre."

Vedder mergulhou ainda mais fundo nas experiências formativas de sua vida em "Release". Ao ouvir Gossard tocar um riff repetitivo e seus companheiros de banda começarem a criar uma canção em volta dele, Vedder foi até o microfone e derramou emoções cruas sobre o pai que ele nunca conheceu: *I´ll wait up in the dark for you to speak to me / I´ll open up / Release me.* [Vou esperar no escuro até você falar comigo / Vou me abrir / Libere-me.]

"Eles começaram a tocá-la e eu simplesmente comecei a cantar", diz Vedder de "Release", que tinha quase dez minutos a princípio. "E então depois disso aquilo me deixou todo emotivo. E eu saí para o pequeno corredor e então Jeff veio atrás de mim e falou, você sabe, 'Você está bem?' e eu estava tendo uma espécie de momento. A maior parte da letra saiu de primeira, voltei para o hotel, me sentei no parapeito e acabei a letra. Eu percebi que estávamos todos reunidos naquela sala e eu ainda estava pensando em coisas sobre meu pai e perda. E eles estavam pensando na situação com Andy e tudo mais. Nós não nos conhecíamos, mas estávamos vindo de um lugar parecido e tudo isso se mostrou na primeira leva de canções.

A sonhadora "Oceans" ganhou vida depois que Vedder saiu do estúdio de ensaio da banda para colocar moedas em um parquímetro mas ficou trancado do lado de fora no processo. Como se fosse a cena de um filme, começou a chover. Preso do lado de fora, Vedder podia ouvir a linha de baixo de Ament permeando o porão de concreto. Simplesmente aconteceu de ele ter papel e caneta à mão para rabiscar alguns versos inspirados por seu amor por surfar. "É por isso que a melodia vocal acompanha exatamente o baixo", explica Vedder. "Era tudo o que eu podia ouvir."

E enquanto "Black" e "Release" eram pura autobiografia de Vedder, "Alive" era uma das primeiras tentativas do vocalista de criar uma nova história baseada em fatos reais, nesse caso, a revelação de quase uma década de que o homem que ele achava que era seu pai biológico na verdade não era. O refrão marcante "I´m still alive!" [Ainda estou vivo!] negava a realidade que Vedder tinha, na verdade, visto seu pai em diversas ocasiões, mas o conhecia apenas como um amigo da família e que aquele homem tinha morrido de esclerose múltipla em 1981, antes de Vedder ter a chance de vê-lo novamente.

"Era uma obra de ficção baseada na realidade", diz Vedder sobre "Alive". "De certa forma, foi uma forma de extravasar. De jeito nenhum aquela era uma história real. Era apenas uma forma de expressar algumas coisas que eu sentia. Quem sabe por que aquilo surgiu naquele momento? Não tenho nenhuma pista nem lembrança."

Depois de sua segunda estada de uma semana em Seattle, durante a qual a banda gravou mais de 12 músicas e ideias e fez seu primeiro show com o nome Mookie Blaylock, Vedder teve que voltar a San Diego para resolver algumas pendências antes de se mudar para o norte em definitivo. Assim que voltou, a banda compôs mais meia dúzia de canções tão fortes quanto o material que já tinha sido gravado.

"Tão rápido quanto estávamos trabalhando naquelas primeiras músicas, novas músicas iam surgindo", recorda Krusen, que tinha juntado forças a Gossard, McCready e Ament apenas algumas semanas mais cedo e ainda estava começando a conhecê-los. "Foi a coisa mais rápida e criativa de que já fiz parte. Era tão veloz e as ideias estavam fluindo tão rapidamente! Apenas me lembro de que Eddie tinha papéis espalhados por todo lado e rabiscava o tempo todo ideias de letras. Stone e Jeff tinham algumas ideias de baterias muito boas. Não era algo frenético tipo, 'Temos que fazer isso com pressa'. E aquilo não me deixava surtado de uma forma tipo, 'Oh, meu Deus, essa é a melhor banda de todos os tempos!'. Eu estava mais embasbacado com a coisa toda. Era realmente impressionante."

Por ter recebido um retorno direto mínimo durante os ensaios, Vedder no início tinha dúvidas de que sua contribuição estivesse satisfazendo Ament e Gossard. "Uma música acabava e eles falavam com Dave: 'Bem, ela precisa mudar aqui, ou chegar a essa parte mais rápido. Quer tentar de novo?' Na próxima vez eles diziam 'Dave, esqueça o contratempo'. Era tudo em cima do ritmo e do groove", diz ele. "Finalmente, eles tinham acabado e eu falava 'Rapidinho, o que estou fazendo está bom?'. E eles diziam 'Sim, sim, você está indo bem'. 'Certo, vou simplesmente continuar'. Eu tinha levado minha guitarra, mas acho que nunca a toquei [risos]."

Para Gossard e Ament, os ensaios rapidamente provavam que, a despeito de quaisquer diferenças particulares que tivessem restado entre eles da época do Green River e do Mother Love Bone, eles tinham topado com algo que parecia poderoso o suficiente para transcender tudo aquilo.

"Naquela época, Jeff e eu tínhamos tocado em um monte de bandas juntos e tínhamos passado pela época mais difícil juntos", diz Gossard. "Nós tínhamos uma relação muito frutífera: tudo que fazíamos continuava a ter um sucesso que, de certa forma, ia além de nossa habilidade. Mas Jeff e eu sempre tivemos essa relação de adversários. Não sinto nada além de gratidão por isso agora, porque apenas rimos um do outro e falamos 'Graças a Deus nós resolvemos isso'. Mas geralmente nós batemos de frente a respeito de qualquer assunto. Se não sou eu que está sendo do contra, é ele. Isso tudo ficou atenuado agora, porque o que nós provavelmente pensávamos como nossa nova banda, que poderíamos tentar controlar juntos, imediatamente foi assumido por Ed. Então nós dois aprendemos a maior lição de todas, que era: bem quando você está brigando para ter controle, você conhece alguém com tanta magia, carisma e energia artística que seu argumento se torna sem sentido. Havia uma grande ironia nisso."

Durante a segunda viagem de Vedder a Seattle, ele e Ament foram responsáveis por duas peças que ilustravam a versatilidade musical do novo projeto. "Deep", um dos primeiros exemplos da habilidade da banda para criar um rock pesado que também tivesse um belo groove, foi inspirada em uma história que Ament contou a Vedder sobre estar caminhando por uma rua de Seattle com uma bela vista da cidade, então olhar para um prédio de apartamentos e ver um homem injetar heroína. "Eu me pergunto por que as pessoas precisam dessas outras coisas em suas vidas para se manterem felizes ou funcionando", diz Vedder. "Acho que falava sobre isso na canção."

Enquanto a banda acumulava mais e mais material, Vedder começou a criar o hábito de permanecer no estúdio de ensaio depois que todos tivessem ido embora para "fazer barulho" e gravar vocais. "Na única noite em que Jeff ficou lá comigo, fizemos um monte de barulho e começamos um groove ambiente" que os músicos apelidaram de "Master/Slave". Uma parte da peça com som ameaçador foi escolhida para abrir o disco, enquanto uma segunda seção, mais longa, foi incluída no final de "Release". Vedder diz "Essa é uma boa coisa para ajudá-lo a pegar no sono. Depois que você escutava o disco, aquilo o ninava".

Originalmente escritas no violão e então transpostas para o baixo de 12 cordas, "Jeremy" e "Why Go", de Ament, acrescentavam mais dois rocks multifacetados à mistura e forneciam mais mostruários para as narrativas profundamente inspiradoras de Vedder.

Ament diz "Ed estava lendo um jornal quando começamos a tocar "Jeremy" juntos, e basicamente escreveu a letra toda inspirado em um artigo" sobre um adolescente do Texas que tinha cometido suicídio na sala de aula de sua escola no dia 8 de janeiro de 1991.

"Acabou sendo uma letra muito pesada. Eu ainda não entendia de composição naquela época. Basicamente a música toda é em lá — não há realmente nenhuma mudança de acorde significativa. Aquilo batia de frente com as regras de como escrever uma canção pop. Muito daquilo era a emoção que estava saindo de Ed."

Em "Why Go", inspirada por uma jovem amiga de Vedder que tinha sido internada em uma clínica psiquiátrica depois de ser pega fumando maconha, o vocalista atacava pais egoístas que não estavam dispostos a suportar as dificuldades associadas a cuidar de uma família. "O adolescente é colocado ali porque seus pais escutam de um terapeuta que ele precisa ficar lá", diz ele. "Naquele momento, o jovem se rebela totalmente e surta. Isso transparece na música: por que voltar para casa e para essas pessoas que a colocaram aqui? Depois de meses ou mesmo anos, o plano de saúde para de cobrir os custos e eles dizem 'Sim, ela está bem. Ela pode ir para casa agora'."

Escrita em um de seus momentos solitários durante a madrugada no estúdio de ensaio, "Porch" se tornou a única música com crédito de compositor apenas de Vedder em *Ten*. Apesar de ter apenas três minutos e meio no disco, a música rapidamente desabrochou como uma das melhores músicas ao vivo, muitas vezes alcançando dez minutos nesse formato apesar de ser tocada significativamente mais rápido do que na versão de estúdio.

"Há momentos em sua vida em que tudo parece poético", diz Vedder sobre a música. "Algumas vezes, tudo que você vê o leva a explorar pensamentos mais profundos, ou pelo menos escrever sobre isso. Há canções por toda parte pedindo para serem escritas. Naquele momento, coisas como "Porch" simplesmente pareciam surgir. Minhas células estavam vibrando."

Pouco depois de finalizar um contrato com a Epic Records, o Pearl Jam entrou no London Bridge Studios, em Seattle, no fim de março de 1991 para gravar *Ten* com o produtor Rick Parashar, que também tinha trabalhado no álbum do Temple of the

Dog. É de certa forma incrível pensar que a banda estava junta há apenas cinco meses e tinha feito cerca de vinte shows até então. Mas o Pearl Jam sabia exatamente o que queria alcançar nesse ponto do processo, desde a diversidade do material até como o orçamento seria dividido.

"Estávamos todos de acordo que queríamos que o disco fosse tão diverso quanto pudesse ser", diz Ament. "É por isso que lutamos tanto para incluir "Oceans", "Release" e "Master/Slave". Não queríamos ficar estereotipados. Naquela época, tudo parecia muito claro para mim em relação ao que fazíamos e aonde estávamos indo com aquilo. Não acho que senti essa clareza desde então. Não queríamos gastar muito tempo e todos estavam no mesmo ritmo. A única coisa em nossas vidas àquela altura era gravar aquele disco."

Ament e Gossard estavam particularmente empenhados em não cometer os mesmos erros que achavam ter cometido no início do contrato do Mother Love Bone com a PolyGram. "Acho que especialmente no começo você tenta se segurar ao que é a sua identidade. Essa foi a coisa boa de passar pelo que passamos com o Mother Love Bone", diz Ament. "Quero dizer, porque éramos tão novos naquele mundo das grandes gravadoras, nós cedemos muitas vezes em relação a como eles queriam que as coisas fossem feitas. Gastamos muito dinheiro com coisas idiotas e gastamos dinheiro demais gravando o disco do Mother Love Bone."

Para se assegurar, a banda disse a Goldstone que de forma alguma gastaria "duzentos ou trezentos mil dólares" gravando *Ten*. Em vez disso, Ament se lembra de estipular um teto de 75 mil dólares e de insistir em usar o resto do adiantamento para comprar bons instrumentos, um bom sistema de PA e pagar aluguel do estúdio de ensaio do Pearl Jam — "coisas que iam nos permitir ser uma banda melhor. O fato de termos essa segunda chance, que é incrível de qualquer forma, de termos conhecido Ed e imediatamente termos composto algumas canções que achamos que eram muito boas, e o fato de as pessoas estarem interessadas naquilo... Nós simplesmente não íamos estragar tudo novamente. Não íamos deixar uma segunda chance escapar."

Assim que o Pearl Jam estava confortavelmente abrigado no estúdio, as coisas andaram rápido e de forma tranquila, com poucas exceções. Integrantes da banda afirmam que "Even Flow" foi tentada entre cinquenta e cem vezes, principalmente por causa de irregularidades no ritmo e a incapacidade de Krusen ficar confortável em seu banco de bateria. "Tiveram que editar o meio porque eu estava acelerando no final. Foi simplesmente um pesadelo", diz ele.

"Alive" também foi um ponto problemático, apenas porque a banda já estava de posse de uma versão matadora da música da sua sessão de demos com Parashar no fim de janeiro. No fim das contas, aquela versão é a que acabou em *Ten*. Krusen diz "Nós tínhamos capturado aquela música naquele momento e ela estava muito boa".

No começo de junho, o Pearl Jam foi até o Ridge Farm Studios na cidade de Dorking, na Inglaterra, a 40 quilômetros de Londres, para fazer a mixagem de *Ten* com Tim Palmer, que também tinha mixado *Apple*, do Mother Love Bone. No exterior pela primeira vez em sua vida, Vedder estava encantado com a atmosfera rústica e se pegou caminhando pelos campos no meio da noite, sem conseguir dormir. Vedder sentia saudade de casa, no entanto. Sua personalidade de fã ardoroso de basquete tomou conta dele, então ele conseguiu que fitas VHS com os jogos da final da NBA que estavam acontecendo naquela época fossem mandados com urgência pelo correio para ele — apenas para descobrir que elas não passariam no sistema PAL do Reino Unido.

Olhando de longe, Vedder diz que *Ten* ainda soa tão nítido para ele quanto soava enquanto o Pearl Jam o estava gravando. "Aquela era uma música que eu realmente nunca tinha ouvido antes", diz ele. "Não era tanto 'grunge rock' quanto era 'groove rock'. Aquele período inicial de composição de Jeff e Stone era totalmente focado no groove. Tinha guitarras e pedais de guitarra, mas havia algo naquilo que eu nunca tinha escutado antes. Não era Jane´s Addiction, nem The Cult, nem Chili Peppers, nem U2, nem Sonic Youth. Era uma coisa diferente. Ter essa nova estrutura com sua própria identidade era de fato empolgante. Dava a impressão de que aquilo era nosso."

"Praticamente em toda a minha carreira, fiz parte de bandas com letristas incrivelmente criativos", diz Ament. "Mas Ed foi o primeiro letrista com quem eu senti que podia me conectar de forma profunda. Eu simplesmente sentia como se pudesse me identificar com as coisas sobre as quais ele cantava, e como ele fazia aquilo. Eu sentia uma verdadeira camaradagem com ele, que eu nunca tinha sentido desde a primeira banda que tive. Ele era alguém em quem eu confiava totalmente. Aquilo quase não parecia real naquele momento. Eu estava bastante animado de tocar com ele.

"Com músicas como 'Black' e 'Release', não acho que ele já tivesse colocado aqueles sentimentos em palavras antes, e nós certamente não tínhamos nos envolvido em nada que tivesse transformado aquele tipo de coisas em palavras. Estávamos sentindo as mesmas coisas — lidando com mortes, perda, solidão e tudo aquilo, e realmente começando a entender aqueles sentimentos. Todos eram crus àquela altura. Por sorte, Stone tinha resolvido pegar sua guitarra e canalizado aquela dor em canções."

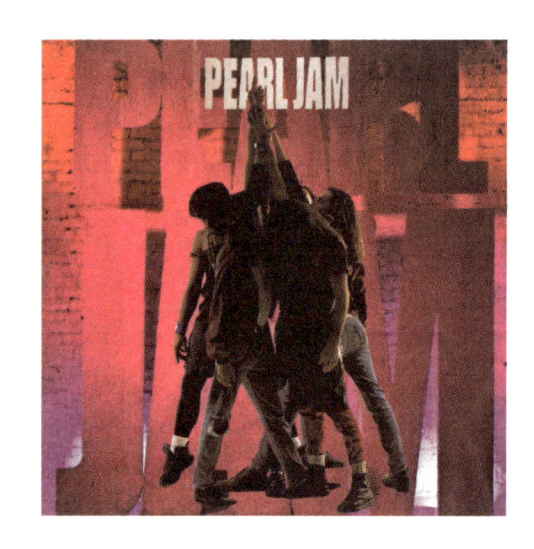

71

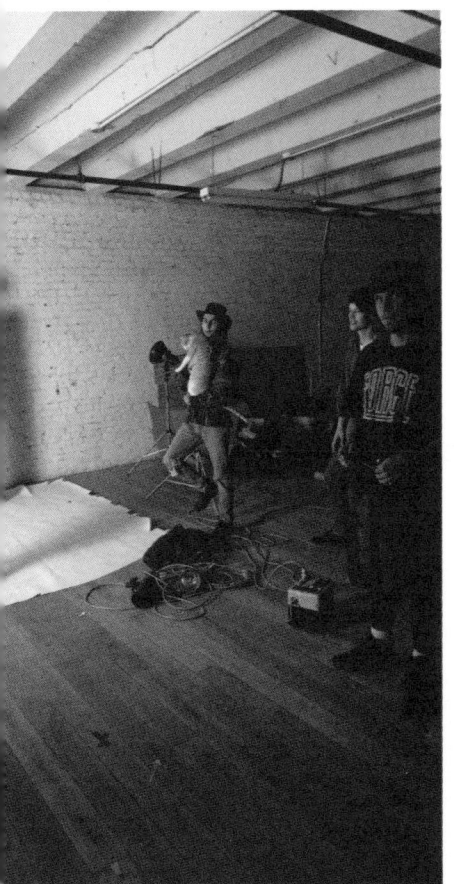

CAPÍTULO 1992

1992

Pearl Jam não era um nome realmente familiar em 1992, mas seria bem difícil encontrar um adolescente americano que não tivesse *Ten*, muito menos um que não soubesse cada palavra da letra de "Jeremy", "Alive" ou "Even Flow". Com sua música se tornando onipresente, a banda começou a usar sua notoriedade para causas maiores com que seus integrantes se importavam, desde registro de eleitores ao direito ao aborto, e até organizaram um show grátis em sua Seattle para retribuir à comunidade que os acolheu de forma tão calorosa. O Pearl Jam se encontrava sem dúvida entre um grupo de bandas para as quais o rock´n´roll significava muito mais do que o sucesso comercial. Mas o rock alternativo também era uma mercadoria cada vez mais valiosa, e o Pearl Jam estava prestes a descobrir até onde as pessoas estavam dispostas a ir para reivindicar sua fatia do bolo.

2 de janeiro
Salem Armory Auditorium, Salem, Oregon

O Pearl Jam completa sua participação na turnê com o Nirvana e o Red Hot Chili Peppers. A jornada deveria ser concluída no dia seguinte em Seattle, mas o show foi cancelado porque tanto Kurt Cobain quanto Anthony Kiedis estavam doentes. Em vez disso, o Pearl Jam faz um show menor naquela noite no RKCNDY em Seattle.

4 de janeiro

Espremida entre o cover que Jon Bon Jovi gravou de "Levon", de Elton John, e "Why Must I Always Explain?", de Van Morrison, "Alive" estreia no número 45 da parada de Mainstream Rock da *Billboard*, onde ela acabou ficando vinte e cinco semanas antes de chegar a seu ponto mais alto no número 16.

Bruce Springsteen: As primeiras músicas que ouvi do Pearl Jam acho que foram "Alive" e então "Jeremy". A coisa que mais me chamou a atenção era que Eddie tinha uma voz incomum para hard rock. Ela tinha em si um tremolo folk que era original naquela forma. Sempre achei que esse tremolo criava uma intimidade no meio do que podia ser um som violento que tocava seu coração. Eu sabia que sair da cena alternativa tornaria a estrada em que eles estavam uma jornada difícil e conflitante. O paradoxo de querer falar de forma tão pessoal e então repentinamente ter tantas pessoas que queriam escutar traria um desafio. É simplesmente assim que as coisas funcionam. Mas todo jovem artista tem que estabelecer seus limites em um lugar em que estejam confortáveis tanto em oferecer quanto em proteger seu coração. Eu sabia por aquele tremolo e pelo poder de sua banda que Eddie e o Pearl Jam iam se encontrar bem no meio daquilo tudo.

17 de janeiro
Moore Theatre, Seattle

Com Vedder reclamando implacavelmente das "luzes de cinema" o tempo todo, o show do Pearl Jam no Moore Theatre, em sua cidade, é filmado mais uma vez por Josh Taft, com cenas que acabaram sendo usadas para o vídeo de "Even Flow". Nele, Vedder escala até o balcão da casa de show durante o solo de guitarra e gloriosamente cai de costas sobre os braços esticados da plateia. Devido a uma falha técnica durante o show que tornou o áudio inutilizável, a faixa de áudio do clipe é uma versão de estúdio regravada de "Even Flow" com Dave Abruzzese na bateria que foi gravada no último outono, e não a versão que está em *Ten*. Nesse show, a banda também toca pela primeira vez o cover de "Baba O´Riley", do The Who, que acabou se tornando uma de suas mais poderosas músicas para terminar shows.

Eddie Vedder: Eu me lembro de pensar que outras bandas que tive só conseguiram tocar "Baba" soando como bandinhas de merda e não havia forma de chegar nem perto. Então quando me cerquei de bons músicos, pensei "Bem, talvez eu dê essa ideia mais uma vez". Eu apenas queria ouvir aquilo ao vivo. De alguma forma cheguei à conclusão de que Mike McCready podia tocar a parte do sintetizador na guitarra. E então foi isso.

24 de janeiro
Hollywood Palladium, Hollywood, Califórnia

O Pearl Jam toca ao lado do Fugazi, L7, Lunachicks e Torture Chorus em um show beneficente comandado por Kim Gordon para a Rock for Choice, que as integrantes do L7 haviam formado para criar consciência sobre o direito ao aborto. Eddie Vedder tinha recentemente se fascinado com o som hardcore contundente com pegada punk do Fugazi, assim como com a posição da banda, incondicionalmente contra o mainstream, e sua insistência em cobrar apenas cinco dólares por seus shows, que sempre eram abertos a pessoas de todas as idades. No show ele conhece os integrantes do Fugazi pela primeira vez e cria um rápido e duradouro laço com o vocalista e guitarrista Ian MacKaye, inclusive o acompanhando em uma refeição no fim da noite no Denny´s depois do show.

Ian MacKaye: Havia muita excitação a respeito deles, o que, para mim, estava vindo do nada. Eu não sabia nada sobre eles. Eles queriam trazer luzes especiais, como um canhão de luz. A iluminação do show do Fugazi é basicamente luz branca. Durante anos tivemos duas lâmpadas halogênicas brancas. Fico surpreso com o fato de as pessoas não nos terem processado por cegá-las. De qualquer forma, me lembro de Eddie pulando na plateia e sendo carregado até o fundo do salão e de volta, com um canhão de luz o seguindo o tempo todo. Acho que o pessoal de promoção estava pensando "Vamos acentuar isso! Essa é a energia que devemos ressaltar!".

Quando Eddie e eu passamos tempo juntos, é simplesmente tranquilo. Nós apenas deixamos rolar. Nós não mantemos contato realmente. Não falamos sempre um com o outro. Mas a amizade é uma coisa do tipo que vai ser continuada. Você recomeça de onde tinha parado. Ele é um cara profundo. Ele é tão supersensível e supertalentoso. Toda vez que o vejo, algo mais é revelado. Ele me mandou um bilhete escrito em caligrafia e fiquei pensando "De onde saiu isso?". Aquilo me fazia me sentir como um tolo nada artístico! Nós inclusive fomos fazer paddleboard no rio Potomac. Dá para imaginar? Foi hilário! Eu também o levei para jogar softball, e ele acabou com o jogo. Ele me fez me sentir como um tonto desajeitado.

31 de janeiro

O Pearl Jam grava imagens em Los Angeles destinadas a um vídeo de "Even Flow" com o diretor Rocky Schenck, mas a banda fica insatisfeita com o resultado e nada daquele material é divulgado. Em vez disso, as performances filmadas mais cedo naquele

PENSACOLA
w/ DONITA SPARKS,
DEE PLAKAS &
HER HUSBAND KIRK

ROCK FOR CHOICE PRESENTS
PEARL JAM · L7
FOLLOW FOR NOW

WED. MAR. 9 · PENSACOLA CIVIC CENTER
PENSACOLA, FLORIDA

K BUSH IN '92

Pearl Jam
U.S. tour 1992

Pearl Jam
U.S. tour 92 ← this one

Pearl Jam
U.S. tour 1992

music for rhinos
music for rhinos

13 MAERZ '92 12:46 SONY MUSIC FRANKFURT   49 69 1305216 P.2

① ALIVE SHIRT · SET LIST BACK — all the same except doing white stick-man in a flesh tone   (BLACK-T-shirt)

② CARTOON · new tour dates BACK (included here) switch colors around on front, on our clothes, hats, etc.   (WHITE-T-shirt)

SHIRT — drop white border around [PEARL JAM] filling with grey or white
the back   (BLACK-T-shirt)

SHIRT / BLACK back — more white in candles for presence
outfit back   (BLACK T-shirt)

UP / MASTER / SLAVE BACK (warmer red, grey, silver, white)   (BLACK T-shirt)

DESIGN · RHINO BACK   (BLACK-T-shirt)

-92 TUE 19:37 MARK/ALAN PROD. INC.   P.02

Press schedules.   Nat'l Radio to tape show.
After show in cafe

PEARL JAM EUROFAX
FEBRUARY 12 1992

1. ERIC CAN YOU GET ME THE ANSWERS TO YESTERDAY'S QUESTIONS: PARASHAR CREDIT FOR STATE OF LOVE AND TRUST, B-SIDES FOR EUROPE.

2. IF YOU GUYS ARE SERIOUS ABOUT TAKING SOME SORT OF VACATION I NEED TO KNOW WHO WHAT WHERE AND ECT....

3. LOOKS LIKE THESE SOUNDGARDEN SHOWS WILL HAPPEN IN TEXAS. WE ARE IN THE PROCESS OF WORKING OUT THE LOGISTICS NOW.

4. REGAN WANTS TO PLAY WITH YOU GUYS IN SEATTLE.

5. CAMERON'S MOVIE NOW COMES OUT IN JULY (DRAG) DO YOU WANT ME TO STILL PURSUE SATURDAY NITE LIVE? *Tribe one night / Bless another night* *Wait to see when Matt is* *Don't feel like pushing it*

6. ERIC CAN YOU SEE WHAT THE RATE IS IN MILAN AND TRY AND GET FRAN THE SAME.

7. FIND THE ENCLOSED START OF THE NEW RIDER FOR THE US TOUR. PLEASE CHECK IT OUT AND ADD OR SUBTRACT AND GET IT BACK TO ME.

8. ALSO ENCLOSED IS THE ESSAY INFORMATION FROM SPIN FOR EDDIE.

9. DANNA COOK WILL BE AT THE LONDON SHOW AND SHE HAS A LAM ALREADY.

HOPE EVERYONE IS WELL.

PS T-SHIRT DESIGNS ARE DUE SOON AS WELL AS SINGLE ART WORK FOR EUROPE.

KELLY

Record is at   457,000
5 day   108,700

B-sides.   Yellow Letter (they need the tape of the 4 version.) B-side to Evenflow — and Dirty Frank. — Mixed? Eddie needs to be present for mixing.

PEARL JAM EUROPE 1992

CITY	VENUE	CAPACITY
TRAVEL		
TRAVEL		
SOUTHEND	ESPLANADE CLUB	300
LONDON	BORDERLINE	300
OFF		
STOCKHOLM	KOOL KAT	300
OSLO	ALASKA	500
COPENHAGEN	MUSIC CAFE	300
OFF		
PARIS	LOCOMOTIVE	1000
AMSTERDAM	MELKWEG	750
OFF		
MADRID	REVOLVER	500
OFF		
MILAN	SORPASSO	300–1000
OFF		
MANCHESTER	INTERNATIONAL 2	600
NEWCASTLE	RIVERSIDE	400
GLASGOW	CATHOUSE	300
OFF		
NOTTINGHAM	ROCK CITY	500
BIRMINGHAM	EDWARDS NO. 8	300
BRADFORD	QUEENSHALL	400–850
LONDON	U.L.U	
		500
		600
GRONINGEN	VERA	450
DEN HAAG	PARD	1000
NIJMEGEN	DOORNROOSJE	600
UTRECHT	TIVOLI	1000
EINDHOVEN	AFFENAAR	
ROTTERDAM	NIGHT-TOWN	600
OFF		650
KOLN	LUXAR	400
BERLIN	LOFT	
HAMBURG	MARKTHALLE	750
OFF		1000
FRANKFURT	BATSCHKAP	
	NACHTWERK	

mês em Seattle por Josh Taft acabam se tornando o vídeo oficial de "Even Flow".

Stone Gossard: Sim, aquilo foi ideia minha. Parte foi filmada em um zoológico depois de escurecer e o resto éramos nós tocando na beira de um penhasco. Era muito mais "rockão" do que queríamos. Não sei bem se aquilo um dia será visto.

Jeff Ament: Aquilo ficou horrível, e soubemos na época que tinha ficado horrível.

3 de fevereiro
Esplanade Club, Southend, Inglaterra

O Pearl Jam faz seu primeiro show na Europa, um show não anunciado em uma cidade litorânea a cerca de 60 quilômetros de Londres. *Ten* ainda demoraria três semanas para ser lançado, mas já estava circulando bastante como importado, assim como o single oficial de "Alive", disponível em quatro formatos diferentes. Em Southend, Eddie Vedder fica genuinamente surpreso ao descobrir quantos fãs conhecem as letras das músicas.

Kelly Curtis: No momento em que estava estourando, aquilo tinha se tornado uma coisa diferente do Pearl Jam e sua música. Tinha se tornado uma coisa de Seattle, e foi naquele momento que a banda começou a dizer "Chega". Todos os discos tinham um adesivo que dizia "o Som de Seattle". Aquilo era bastante irritante para todo mundo. Naquela época, as diretrizes para um lançamento internacional saíam de Nova York. Se a Sony decidisse que era um disco importante, todo mundo no universo recebia essa mensagem. É diferente hoje. Cada território toma conta de si mesmo. Pode ter acontecido que o disco teve um sucesso internacional mais rápido porque é um pouco mais sofisticado musicalmente e eles não eram tão presos a um formato ou a um estilo. Era mais fácil para os fãs de lá apenas amarem a música, diferentemente dos Estados Unidos, onde havia uma luta para encontrar um lar para a música.

4 de fevereiro
BBC Television Centre, Londres

O Pearl Jam toca "Alive" em sua apresentação inaugural no programa *The Late Show* da BBC Two. Mais tarde naquele dia, a banda faz seu primeiro show oficial em frente a uma plateia cheia de figuras da indústria fonográfica no Borderline, uma pequena casa de shows de Londres no porão de um restaurante mexicano.

10 de fevereiro
Virgin Records, Paris

O Pearl Jam se espreme em uma loja de discos em Paris para uma performance acústica de quatro músicas.

19 de fevereiro
Albani Bar of Music, Winterthur, Suíça

No dia seguinte a um show num ambiente insuportavelmente quente e apertado em Milão, na Itália, o Pearl Jam chega a essa casa nos arredores de Zurique para descobrir que o local é ainda menor, e decide levar a apresentação em uma nova direção. O resultado alcança um status de mito entre os fãs do Pearl Jam, pois nunca veio à tona entre os colecionadores de gravações não autorizadas e até mesmo o setlist é desconhecido.

Jeff Ament: Chegamos à casa de shows, e o palco era quase do tamanho do nosso praticável da bateria. Ficamos olhando para aquilo e imaginando como poderíamos fazer um show ali com todo o equipamento. Alguém disse "Por que não fazemos um show acústico?". Havia algumas pessoas da gravadora lá e eles nos arranjaram alguns violões. Nós provavelmente tínhamos feito setenta ou oitenta shows como banda com o repertório de *Ten* àquela altura, então foi uma forma revigorante de olhar para aquele material. A plateia cantava as músicas para a gente, porque tínhamos um PA minúsculo.

Mike McCready: Era realmente pequeno. Apenas me lembro de ficar apertado no palco e Ed de pé ali, e Jeff e eu sentados um ao lado do outro. E me lembro de ficar um pouco desconfortável tocando um violão porque estávamos muito acostumados ao poder da guitarra. Mas eu também sabia

1992

que as canções eram boas o suficiente para serem tocadas de forma acústica, porque tínhamos tocado algumas delas daquele jeito quando estávamos começando.

21 de fevereiro
International II, Manchester, Inglaterra

O ônibus do Pearl Jam é roubado depois desse show.

Eric Johnson: Nosso motorista de caminhão, Henrik, estava cochilando no sofá do ônibus quando acordou e encontrou um sujeito saqueando mochilas e malas. Quando o grande e imponente Henrik se levantou e o confrontou, ele sacou uma faca para Henrik, repensou sua posição e correu. Mais tarde naquela noite eu fiz um comentário para um vendedor de camisetas piratas e, enquanto estava sendo atacado verbalmente, vi outro sujeito fazer uma ligação de um telefone celular, e dentro de segundos uma horda de canalhas muito mal-encarados veio correndo. Fiquei bastante feliz de ir embora de Manchester vivo naquela noite.

28 de fevereiro
Union of London University, Londres

Cansado da proliferação de *stage dive* e *crowd surf* nos shows europeus, Eddie Vedder diz à plateia no começo do show "Estão vendo suas botas aí? As grandes fivelas metálicas? Estão vendo as cabeças das pessoas aqui? São cabeças, porra, não são melões! Pessoal, é uma coisa linda quando vocês deitam sobre a plateia parecendo Jesus Cristo. Mas, juro, tudo que tenho vontade de fazer é crucificá-los quando os vejo batendo nas cabeças das pessoas".

2 de março
Paard, Haia, Holanda

O irmão mais novo de Eddie Vedder, Jason Mueller, toca baixo com o Pearl Jam na última música do show, "I´ve Got a Feeling", que tem citações a "Jane Says", do Jane´s Addiction, e a "Hunger Strike" e "Say Hello 2 Heaven", do Temple of the Dog.

9 de março
The Loft, Berlin

O Pearl Jam faz cover de "Rockin´ in the Free World", de Neil Young, pela primeira vez nesse show. Durante o bis, Vedder diz à plateia "Apenas uma coisa, para ficar claro: não somos o som de Seattle. Há muitos sons de Seattle".

Jeff Ament: Começamos a tocar "Rockin´ in the Free World" no fim do ciclo de turnê do nosso primeiro disco, e isso aconteceu por termos apenas 11 ou 12 músicas para tocar àquela altura. Depois de fazer cem shows, estávamos procurando qualquer outra coisa para tocar. Há uma terceira parte na música que é meio como uma ponte: uma parte em lá antes do refrão. Não tocamos essa parte provavelmente nas primeiras dez ou 15 vezes que tocamos

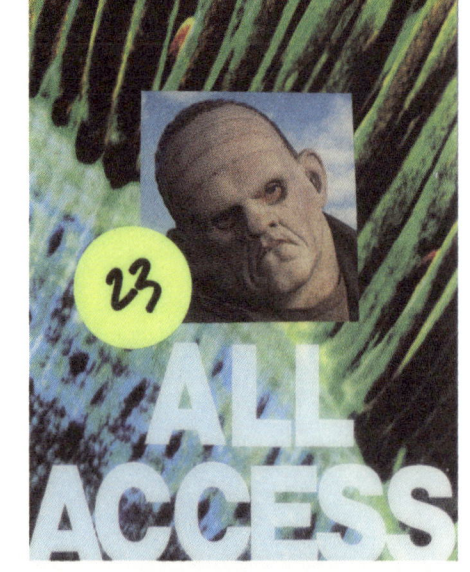

PEARL JAM
EUROPE 1992

ALL ACCESS 21
ALL ACCESS 24
ALL ACCESS 22

nikko hotels international

Eddie —
whats up.
I'm in Rm.
under Tate.
I'm trying to
(Pink Floyd)
for tix. if you
to go...

Reservations: 1-800-NIKKO-US
Fax-A-Res: 1-800-544-4455
New York • Atlanta • Chicago • San Francisco • Los Angeles • Ho

1992

ERIC JOHNSON GROUP

Guest name	Bag Tag	Check In	Check
Eric Johnson Party			
Mr Kelly Curtis			
Mr Hugh Mility	6	6-Mar	8-Ma
Mr Juan Badapple	1	6-Mar	8-Ma
Jim Rockford	2	6-Mar	8-Ma
Dr Hugh Jeego	3	6-Mar	8-Mar
Guy Jantic	4	6-Mar	1223
Eric Johnson	5	6-Mar	1225
	7	6-Mar	8-Mar	924

79

a música. E foi apenas quando acabamos tocando aquela música com Neil que tivemos que aprender o arranjo de forma apropriada. Cada uma das pessoas da banda viu aquela canção ser tocada no *Saturday Night Live* quando ele a compôs, tocando-a com Steve Jordan e Charley Drayton. É uma das poucas vezes em que música na televisão na verdade realmente funcionou. O que estava acontecendo naquele estúdio na verdade se traduzia para a TV e isso simplesmente não acontece com muita frequência. Aquela música era uma parte de nós, uma parte de todo mundo de alguma forma. Não tínhamos que ensaiá-la, todos já sabíamos tocá-la.

13 de março
Nachtwerk, Munique

O Pearl Jam toca *Ten* inteiro e na ordem pela primeira e única vez até hoje no último show da turnê europeia.

16 de março
Kaufman Astoria Studios, Queens, Nova York

O Pearl Jam se dirige diretamente a Nova York ao fim de sua primeira turnê europeia para gravar um episódio da série imensamente popular da MTV *Unplugged*. A oferta na verdade ocorreu no dia seguinte ao show acústico improvisado nos arredores de Zurique.

Jeff Ament: Nós falamos "Acabamos de fazer isso!". Se tivessem nos ligado uma semana antes, não saberíamos se seríamos capazes de dar conta do recado. Mas em Zurique pareceu dar tudo certo musicalmente. Tínhamos muito pouca experiência como uma banda acústica àquela altura, então parte de nós desejou poder repetir a dose. O Nirvana fez o deles dois anos depois e obviamente gastou algum tempo naquilo. Nós literalmente descemos do avião vindo da Europa, passamos o dia inteiro em um estúdio de som em Nova York e gravamos o programa naquela noite. Foi aquilo que se viu mesmo. É bem potente e Ed canta muito bem. É um pouco ingênuo, o que é maravilhoso de certa forma.

O setlist da gravação contém *Oceans, State of Love and Trust, Alive, Black, Jeremy, Even Flow* e o grand finale com *Porch*, durante o qual Vedder cai de seu banco, se levanta, finge usá-lo como uma prancha de bodyboard e então escreve em seu braço esquerdo "Pro Choice!!" [a favor da escolha] com um pilot preto.

Mike McCready: As pessoas pareceram gostar muito da apresentação no *Unplugged*, mas eu não gostei tanto assim. Foi tipo "Somos uma banda de rock. Fazemos barulho". Eu estava batalhando, tentando fazer aquilo soar mais pesado do que na verdade era. Eu amo o formato acústico hoje. Mas naquela época, eu era mais do tipo "Vamos mostrar a potência dessa banda".

25 de março
First Avenue, Minneapolis

O Pearl Jam inicia uma turnê americana como *headliner* com a abertura da banda de Jack Irons, Eleven. Três noites depois, no Cabaret Metro em Chicago — com The Edge e Larry Mullen Jr, do U2, assistindo —, o baterista Jimmy Chamberlin e a baixista D´Arcy Wretzky do Smashing Pumpkins se juntam ao Pearl Jam para tocar covers de "Window Paine", dos Pumpkins, e de "I´ve Got a Feeling", dos Beatles. Do palco, Vedder inicia uma tradição de tirar fotos de Polaroid da plateia toda noite, dizendo ao *Washington Post* "Quero apenas me lembrar de tudo isso. Está acontecendo tão rápido".

11 de abril
Studio 8H no 30 Rockefeller Plaza, Nova York

O Pearl Jam toca "Alive" e "Porch" em um episódio de *Saturday Night Live* da NBC apresentado por Sharon Stone. Vedder usa uma camiseta feita em casa retratando um cabide na frente e "No Bush in´92" nas costas, e acrescenta versos a favor da escolha em "Porch". A banda ainda aparece em um quadro olhando de soslaio para Stone do outro lado da sala, em uma menção à cena infame em que ela cruza as pernas no filme *Instinto selvagem*.

Eddie Vedder: Muitas pessoas jovens expressaram agradecimento por eu ter feito uma declaração. Não foi realmente nada demais. É assim que eu me sinto e achei que poderia dizer algo. Eu tinha uma camisa lisa dez minutos antes de entrar no palco, então apenas grudei um pouco de fita nela e criei uma espécie de símbolo. Não foi planejado.

12 de abril
Limelight, Nova York

Na noite seguinte ao *Saturday Night Live*, o Pearl Jam toca em uma antiga igreja convertida em casa de shows que normalmente é local de festas diante de uma plateia que tinha astros do *Saturday Night Live* como Chris Farley, Adam Sandler, David Spade e Mike Myers. A banda volta a esse local em 2006 para gravar um episódio do programa *Storytellers* da VH1.

28-30 de abril
City Coliseum, Austin, Texas; Bronco Bowl, Dallas; Unicorn Club, Houston

O Pearl Jam abre três shows do Soundgarden no Texas. Vedder dá outro grande susto em todo mundo quando escala uma viga fina em Dallas.

Eddie Vedder: No começo, o impulso por escalar coisas no palco surgiu quando eu estava na plateia esperando as próximas bandas entrarem no palco e havia um intervalo de trinta minutos para mudança do palco, então eu ficava olhando para as casas de shows, teatros, e reparava nos balcões e no formatos dos salões e pensava, Deus, seria incrível ter a possibilidade de subir até lá e aposto que dá para ir daquele ponto até aquele ponto. Tipo, se você tivesse a oportunidade, não seria uma coisa incrível de se fazer? E então, de repente, você tinha a chance de fazer aquilo; você tinha o microfone e o palco e podia fazer aquilo. E então quando subia lá, você percebia, uau, ninguém vem aqui há muito tempo! Havia centímetros de poeira. Quem sabe o que tinha acontecido naquele prédio durante anos? Mas eu definitivamente fui a lugares a que ninguém tinha ido há muito tempo.

Matt Cameron: Ele foi até bem no topo dessa coisa, e era algo como uma queda de cerca de 25 metros ou algo assim, e eu fiquei apenas pensando: ele realmente vai se machucar se continuar a promover esse tipo de performance. Mas ele tem um certo tipo de resistência mental, como se fosse capaz de visualizar seu próximo passo. Isso deve tê-lo salvado de uma contusão séria. Mas fico feliz que ele não esteja mais fazendo isso.

5 de maio

Ten recebe o certificado de platina pela Recording Industry Association of America pelo envio de um milhão de cópias.

Eddie Vedder: Não estamos preocupados com quantas pessoas compram nossos discos — mas o que nos preocupa é a atenção com que as pessoas vão escutar nossa música. É bom ser capaz de

81

compartilhar nossa arte com as pessoas, e essa é uma oportunidade rara. Agora muitas pessoas compraram nosso disco e tudo isso se tornou tão impressionante que eu nem me importo mais. Não me importa mais como ou por que as pessoas compraram nosso disco ou se o nosso sucesso teve algo a ver com alguma "onda de Seattle". Somos uma banda e nossa música é arte. Não estamos em turnê para vender discos — estamos em turnê para compartilhar nossa arte.

11 de maio
KLOS-FM Studios, Los Angeles

Eddie Vedder e Stone Gossard respondem perguntas de fãs no programa de rádio Rockline, que passa em diversas estações do país, explicando por que o Pearl Jam não vai tocar nenhuma música do Mother Love Bone nos shows ("Andy Wood e Eddie Vedder certamente não são a mesma pessoa. Simplesmente não seria muito confortável, é o que eu acho", diz Gossard) e discutindo a inspiração por trás de parte do material de *Ten*. A dupla também toca versões acústicas de "Alive", "Even Flow" e, em sua estreia ao vivo, "Footsteps". Referindo-se ao ciclo de mãe e filho de "Alive", "Once" e "Footsteps" que lhe rendeu seu emprego no Pearl Jam, Vedder diz aos ouvintes "Coloquem essas três músicas juntas e tentem descobrir, então escrevam para mim e lhes direi se vocês estão certos".

13 de maio

O *MTV Unplugged* estreia na TV. Apesar de pesadamente pirateada, a apresentação não é lançada comercialmente até ser incluída no DVD com o relançamento deluxe de *Ten* em 2009.

17 de maio
Roseland Theater, Portland, Oregon

A balada "Angel", com música escrita pelo baterista Dave Abbruzzese, é tocada pela primeira vez.

18 de maio

Citando preocupações com o tamanho do público e a falta de segurança adequada, o Departamento de Parques e Recreação de Seattle revoga a licença para um show grátis do Pearl Jam com o Seaweed, *Drop in the Park*, planejado para o Gas Works Park, na cidade, cinco dias antes da data em que o evento deveria acontecer. A banda tinha se esforçado para manter o show seguro e os esperados 40 mil fãs sob controle. Inabalável, o Pearl Jam começa a planejar um evento para compensar a falta desse no início do outono em outro lugar de Seattle.

Eddie Vedder: Muitos skatistas estavam a caminho do parque quando o show foi cancelado, então mudamos sua rota para uma propriedade enorme que era de um amigo nosso, a cerca de quarenta e cinco minutos da cidade. Acabou sendo uma festa gigantesca com uma fogueira e algumas centenas de pessoas que já estavam no Gas Works esperando o show começar. O Gas Huffer, o Zeke e o 7 Year Bitch tocaram, e eu acho que me lembro de cantar algumas canções também.

Jeff Ament: A cidade sempre foi muito desconectada com o que estava acontecendo aqui musicalmente. Naquela época, eles não queriam ter nada a ver com aquilo. Estávamos muito animados para produzir o show no início, mas levou seis meses ou algo assim para finalmente conseguirmos descobrir uma forma de fazer isso. Nós acabamos cedendo, em grande parte, aos receios que a cidade tinha sobre o que ia acontecer nesse "show grunge". Tudo o que queríamos fazer era organizar um show gratuito para a cidade.

Kelly Curtis: Vendo de longe, foi provavelmente uma bênção. Não acho que estaríamos preparados para o tamanho ou a quantidade de pessoas que estava vindo. Na época foi frustrante, porque a prefeitura nos parou uma semana antes e disse que não podíamos fazer aquilo. Acho que a prefeitura simplesmente percebeu que um show gratuito do Pearl Jam poderia sair de controle e que o parque talvez não comportasse a quantidade de pessoas que poderia aparecer.

5 de junho
Nürburgring, Nürburg, Alemanha

O Pearl Jam começa sua segunda turnê europeia fazendo seu primeiro show em um evento importante no Rock Am Ring Festival, na Alemanha, diante de 50 mil fãs. O público é ainda maior três noites depois, no Pinkpop Festival, na Holanda, onde o set do Pearl Jam é transmitido na televisão holandesa.

```
                                                    June 26th, 1992
To whom it may concern


Concerning Edward Jerome Vedder

After clinical investigation I find Mr. Vedder incapable of
finishing his tour in Europe in the band "Pearl Jam".

Mr. Vedder complains of muscle cramps and aches in the upper
extremities, which make him unable to perform. At the same time
I find Mr. Vedder totally exhausted, and he needs a long rest
period.

Diagnosis: Fibromyalgia obs.


James Hrynczuk, M.D.
Amagerbrogade 207
DK-2300 Copenhagen S.
Denmark
Tel: +45 31 58 04 28
```

18 de junho
Volkshaus, Zurique, Suíça

As músicas "Alive", "Once" e "Footsteps", conhecidas como a trilogia mãe e filho, são tocadas juntas pela primeira vez. Eddie Vedder informa a plateia "Nunca contei a ninguém sobre isso antes. Não quero arruinar nenhuma interpretação das músicas que vocês possam ter, mas isso é sobre incesto e homicídio e todas essas coisas boas. E se você consegue visualizar isso em sua mente, a terceira música se passa em uma cela de cadeia. Então essa aqui é a nossa pequena miniópera". A trilogia é tocada novamente nos dois próximos shows em Viena (19 de junho) e Paris (22 de junho).

25 de junho
Moderna Museet, Skeppsholmen, Estocolmo, Suécia

O Pearl Jam toca em um local dentro do Museu de Arte Moderna de Estocolmo, para onde o show é transferido de uma casa muito menor. Vedder começa o show sozinho com primeiras versões para covers de "Driven to Tears", do Police, e de "Throw Your Arms Around Me", do Hunters & Collectors. Depois do show, a banda fica arrasada ao saber que alguém tinha invadido o camarim durante o show e roubado vários objetos pessoais, incluindo diversos diários de Vedder repletos de letras e ideias para músicas.

Jeff Ament: Levaram o que quer que estivesse à vista, incluindo toda a mala de Ed, que tinha mais de um diário guardado. Era a maior parte das coisas em que ele estava

EUROPEAN SCHEDULE
JUNE/JULY

CITY/VENUE

Nurburgring ROCK AM RING
Finsbury Park Festival
Off
PinkPop Festival, Holla
+ hotels (one night)
Off
Stuttgart Kongresszent
HAMBURG Docks
Off
BERLIN WUHLHEIDE
BREMEN SCHLOSSPARK
NUREMBERG Serenadenh
Off
MILAN City Square
ZURICH Volkshaus
VIENNA Rockhaus
Off
PARIS Elysee Montm
Off
STOCKHOLM Museum

ROSKILDE, Denmark
TURKU, Finland Festival
+ hotels
OSLO, Norway, Isle of Calf $10,000
Festival

NOTE - YOU WILL HAVE TO USE DUPLICATE BACKLINE AT TURKU
uck should go Denmark - Oslo on June 27th.

Off

LONDON Astoria Theatre   £ 5,000 v
Off
EUROCKEENES, France Festival $10,000 F
                                + hotels
TORHOUT, Belgium Festival $10,000 B
WERCHTER, Belgium Festival $10,000 B
                                +hotels

PINKPOP '92

HALLO VENRAY	10.30 - 11.00
BUFFALO TOM	11.15 - 11.55
PJ HARVEY	12.20 - 13.00
ROWWEN HEZE	13.20 - 14.00
FAMILY STAND	14.30 - 15.15
SOUNDGARDEN	15.45 - 16.30
DAVID BYRNE	17.00 - 18.00
PEARL JAM	18.30 - 19.30
LOU REED	20.00 - 21.00
THE CULT	21.30 - 22.30

Wijzigingen voorbehouden

Toegang tot een frontstage-area slechts met toestemming van de optredende artiesten en security en kan zelfs ontruimd worden. Voor elke area geldt het principe "vol is vol". Bij misbruik volgt intrekking van deze pas. Access to one of the frontstage areas is at the discretion of performing artists or security.

PINKPOP
LANDGRAAF 8 JUNI 1992

Jeff Ament
Pearl Jam
ALL AREAS

---

obviously go down if labels are required and minors are not allowed to buy our records. Sales to adults will also go down if record stores decide to put labeled recordings in a hidden section of the store or if they decide not to carry those recordings. The loss in sales if this law is enforced against each of us as individual musicians or all of us collectively as a group could significantly harm our livelihood.

DATED this _____ day of August, 1992.

"PEARL JAM"

_____
STONE GOSSARD

_____
JEFF AMENT

_____
EDDIE VEDDER

_____
MIKE McCREADY

_____
DAVE ABBRUZZESE

trabalhando nos últimos três ou quatro meses; a maior parte de sua vida estava ali.

Eddie Vedder: Depois disso me tornei muito bom em escrever de uma forma que apenas eu conseguiria ler. Caso alguém quisesse ver meus cadernos postumamente, eles não seriam capazes de saber em que eu estava pensando.

26 de junho
Roskilde Festival, Copenhagen, Dinamarca

Tensões por causa da invasão na noite anterior explodem durante o show nesse festival gigantesco, quando vários integrantes da banda acabam envolvidos em um conflito com a segurança. Depois do show, alegando exaustão, o Pearl Jam opta por descartar os sete dias restantes da turnê europeia, incluindo um show no dia seguinte em um festival turco ao lado do Nirvana.

Jeff Ament: Tentamos segurar as pontas, mas já estava começando a ficar esquisito. O Nirvana estava naquele festival também, e isso foi quando o lance do Nirvana contra o Pearl Jam estava no auge. Courtney Love estava no telefone o tempo todo ao meu lado ligando para pessoas aleatórias, muito destruída. Foi surreal. Stone e eu conversamos e então ligamos para Kelly para lhe dizer que tínhamos que voltar para casa. Aquilo parecia algo que potencialmente podia se desenrolar de uma forma muito ruim. Enquanto tocávamos "Deep", Ed foi para o público e, quando voltou, o segurança não sabia que era ele. Eric Johnson foi buscá-lo e o segurança começou a gritar com eles. Acho que Mike pode ter pulado no meio disso também. Pensei, "Oh, meu Deus. Não dá para ficar pior do que isso." Decidir ir para casa nos fez saber que ganhar dinheiro àquela altura não era a coisa mais importante. A coisa mais importante era manter nossa sanidade e manter controle sobre a coisa que estávamos construindo.

26 de junho

A trilha sonora para o filme *Vida de solteiro*, de Cameron Crowe, um filme centrado em Seattle, é lançada pela Epic Soundtrax, trazendo as faixas do Pearl Jam previamente inéditas "State of Love and Trust" e "Breath".

Jeff Ament: "State of Love and Trust" e "Overblown", do Mudhoney, eram boas representações do que estava acontecendo em Seattle e na música naquela época. Elas combinavam com o filme muito bem.

Acho que aquela canção também era Ed respondendo à angústia de amar quando você é muito novo para realmente saber o que fazer. "Breath" estava por aí desde as primeiras *demos* de Stone para o Pearl Jam. Ela acabou se tornando um rock não muito acelerado com um final grandioso e, de certas formas, pode ter ficado parecida demais com "Alive". Havia muitas canções com finais épicos, grandes solos de guitarra e refrãos ganchudos em *Ten*. Mas graças a Deus ela achou um lar naquela trilha sonora, porque ela vale a pena.

27 de junho

Com *Ten* aninhado no Top 10 entre os 200 da *Billboard*, o disco homônimo do Temple of the Dog estreia no número 181 na parada 14 meses depois de seu lançamento original. Três semanas depois, o dueto de Eddie Vedder com Chris Cornell, "Hunger Strike", aparece na parada de faixas de Modern Rock no número 24.

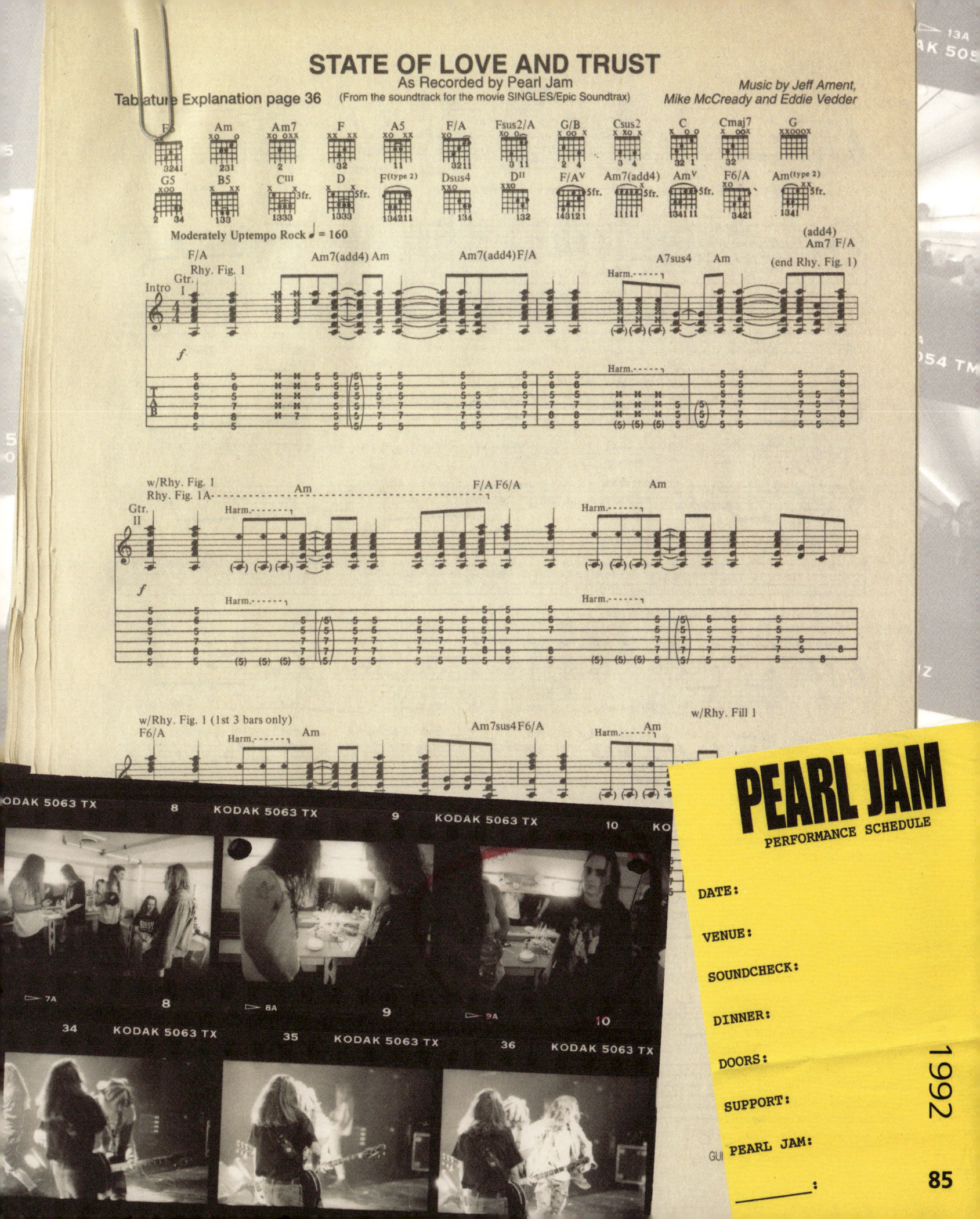

STATE OF LOVE AND TRUST
As Recorded by Pearl Jam
(From the soundtrack for the movie SINGLES/Epic Soundtrax)

Tablature Explanation page 36

Music by Jeff Ament, Mike McCready and Eddie Vedder

18-19 de julho
Shoreline Amphitheatre, Mountain View, Califórnia

O Pearl Jam começa sua participação no segundo festival de música Lollapalooza ao lado de Soundgarden, Ministry, Ice Cube, Red Hot Chili Peppers, Lush, The Jim Rose Circus Sideshow e Jesus and Mary Chain. Para muitos adolescentes, esse não é apenas seu primeiro show do Pearl Jam, mas também sua primeira experiência em um festival de rock, e as apresentações eletrizantes da banda causam um grande impacto. E com o Pearl Jam normalmente aparecendo como a segunda atração entre todas do dia, os integrantes da banda podem passar um grande tempo assistindo aos outros músicos e curtindo a camaradagem. Vedder consolida um laço rápido com Jim Rose, muitas vezes participando em um truque no palco bebendo "cerveja de bile". Ele e o líder do Soundgarden, Chris Cornell, também tocam um punhado de sets acústicos surpresa no segundo palco; e em um show particularmente chuvoso em Cuyahoga Falls, em Ohio, no dia 29 de julho, juntam-se a fãs ao deslizar alegremente e repetidamente na grama coberta de lama. Vedder continua a chocar a plateia com suas peripécias de escalada no palco e finalmente passa a pegar leve com elas depois de levar uma dura durante um show em Ontario, no Canadá.

Eddie Vedder: Tocar para pessoas para quem você nunca tinha tocado antes, eu pensava em algo como "Quer saber? Vamos tocar, vamos levar isso a um nível que as pessoas não vão esquecer. E se isso significa arriscar sua vida para fazer algo que eles não vão esquecer, meio como um Evel Knievel adolescente, vamos fazer isso". E era bastante incrível que se você fizesse algo como aquilo, as pessoas realmente prestavam atenção, tanto que elas se moviam para segurá-lo no fim. Eu agia como se fosse pular numa direção, então mudava para outra e observava toda a plateia balançando para o outro lado para conseguir me segurar.

Jeff Ament: Duas semanas antes da turnê, houve uma oportunidade para que nós renegociássemos, não apenas dinheiro, mas nosso horário. Mas falamos "Que nada. Não queremos pressão adicional nessa situação. Queremos nos divertir". Foi esse o ângulo que traçamos. E foi divertido. Na maioria dos shows, Al Jourgensen do Ministry ficava andando com uma garrafa de bourbon Maker´s Mark com dez doses de ácido dentro. As pessoas estavam se divertindo. Nós podíamos ficar muito focados às duas da tarde, tocar por trinta minutos e então apenas nos divertir. Ainda adoramos fazer shows, mas não sei se algum dia me diverti mais do que naquela turnê. Estávamos fazendo shows intensos. Mas depois de uma hora eu estava jogando basquete com Flea e Ice Cube. Era uma enorme atmosfera de festa e sem muita competitividade.

Matt Cameron: Naquela turnê em particular, nós realmente testemunhamos como a plateia dos shows reagia ao Pearl Jam. E era simplesmente impressionante.

Chris Cornell: Acho que foi uma de minhas turnês favoritas de minha carreira, porque vivemos um período de muita camaradagem. É como se os amigos com quem você cresceu, com quem você tocou diante de dez pessoas durante anos, agora estivessem em turnê juntos tocando para 25 mil pessoas por noite. E parece ter também relevância cultural. A questão não é apenas tocar meu single no rádio. Culturalmente, isso está mudando a forma como as pessoas pensam sobre o rock. Aquilo era bem fenomenal.

Mas de repente surge uma responsabilidade nisso? Se as pessoas estão dizendo que somos a nova guarda, isso quer dizer que temos que agir de uma certa forma? Temos que agir de forma responsável? Existem regras nisso? Será que não devemos dizer algo que poderia fazer um jovem querer ficar bêbado ou quebrar algo? Será que isso é errado? Existe uma responsabilidade social em nossos papéis? E se é assim, será que isso deveria ser algo que você senta e decide de uma forma racional ou será que é algo que você deveria simplesmente deixar acontecer?

Um grande exemplo é que Eddie e eu entramos no quarto de hotel de alguém da nossa equipe. E ele estava pegando no nosso pé, dizendo que somos estrelas do rock de meia-tigela, porque não fizemos nada que estrelas do rock são conhecidas por fazer. Havia um pequeno amplificador de ensaio no chão do quarto e Eddie e eu olhamos um para o outro. Eddie e eu íamos mostrar a ele, *Não, na verdade você está errado!* Eu joguei o amplificador pela janela com tanta força que ele cruzou o vidro, passou do telhado e caiu na viela lá embaixo. Então o que começa como apenas curtição se transforma em responsabilidade social, tipo: e se aquilo batesse em um carro ou em uma pessoa? Além disso, meu nome estava escrito em um pedaço de fita que estava presa ao amplificador, e eu não queria ir para a cadeia. Então imediatamente eu

1992

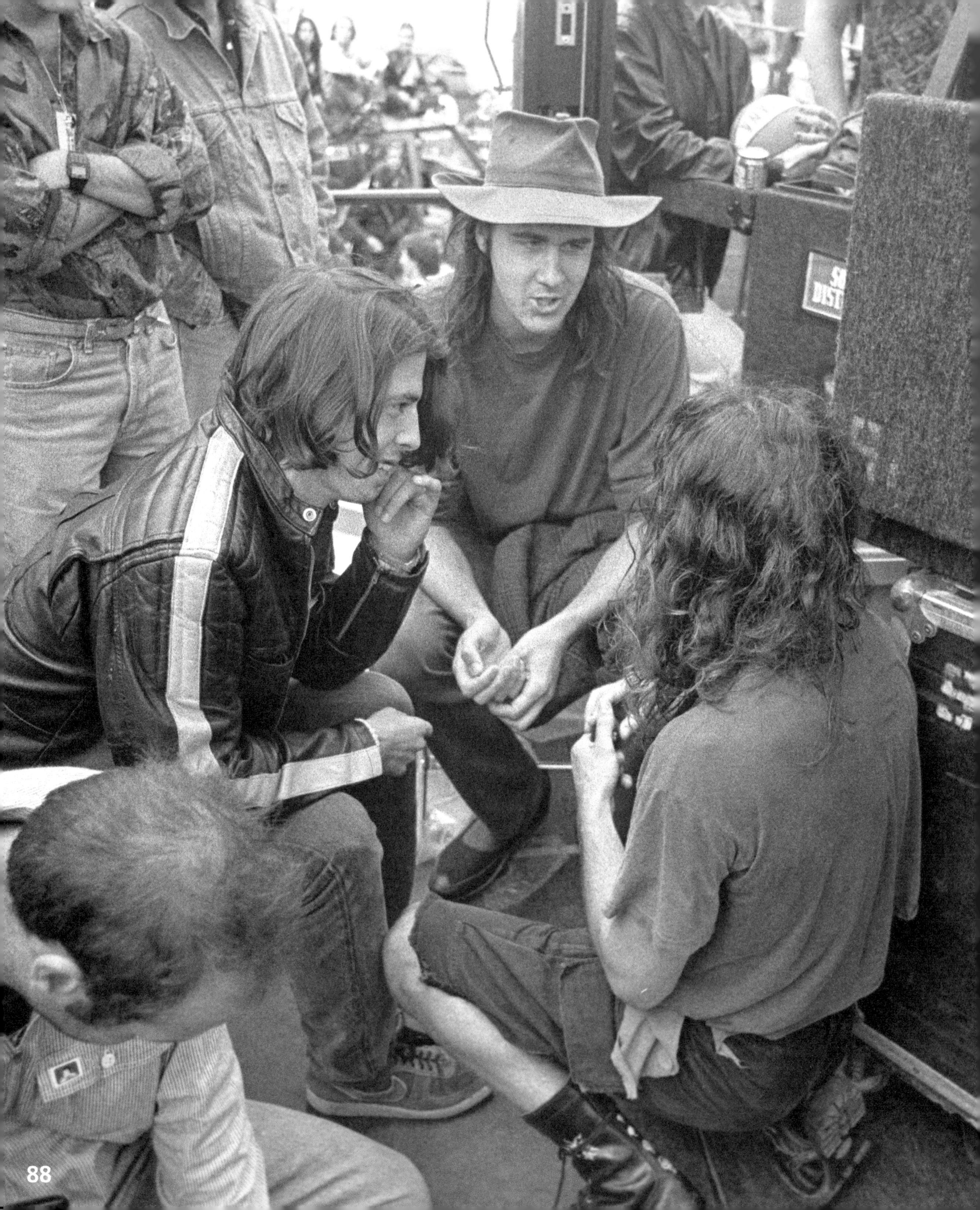

desci correndo até a viela e tirei a fita. Os policiais vieram até o quarto e ele inventou uma história magnífica sobre como ele tinha dormido com uma garota na noite anterior e o namorado dela apareceu, entrou no quarto à força e então jogou o amplificador pela janela. Um grande mentiroso! Como ele pensou numa coisa dessas? E os policiais acreditaram e ficou por isso mesmo. Acho que nunca mais tentamos provar a ninguém que a nova guarda das estrelas do rock não seria superada.

1 de agosto

Com um single comercial de "Jeremy" tendo sido lançado cerca de uma semana antes, o vídeo da música, filmado em junho em Londres e dirigido por Mark Pellington, estreia na MTV. Nele, o ator adolescente Trevor Wilson faz o papel da personagem do título, atormentado por seus colegas e incompreendido por seus pais. Na cena final, Jeremy entra em uma sala de aula, tira uma arma de seu bolso, coloca-a em sua boca e aperta o gatilho enquanto a tela brilha e então fica preta. Os outros alunos então são mostrados, imóveis e respingados com o sangue de Jeremy.

Eddie Vedder: Quer dizer que você se mata e faz um sacrifício tão grande e tenta ter sua vingança, e tudo que consegue no final é um parágrafo em um jornal: 17 graus e nublado em um bairro da periferia. Esse é o começo do vídeo. No fim, não se consegue nenhum resultado; nada muda. O mundo continua e você foi embora. A melhor vingança é continuar vivo e provar seu valor. Ser mais forte que aquelas pessoas. E então você pode voltar. Isso foi mais ou menos o que eu fiz.

Jeff Ament: Por sorte escolhemos Mark Pellington para fazer o vídeo. Ele foi um excelente colaborador. Aquilo me lembrou de como foi trabalhar com Cameron Crowe, no que diz respeito à forma séria como ele recebia nossas ideias. Mark sentia aquela música profundamente e a representou visualmente.

14 de agosto
Lake Fairfax Park, Reston, Virginia

Vedder perde o ônibus para esse show e tem que pegar carona por muitos quilômetros até o local, deixando seus companheiros de banda preocupados enquanto a hora de sua apresentação se aproximava. Chris Cornell gentilmente sobe no palco e se oferece para substituir Vedder nos vocais, dizendo à plateia "Eu não sei a letra inteira de nenhuma dessas canções", bem quando Vedder corre para aliviá-lo e começar o show com "Once". Cornell volta para cantar "Hunger Strike" pela primeira vez com o Pearl Jam, uma colaboração que aconteceria apenas mais uma vez nos próximos 11 anos.

21-22 de agosto
Estúdio de Gravação Southern Tracks, Atlanta

Tendo remixado "Jeremy" no começo do ano para seu vídeo, assim como para uma versão para o rádio, o ambicioso produtor Brendan O´Brien vai ao estúdio para gravar músicas com o Pearl Jam pela primeira vez enquanto a banda está em Atlanta para o Lollapalooza. A sessão do dia 21 de agosto acontece imediatamente depois do set do Pearl Jam no início da tarde no Lakewood Amphitheatre e continua no dia seguinte. A banda grava versões *demo* de "Leash" e "Rats", assim como um cover do clássico punk "Sonic Reducer", dos Dead Boys, que aparece no final do ano em um single do fã-clube. Também foi gravada uma versão de "Baba O´Riley", do The Who, que permanece inédita.

Brendan O'Brien: Senti muita pressão, de qualquer forma, porque achei que estava em uma posição desconfortável e sendo testado. Aquela era a Nação do Pearl Jam àquela altura. A qualquer momento eu esperava uma ligação me dizendo que eles tinham escolhido continuar com qualquer um dos muitos produtores renomados. Por que não escolheriam? Mas eles resolveram continuar comigo. Tudo em que eu pensava era manter a coisa acontecendo e tornar aquilo divertido, e eles pareciam estar se divertindo. Eu realmente me lembro de compreender como Eddie era bom. Eu sabia que ele era um vocalista muito bom, que era capaz de escrever ótimas letras, mas quando um homem pode ficar parado diante de um microfone e cantar, isso não é uma coisa particularmente fácil de se fazer, e ele era absolutamente magnífico nisso. Eu me lembro de lhe dizer depois de escutar "Baba": "Não sabia que você era capaz disso!" Foi um grande momento para mim, quando consegui entender o verdadeiro potencial de Eddie. Também dava para perceber que eles eram sujeitos incríveis que eu realmente gostaria de ter por perto. Não tive muita experiência como engenheiro de som. Naquela época eu tinha apenas produzido uma coisa ou outra.

9 de setembro
Pauley Pavilion, Los Angeles

O Pearl Jam com relutância toca "Jeremy" no MTV Video Music Awards depois de inicialmente insistir em tocar um cover de "Sonic Reducer". Mais tarde no programa, em um momento que se tornaria de certa forma mítico nos anos seguintes, Eddie Vedder e Kurt Cobain supostamente dançam juntos sob o palco enquanto Eric Clapton está tocando "Tears in Heaven".

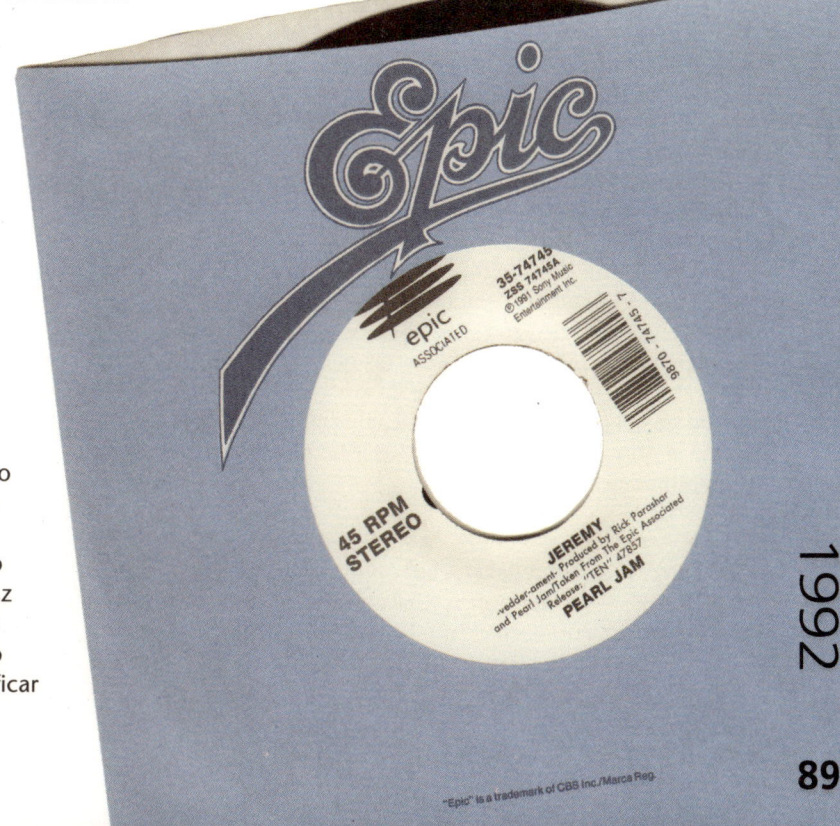

Eddie Vedder: Muita coisa foi dita, mas nada disso realmente importa. Tinha uma pessoa que nós dois conhecíamos que me contou que Kurt perguntava muito sobre mim. Aquilo fazia eu me sentir bem, porque tanta besteira estava sendo escrita sobre nós. Acabamos conversando algumas vezes. E nessa ocasião, ele me disse com todas as letras que respeitava e achava original o que eu fazia. Depois do MTV Awards, me lembro de sair para surfar na manhã seguinte e de me lembrar de como aquele momento foi bom e pensar: *Porra, cara. Estávamos passando por tantas coisas parecidas. Se ao menos tivéssemos conversado, talvez pudéssemos ter ajudado um ao outro.*

Dave Grohl: Foi algo como: "Certo, Deus! Podemos parar com isso de uma vez? Jesus Cristo!"

Kelly Curtis: As coisas estavam gigantes, mas ao mesmo tempo aquilo estava assustando demais a banda, especialmente Eddie. Estava por toda parte. Depois que "Jeremy" ganhou aqueles prêmios, a gravadora queria continuar adiante. Mas a banda estava simplesmente cheia. Era demais para eles. A gravadora nos disse que tínhamos que trabalhar "Black" e que ela era a música mais grandiosa. A pessoa que fazia mais pressão era o CEO da Sony Music, Tommy Mottola, que me ligava e me dizia que não lançar "Black" seria o maior erro da minha vida, e que minha carreira de empresário estaria acabada. Então, obviamente, aquilo estava vindo bem de cima. Acho que Michelle e Michael entendiam, apesar de achar que era frustrante para eles. Aquela era uma ligação pesada para um empresário jovem tentando fazer a coisa certa. Mas a banda tinha certeza absoluta de sua decisão. Era fácil dizer não àquilo, porque era o que eles tinham decidido. Eu não ia tomar o lado da gravadora.

Eu me lembro de muitos empresários aparecendo e se metendo. Eu acho que eu nem tinha um cartão de crédito naquela época. Tinha um monte de gente querendo me ajudar ou me tirar do caminho; pessoas com recursos poderosos por trás delas. Mas a banda sempre me apoiou. E ao mesmo tempo, havia alguns empresários que eram muito encorajadores, como Paul McGuinness (U2, entre outros) e Elliot Roberts (Neil Young, Tom Petty, Joni Mitchell e outros). Eles me diziam que eu estava fazendo a coisa certa e que eu devia me manter assim e deixar a situação passar. Posso apenas imaginar todas as ofertas que chegavam. Ed recebeu uma oferta de um anúncio de cuecas da Calvin Klein. E eu acho que me lembro de algo sobre pijamas. Mas é uma lembrança vaga.

Michelle Anthony: De repente, "Alive" e "Even Flow" estavam sendo tocadas no rádio. "Black" era, entre aspas, a balada óbvia do álbum, então, claro, muitas pessoas na gravadora queriam que ela fosse o próximo single. Eles achavam que ela seria capaz de ir além do formato do rock alternativo. Mas isso era uma maldição para a banda e para Kelly. Eu concordava com eles, e foi por isso que Tommy fez a ligação.

Michael Goldstone: Havia muita pressão sobre eles para que lançassem "Black" como single. Mas foi uma decisão muito inteligente não saturar mais as pessoas com *Ten*. "Black" se tornou mais um single na mente das pessoas. Algumas vezes músicas acabam sendo singles apesar de nunca terem sido lançadas como single.

Eric Johnson: Eles realmente queriam ter controle sobre tudo o que lhes dizia respeito, então você pode imaginar como seria receber um pedido como o que eles receberam da gravadora para que "Black" fosse incluída em uma coletânea de heavy metal.

Stone Gossard: Ed estava tão tenso que tomou a decisão de deixar tudo para trás. Era algo como "Não posso, preciso parar, não quero fazer isso". Acho que todo mundo falou "Certo, isso vai ser interessante. Vamos ver o que acontece". Nós todos achamos que se não estivéssemos seguindo o mesmo caminho, a mania provavelmente desapareceria. Acho que nenhum de nós estava pensando "Vou sair da banda". A sabedoria da decisão não ficou evidente por algum tempo.

1992

10 de setembro
Park Plaza Hotel Ballroom, Los Angeles

O Pearl Jam e o Alice in Chains tocam em uma festa de estreia de *Vida de solteiro* que é gravada para passar futuramente na MTV. O diretor Cameron Crowe tem que implorar para as bandas tocarem no show, tendo sido avisado pelo distribuidor do filme, a Warner Bros., que o filme, que já estava há um ano abandonado, poderia não ser lançado sem aquilo. O evento acaba sendo um desastre completo e é transmitido apenas duas vezes. Na verdade, a performance ao vivo extremamente desleixada do Pearl Jam para "State of Love and Trust" teve que ser editada meticulosamente e combinada por Brendan O´Brien com a versão de estúdio para que fosse digna de ser transmitida.

Jeff Ament: Aquilo foi um clássico inferno de Hollywood. Tínhamos feito um show no mesmo local com o Green River, e foi onde filmaram o clipe de "Welcome to the Jungle" do Guns N´ Roses. Nós estávamos um tanto irritados por ter que estar no meio daquele inferno de show no nosso único dia de folga, e não era nem um show inteiro. Íamos apenas subir no palco e tocar quarenta minutos ou algo assim. Então estávamos no andar de baixo e havia uma garrafa de tequila. Nós quase não bebíamos antes dos shows, e acabamos matando a garrafa de tequila logo antes de entrarmos no palco. Estávamos completamente destruídos. Então subimos no palco e foi um caos só. O som estava ruim no palco e cobriram o chão com um plástico por alguma razão. Não sei se tinha algum carpete chique por baixo que não queriam que ficasse sujo. Eu me lembro de que Ed não conseguia escutar, então ele começou a pedir para aumentar os retornos. E nada mudava. E finalmente ele correu até lá e puxou a mesa de luz — ele estava na verdade olhando para o lado errado do palco — e a levantou e jogou tudo no chão, pensando que aquilo era a mesa de retorno. Mas era a mesa de luz. A mesa de retorno estava do outro lado do palco. No fim do show, nós descemos e falaram "Hum, a porra da polícia está aqui procurando por vocês. Eles vão prendê-los porque houve um tumulto e um bombeiro levou um soco". Acabaram nos colocando em uma van e nos tiraram escondidos pelos fundos, e alguém limpou nossa bagunça. Não sei como acabaram passando aquilo na TV.

Eddie Vedder: Na verdade, tenho mais lembranças do que você poderia pensar. Os retornos não estavam realmente funcionando muito bem, então eu ficava olhando o tempo todo e pedia "Aumente os monitores. Não consigo ouvir nada!". Em algum momento, depois de um tempo, eu fiquei irritado de verdade. Tinha uma cortina ali e eu a segurei e a puxei e a joguei no chão. Então olhei para lá e não era mesmo nossa técnica de som. Era a pessoa que cuidava da luz, e eu ficava pensando algo do tipo "Por que está ficando mais claro aqui?" [Risos]. As passagens de som foram longas naquele dia, então bebi uma garrafa de vinho, e tinha outra que eu abri para dar a amigos e eles não estavam bebendo, então bebi aquela também. Tinha um bombeiro lá?

Cameron Crowe: Foi a primeira vez que vi Eddie daquele jeito. Acho que ele estava passando por muitos problemas se ajustando ao seu sucesso, e ele estava bêbado. Bêbado demais. Eles entraram no palco e tentaram tocar seu set, e houve imediatamente uma confusão com os seguranças na plateia. Eddie começou a falar sobre o palco estar escorregadio, acho que porque cerveja tinha sido derramada, e ele disse "Essa merda de palco está escorregadia, como Hollywood". Comecei a ver os executivos do estúdio e suas famílias se preparando para fugir pelas saídas. Algumas brigas estavam começando. Nada teria me preparado para o que aconteceu, principalmente vindo desses sujeitos, mas foi memorável. No entanto, não havia nada que fosse bom o suficiente para passar no programa de TV que deveria ser feito para promover o filme. Acho que conseguiram dar um jeito, mas o show foi um desastre.

Stone Gossard: A forma como Ed ia lidar com aquilo era simplesmente "Vou apenas ficar tão doidão quanto puder, porque não consigo pensar sobre o que está acontecendo e não acho que tenho controle disso".

11-13 de setembro
Irvine Meadows, Irvine, California

A turnê do Lollapalooza termina com três shows movimentados nos arredores de Los Angeles, culminando no dia 13 de setembro com uma reunião do Temple of the Dog para tocar "Hunger Strike" e "Reach Down" durante o show do Pearl Jam. No show do dia 12 de setembro, integrantes do Rage Against the Machine se juntaram ao Pearl Jam para tocar "Rockin´ in the Free World", assim como o baterista do Eleven, Jack Irons, que usava uma peruca loura e foi apresentado por Vedder como Kurt Cobain. O *Los Angeles Times* não entende a piada e escreve em sua resenha que Cobain se juntou à banda no palco.

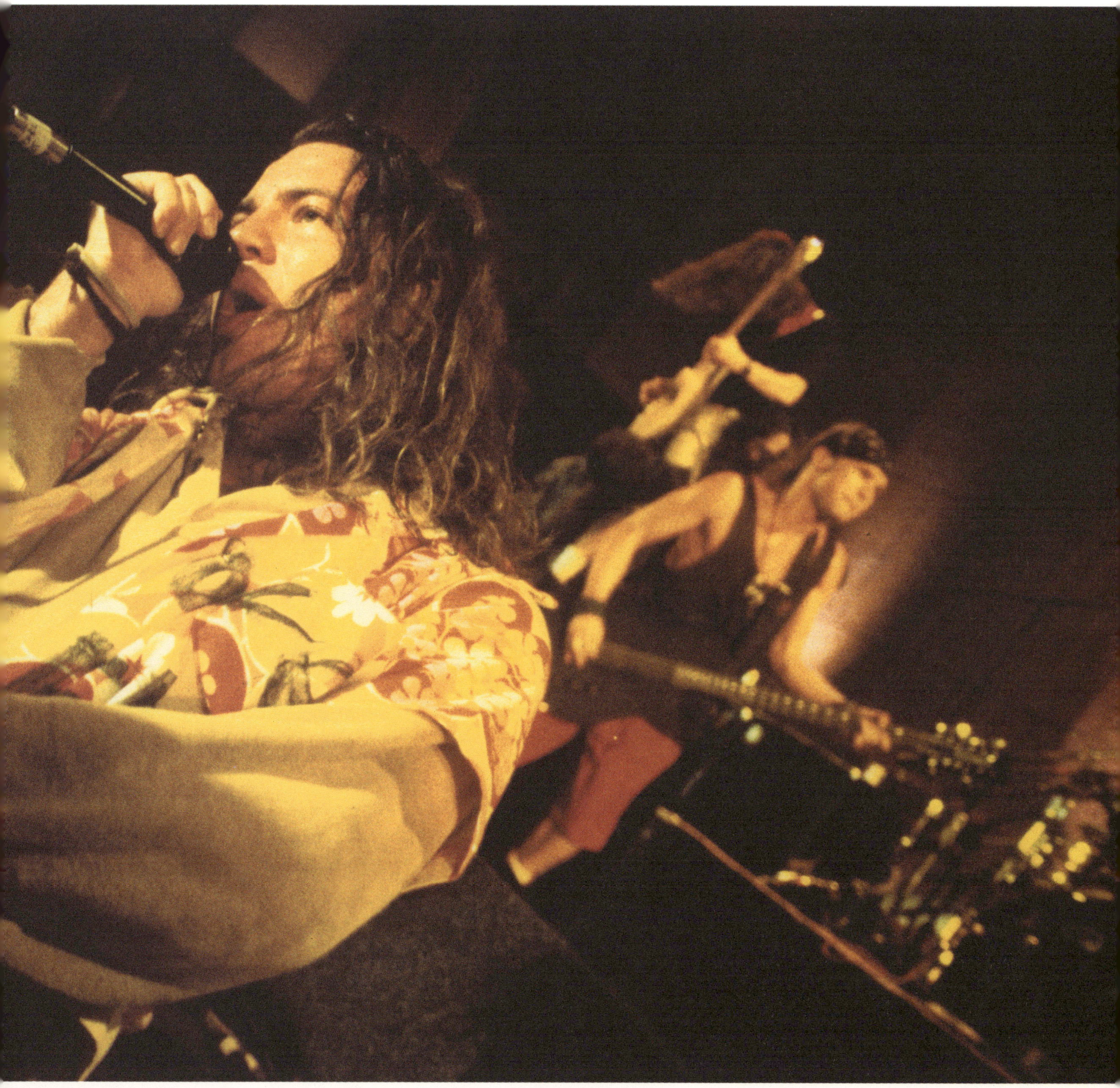

20 de setembro
Warren G. Magnuson Park, Seattle

O Pearl Jam honra seu compromisso de organizar um show grátis em sua cidade depois do cancelamento de última hora do show no Gas Works Park, em maio. Apelidado de "Drop in the Park", o evento também tem performances do Seaweed, do Cypress Hill, de Pete Droge e o Jim Rose Circus Sideshow. Aproximadamente 30 mil fãs aparecem, dos quais 3 mil se registram para votar no local. Gravações do show são lançadas pela primeira vez como parte do relançamento deluxe de *Ten*, em 2009.

Jeff Ament: Aquilo nos ensinou muito sobre como organizar nosso próprio show. Houve definitivamente coisas que não fizemos da forma certa. A barricada era muito pequena. Ela quebrou em um momento do show do Cypress Hill. Estávamos definitivamente nos metendo em algo em que não tínhamos experiência, mas ainda assim foi excelente. Definitivamente houve uma sensação de celebração naquele show. E alívio. Foram meses trabalhando com a prefeitura para fazer tudo acontecer.

Kelly Curtis: Mesmo quando voltamos mais tarde para fazer o Drop in the Park, que precisou de muito planejamento e ajuda, ainda assim saímos vivos daquela por pouco. Aquilo quase se tornou um desastre. Mas acabou não se tornando.

DROP IN THE PARK

← TYPE

DROPLET CAN LAY OVER LETTERS

WITH
PEARL JAM
SEAWEED • DEFENDERS
PEACE, LOVE, + GUITARS
PETE DROGE • SHAWN SMITH
LAZY SUSAN

MAY 23, 1992

33,000 enjoy a free day with Pearl Jam
Hit band rocks Seattle park
SoundLife 9

Pearl Jam fans dash for free tickets

■ SEATTLE

Motorists jumped medians and drove on sidewalks as more than 10,000 people scrambled for free tickets to a concert by local band Pearl Jam.

The dash began at 8 a.m. yesterday when rock radio stations announced the Seattle Center Coliseum as the site for the ticket giveaway. The concert is Sunday at Magnuson Park.

Tickets were distributed in packets of two, and by noon all 10,000 packets were gone, coordinator John Hoyt said.

Times Monday, September 14, 1992

DROP IN THE PARK
MAGNUSSON PARK
SEPT. 20, 1992
WITH
CYPRESS HILL
SEAWEED
ROBERT ANTON WILSON • LAZY SUSAN
PETE DROGE • SHAWN SMITH
MASTER OF CEREMONIES JIM ROSE

95

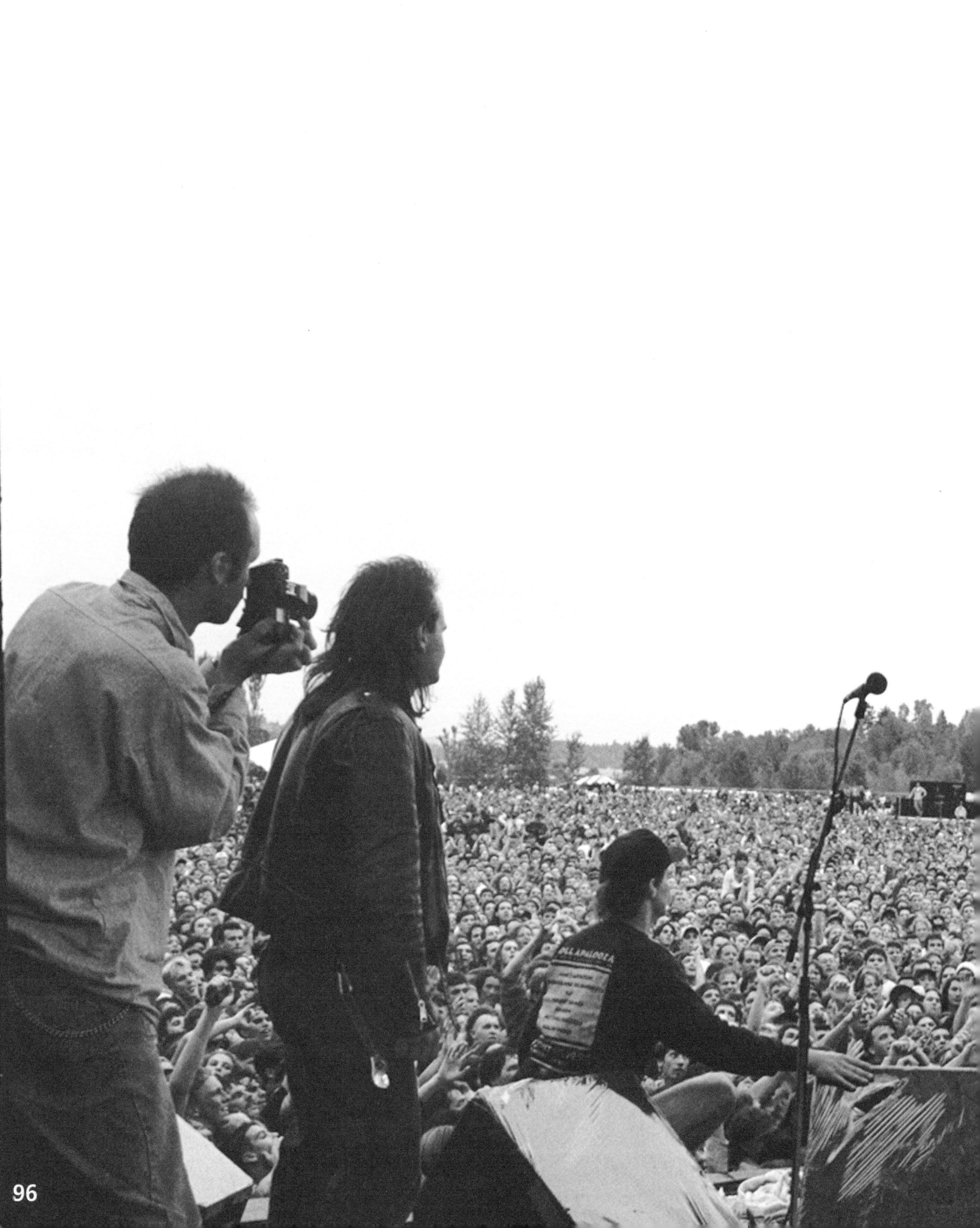

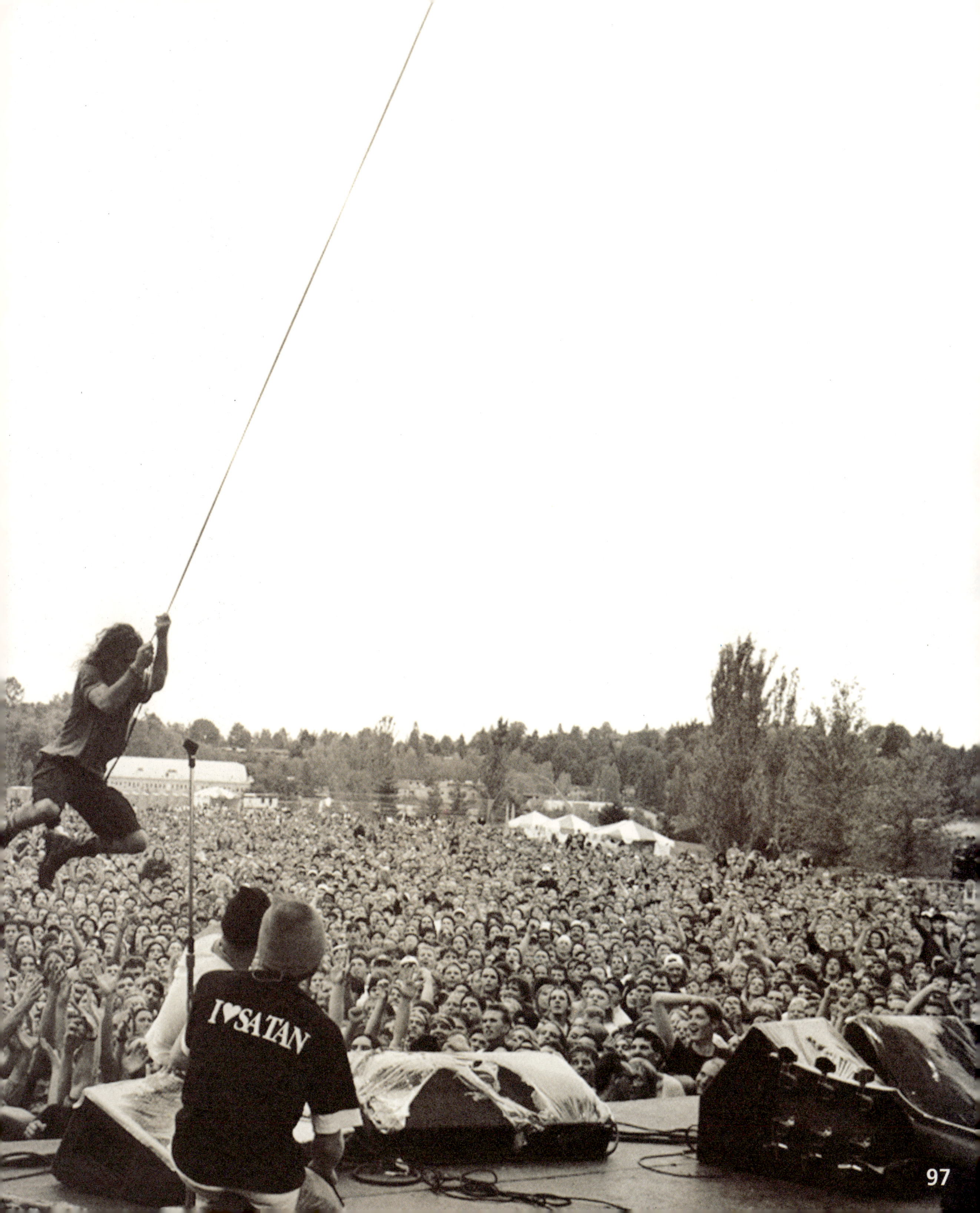
I♥SATAN

25-26 de setembro
Andrews Amphitheatre, Honolulu

O Pearl Jam diminui sua atividade de shows para divulgar *Ten* com dois shows em Honolulu e um terceiro no dia 27 de setembro em Maui. Enquanto relaxa nas praias do Havaí, a banda grava um vídeo para "Oceans" com o diretor Josh Taft, mas o clipe é lançado apenas internacionalmente até sua inclusão oito anos depois no DVD *Touring Band 2000*.

Jeff Ament: Foi muito tranquilo, mas ainda assim estávamos de férias passando um dia inteiro com um cinegrafista. Parecia uma grande celebração no fim da turnê, e acho que o vídeo mostra isso. Há muitos sorrisos e é muito bonito.

16 de outubro
Madison Square Garden, Nova York

Eddie Vedder e Mike McCready tocam "Masters of War" em um tributo recheado de estrelas celebrando o aniversário de 30 anos de Bob Dylan na indústria musical, que é transmitido em pay-per-view. No dia anterior eles haviam se encontrado com Neil Young pela primeira vez, durante os ensaios para o show, que também incluía Eric Clapton, George Harrison e Tom Petty. Vedder passa uma noite épica em um bar irlandês com os músicos depois daquilo e busca conselhos de Dylan sobre como lidar com a atenção. Dylan lhe diz "Não leia nada nos jornais. Não assista TV. Fuja".

Novembro

Eddie Vedder escreve um artigo sobre aborto para a edição de novembro da revista *Spin*.

> O fato é que as pessoas que estão tomando decisões sobre a questão do aborto não são aquelas que terão que viver ou morrer por causa disso. Dez anos. Essa é a idade que meu filho teria. E eu não estaria aqui em Glasgow. Eu não estaria nessa banda ou viajando. E não teria visto a forma liberal como outros países que visitamos lidam com esse assunto. Eu não teria sido convidado a escrever este artigo. O fato de ter passado por isso em todos os níveis foi a única razão para eu ter aceitado. Talvez eu tenha um filho no futuro, quando puder mantê-lo apropriadamente. Quem sabe. Mas, como indivíduos nesse país "livre", devemos ter o direito de escolher quando a hora certa chegou. Isso não é uma brincadeira. Isso não é uma gincana religiosa. Isso é o futuro de uma mulher. Decidam sobre os assuntos e votem — homens e mulheres —, porque essa não é uma questão apenas da mulher. É sobre direitos humanos. Se fosse sobre o corpo de um homem e seu destino que estivéssemos decidindo, não existiria essa discussão.

1 de novembro
Shoreline Amphitheatre, Mountain View, Califórnia

O Pearl Jam toca pela primeira vez no show beneficente anual de Neil Young, Bridge School Benefit, que arrecada fundos para uma escola para crianças com graves deficiências físicas e de fala. A banda toca versões acústicas de "Footsteps", "Jeremy", "Black", "Alive", a extremamente rara "Angel" e "I Am a Patriot", de Steven Van Zandt, assim como a primeira performance do futuro clássico do Pearl Jam, "Daughter", que a banda tinha composto durante o Lollapalooza e que tinha ganhado corpo uma noite em Denver no fundo do ônibus da banda.

Jeff Ament: A primeira vez que fomos convidados para tocar no Bridge School foi uma das experiências musicais mais marcantes que já tivemos. Alguns meses depois, Neil nos convidou para ir à Europa com ele.

Eric Johnson: Na primeira vez que eles tocaram no Bridge School, estávamos parados em frente ao hotel esperando a van para nos levar até o local do show. Nós vimos Neil passar dirigindo um velho Cadillac preto gigantesco que tinha a placa "Pearl 10", que, obviamente, ele já tinha anos antes de existir um Pearl Jam ou um disco chamado *Ten*. Foi um momento lindo.

Natal

O Pearl Jam lança seu segundo single em vinil apenas para membros do fã-clube com "Who Killed Rudolph?" e incluindo o cover de "Sonic Reducer" dos Dead Boys, que eles tinham gravado no verão daquele ano com Brendan O´Brien em Atlanta, e "Ramblings Continued".

31 de dezembro
The Academy, Nova York

O Pearl Jam celebra o Ano Novo com um show de abertura para Keith Richards and the X-Pensive Winos diante de 5 mil fãs em

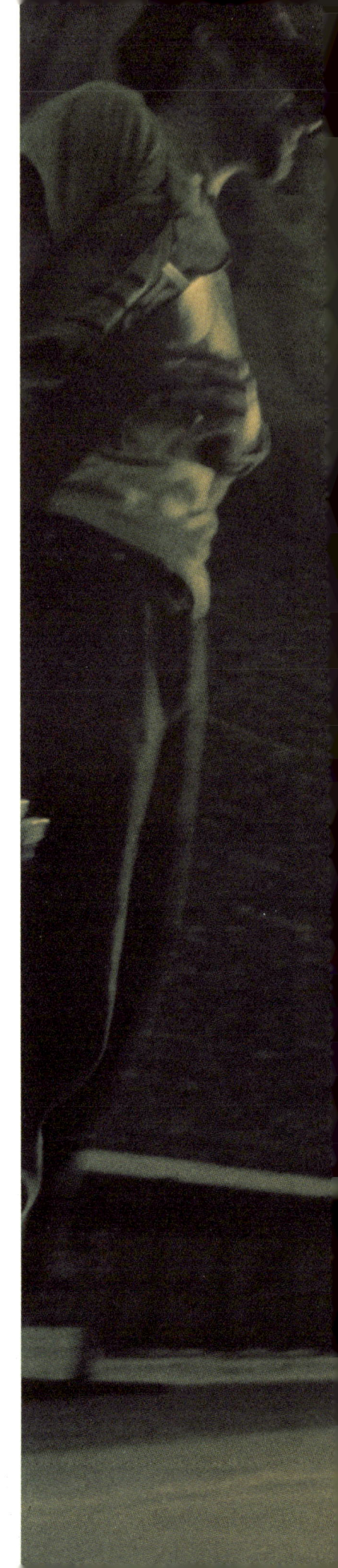

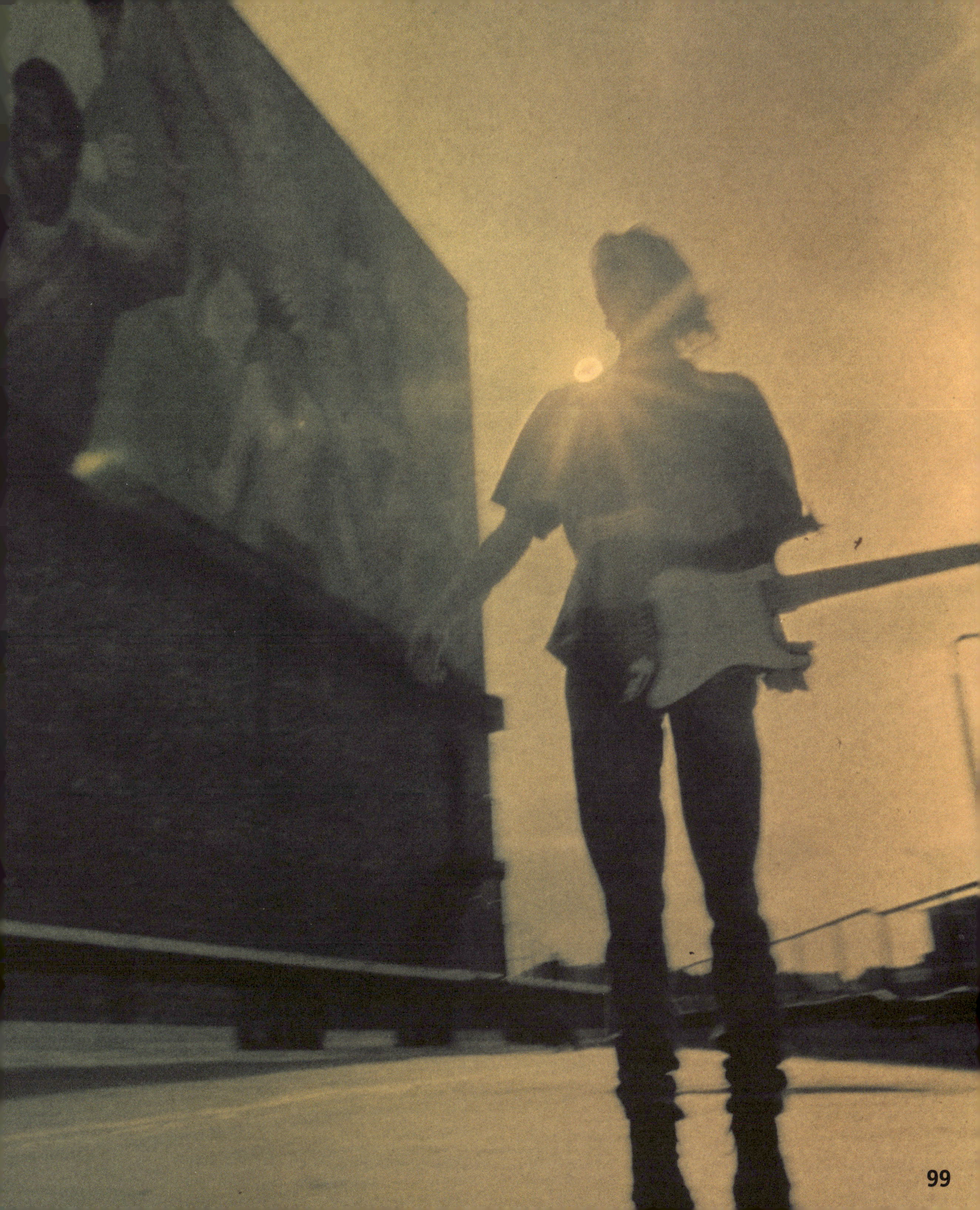

Nova York. O show começa com uma versão extremamente acelerada de "Wash", que nunca mais é tocada dessa forma novamente, e também tem a novíssima "Daughter" e um improviso baseado em "Strangehold", de Ted Nugent, que instiga Mike McCready a confessar à plateia "Eles me forçaram a tocar essa. Considero Ted Nugent um idiota estúpido". McCready e Eddie Vedder se juntam a Richards e sua banda, além do guitarrista Robert Cray, para a última música do show, "Going Down". Esse show mais tarde é lançado como um CD extra grátis para os pedidos através do fã-clube do disco homônimo do Pearl Jam de 2006.

Jeff Ament: Eu me lembro de estar com alguns amigos de Nova York naquele show no camarote. Um de meus amigos disse "Oh, está vendo aquelas duas pessoas na primeira fila? Aqueles são Marc Jacobs e Anna Sui". Eu disse "Foi esse o sujeito que criou uma linha grunge? Uma jaqueta de veludo cotelê de trezentos dólares?". Esse meu amigo falou "Aposto que você não pergunta isso na cara dele". "Quanto?". "Um dólar". Eu desci, dei um rodopio de modelo de mentira e perguntei "Ei, Marc, o que você acha disso para a próxima linha?". Eu provavelmente estava usando uma bermuda de veludo vermelho e uma malha por baixo. Éramos jovens e cheios de marra e energia. Não tínhamos medo de abrir para Keith Richards, embora o respeitássemos tanto quanto qualquer um naquela época. Eddie também mostrou o dedo médio para o outdoor do Marky Mark no telão da Times Square naquela noite. Perfeito.

Receipt for corduroy jacket

101

PEARL JAM

103

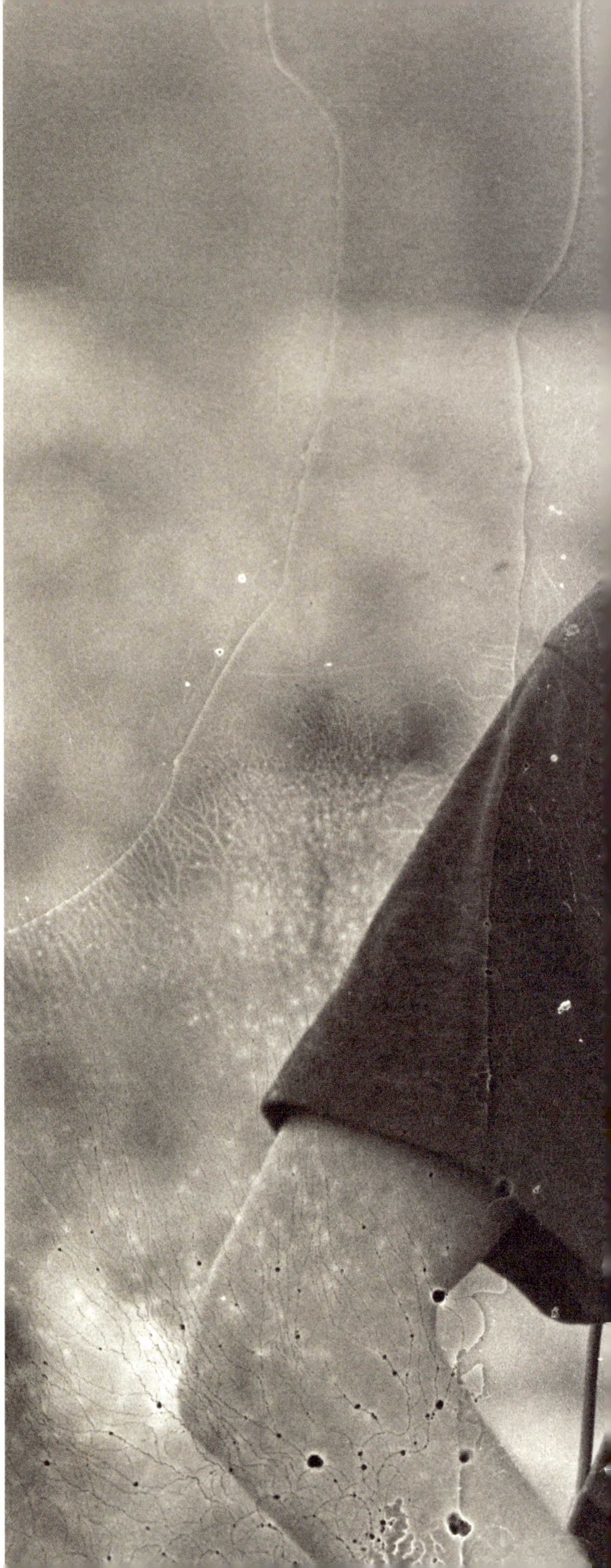

CAPÍTULO 1993

1993

O "grunge" estava no auge da atenção do mainstream em 1993 e o Pearl Jam estava no olho do furacão.

Aninhada em um estúdio na Califórnia para gravar seu segundo álbum, *Vs.*, a banda aproveita um descanso do ruído. À medida que o caminho ficava mais acidentado, o Pearl Jam se consolava em simplesmente fazer o que achava certo sem se importar com a sabedoria convencional, chegando a se negar a fazer vídeos e dar entrevistas para promover o novo álbum. A banda também excursionou e se aproximou de veteranos da indústria como U2 e Neil Young, que serviram de exemplos de como manter uma carreira duradoura sem se atolar com todas as distrações implícitas. Mas, independentemente do quanto tentasse, o Pearl Jam não podia fugir de possivelmente ser a banda mais popular do mundo, um fato tornado claro pelas vendas de *Vs.* em sua primeira semana em outubro, que quebraram recordes. Para ter certeza, o Pearl Jam tinha que inventar uma forma de seguir adiante por si mesmo sem ser engolido pelo turbilhão, mas descobrir como fazer isso seria o empreendimento mais difícil de sua carreira.

12 de janeiro
Century Plaza Hotel, Los Angeles

Eddie Vedder introduz The Doors no Rock and Roll Hall of Fame, contando uma história engraçada sobre as artimanhas que os integrantes da banda, antes da fama, usaram para fugir de serem convocados para a Guerra do Vietnã (fingindo ser gay, se fazendo de louco). Mais tarde, ocupando o lugar do falecido Jim Morrison, Vedder assume os vocais em versões intensas de "Roadhouse Blues", "Break on Through" e "Light my Fire" com os integrantes sobreviventes John Densmore, Robbie Krieger e Ray Manzarek, que estavam tocando juntos pela primeira vez desde 1978.

23 de janeiro
Hollywood Palladium, Hollywood, Califórnia

Vedder toca Porch, a canção "Homeless", do Bad Radio, e um cover de "Throw Your Arms Around Me", do Hunters & Collectors, em seu primeiro show solo como integrante do Pearl Jam. O show, que também conta com o 7 Year Bitch, além das bandas de Seattle Screaming Trees e Green Apple Quick Step, comemora o vigésimo aniversário da decisão da Suprema Corte americana no caso *Roe x Wade* em legalizar o aborto.

25 de janeiro
Shrine Auditorium, Los Angeles

O Pearl Jam ganha o prêmio de novo artista favorito (pop/rock) e de novo artista favorito (heavy metal/hard rock) no American Music Awards.

27 de abril

A banda paralela de Stone Gossard, Brad, que conta também com Shawn Smith e Regan Hagar, do Satchel, lança seu álbum de estreia, *Shame*, pela Epic. Os músicos tocaram juntos pela primeira vez depois da turnê de 1992 do Lollapalooza e, com a ajuda do baixista Jeremy Toback, rapidamente gravaram 11 músicas naquele mês de outubro no Avast! Recording Co., em Seattle. Mas com o Pearl Jam prestes a lançar seu segundo álbum, o Brad entra em hiato.

Shawn Smith: Naquela época, o Pearl Jam era a maior banda do planeta. Era um exagero aquilo tudo. Nunca pensamos em lançar mais do que um álbum.

Stone Gossard: Nós começamos a tocar e a banda estava tentando usar o nome Shame. Um cara em L.A. tinha o nome e uma banda, mas não o usava de fato. Ele estava pensando sobre o assunto e queria mantê-lo. Meses se passaram e ele ainda não o estava usando. Nós lhe oferecemos 10 mil ou algo assim pelo nome. Acho que ele descobriu que eu era da banda e quis mais dinheiro. Em algum momento, nós desistimos. O nome dele era Brad, então simplesmente decidimos que se ele ia impedir que ficássemos com aquele nome, ficaríamos com o nome dele! Acho que mais tarde ele criou uma banda chamada Stone, mas não acho que eles eram muito conhecidos.

13 de maio
Slim's, São Francisco

Com o álbum ainda provisoriamente chamado de *Five Against One* praticamente terminado, o Pearl Jam, anunciado como The David J. Gunn Band, numa tentativa de fazer uma surpresa, volta à atividade nos palcos pela primeira vez desde o show da noite de réveillon de 1992. "Então, qual de vocês não soube guardar segredo?", brincou Vedder com o público que ia além da capacidade do local. "Essas são algumas músicas novas", diz ele. Assim, o grande público é apresentado a "Animal", "Go", "Blood", "W.M.A.", "Dissident", "Rearviewmirror" e "Rats", além de "Better Man" e "Whipping", que não seriam lançadas até o terceiro disco, e "Hard to Imagine", que não veria a luz do dia oficialmente por mais cinco anos. A banda também toca os riffs de "Girls Just Wanna Have Fun", de Cyndi Lauper, e de "Dirty Deeds Done Dirt Cheap", do AC/DC.

Jeff Ament: Aquilo foi antes da internet, então não tivemos que nos preocupar com gravações piratas sendo lançadas naquela época. É uma pena você não poder mais fazer isso hoje em dia; tocar canções sem que o resto do mundo as escute dentro de uma hora. Estávamos trabalhando nas primeiras mixagens naquela manhã, então botamos nosso equipamento no carro e fomos até São Francisco. Logo depois do show, dirigi a noite toda e o dia seguinte até Las Vegas para ver o Grateful Dead e Sting com meu irmão.

26 de junho
Sentrum Scene, Oslo, Noruega

Depois de dois shows surpresa em Missoula, no estado de Montana, e em Spokane, nos dias 16 e 17 de junho, o Pearl Jam embarca em uma turnê europeia de três semanas que inclui uma mistura de shows como *headliner* e datas abrindo para Neil Young (acompanhado de Booker T. & The MG´s) e o U2.

28 de junho
Sjöhistoriska Museet, Estocolmo, Suécia

Neil Young e o Pearl Jam tocam "Rockin´ in The Free World", de Young, pela primeira vez juntos durante o bis do show de Young.

Mike McCready: Simplesmente ser capaz de ver Neil Young com Booker T. & The MG´s toda noite da frente do palco era incrível. Eles são a maior banda do mundo. Nunca vi uma melhor; tão afiada, mas ao mesmo tempo descontraída e bacana. Uma noite, estávamos tocando "Rockin´ in the Free World" e eu estava parado bem ao lado de Steve Cropper. Steve olha para mim, acenando para que eu tocasse um solo. Então faço um solo e depois ele faz um e acena de novo para eu tocar outro. Então toco outro solo, e de repente ele toca uma porra de um solo que arranca a minha cabeça fora. Tudo que pude fazer foi rir e voltar a tocar a base. Era como se ele estivesse me testando: "Certo — você ainda não é foda."

Eddie Vedder: Neil e eu estávamos sentados conversando uma vez, um dia na época do segundo disco, e ele disse "Não se afaste da banda. Aposto que tem um monte de gente lhe dizendo para fazer algo sozinho". E pensei comigo mesmo: *Não* [risos], *não ouvi nada disso!* Então, não se preocupe. Vou continuar com esses caras.

Neil Young: Isso foi logo quando o "movimento grunge" estava por todo lado, mas havia muita turbulência em volta daquilo, com toda aquela coisa de Nirvana contra Pearl Jam. Eu simplesmente lhes disse para esquecer aquilo. Para ignorar aquilo completamente e não prestar atenção a nenhuma daquelas coisas. Não fazia a menor diferença o que as outras pessoas pensavam.

110

111

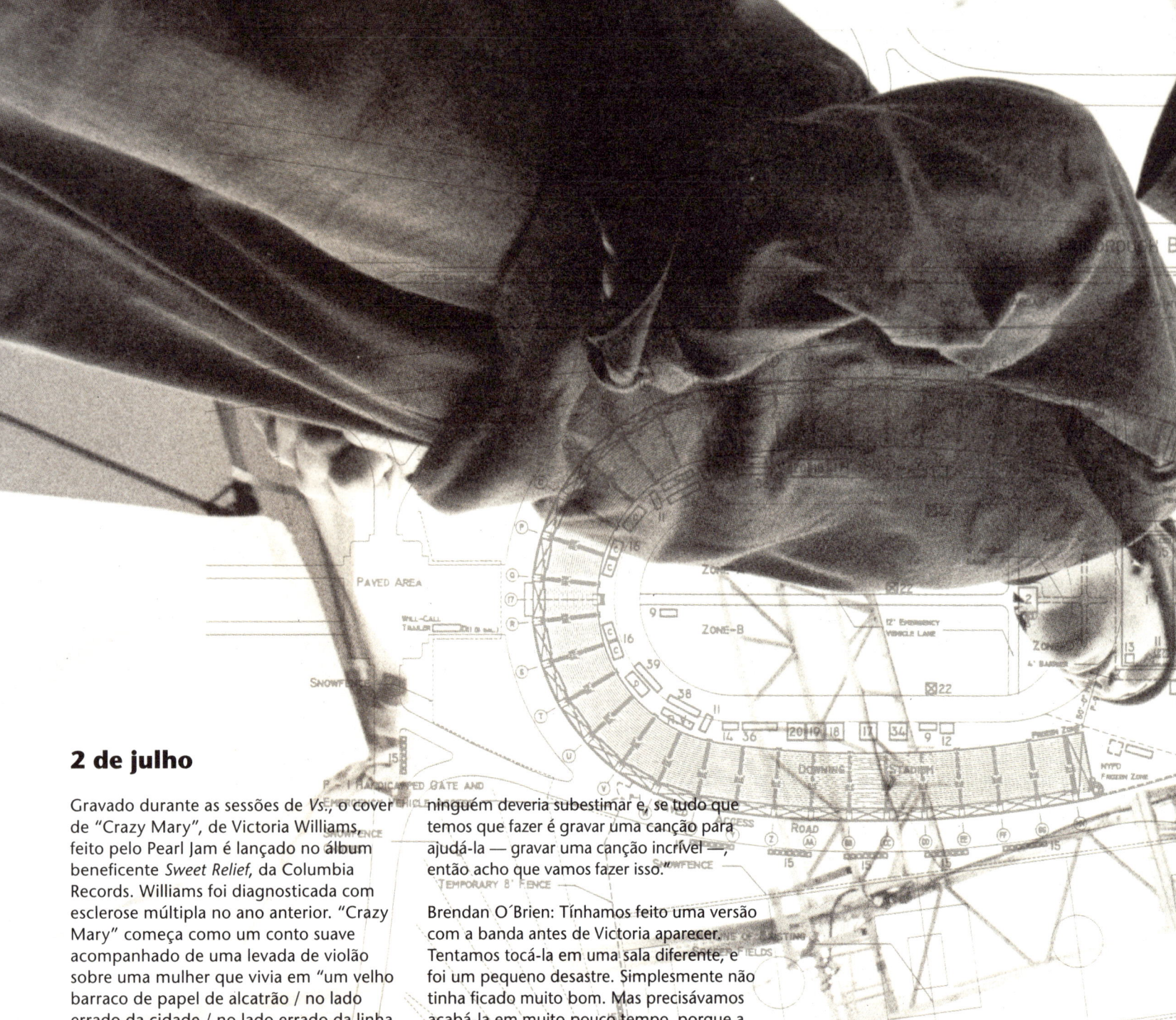

2 de julho

Gravado durante as sessões de *Vs.*, o cover de "Crazy Mary", de Victoria Williams, feito pelo Pearl Jam é lançado no álbum beneficente *Sweet Relief*, da Columbia Records. Williams foi diagnosticada com esclerose múltipla no ano anterior. "Crazy Mary" começa como um conto suave acompanhado de uma levada de violão sobre uma mulher que vivia em "um velho barraco de papel de alcatrão / no lado errado da cidade / no lado errado da linha do trem" e lentamente cresce até um final intenso. Apesar de ter sido tocada ao vivo muito poucas vezes antes de 1998, a música acaba se tornando figurinha fácil nos shows, principalmente nos anos 2000, quando ela tipicamente termina com duelos de solo entre Mike McCready e o tecladista Boom Gaspar.

Vedder, em uma entrevista para o programa de rádio *Rockline*, que é transmitido por diversas estações, explicou a origem da canção: "Alguém nos deu a fita e sugeriu aquela canção. Trata-se de um momento em que você para de subestimar o fato de estar vivendo e de ter o controle de todos os seus membros e assim por diante. Algo que ninguém deveria subestimar e, se tudo que temos que fazer é gravar uma canção para ajudá-la — gravar uma canção incrível —, então acho que vamos fazer isso."

Brendan O'Brien: Tínhamos feito uma versão com a banda antes de Victoria aparecer. Tentamos tocá-la em uma sala diferente, e foi um pequeno desastre. Simplesmente não tinha ficado muito bom. Mas precisávamos acabá-la em muito pouco tempo, porque a banda tinha se comprometido a entregá-la para fazer parte de *Sweet Relief*. Acho que foi ideia do Eddie pedir para Victoria vir e tocar e cantar na música. A guitarra base Stratocaster principal na música é ela. Acho que aquela faixa é quase totalmente ao vivo, tirando alguns *overdubs* de vocais. Eu toco teclado também. Acredito que fizemos umas vinte tomadas dela. Aquele foi um dia descontraído, tudo pareceu bom e nós nos divertimos.

Jeff Ament: A forma como aquela canção foi escrita se encaixa perfeitamente ao estilo de Boom. A primeira vez que ele a tocou conosco foi algo como "Oh, caramba!" Isso é o Boom!".

ZONE A EXITS				
EXIT	WIDTH	UNITS	MULTIPLIER	PERSONS
C	5'-0"	2.5		
D	5'-0"	2.5		
E	5'-0"	2.5		
F	5'-0"	2.5		
28	5'-0"	2.5		
G	5'-0"	2.5		
H	5'-0"	2.5		
	5'-0"	2.5		
		2		
				800
				800
				800
				2,500
SUBTOTAL				15,300

OCCUPANCY - ZONE B	
STADIUM: ZONE B	3,020
FIELD: ZONE B	3,440
TOTAL ZONE B	12,460

ZONE D EXITS				
EXIT	WIDTH	UNITS	MULTIPLIER	PERSONS
GG	5'-0"	2.5	320	800
HH	5'-0"	2.5	320	800
P-9		27	400	10,800
SUBTOTAL				12,400

	MULTIPLIER	PERSONS
	320	800
	320	800
	400	2,600
	400	2,600
	400	2,600
		9,400

OCCUPANCY - ZONE D	
STADIUM: ZONE D	540
CARRY OVER FROM ZONE B	2,500
FIELD: ZONES D	4,000
TOTAL ZONES D	7,040

OCCUPANCY - ZONE C	
	540
	2,500
	3,000
	6,040

EVENT OCCUPANCY	
TOTAL ZONE A	12,460
TOTAL ZONE B	12,460
TOTAL ZONE C	3,540
TOTAL ZONE D	4,540
TOTAL PERSONS	33,000

PERIMETER FENCE EXITS				
EXIT	WIDTH	UNITS	MULTIPLIER	PERSONS
P-1	16'-0"	8.5	400	3,400
P-2	20'-0"	10.5	400	4,200
P-3a	4'-0"	2	400	800
P-3b	4'-0"	2	400	800
P-3c	4'-0"	2	400	800
P-3d	4'-0"	2	400	800
P-3e	4'-0"	2	400	800
P-4a	4'-0"	2	400	800
P-4b	4'-0"	2	400	800
P-4c	4'-0"	2	400	800
P-4d	4'-0"	2	400	800

- 18 Food Tent
  Sausage & Peppers, French Fries & Drinks
- 19 Food Tent
  Heros, Funnel Cakes & Drinks
- 20 Pizza Tent
- 21 Dressing Tent
- 22 Sound Delay Tower
- Light Tower
- Sound Tent
- Comfort Trailer (toilets)

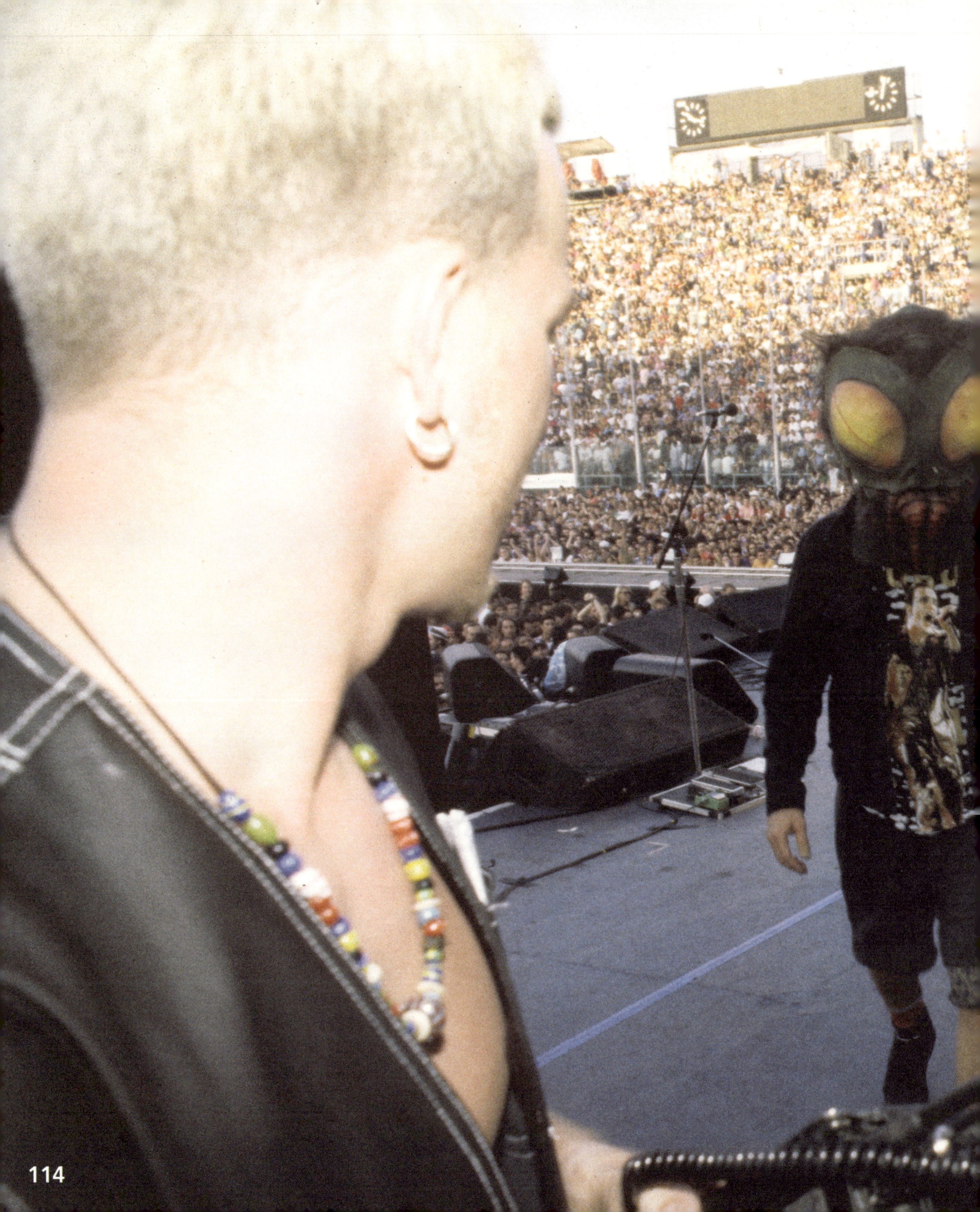

Mike McCready: Boom tem uma verdadeira experiência com blues. Naquela música, ele me disse "Comece devagar e vá crescendo", porque muitas vezes eu toco muito rápido e falo "Por que eu fiz isso?". Seguindo seu conselho, eu começo devagar. Ele começa o solo e eu me aproximo meio lentamente dele. Nós nos comunicamos de forma não verbal. Ele faz um riff e eu tento repetir na guitarra. Nós fazemos isso sem parar e então tocamos um mesmo acorde. É muito divertido.

2-7 de julho
Stadio Bentegodi, Verona, Itália; Stadio Flaminio, Roma, Itália

O Pearl Jam abre quatro shows em estádios gigantescos para o U2 em sua turnê altamente conceitual do disco *Zooropa*, tocando diante de plateias que são desatentas na melhor das hipóteses e abertamente hostis na pior. Vedder parece se alimentar dessa ambivalência, que combina com seus sentimentos conflitantes sobre esse estágio na evolução criativa do U2. Pasmo, Bono está próximo da frente da plateia na segunda noite em Roma para assistir a Vedder se apresentar com as palavras "Paul Is Dead" (Paul está morto) grudadas com fita em sua camiseta (uma brincadeira com o nome verdadeiro do líder do U2, Paul Hewson) assim como uma máscara de mosca (aparentemente uma alfinetada na música "The Fly", do U2).

Eddie Vedder: O U2 era uma de minhas bandas favoritas de todos os tempos. Eu os tinha visto desde a turnê do *War* até essa nova e intensificada versão Technicolor em uma escala gigante nesses estádios europeus na Zoo TV. Eu sentia que para poder ver a banda, eu tinha que juntar as mãos sobre os olhos. Eu não queria ficar olhando para a maior tela já inventada. Era raro que Bono estivesse a menos de 20 metros de qualquer outro integrante da banda. Achei que era minha obrigação como o seguidor de longa data que era dizer a um dos sujeitos "Essa merda não está funcionando!". Mas depois de cada música, 80 mil italianos estavam aplaudindo, gritando e ficando histéricos. Então quem era eu para dizer alguma coisa?

Alguns anos depois, mandei uma foto do nosso mapa de palco para The Edge como uma piada. Era tipo quatro bonecos de palito desenhados em um pedaço de papel. A única outra coisa escrita naquilo era "10 metros de largura". Aquele era basicamente o nosso mapa de palco. Aquele era o diagrama detalhado com que estávamos operando. Eu tinha ouvido dizer que o U2 estava trabalhando em um disco e ensaiando em uma garagem, então mandei aquilo para The Edge. Eu falei "Ouvi dizer que vocês estão trabalhando em um material novo que soa orgânico, então aqui está um diagrama do nosso palco, se vocês quiserem pegar emprestado". Aquilo era tão maldoso que parecia que eu estava com dor de dente quando escrevi. Mas recebi uma linda carta de três páginas escrita à mão por The Edge, que tem muita desenvoltura para escrever. Ele expressou aquilo de uma forma bem séria. Na época do *Joshua Tree*, eles estavam aproveitando a oportunidade de levar a experiência do rock de arena a um novo patamar e achavam que isso era sua obrigação, independentemente de funcionar ou não. Naquele momento, entendi que aquelas não eram decisões que eles estavam tomando por moda, ou simplesmente para fazer graça. Aquilo era como um decreto que eles tinham criado como uma nova filosofia para a banda: realmente explorar as amplas possibilidades de conectar as pessoas em um nível maior.

Nancy Wilson: Aquela turnê testou as fundações da lei de integridade artística básica de Seattle naquela época. A comercialização com que o U2 estava seriamente fazendo piada com *Zooropa* era um pouco cínica, mas aquilo era tão grande que ficava difícil de interpretar para rapazes como Eddie e o Pearl Jam, que tinham basicamente explodido a fachada megacorporativa de toda a cena musical dos anos 1980. Eddie e Bono passaram muito tempo em cantos, conversando a noite toda. Eles tinham assuntos filosóficos a discutir. Eddie realmente estava tendo dificuldades em lidar com aquilo. Ele sentia que precisava entender aquelas coisas e não conseguia, mas acho que Bono conseguiu por fim que ele entendesse.

Eric Johnson: Depois do último show de Roma, ouvi dizer que haveria uma greve dos bombeiros na cidade, começando às oito horas do dia seguinte, e que nenhum avião ia ter permissão para decolar. Tínhamos um show para fazer em Dublin com Van Morrison e Neil Young, então aquela era a única coisa em minha mente. Bono convidou os rapazes para sair com ele depois do show e implorei para que eles me dessem pelo menos um número de telefone onde eu pudesse encontrá-los, porque tínhamos que deixar o hotel às seis da manhã para sair antes da greve. É claro que às seis e meia Eddie não estava de volta ainda, nem Jeff, nem Stone. E ninguém no hotel falava inglês, ou pelo menos queria falar. O telefone ficava tocando atrás da mesa da recepção e um sujeito velho não atendia. Achando que eram os rapazes, eu simplesmente entrei na recepção e comecei a atender o telefone. Se fosse alguém falando italiano, eu desligava. Acabou que eles todos chegaram, sorrindo. De alguma forma conseguimos pegar o voo.

1 de agosto

O sétimo disco do Bad Religion, *Recipe for Hate*, é lançado pela Epitaph Records e tem participação de Eddie Vedder cantando em "American Jesus" e "Watch it Die".

2-3 de agosto
Community Center, Berkeley, Califórnia

Vedder se encontra com seu ídolo Pete Townshend pela primeira vez quando Townshend está na Bay Area para fazer shows solo para divulgar seu álbum *Psychoderelict*.

Eddie Vedder: Na noite em que conheci Pete, eu o assustei. Mas ele foi muito cortês. Eu estava apavorado, porque ele era simplesmente a pessoa mais importante para mim musicalmente, e provavelmente de outras formas também. Talvez até psicologicamente. Ele tinha acabado de fazer dois longos shows solo, que devem ter durado três horas cada. Eu tinha tentado entrar e sair escondido dos shows, quando alguém disse logo antes do segundo show que ele queria de fato me conhecer. Então eu pensei "Bem, não posso negar isso a ele". As primeiras duas músicas foram muito nervosas porque eu queria mesmo evitar aquela situação. Ele estava cantando "Rough Boys" e me viu. Eu estava na quinta fileira. E ele parou de cantar e simplesmente, tipo assim, olhou para mim. Ouvi uma gravação não autorizada recentemente e aquilo aconteceu mesmo. Acho que ele voltou e cantou "I want to bite and kiss you" [quero te morder e te beijar], mas a letra de verdade é "We can't be seen together" [Não podemos ser vistos juntos]. Então fui até o camarim, e a primeira coisa que ele falou foi "Esperei tanto para conhecê-lo". Ele disse "A última vez que me lembro de ter me divertido tocando foi quando essa foto foi tirada". E eu olhei para a foto e ali eu vi "1976". Eu falei "Pete, isso foi em 1976". E ele falou "Eu sei. Eu sei. Essa foi a última vez".

Pete Townshend: No primeiro encontro de todos que tivemos, ele me disse "Me ajude. Não sei se quero isso". Acho que disse a ele "Não sei se você tem escolha. A partir do momento que você é escolhido, tem que servir como prefeito [risos]. Você não tem escolha". Acho que isso o ajudou, porque naquela época, acho que parte dele queria ir embora e ser um vagabundo na praia em Maui.

3 de setembro
Universal Amphitheater, Universal City, Califórnia

"Jeremy" ganha vídeo do ano, melhor vídeo de grupo e melhor vídeo de metal/hard rock no MTV Vídeo Music Awards, enquanto o diretor Mark Pellington ganha melhor direção em um vídeo. O Pearl Jam estreia "Animal" ainda mais de um mês antes do lançamento oficial em *Vs*. E toca "Rockin´ in the Free World" com um convidado surpresa, o companheiro de turnê Neil Young. Vedder diz ao público que se não fosse pela música, ele poderia ter acabado virando a arma para si mesmo como o protagonista de "Jeremy".

Eddie Vedder: Nossa mente está na música, o que provavelmente é uma coisa muito boa para todo mundo. Nós adoraríamos fazer coisas na MTV e fazer com que ela fosse uma forma diferente de TV aberta. Você sabe, eu não tenho MTV, não tenho TV a cabo. E então eu nem sei — foi assim que aconteceu na premiação —, eu simplesmente não sei o que aquilo significou. Foi uma forma estranha de agradecimento que eu mostrei, eu sei.

Neil Young: Eu nem sei o que estava fazendo ali, para dizer a verdade. Mas aquilo soou como uma boa ideia e nós detonamos. Nós detonamos de verdade.

10 de setembro

Colaboração do Pearl Jam com o Cypress Hill, "Real Thing" é lançada na trilha sonora de *Judgement Night — Uma Jogada do Destino* pela Immortal/Epic Soundtrax. A música nunca foi tocada ao vivo pelo Pearl Jam.

18 de outubro

Vedder e Ament passam noventa minutos respondendo perguntas de fãs e estreando música de *Vs*. no *Rockline*, um programa de rádio em cadeia nacional com a participação dos ouvintes. Apesar de se irritarem com perguntas diretas demais, por exemplo "Como vocês descreveriam o som de seu novo álbum?" (Vedder: "Não descreveríamos. Nós escutaríamos o disco. Ou lhes diríamos para escutá-lo"), eles claramente se divertem interagindo com seu público e abaixando a guarda. No fim da sessão, Vedder e Ament inventam uma pequena cantiga de improviso sobre a então onipresente "Menina Abelha" do vídeo de "No Rain", do Blind Melon. Vedder também dá seu telefone de casa, dizendo que quer manter a conversa fluindo com os fãs e também levar seu vizinho irritante do andar de baixo à loucura com as ligações constantes.

18 de outubro

Em uma entrevista para o MTV News, o líder do Nirvana, Kurt Cobain, diz que "sempre odiou" a música do Pearl Jam, mas que ele e Eddie Vedder tiveram "algumas conversas no telefone e ele é uma pessoa de quem realmente gosto. Eu não gostava dele na época em que ficava falando mal dele o tempo todo. Bem, agora eu consigo gostar dele. Eu percebo que as mesmas pessoas que gostam de nossa banda gostam da banda dele. Então por que criar algum tipo de rixa por causa de algo tão banal quanto isso?".

Dave Grohl: Eu cresci ouvindo tudo, de Beatles a Bowie, a Neil Young, ao Slayer, ao Minor Threat, ao ABBA. Então sempre apreciei as diferenças na música. Mas 1991 era uma época engraçada. Foi uma mudança da guarda. Os jovens finalmente estavam se fazendo ouvir, e estavam entediados e cansados daquela mesma versão do rock´n´roll que tinha sido tão popular nos anos 1980. Guns N´ Roses e heavy metal e toda aquela merda simplesmente pareciam tão desonestos e batidos. Não parecia real. Aqui estávamos nós, esses três sujeitos que cresceram em bairros de merda de classe média que estavam ligados a essa versão hardcore americana das morais e ideais do punk-rock. Até mesmo o U2 parecia um monte de idiotas para nós.

Quando o Nirvana começou a receber muita atenção, foi importante para nós tentar explicar a todo mundo que havia uma forma diferente de fazer as coisas. Você não precisa usar maquiagem. Você não precisa usar fantasias. Você não precisa se render aos clichês do rock´n´roll a que muita gente tinha se acostumado. Nesse sentido, nós nos afastávamos um pouco do lugar-comum. Mas eu acho que, algumas vezes, esse tipo de moralidade teimosa atrapalhava no que dizia respeito a apreciar a música. Acho que o que aconteceu com a nossa suposta rixa

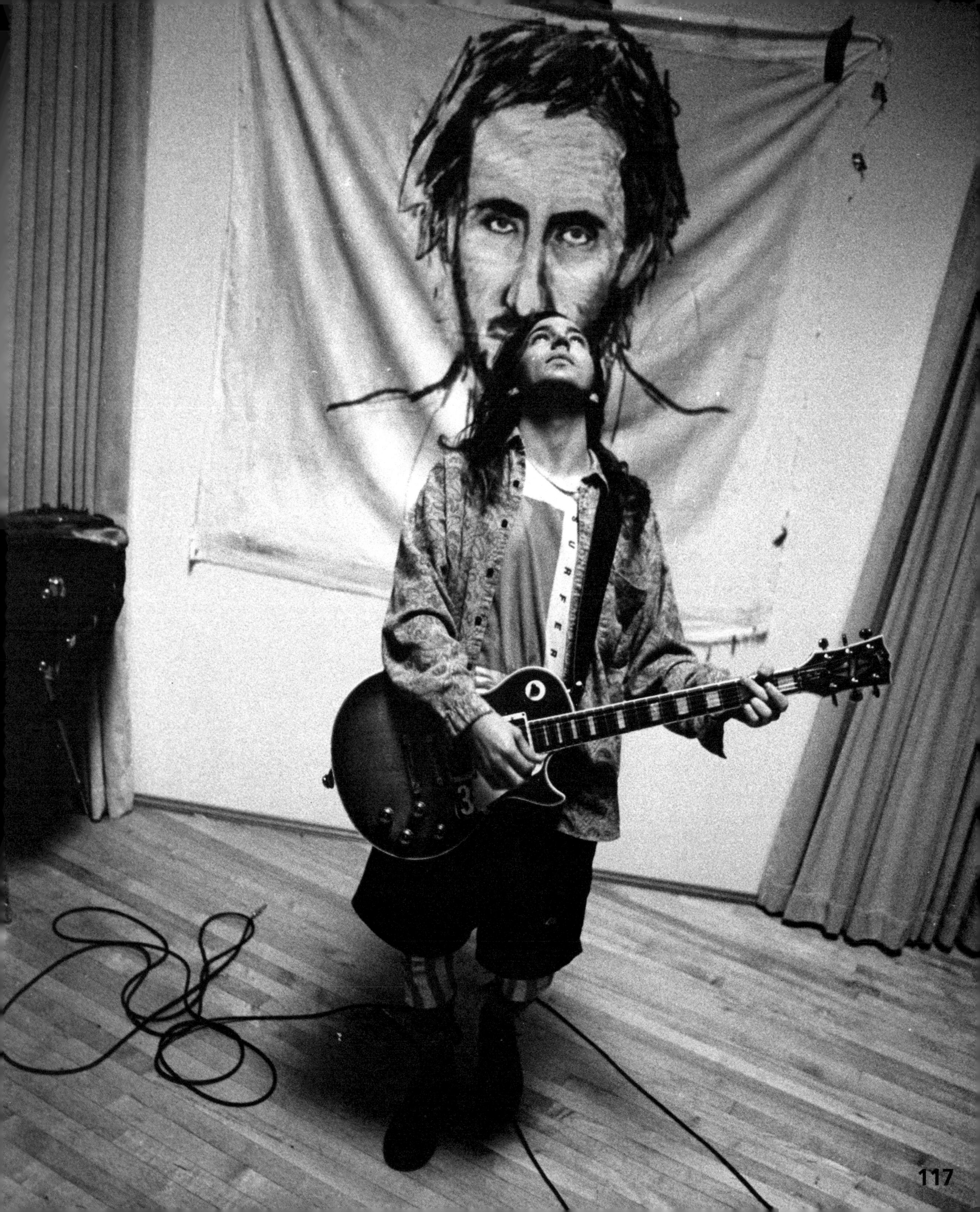
SURFER

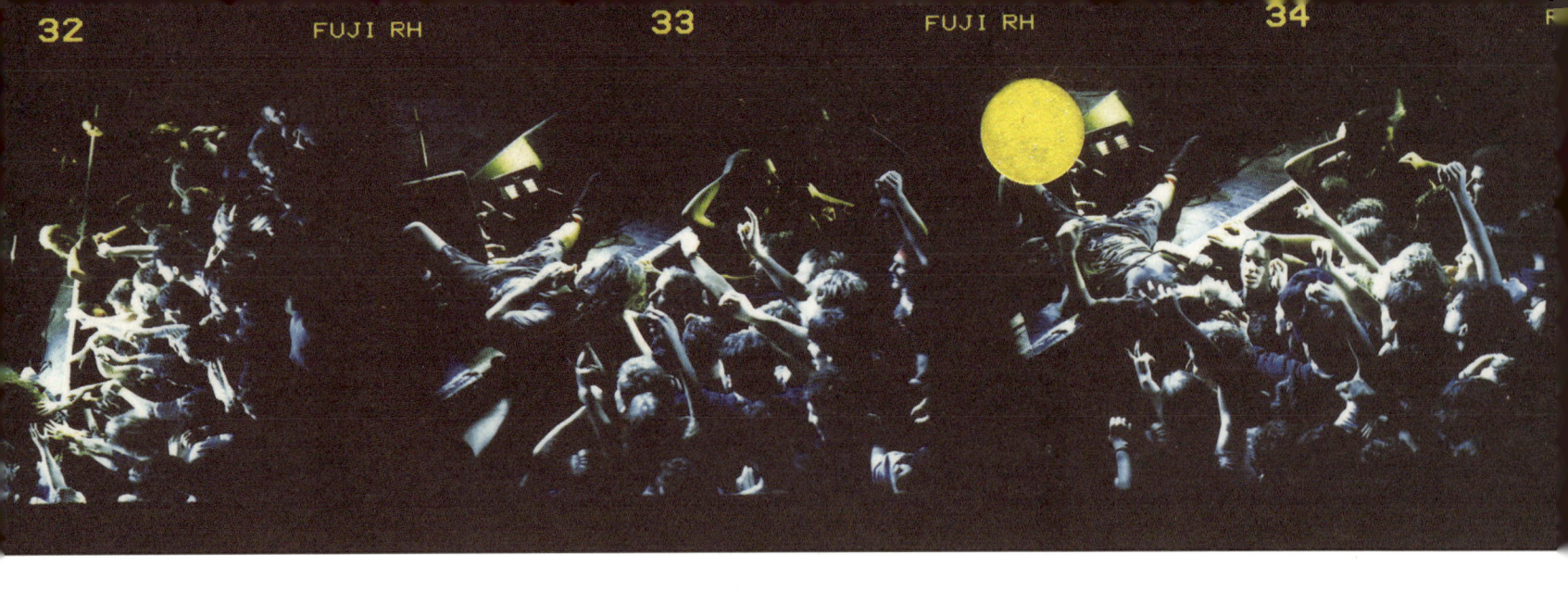

com o Pearl Jam era que Kurt era sincero a respeito de sua aversão pela música deles, até o ponto de fazer parecer que nossas bandas se odiavam. O gosto musical de Kurt era uma coisa. Mas acho que sua admiração pelas pessoas e pela banda era outra. Kurt tinha opiniões extremamente fortes e era sincero sobre aquele tipo de merda, algumas vezes de forma exagerada.

Peter Buck, guitarrista do R.E.M.: Eu me mudei de Athens, na Georgia, para Seattle em 1993 e comecei a cruzar com os rapazes do Pearl Jam e do Nirvana. Na verdade, eu era vizinho de porta de Kurt. Ele costumava ligar de vez em quando apenas para falar sobre qualquer coisa. Mas aquilo era tão esmagador! A cena de Athens é muito tranquila. Mesmo quando o R.E.M. se tornou popular, não era uma coisa tão importante. Em Seattle, a coisa era pesada. De repente, uns sujeitos que eu mal conhecia eram tão famosos quanto Elizabeth Taylor. Lidar com isso foi realmente difícil para as pessoas. Toda noite no Crocodile Cafe havia milhares de jovens que você podia perceber que nunca tinham escutado um disco de hard rock até o ano anterior. Eu me lembro de pensar: "Não sei como esses sujeitos estão lidando com isso."

19 de outubro

Uma semana depois do seu lançamento em vinil, *Vs.* é lançado em CD na América do Norte pela Epic Records.

Michele Anthony: Michael Goldstone e eu tivemos que seguir a banda pela Itália naquele verão para juntar a arte do disco e as letras, que na época a banda estava fazendo completamente à mão. Nada daquilo estava pronto até o fim daqueles shows, então os seguimos até Londres e depois até a Irlanda. Tommy Mottola, o presidente da Sony na época, por fim nos disse "Vejam bem, vocês não podem simplesmente voar o mundo inteiro com o Pearl Jam". Estávamos preparados para voltar de mãos vazias, mas Eddie prometeu estar com tudo pronto para mim no café da manhã do dia em que deveríamos partir. E de fato, às oito da manhã daquele dia, ele me encontrou no café do hotel e me entregou tudo. Eu carreguei aquilo de volta para Nova York em uma bolsa como se fossem papéis da CIA.

Tim Bierman: Eu era dono de uma loja de discos em Missoula, em Montana, chamada Rockin´ Rudy´s Record Rental. Uma vez que Jeff era um rapaz de Missoula, o frenesi do Pearl Jam chegou lá com tanta força quanto em qualquer outro lugar. Tivemos uma festa de lançamento à meia-noite na loja e centenas de pessoas estavam na fila do lado de fora esperando para entrar. Acho que vendemos mais de quatrocentas cópias de *Vs.* Jeff inclusive me ligou depois de meia-noite de algum lugar na estrada para checar e pude segurar o telefone para a multidão. Foi literalmente como um show. As pessoas faziam barulho, gritavam e berravam os parabéns. Em uma pequena cidade em Montana, foi muita loucura sentir aquela onda enorme.

25 de outubro

Uma foto de show de Vedder em close com os olhos fechados e berrando em um microfone decora a capa da revista *Time* junto com a manchete "Toda a Fúria: Jovens roqueiros raivosos como os do Pearl Jam dão voz às paixões e aos receios de uma geração". Vedder tinha se recusado a ser entrevistado para a matéria e não deu sua permissão para sua foto ser usada na capa.

Eddie Vedder: Kurt e eu apenas falamos no telefone algumas vezes, mas discutimos isso uma dessas vezes. A *Time* queria entrevistar nós dois e apenas decidimos que não queríamos fazer isso. Nós concordávamos que não queríamos nem precisávamos de mais atenção àquela altura, e eles ainda assim me colocaram na capa. Ouvi dizer depois que Kurt ficou chateado com aquilo, o que me deixou ainda mais furioso com a situação.

Chris Cornell: Uma coisa a respeito da atitude de Eddie, que sempre foi extremamente consistente desde o comecinho, era que ele queria que o Pearl Jam fosse uma banda que saísse em turnês numa van, que merecesse o que tinha alcançado, que tocasse em casas pequenas, que fizesse discos e que tivesse um ciclo de vida lento e natural. No fundo ele queria que o mundo inteiro soubesse quem eles eram, mas deixava muito, mas muito claro que não queria que fosse naquele segundo. Tudo aquilo vinha à tona depois, quando você ouvia críticas sobre suas reclamações a respeito da enormidade do sucesso. Eu escutava pessoas dizendo "Bem, ele não era desse jeito no começo. Ele queria dominar o universo, e agora que são um grande sucesso, ele está reclamando". Isso não é verdade. Vedder na verdade não gostava muito da ideia de que eles iam imediatamente aparecer e ter um enorme sucesso comercial.

    Sem dúvida, todo mundo no Pearl Jam merece crédito por conseguirem permanecer juntos e descobrirem uma forma de existir como uma banda. Quando eles se tornaram astros da TV por causa de seus primeiros três vídeos, e especialmente por causa de "Jeremy", eles tomaram a decisão de não fazer mais aquilo. Se ficassem desconfortáveis diante de alguma coisa, eles mudavam sua abordagem e mantinham o curso sem nunca titubear, não importa o que acontecesse. Isso é muito raro. Não posso citar de memória outra banda que realmente tenha feito isso.

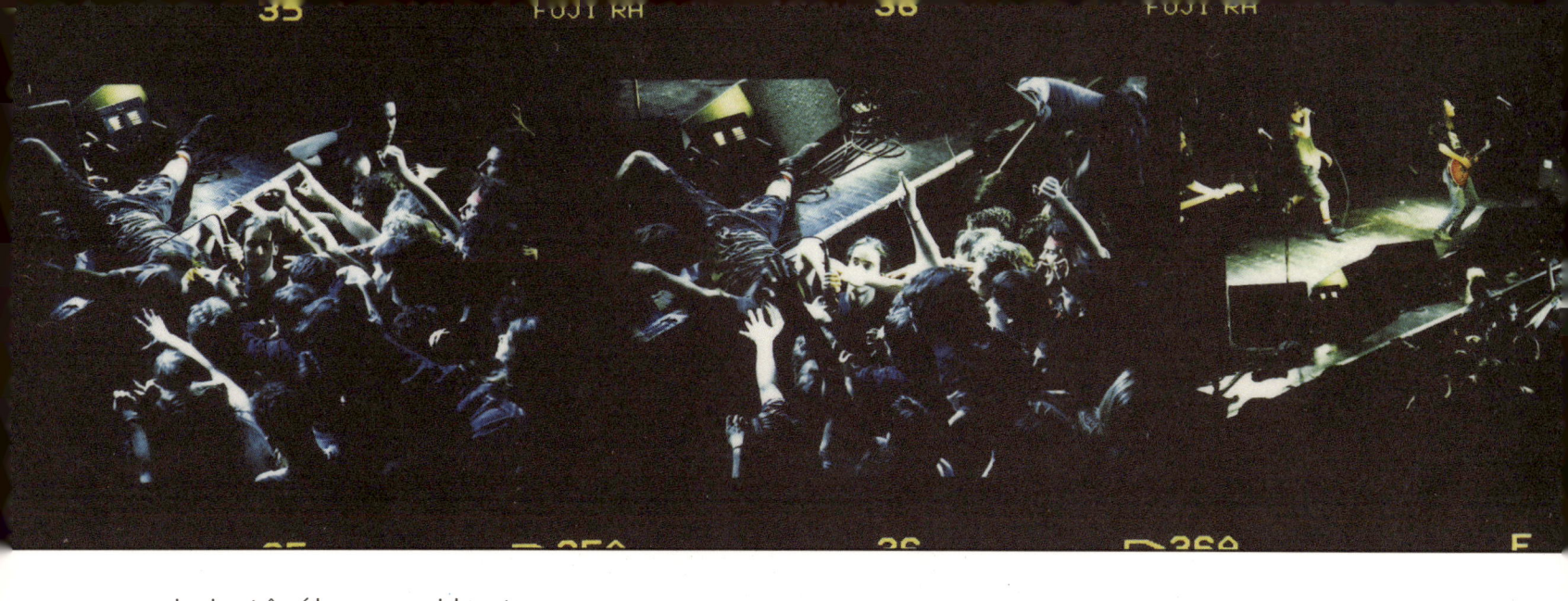

25 de outubro
Off Ramp, Seattle

O Pearl Jam faz um show surpresa em sua cidade, e então, dois dias depois, faz outro no Catalyst Club em Santa Cruz, na Califórnia. Os shows servem de aquecimento para uma turnê de dois meses na América do Norte para divulgar *Vs*. Os setlists variam drasticamente de uma noite para a outra — "Oceans" dá um tom intimista ao show do dia 30 de outubro em San Jose, enquanto *Go* é como uma explosão de dinamite para começar o show do dia seguinte em Berkeley — e quase todas as músicas do novo lançamento estão em alta rotação. O Pearl Jam também já está tocando músicas como "Whipping" e "Last Exit", que vão figurar proeminentemente no álbum número três, e está bem adiantado na missão de transformar covers como "Rockin' in the Free World" e a música do The Who, "Baba O'Riley", em peças frequentes em seu repertório.

26 de outubro

Vs. estreia no número 1 na parada dos 200 discos mais vendidos da *Billboard* e estabelece um novo recorde de vendas na primeira semana com 950.378 cópias nos Estados Unidos, de acordo com a Nielsen

SoundScan. Na verdade, *Vs.* vende mais cópias naquela semana do que os outros nove álbuns no Top 10 combinados. Observadores da indústria parecem alternadamente embasbacados e maravilhados, instigando uma série de histórias na imprensa mainstream dizendo que o "grunge veio para ficar, afinal de contas". O Pearl Jam é oficialmente a maior banda do mundo, mas a celebração é silenciosa.

Tim Bierman: Eu estava apenas começando a andar com Jeff e a banda. Estávamos a caminho do show no Warfield Theater, em São Francisco. Eddie não estava lá, mas todos os outros estavam. Eles já estavam estressados, e Kelly parecia um pouco nervoso. Ele disse aos rapazes que eles tinham vendido um milhão de cópias de *Vs.* na primeira semana. Fiquei esperando que todos pulassem e se cumprimentassem, mas em vez disso eles apenas olharam para a rua. Eu fiquei muito confuso. Fiquei pensando, "De repente eles podem ser a maior banda do mundo e estão com medo disso". Isso me fez assistir ao show com uma perspectiva diferente, e acho que foi aí que realmente entendi aquilo.

Jeff Ament: Em parte nós não entendíamos aquilo. Em um mundo perfeito, esperaríamos crescer um pouco mais lentamente do que crescemos. Quanto mais lutávamos contra aquilo, maiores nos tornávamos. Paramos de dar entrevistas e fazer todas essas outras coisas, mas ainda estávamos quebrando recordes de vendas. Nós todos viemos do nada ou de não muito. E de repente, o mundo é sua ostra. Num dia, você não é capaz de marcar um show em sua cidade, em uma casa com capacidade para duzentas pessoas; no outro, todas as bandas do universo te dizem "Vocês querem sair em turnê conosco?". Foi incrível, mas foi esquisito. O sentimento predominante era de culpa, tipo, será que já merecemos isso? Pode haver um momento em que mereçamos isso, mas não achamos que seria tão rapidamente.

28 de outubro

Chega às bancas a primeira matéria de capa do Pearl Jam na *Rolling Stone*, para a qual Cameron Crowe passa tempo com eles durante as sessões de *Vs.*, em Seattle, e em turnê abrindo para o U2.

5 de novembro
Empire Polo Fields, Indio, Califórnia

Não demora a se tornar deplorável o show do Pearl Jam diante de 25 mil fãs cobertos de lama no futuro local do Coachella Valley Music & Arts Festival, que nunca antes tinha recebido um show de rock. O público começa a jogar sapatos no palco durante os shows das bandas de abertura, e continua a fazer o mesmo ao longo da apresentação do Pearl Jam. Antes do primeiro bis, Vedder grita que ele e Ament irão "até o portão, e quando vocês saírem vamos encher de porrada todas as pessoas que estiverem descalças!". A versão de "Blood" desse show é lançada na versão em CD do single de "Daughter", enquanto o discurso improvisado "Fuck Me in the Brain" aparece no terceiro single de fim de ano do Ten Club.

6 de novembro
Mesa Amphitheatre, Mesa, Arizona

"Yellow Ledbetter" é tocada ao vivo em sua forma completa pela primeira vez nesse show, cujos lucros beneficiam dois grupos que se opõem à construção de telescópios enormes no solo sagrado dos índios apaches.

9 de novembro

Creditados como M.A.C.C., Mike McCready, Jeff Ament, Chris Cornell e Matt Cameron fazem um cover de "Hey Baby (Land of the New Rising Sun)", de Jimi Hendrix, no disco *Stone Free* da Reprise Records, um tributo a Hendrix.

30 de novembro
Aladdin Theater, Las Vegas

Com o Mudhoney à disposição como a banda de abertura, uma minirreunião do Green River com participação de Gossard, Ament, Mark Arm e Steve Turner acontece pela primeira vez desde que a banda se separou em 1987. Os músicos, acompanhados do baterista do Urge Overkill, Chuck Treece, tocam "Swallow my Pride" e "Ain't Nothin' to Do" no primeiro bis. Mais tarde, um imitador de Elvis chamado "Terry Presley" faz um dueto com Eddie Vedder em "My Way" do velho Blue Eyes, Frank Sinatra.

Jeff Ament: Depois que o Green River acabou, houve algumas coisas ditas sobre nós segundo a perspectiva deles que foram ofensivas e que não eram verídicas. Eu não conseguia deixar de ficar parado do outro lado da linha que tinha se desenhado e dizer "Somos melhores".

Stone Gossard: Jeff e eu fizemos uma escolha consciente de nos separar do Green River, então não sei exatamente por que Jeff teria ficado tão magoado [risos]. Eu me lembro de pensar: "Uau, eles realmente partiram para algo que soa bem logo de cara." Eu fiquei muito feliz por eles. Eu estava feliz por Steve e Mark terem se encontrado de novo e por estarem fazendo música que, ao meu ver, era provavelmente mais natural para aqueles dois caras tocarem.

Mark Arm: Aquela foi definitivamente a época em que nos reconectamos. O Pearl Jam era gigante. Era uma coisa esquisita, porque o foco não era tanto na banda quanto era em Eddie. Nós tocamos com eles no Colorado, e me lembro dos garotos gritando "Eddie! Eddie!" logo antes de eles subirem no palco. Não era como se gritassem "Pearl Jam! Pearl Jam!". Mas claramente ele estava falando para muitas pessoas àquela altura.

1993

7-9 de dezembro
Seattle Center Arena, Seattle

O Pearl Jam se deleita por estar prestes a atravessar um ano extraordinário com três shows triunfais em sua cidade, no Seattle Center. Vedder brinca que a trilogia mãe e filho de "Alive", "Once" e "Footsteps" é como a versão do Pearl Jam da "Suite Quebra-nozes" e oferece uma despedida amavelmente casual — "Vemos vocês pela cidade" — antes da penúltima música do último show.

13 de dezembro
Pier 48, Seattle

O ano de 1993 deveria terminar em alto estilo, com um momento especial de camaradagem entre as duas maiores bandas de Seattle — e possivelmente do mundo. A MTV grava seu especial *Live and Loud New Year´s Eve*, que deveria ter a participação do Nirvana e do Pearl Jam, além de Breeders e Cypress Hill. A corrente de comentários negativos de Kurt Cobain sobre o Pearl Jam tinha diminuído nos últimos meses e não parecia haver forma melhor de superar todo esse episódio do que colocar as bandas para dividir o palco nessa noite. Mas apenas horas antes de a gravação começar, Vedder fica doente e o Pearl Jam cancela. Ament e Gossard acabam aparecendo, no entanto, e até tocam "Real Thing" com o Cypress Hill. O Nirvana toca um set deslumbrante que dura meia hora a mais do que o planejado para compensar a ausência do Pearl Jam. Se Vedder tivesse ido naquela noite, teria sido a última vez que veria Cobain vivo.

Jeff Ament: Stone e eu apenas queríamos fazer parte do show da forma que pudéssemos, então tocamos com o Cypress Hill. Eu me lembro de ir até Kurt e Courtney e dizer "Como estão as coisas?", e ela disse algo como "Por que você está aqui? Achei que estaria jogando basquete". Eu falei "Certo, tenham uma boa noite". Essa era basicamente a minha interação típica com Kurt. Eu vi um pouco do show do Nirvana e então fui embora.

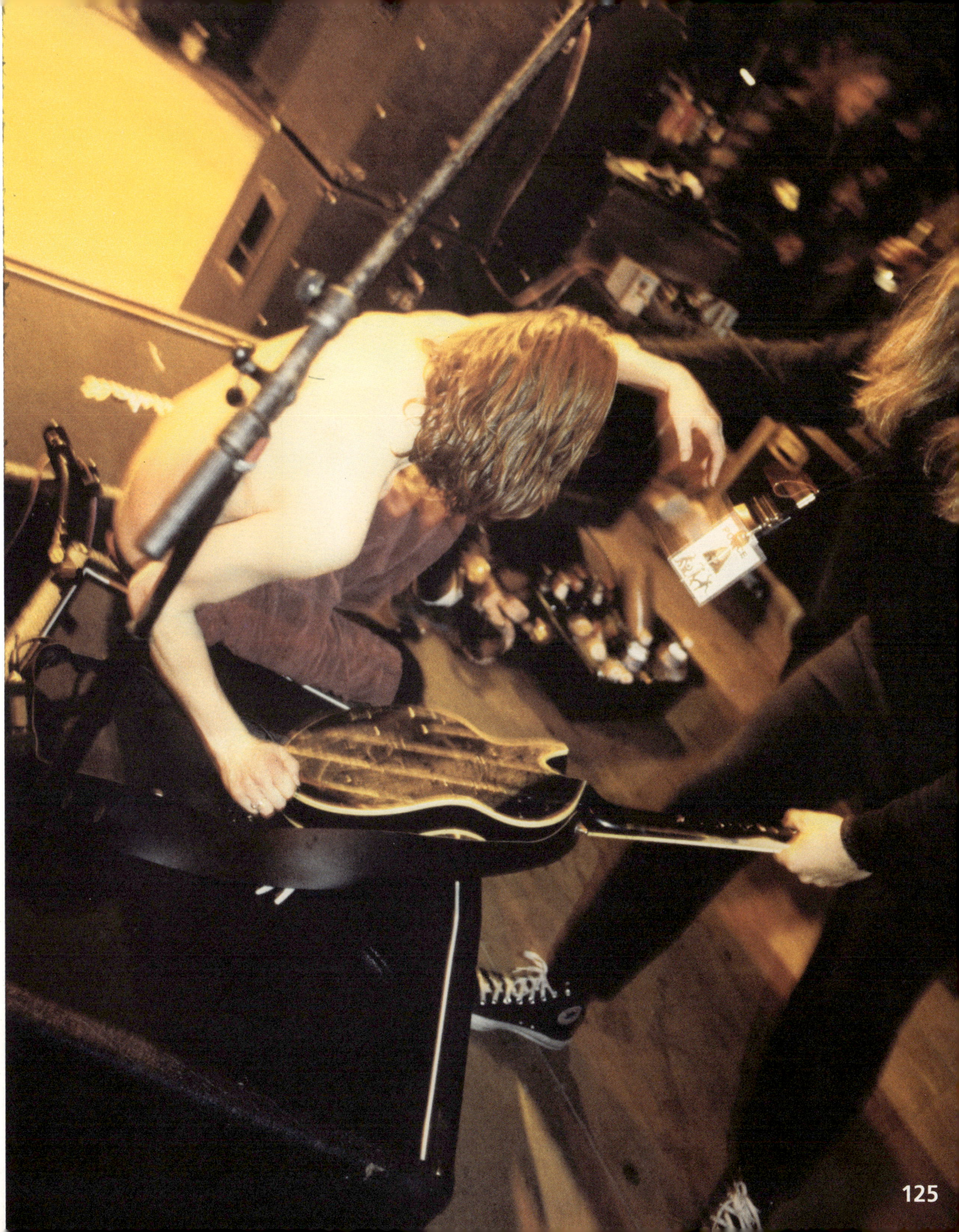

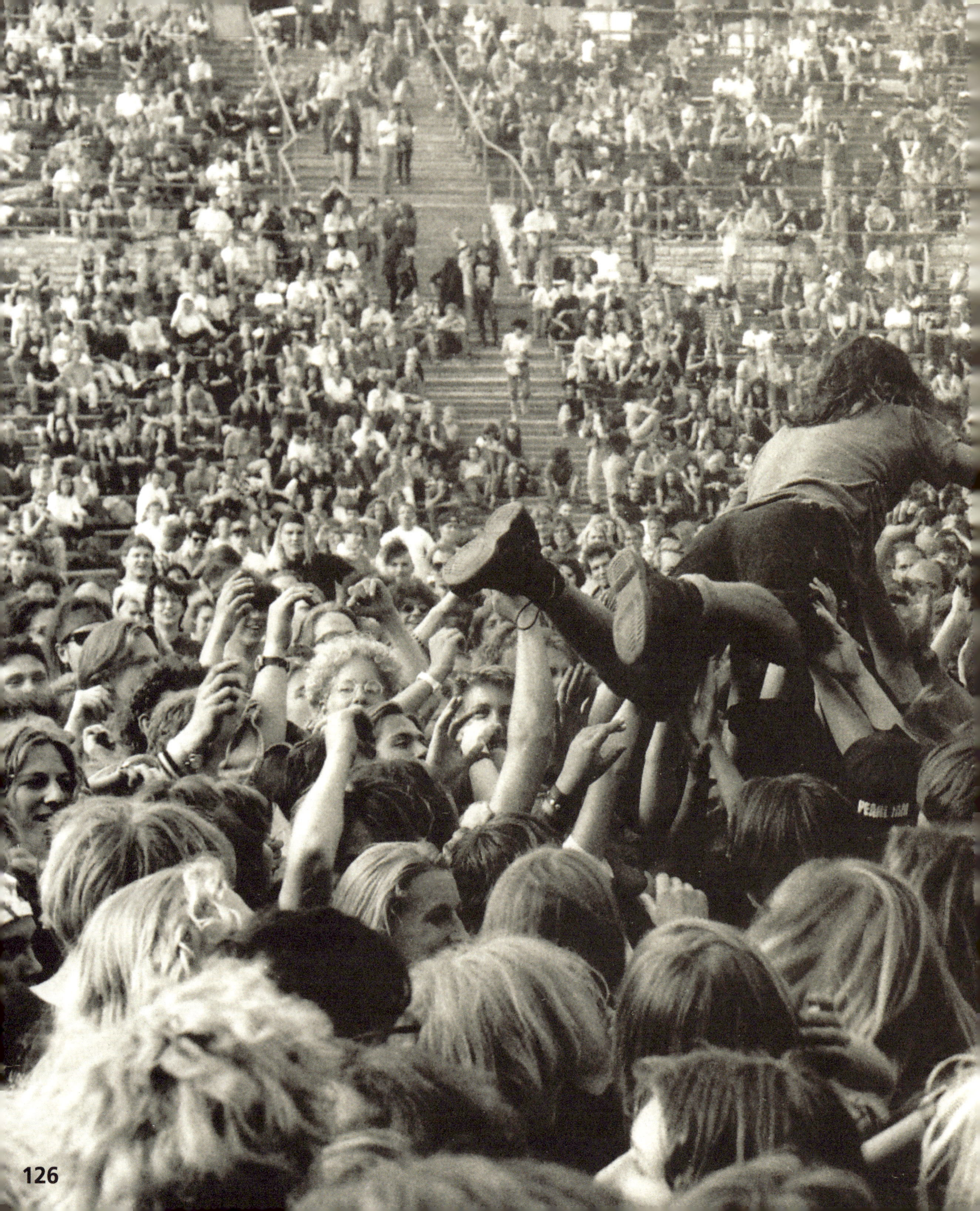

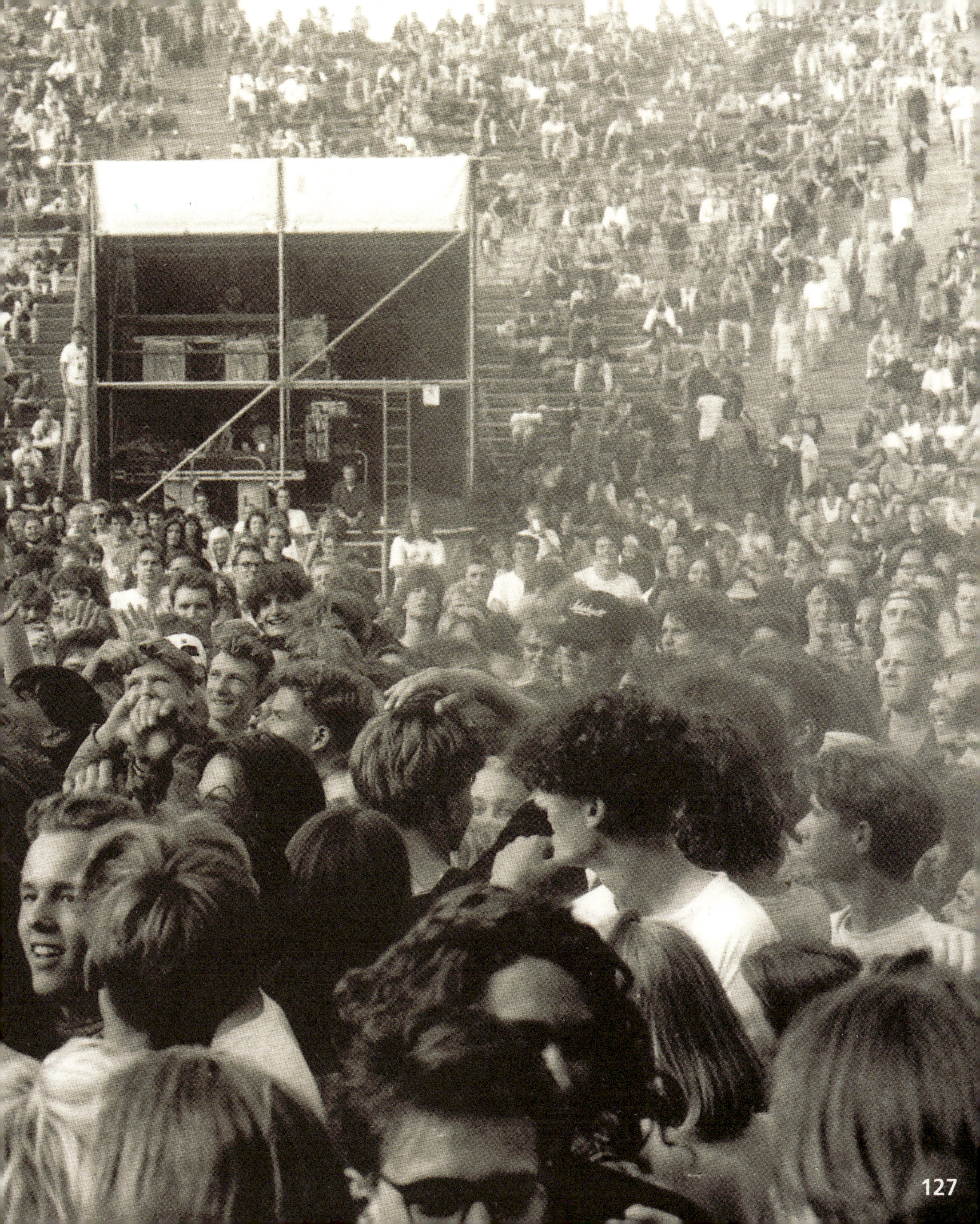

1993

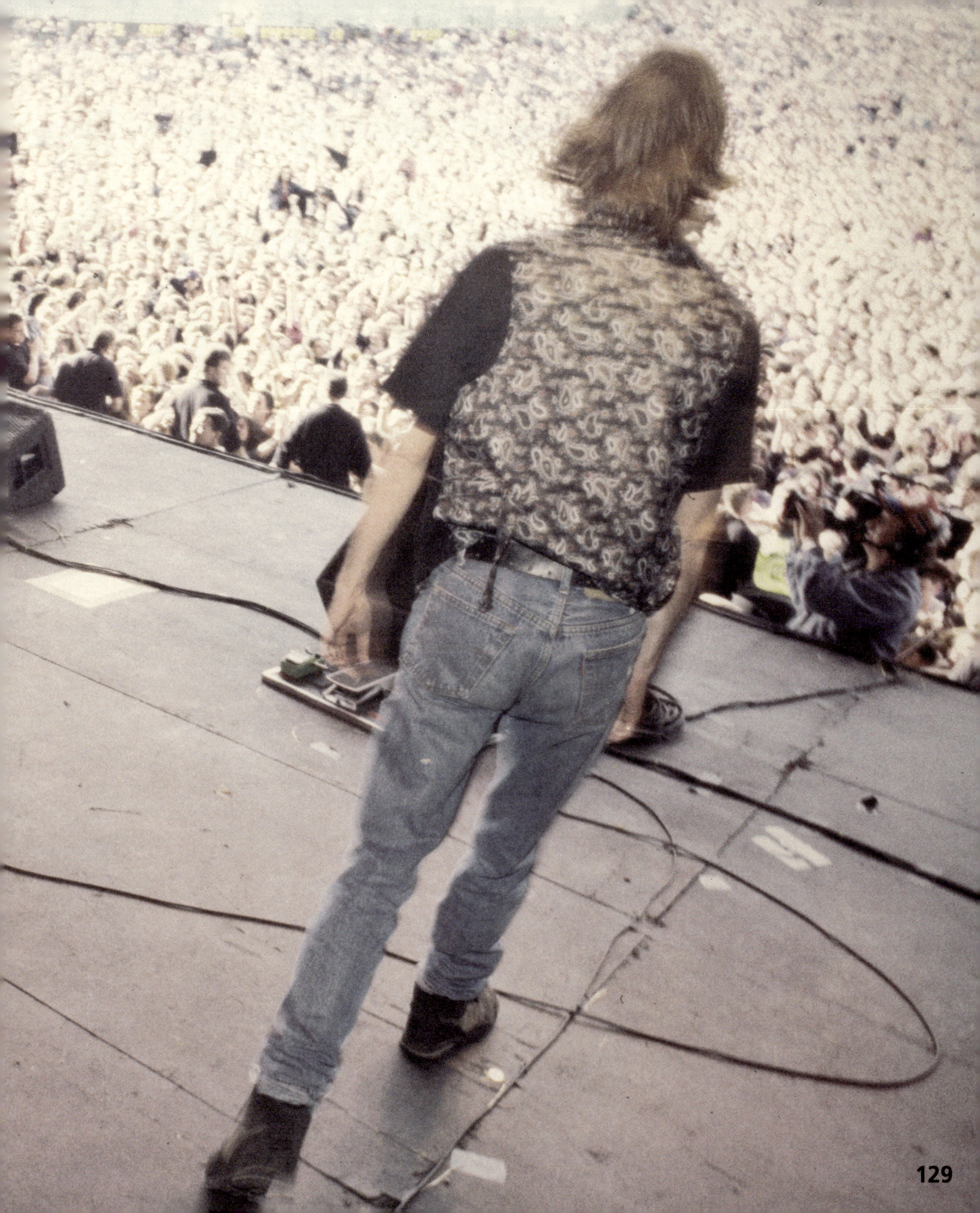

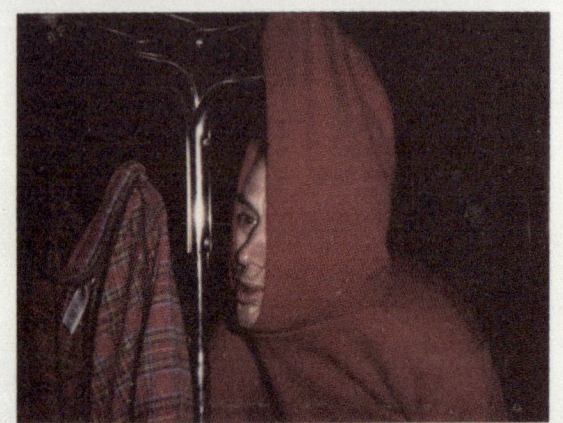

1993

131

Vs.

"Onde está Eddie?"

Era a tarde de um dia no meio de abril de 1993. As sessões estavam bem encaminhadas no segundo álbum do Pearl Jam no Site, um estúdio de última geração em San Rafael, na Califórnia, incensado pelos Keith Richards do mundo. Apesar de eles terem resolvido quatro novas músicas logo de cara, incluindo dois rocks incendiários que tinham o dobro da velocidade de qualquer coisa de *Ten*, levara um tempo para que a banda ficasse confortável aqui. A ideia era que sair de Seattle, onde as coisas haviam ficado mais do que um pouco loucas, seria bom para todo mundo.

Nesse momento, havia um problema mais imediato: ninguém tinha sinais do vocalista do Pearl Jam. Vedder tinha vocais para cantar e letras para escrever. Mas ele não dava as caras no Site havia vários dias. De saco cheio da atmosfera de mimos no estúdio (havia um chef à disposição o tempo todo) e se sentindo muito pouco criativo, ele começou a fugir para São Francisco, a 50 quilômetros para o sul, ou simplesmente estacionar sua caminhonete por perto e dormir dentro dela. E quando estava no Site, ele se aninhava na sauna do estúdio, transformando-a em seu quarto.

É claro que havia trabalho para ser feito, mas não dava para culpar Vedder por precisar de um pouco de espaço e tempo para processar exatamente o que estava acontecendo. *Ten* tinha a essa altura vendido 4,7 milhões de cópias e não dava para passar o dial da rádio FM sem ouvir duas ou três músicas do álbum sendo tocadas ao mesmo tempo. A música falava para os adolescentes ao redor do mundo — alguns simplesmente achavam que o grunge era legal, enquanto outros acreditavam que Eddie estava cantando diretamente para eles.

A banda encontrava consolo na música que estava sendo feita no Site sob o olhar cuidadoso do produtor Brendan O'Brien, a quem eles tinham sido apresentados por integrantes do Red Hot Chili Peppers. Jeff Ament e Stone Gossard estavam particularmente encantados com a produção de O'Brien no álbum de enorme sucesso do Black Crowes, *The Southern Harmony and Musical Companion*, de 1992; e depois de uma sessão de teste em Atlanta em um dia de folga na turnê do Lollapalooza no verão anterior, ambas as partes concordaram que deveriam trabalhar juntas no segundo álbum do Pearl Jam alguns meses depois.

"Meu trabalho era tentar manter todo mundo se sentindo tão criativo quanto fosse possível", reflete O'Brien. "Eu sugeri que nos encontrássemos todos os dias pela manhã. Foi algo tipo 'Certo. Amanhã, nove e meia, bate-papo na cozinha e então vamos jogar softball'. Nós fizemos isso por bastante tempo. Era uma forma de fazer com que todos nós nos divertíssemos.

"A ideia era acampar no Site, trabalhar nas músicas, e gravá-las uma de cada vez", ele continua. "Dessa forma, não colocaríamos a carroça muito na frente dos bois. Mas acho que ninguém previu que Eddie não ia se acostumar muito bem a isso. Ele não gostava que Stone aparecesse de roupão e pantufas para tocar. Então chegou um ponto por volta da metade do caminho em que havia um grupo de músicas para as quais ele não tinha letras, e ele me avisou que tinha que sair e desaparecer por um tempo."

"Teria sido legal se alguém com um pouco de perspectiva nos tivesse feito reconhecer aquilo, mas simplesmente ficamos muito à frente de Ed àquela altura", diz Ament. "Nós fazíamos algumas músicas e ele estava trabalhando em letras. Ele voltava e já tinha outra música. Isso continuou por dez dias, quando nós tínhamos 15 ideias de músicas e ele ainda estava trabalhando na quarta ou quinta letra. Deveríamos ter sido mais sensíveis a isso e lhe dado tempo para fazer sua parte."

"No primeiro disco, vivíamos em um porão e eu estava mijando em garrafas de Gatorade e colocando moedas no parquímetro para que minha caminhonete não fosse multada", diz Vedder. "No segundo, me senti muito afastado do porão. Era um lugar difícil para mim àquela altura para compor um disco. Especialmente a parte das letras. Eu não queria escrever sobre montanhas e árvores em meio a arredores luxuosos. Eu estava mais interessado em pessoas e na sociedade, no caos e na confusão, e em responder a pergunta 'O que todos nós estamos fazendo aqui?'"

Nas músicas já gravadas, Vedder estava canalizando seu incômodo por ser o porta-voz ungido de uma geração. "I am lost, I'm no guide / but I'm by your side" [Estou perdido, não sou nenhum guia / mas estou ao seu lado], prometia ele em "Leash", que o Pearl Jam já vinha tocando ao vivo desde 1991. (Talvez apontando bem na direção daquelas pessoas para quem o grunge era uma mercadoria para ser comprada e vendida, ele gritava "Get out of my fuckin' face" [Sai da porra da minha frente].) "Rats", construída em um balanço funk acelerado, teorizava que o pequeno roedor peludo poderia na verdade ser mais admirável do que os humanos. Em "Blood", Vedder rasgava sua garganta enquanto suplicava "It's... my... blood!" [é... o meu... sangue!], como se dissesse "o que mais posso dar?".

A porta se abriu e Vedder entrou. Ele certamente não tinha dormido em uma cama com lençóis na noite anterior, e tinha um caso muito sério de urticária por ficar caminhando perdido pelas montanhas ao redor. Nenhuma palavra foi trocada enquanto ele se encaminhava para a cabine de gravações de vocais, acenando com a cabeça no caminho. "Vamos tentar 'Daughter'", disse ele.

Escrita por Gossard, a faixa ganhou vida no verão anterior em um banheiro de hotel em Denver ("porque soava melhor", de acordo com Vedder) e mais adiante no ônibus da banda durante o Lollapalooza. Ela foi tocada ao vivo pela primeira vez, com um esboço da letra, no final do ano durante a primeira aparição do Pearl Jam no Bridge School Benefit, de Neil Young, nos arredores de São Francisco.

A canção era uma espiadela assustadora por trás da cortina de um lar em que uma jovem menina sofria abusos não mencionados nas mãos de seus pais. Nas faixas guia, Vedder estava originalmente cantando "Don't call me brother" (Não me chame de irmão) em vez de "Don't call me daughter" (Não me chame de filha) durante o refrão. Quando ele fez a troca, a música ganhou um significado totalmente diferente. "'Não me chame de irmão' tem um tipo de conotação hippie, mas 'Não me chame de filha' era simples e diretamente profundo", diz O'Brien com uma risada.

"Eu olho para essa música como uma das melhores que compus, e uma de nossas melhores colaborações", diz Gossard. "Descobri uma afinação esquisita, que de repente fez o violão ter uma sensação diferente. Quando falo sobre quantas perspectivas diferentes e quantas histórias diferentes Ed tem para contar, uma das coisas mais importantes disso é a sua habilidade para escrever do ponto de vista de outras pessoas e, em particular, do ponto de vista de uma mulher. Aquela música é simplesmente instantânea em seu impacto. É como se você só precisasse ouvi-la uma vez. Você conhece a história toda, ou pelo menos sente a história toda."

A narrativa de Vedder também era extremamente comovente em canções como a predominantemente acústica "Elderly Woman Behind the Conter in a Small Town", em que a narradora do título é levada a fazer um balanço de sua vida presa a uma rotina depois de encontrar uma antiga paixão. Os versos "hearts and thoughts they fade / fade away" [corações e pensamentos desfalecem / desaparecem] evocam as oportunidades nunca aproveitadas, e mais adiante na canção, a frase "I just want to scream / Hello!" [Eu apenas quero gritar / Olá!] revela como os verdadeiros desejos do personagem ficaram enterrados. Ironicamente, esse se tornou um momento clássico instantâneo de participação da plateia nos shows, com Vedder muitas vezes cedendo a última palavra à plateia estrondosa.

Vedder tinha composto os acordes pouco depois de acordar no estúdio certa manhã, e as palavras surgiram da mesma forma rápida — ele se lembra que a canção inteira foi composta em menos de trinta minutos. Gossard, que calhou de estar sentado do lado de fora lendo o jornal, disse a Vedder que tinha gostado do que escutara; e no fim do dia, "Elderly Woman" estava pronta.

A música que fecha o disco, "Indifference", casa uma das letras mais enfáticas de Vedder ("I'll swallow poison, until I grow imune / I will scream my lungs out till it fill this room" [Vou engolir veneno, até ficar imune / vou gritar com força até o som preencher esse espaço]) com a música mais contida que o Pearl Jam já tinha composto. Dava quase para visualizar a banda tocando em um círculo cercada de velas, buscando força de sua convicção inabalável de "Continuar a receber socos / até que sua vontade se canse" (keep taking punches / until their will grows tired).

Em "Dissident", Vedder cria uma história que foi interpretada tanto literalmente (um refugiado político é recebido por uma mulher que então o trai) quanto como uma metáfora para abuso sexual. (O vocalista certa vez disse a uma plateia de um show que "A palavra de uma mulher é sagrada e 'não' quer dizer 'não', e é isso o que é um 'holy no'".) E em "Glorified G" ele faz uma música inteira sobre um comentário casual do baterista Dave Abbruzzese, que inconscientemente disse a seus companheiros de banda que tinha recentemente comprado um par de armas.

Horrorizado, Vedder exclamou "Você comprou uma arma?". Abbruzzese respondeu "Na verdade comprei duas", o que se tornou a primeira frase da faixa. McCready se lembra a respeito da música, que nasceu de um improviso em que ele, Gossard e Ament estavam tocando partes que não pareciam funcionar de jeito nenhum juntas. "Dave disse que ele tinha armas em sua casa, mas que elas eram 'versões glorificadas de armas de ar comprimido', e Ed partiu disso."

Abbruzzese também foi responsável pela acelerada faixa de abertura do disco, "Go", que no começo era algo completamente diferente. "Estávamos sentados em volta de uma fogueira no Site, batendo papo à noite", diz McCready sobre a faixa, que é na verdade sobre um carro prestes a quebrar e não sobre um relacionamento nocivo, como a letra dá a entender. "Dave estava com um violão afinado em dropped-D (com o mi mais grave afinado em ré) e começou a tocar um riff. Ele também não tinha uma palheta. Era esquisito ter um baterista tocando violão, mas acima de tudo, ele criar um riff tão bacana. Nós trabalhamos naquilo um pouco naquela noite e no dia seguinte a terminamos no estúdio."

Porque esse era o primeiro disco do Pearl Jam com Abbruzzese, que tinha se juntado à banda antes do lançamento de *Ten* em 1991, Ament estava em uma missão para tornar sua cozinha tão afiada quanto pudesse, e os resultados eram evidentes em músicas como "Rats", "Leash" e "Go".

"Eu me lembro de tocar junto de muitos discos antes, como Fela Kuti, The Police e algumas coisas de reggae, realmente tentando absorver algo diferente", diz Ament. "Era um pouco como se estivéssemos fazendo nosso primeiro disco todo novamente, porque esse era um com um baterista diferente e um novo produtor. E Dave na verdade tinha pontos fortes diferentes de Dave Krusen. O balanço mudou no segundo disco."

Com o tempo correndo para acabar o álbum, havia uma música em particular que não estava funcionando de forma satisfatória para Vedder e O'Brien. Vedder tinha trazido a dinâmica "Rearviewmirror" praticamente completa e, pela primeira vez no catálogo do Pearl Jam, a música contava com sua participação tocando guitarra. O riff das estrofes era algo que ele vinha tocando há anos. Sua voz irradiava intensidade enquanto ele mencionava a situação ruim que deixara bem para trás — "Saw things so much clearer / Once you were in my rearviewmirror" [Vi as coisas muito mais claras / Quando você estava no meu espelho retrovisor] — uma combinação perfeita de música e letra.

Mas Vedder não estava feliz com as vozes que tinha gravado, e O'Brien estava insatisfeito com a forma de tocar de Abbruzzese. Em um dos últimos dias no Site, tanto Vedder quanto Abbruzzese finalmente acertaram suas partes, e depois disso Abbruzzese jogou suas baquetas contra a parede do estúdio, um som audível na versão gravada. Mais tarde, ele abriu um buraco com um soco em sua caixa e a jogou de uma montanha perto do estúdio.

"Eu tinha tudo a provar ali, e aqueles caras estavam saindo de um disco que tinha vendido 10 milhões de cópias, então eles estavam sentindo a pressão", diz O'Brien. "Particularmente, eu estava animado com a ideia de seguir um grande disco. Mas houve um momento no fim em que simplesmente tinha chegado a hora de deixar aquele lugar. Era hora de ir embora.

"Tínhamos ainda um pouco de trabalho a ser realizado, mas eu tinha feito todas as mixagens iniciais", continua ele. "Eddie, por uma razão qualquer, talvez por causa da forma como o primeiro disco foi terminado, sentiu que aquilo estava acabado e que ele não ia ter a oportunidade de dizer o que achava. Ele estava muito emotivo e chateado com o fato de estarmos indo embora com as coisas inacabadas. Tive que explicar a ele 'Não vou foder você aqui. Vamos terminar isso da forma como devemos terminar. Mas todos nós precisamos sair daqui!' Ele estava realmente preocupado com a possibilidade de o álbum ser lançado sem ele ter a chance de mudar coisas. Era uma questão de confiança pela qual ele precisava passar."

Outro grande problema não resolvido àquela altura dizia respeito a uma faixa maravilhosa intitulada "Better Man", que datava do projeto de Vedder anterior ao Pearl Jam, Bad Radio. Uma composição que ia crescendo lentamente e que começa apenas com a voz de Vedder e a guitarra, "Better Man" é uma vívida história musicada sobre uma mulher presa em um relacionamento abusivo. Acuada na cama às quatro da manhã enquanto seu homem chega em casa tropeçando, a mulher se debate com a "mentira" de que "ainda o ama" e sobre como quer deixá-lo mas "não consegue encontrar um homem melhor". E apesar de a música crescer até um final apoteótico, a resolução da história é completamente ambígua: "She loved him / She don´t want to leave this way / She needs him / That´s why she´ll be back again" (Ela o amava / Ela não quer ir embora dessa forma / Ela precisa dele / É por isso que ela vai voltar).

O'Brien tinha ouvido o Pearl Jam tocar a música durante os ensaios de pré-produção em Seattle e ficou imediatamente apaixonado. "Depois que eles terminaram, eu falei 'Incrível! Essa é um hit! É fabulosa. Por que não ouvi essa música antes? Ela não estava em nenhuma das fitas que eu tinha'", recorda ele. "Eles todos simplesmente olharam direto para baixo, e toda a sala murchou. Eu entendi que tinha falado a coisa errada.

"Essa é uma música muito pessoal para Eddie e uma das primeiras canções que ele tinha composto", continua ele. "Ele não queria escutar que ela era um grande sucesso em potencial. Aprendi algo muito valioso. Àquela altura, eu não conhecia Eddie tão bem. Falei para ele que seria ótimo ver o que ele estava fazendo com as letras. Eddie tinha um monte de letras presas com fita nas pilastras da sala de ensaio. Ele disse 'Claro, sem problema'. Quando eu estava indo embora naquele dia, ele colocou uma foto Polaroid dentro da minha bolsa e disse 'Dê uma olhada nisso mais tarde'. Era uma foto que ele tinha tirado das letras na pilastra, e um recado que dizia 'Aqui estão as letras sobre as quais você perguntou'. Isso foi uma coisa brilhante, mas ao mesmo tempo ele estava dizendo algo do tipo: Nós não vamos falar sobre aquela música agora. Em seu tempo, mas não agora."

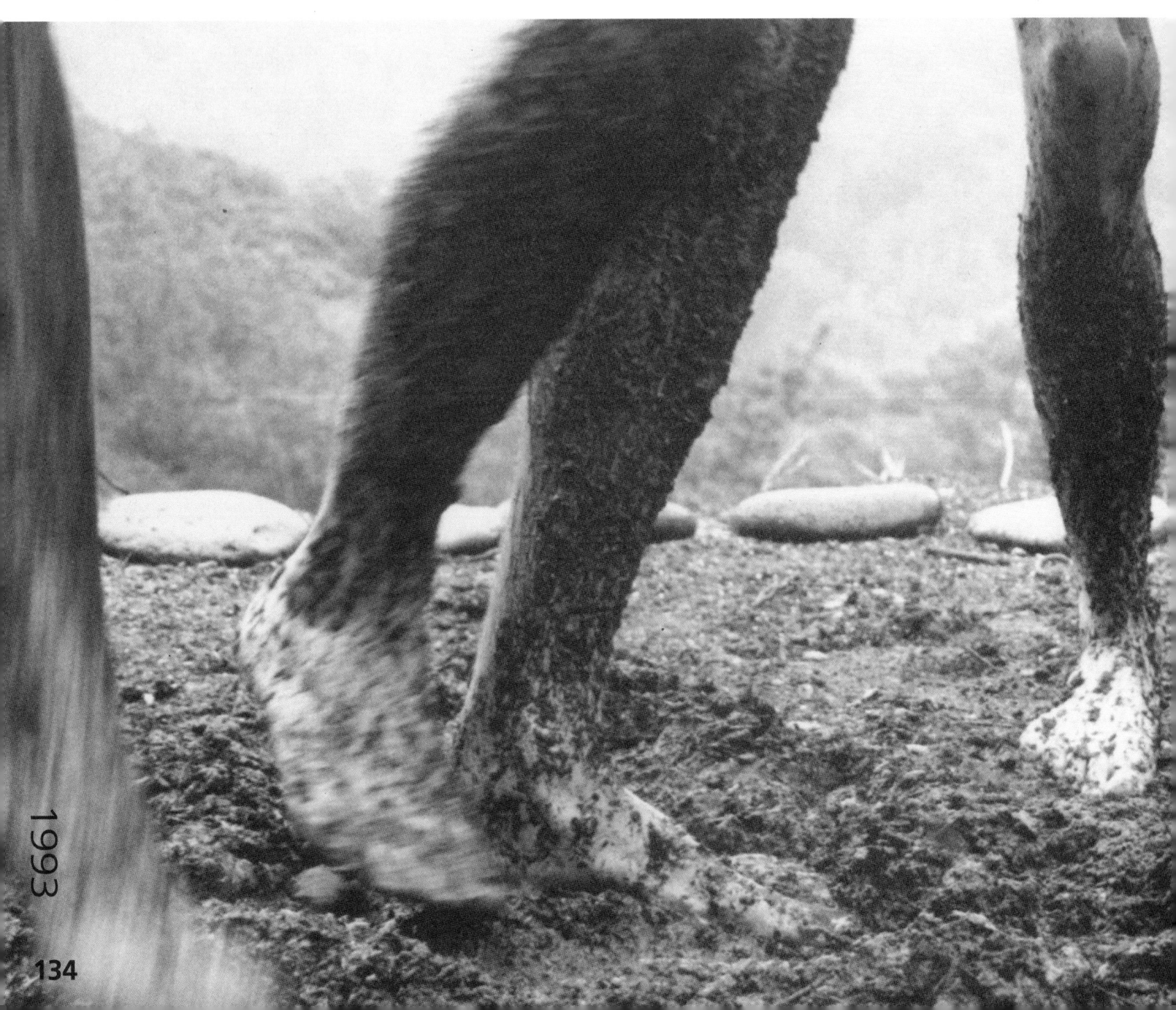

Ainda assim, O'Brien não conseguiu resistir à vontade de sugerir que o Pearl Jam gravasse a música no Site. "Eu estava certo de que o mundo ia adorar aquela música, e estava certo de que o Pearl Jam precisava dela", diz ele. Mas quando eles gravaram, "foi sem compromisso e realmente não estava funcionando". O que aconteceu em seguida ainda eleva a pressão sanguínea de O'Brien.

"Eddie me contou que tinha decidido dar a música ao Greenpeace para um disco de caridade, e que Chrissie Hynde, dos Pretenders, a cantaria", diz ele. "Eu falei 'O quê? O quê? Não podemos abrir mão de uma de nossas melhores canções!'". Gossard complementa: "Foi o começo daquela coisa do Ed de 'Agora que eu sei que Brendan quer gravá-la, eu não quero gravá-la'".

O'Brien relutantemente concordou em produzir uma sessão separada de "Better Man" no Skywalker Ranch de George Lucas que ficava ali perto, mas por razões que nenhuma das partes está disposta a discutir, Hynde nunca apareceu. O'Brien então decidiu parar de forçar para que a música fosse incluída no disco do Pearl Jam, satisfeito o suficiente por saber que a música pelo menos não apareceria em nenhum outro disco por hora.

"Tenho que ser honesto com você: eu nunca fiz corpo mole em uma sessão em minha vida, mas fiz isso naquele dia", diz O'Brien. "Eu não me esforcei muito para que ela soasse bem. Era um ambiente estranho de qualquer forma, e a banda estava desconfortável. Não fiz nenhum esforço para ajudá-los, porque não queria que aquela música escapasse. Eu não tinha qualquer intenção de que Chrissie Hynde cantasse aquela música. Era algo como, por cima do meu cadáver! Essa é a *nossa* música.

Quando chegou a hora de escolher um nome para o disco, a banda se inclinou na direção de *Five Against One*, inspirado pelo primeiro verso da música "Animal". Gossard compôs o riff instrumental principal para a faixa funqueada em 1990, e ela aparece na fita demo instrumental original de antes do Pearl Jam que ele fez naquela época com Ament, McCready e Cameron.

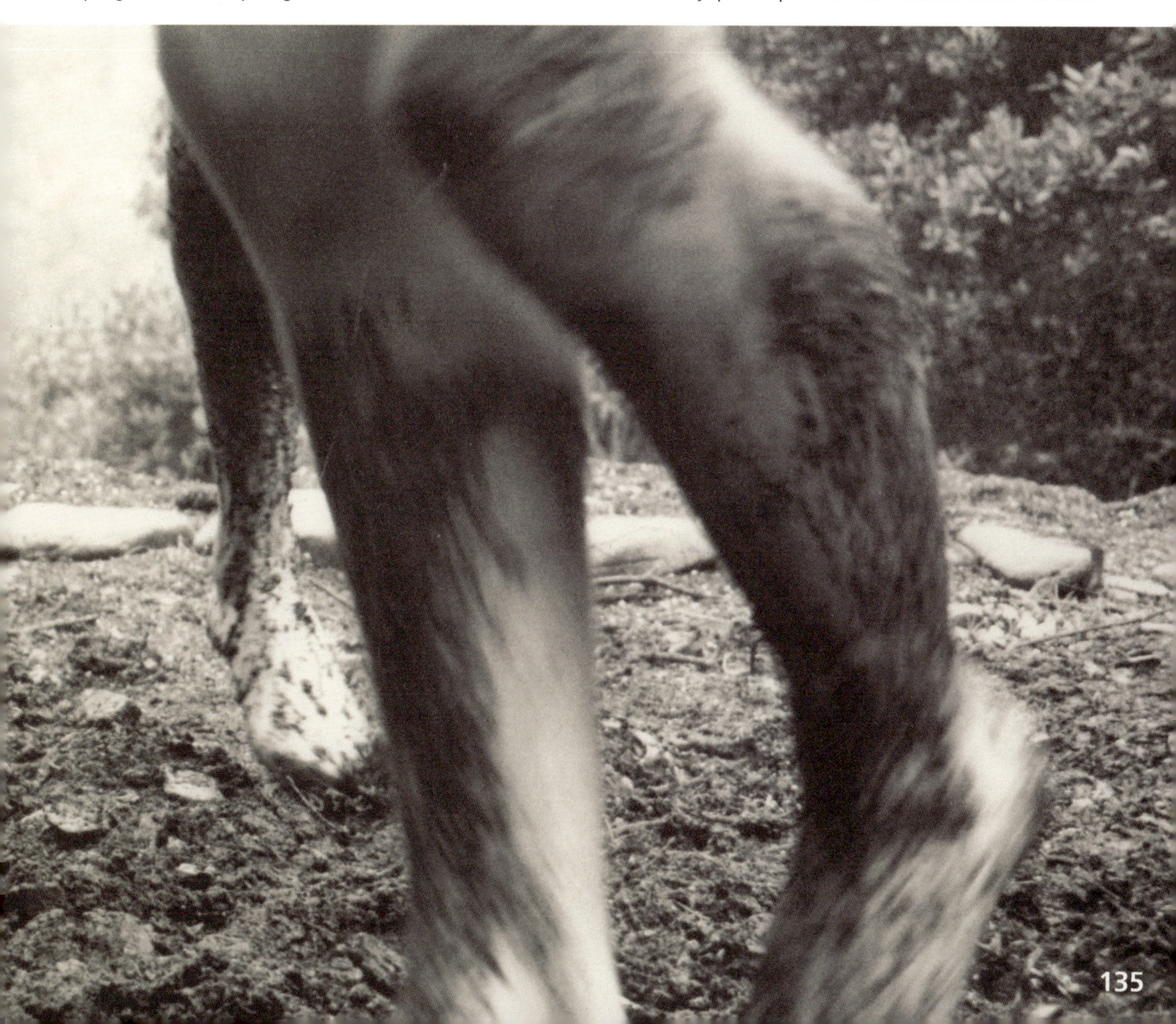

Gossard adorava o título proposto e a forma como ele acenava na direção das dificuldades que a banda enfrentava não apenas em suas tentativas de fazer um ótimo segundo disco, mas também em lidar com as cinco personalidades muito diferentes que constituíam o Pearl Jam. No último minuto, no entanto, a banda decidiu chamar o disco de *Vs.*, apesar de algumas fitas cassete já terem sido impressas com *Five Against One* como o título. Para a capa, a banda escolheu a foto em close em preto e branco que Ament tinha tirado de uma ovelha tentando passar sua cabeça por uma cerca de arame.

"Acho que *Five Against One* dava a impressão de algo um pouco rude dentro da banda", diz ele. "Eu sugeri *Vs.* no último minuto, mas acabou se tornando um título bacana. Dava a ideia de que éramos nós contra o mundo um pouco. Éramos pobres vítimas de 27 anos naquela época [risos]. Éramos artistas muito impacientes, sempre forçando os limites o tanto quanto podíamos."

Na verdade, esse entusiasmo com um impulso contínuo para a frente está no cerne de *Vs.* "Quando *Vs.* começou a se formar, percebi que *Ten* não representava a forma como gostaríamos de soar", diz Ament. "Eu me lembro de ir até a técnica e ficar embasbacado ao ver como aquilo soava incrivelmente bem. Nós estávamos realmente nos tornando uma banda boa. Podíamos soar muito pesados, esquisitos e experimentais, e também suaves. Estávamos alcançando nosso objetivo, que era ser uma banda que pudesse tocar muitos estilos diferentes."

"Talvez seja o meu disco preferido do Pearl Jam", diz Gossard. "Dava a impressão de que poderíamos ser uma superbanda de hard rock, ter umas canções folk, ter uma balada, ter uma música que é um groove e um rock não muito acelerado. Acho que nosso primeiro disco tem isso em certo grau, mas *Vs.* continua o experimento de *Ten* de uma forma que mostra que não vamos ser apenas uma coisa. Não vamos ser o AC/DC e apenas lhes dar a carne e as batatas em todas as músicas. Temos múltiplos compositores e diferentes perspectivas."

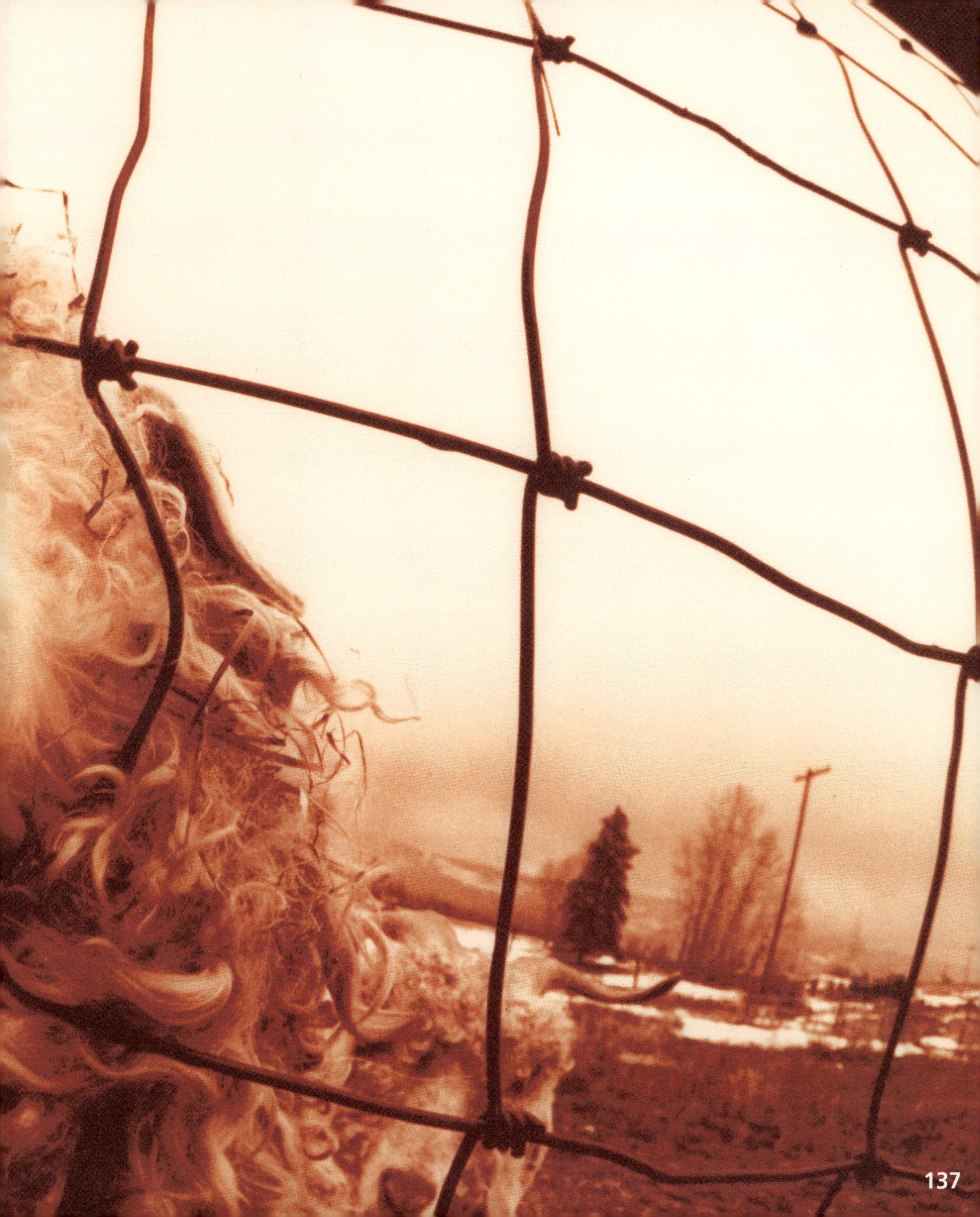

CAPÍTULO 1994

1994

O Pearl Jam não chamou seu segundo álbum de *Vs.* sem motivo. Em 1994, a luta tinha se espalhado para várias frentes: fama e celebridade, direitos do consumidor, abordagem filosófica em relação à música e à indústria e a comercialização e a homogeneização do rock´n´roll. O suicídio de Kurt Cobain, do Nirvana, que lutava ferrenhamente contra o sucesso, trouxe muitos desses assuntos à pauta. Mas soluções e novas perspectivas começaram a surgir, seja buscando alternativas a tocar em casas da Ticketmaster, recompensando membros do fã-clube com os melhores assentos disponíveis ou criando transmissões de rádio dedicadas ao Pearl Jam. Com a Ticketmaster, o Pearl Jam se envolveu em uma batalha épica e suja que poderia ter custado sua reputação. Mas parecia que a banda ficava mais poderosa do que nunca quando estava acuada em um canto, e o Pearl Jam estava preparado para continuar atacando.

23-24 de fevereiro
Carnegie Hall, Nova York

Eddie Vedder é um participante não anunciado em dois shows recheados de estrelas, apelidados de Daltrey Sings Townshend, celebrando o aniversário de 50 anos de Roger Daltrey, vocalista do The Who. No primeiro show, muitos dos presentes ainda não tinham voltado a seus assentos depois do intervalo, e dessa forma perderam as performances acústicas de Vedder para "The Kids Are Alright", "Sheraton Gibson" e "My Generation". Na noite seguinte, espalhou-se a notícia de que Vedder tocaria, e ele recebe aplausos de pé depois de um set com "Let My Love Open the Door", "Squeeze Box", "Naked Eye" e "My Generation". Mais tarde, com a ajuda de Jim Rose, Vedder destrói seu camarim em um impulso e tenta escrever na parede, com seu próprio sangue, o trecho da letra de "My Generation" "I hope I die before I get old" [Espero morrer antes de ficar velho]. O Carnegie Hall, por sua vez, manda-lhe uma conta de 25 mil dólares pelos estragos.

Março

O Pearl Jam anuncia sua intenção de manter os preços dos ingressos para sua próxima turnê abaixo dos vinte dólares. Ao fazer isso, a banda desafia o que acha que são taxas de serviço injustas que eram cobradas pela Ticketmaster, a agência de venda de ingressos dominante no país.

6-7 de março
Paramount Theater, Denver

O Pearl Jam começa a segunda parte de sua turnê norte-americana para divulgar *Vs.* e estreia duas novas músicas: o punk rock agitado "Spin the Black Circle" e o longo discurso de três acordes sobre a transformação da música da banda em produto, "Not for You".

9 de março
Civic Center, Pensacola, Flórida

O Pearl Jam se apresenta no aniversário de um ano do assassinato do médico que praticava abortos em Pensacola, dr. David Gunn, com lucros beneficiando a Rock for Choice. Dando o tom da noite, Eddie Vedder abre o show com uma performance solo de "I Won´t Back Down", de Tom Petty, e mais tarde diz à plateia "Todos esses homens tentando controlar os corpos das mulheres estão realmente começando a me irritar. Eles não estão em contato com a realidade. Bem, eu sou muito cruel e sou horrível, e meu nome é realidade". O filho do dr. Gunn, David Jr., também fala durante o bis. Panfletos contra o aborto são distribuídos no estacionamento da casa de shows, dizendo "Se continuar na estrada em que está, rejeitando Jesus Cristo, você terá um assento de primeira fila no show mais quente no escuro, escaldante e eterno inferno. Quando as portas se fecharem, você estará lá para sempre".

10-13 de março
Chicago Stadium; New Regal Theater, Chicago

Em Chicago para fazer dois shows, um deles exclusivamente para membros do fã-clube, o Pearl Jam bate de frente com a Ticketmaster pela primeira vez. Como Stone Gossard mais tarde testemunhou diante do Congresso, "A Ticketmaster insistiu em impor uma taxa de serviço de 3,75 dólares sobre o preço do ingresso de 18 dólares em nossos shows. Negociamos com o gerente geral da Ticketmaster em Chicago e conseguimos um acordo para identificar aquela taxa de serviço de forma separada do verdadeiro preço do ingresso. Então, bem quando os ingressos começariam a ser vendidos, a Ticketmaster voltou atrás. Foi necessário que nós ameaçássemos nos apresentar em outra casa para que a Ticketmaster cedesse e concordasse em vender ingressos que discriminassem separadamente sua taxa de serviço. Mesmo assim, a Ticketmaster nos disse que essa concessão se estendia apenas aos nossos shows de Chicago e que não deveríamos esperar que eles aceitassem fazer isso em nenhum outro lugar".

O show para o fã-clube no New Regal Theater, com capacidade para 2.500 pessoas, rapidamente se torna lendário em círculos de fãs por causa de seu setlist cheio de músicas então raras e não lançadas ("Hard to Imagine", "Yellow Ledbetter", "Alone", "Last Exit"), e por ter sido a última vez em que "Angel", de Dave Abbruzzese, foi tocada. Vedder pula da frisa em "Porch", mantendo-se imóvel depois disso por quase um minuto antes de se colocar de pé novamente e cantar o último refrão.

14-15 de março
Fox Theatre, Saint Louis

Vedder faz participação na apresentação da banda de abertura, The Frogs, nos dois shows; na segunda noite, ele é descido das vigas por fios enquanto vestia asas douradas e se junta e eles para cantar alguns compassos de "Jeremy". Outra nova música que mais tarde se tornaria uma das mais amadas do Pearl Jam, "Corduroy", é tocada pela primeira vez no segundo show.

17 de março
Elliot Hall, Universidade de Purdue, West Lafayette, Indiana

Uma ameaça de bomba atrasa o começo do que Vedder mais tarde diz que "pode ter sido o melhor show que já fizemos".

19 de março
Masonic Theatre, Detroit

Enquanto tentava encontrar outra estratégia para manter os preços dos ingressos e as taxas de serviço baixas, o Pearl Jam novamente entra em conflito com a

CARNEGIE HALL
ED'S DRESSING ROOM
DALTREYS BIRTHDAY

Ticketmaster com relação à venda de ingressos para esse show. Como Gossard mais tarde testemunha diante do Congresso, "Em Detroit, decidimos tentar evitar usar a Ticketmaster ao distribuir ingressos em nosso fã-clube e usar um sistema de loteria. Fomos informados que a Ticketmaster ameaçou processar o promotor desse show por infringir seu acordo exclusivo com a Ticketmaster ao permitir que esse método de distribuição funcionasse, e que também desabilitou temporariamente a máquina de ingressos do promotor para que ele não pudesse imprimir ingressos para o show naquela época". De acordo com Ament, o Pearl Jam recebeu aproximadamente 600 mil pedidos por ingressos para esse show em uma casa com 4 mil assentos.

20 de março
Crisler Arena, Ann Arbor, Michigan

"Jeremy" abre um show apenas pela quarta vez na história, e última até hoje. Além disso, outra nova música, a balada "Nothingman", estreia aqui.

22 de março
Cleveland State University Convocation Center, Cleveland

Eddie Vedder faz um tributo a Pete Townshend ao tocar sua faixa solo de décadas de idade, "Sheraton Gibson", que contém várias referências a Cleveland. A música nunca mais reapareceu em um setlist do Pearl Jam.

24-25 de março

Em resposta às declarações públicas do Pearl Jam sobre tentar se esquivar dos serviços da Ticketmaster para sua turnê de verão, o diretor executivo da Associação Norte-Americana de Promotores de Shows, Ben Liss, manda um memorando aos membros dizendo "O Pearl Jam está dando dicas de que vai mais uma vez exigir que os promotores evitem a Ticketmaster em seus compromissos nesse verão. A Ticketmaster me deu a entender que vai fazer valer de forma agressiva seus contratos com os promotores e as casas de shows". No dia seguinte, Liss manda um segundo memorando com palavras mais fortes, informando os promotores que o CEO da Ticketmaster, Fred Rosen, "pretende tomar uma posição muito firme nessa questão para proteger os contratos existentes da Ticketmaster com os promotores e as casas de shows e, além disso, a Ticketmaster vai usar todos os recursos disponíveis para se proteger de terceiros que tentem interferir com esses contratos existentes".

26 de março
Murphy Athletic Center, Murfreesboro, Tennessee

O lendário guitarrista do Booker T. & the MG´s, Steve Cropper, junta-se ao Pearl Jam para um cover do clássico de Otis Redding "(Sittin´ on) the Dock of the Bay" e fica no palco para tocar em "Rockin´ in the Free World".

28 de março
Bayfront Amphitheater, Miami

Aproximadamente 24 mil fãs se apertam no que devia ser uma casa com capacidade para 8 mil pessoas no centro de Miami; muitos invadem uma cerca de metal para entrar. Vedder dedica "Not for You" a "todos aqueles putos que estão cobrando mais do que 18 dólares pela porra de seu ingresso".

2-3 de abril
Fox Theatre, Atlanta

O Pearl Jam chega a Atlanta para fazer dois shows com ingressos esgotados no venerável Fox Theatre e gravar a primeira sessão para seu terceiro álbum de estúdio com Brendan O´Brien. O show de 2 de abril inclui uma jam improvisada apelidada de "Out of My Mind", que mais tarde aparece como o lado B do single de "Not for You". Com a Epic Records pagando a conta, o show do dia 3 de abril é oferecido ao vivo em um acordo grátis e não exclusivo a estações de rádio ao redor do país — trezentas acabam transmitindo o show — e é possivelmente o mais memorável da carreira do Pearl Jam até esse ponto. Para muitos novos fãs, esse é o primeiro show que eles ouviram e/ou a primeira gravação não oficial que eles têm. O set de 26 músicas inclui a estreia em show de "Satan´s Bed", assim como o futuro clássico "Better Man", descrita por Vedder como "uma nova música, mas que foi escrita há muito tempo". Depois do show, Vedder toca discos do Sonic Youth, Mudhoney, Daniel Johnston, Eleven e Shudder to Think durante um set de DJ que prenuncia as transmissões longas que o Pearl Jam ia apresentar em 1995 e 1998.

Jeff Ament: Aquele momento foi quando começamos a pensar sobre as gravações. O equilíbrio entre tocar bem as músicas e ao mesmo tempo fazer com que fossem aquela experiência visceral que sabíamos que apresentávamos como banda de rock, eu apenas me lembro de tentar descobrir como equilibrar aquilo. Como posso tocar meu instrumento de uma forma que vá soar bem no rádio, em uma fita gravada e também em um verdadeiro show de rock? Estávamos nos escutando de forma diferente a partir daquele ponto. O fato de nos colocarmos sob o microscópio daquela forma nos tornou uma banda melhor. Isso nos deu a confiança para lançar todos os shows sabendo que cometeríamos alguns erros e que ficaríamos bem mesmo assim.

Tag No	Name
	The Eric Johnson
	Brick MASON
05	Dan JIGGETZ
06	Dennis BECKER
07	Frank BACON
02	Eric JOHNSON (Tour Manager)
03	Kevin SHUSS
08	Kelly CURTIS (6pm Release)
	Mr & Mrs GOSSARD
	Shelly GOSSARD
	The Liz Burns Group
09	Harry MONSTER
	Liz BURNS (Tour Manager)
14	Dave GIBSON

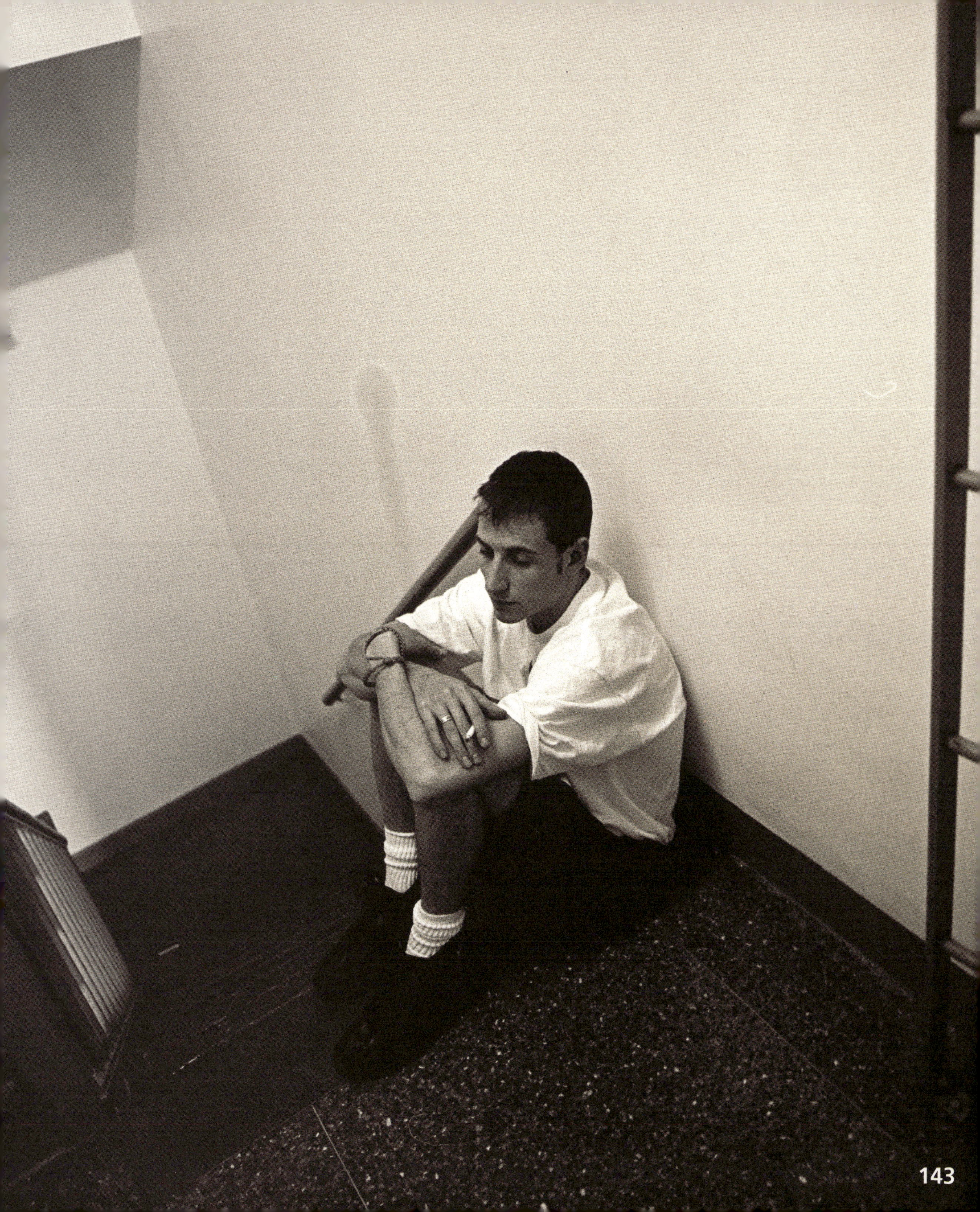

8 de abril
Patriot Center, Fairfax, Virginia

O vocalista do Nirvana, Kurt Cobain, é encontrado morto em sua casa, na área de Seattle, por um tiro que ele mesmo dera em sua cabeça. Cobain tinha fugido do Exodus Recovery Center, em Los Angeles, no dia 31 de março, pegado um avião de volta a Seattle e se trancado em sua casa antes de se matar. Durante a sessão de DJ de depois do show no dia 3 de abril, Vedder fez um pedido direto ao líder do Nirvana, cujo paradeiro ainda era desconhecido: "Por favor, esteja bem."

Naquela noite, os integrantes chocados do Pearl Jam fazem um show tenso e emotivo, mas que não chega a ser sombrio. "Algumas vezes, querendo ou não, as pessoas o elevam... e é muito fácil cair", diz Vedder à plateia. "Acho que nenhum de nós estaria nesse lugar se não fosse por Kurt Cobain." Tendo destruído seu quarto de hotel mais cedo naquele dia, após saber da morte de Cobain, Vedder aceita a oferta do vocalista e guitarrista do Fugazi, Ian MacKaye, para passar a noite na famosa casa da Dischord Records em Arlington, Virginia.

Ian MacKaye: Tenho uma lembrança de escutar música, beber chá e conversar um bocado. Eddie estava profundamente entristecido pela morte de Kurt e, acho, tentando preparar a cabeça para as consequências que certamente se seguiriam.

Eddie Vedder: Kurt ainda ressoa em minha vida. Isso sempre surge em volta de uma fogueira, ou tocando música com alguns caras em uma sala ou uma garagem, sem nenhuma razão particular. Às vezes quando estou em uma festa em um porão com apenas algumas pessoas que ele conhecia. Sempre penso, ele teria gostado disso. Se ele tivesse ficado entre nós, essa seria uma boa noite para ele. Mas eu não o conhecia tão bem assim. Estávamos passando por coisas parecidas. E compreendo que houve certas coisas que estavam na imprensa, certas coisas que foram talvez motivadas pela imprensa e outras sobre as quais eu acho que ele era sincero. Eu respeito o que quer que ele tenha dito, porque eu tinha a mesma sensação e tenho a mesma sensação desde então, de, tipo, as pessoas cortarem seu barato. Se o Nirvana não tivesse sido a primeira banda a sair de Seattle e chamar tanta atenção, eu ainda acho que as coisas teriam acontecido aqui, mas não exatamente da forma como aconteceram. Eu sempre o admirei e o respeitei, e sentia uma afinidade. Eu ouvia falar que existiam alguns sentimentos de competitividade ali, mas achava que isso era bom.

Mike McCready: Eu fiquei puto com ele por muito tempo. Eu não o conhecia nem nada, mas tinha visto o Nirvana e achava que eles eram excelentes. Mas eles falavam mal de nós o tempo todo. Jeff e Stone sempre diziam "Não fale nada. Apenas deixe rolar". E estavam certos a respeito disso. Era isso que a imprensa ia adorar. Kurt estava nos comparando ao Poison, e eu levei aquilo para o lado pessoal. É triste que ele tenha partido da forma que partiu. Era uma coisa tipo "Por que não podemos todos estar no mesmo lado?", uma vez que tínhamos uma camaradagem com o Soundgarden. Nós todos queríamos ser bem-sucedidos. Éramos todos ambiciosos, mas não pisávamos uns nos outros para chegar lá.

Jeff Ament: Stone disse algo sobre a opinião que Kurt tinha sobre nós, sobre o impacto que isso teve sobre nós e na forma como fazíamos as coisas. Isso podia ser verdade para ele, mas não para mim. Eu tinha muitos parceiros musicais naquela época; pessoas na minha vida que eu realmente respeitava. Kurt não era um deles. Eu nem mesmo o conhecia. A coisa mais decepcionante para mim naquela época era que eu queria ser mais amigável com ele. Ele veio de uma cidadezinha babaca e homofóbica, assim como eu. Eu achava que existiam coisas em comum entre nós. Aquelas poucas vezes em que me aproximei dele para iniciar uma conversa, não recebi nada de volta. Então ele morreu e, até onde eu saiba, isso foi tudo; uma chance perdida. Tendo perdido Andy há alguns anos, eu queria me aproximar de Dave Grohl e Krist Novoselic para, de alguma forma, lhes dizer que ficaria tudo bem.

A primeira vez que vi Krist depois disso foi provavelmente oito ou nove meses mais tarde. Eu estava com meu amigo Curtis, e estávamos indo fazer snowboard. Curtis tinha acabado de comprar um novo Ford Explorer e queria me levar em seu carro até a Stevens Pass na cordilheira das Cascatas, no estado de Washington. As condições da estrada ficaram muito ruins perto de Monroe. Nós passamos sobre o gelo e acabamos derrapando sobre uma vala a 80 quilômetros por hora. O carro capotou. Estávamos os dois de cabeça para baixo em sua caminhonete, olhando um para o outro como se disséssemos "Você está bem?". Andamos até a beira da estrada, e os flocos de neve mais espessos e lindos estavam caindo. Não havia ninguém à vista. Olhei de volta para o carro, imaginando "Estamos mortos? Que porra é essa que está acontecendo?". De repente, uma caminhonete encosta, e era Krist. Eu falei "Talvez *realmente* estejamos mortos!". Krist ficou lá conosco um pouco, e então foi de carro até a cidade e contou aos policiais que havia acontecido um acidente. Eu penso muito sobre isso, e sobre como foi uma extrema coincidência ele ser a primeira pessoa a nos achar depois de eu ter acreditado que era uma experiência de quase morte.

9 de abril

O Pearl Jam aceita um convite para fazer uma visita à Casa Branca, e o grupo se encontra pessoalmente com o Presidente Bill Clinton. Apesar de eles discutirem a morte de Kurt Cobain, a conversa muda para basquete, pois o time de coração de Clinton, os Razorbacks da Universidade de Arkansas, tinha acabado de ganhar o campeonato masculino da NCAA.

Eddie Vedder: Nós estávamos ali especificamente para descobrir se algumas das bases militares dos Estados Unidos que recentemente tinham sido fechadas poderiam ser usadas como locais de shows. Teria sido uma forma de evitar usar as casas da Ticketmaster, e seria uma dádiva à economia local. Também me perguntaram se eu concordava em ajudar a elaborar uma resposta oficial ao suicídio de Kurt, mas na época eu estava muito chocado para oferecer qualquer ajuda.

Jeff Ament: Nós fomos com o Mudhoney, e alguém chegou e disse "Vocês cinco vão com ele" — as cinco pessoas éramos nós — e "Vocês oito venham por aqui". Os rapazes do Mudhoney fizeram a visita B e fizemos a visita A. Vimos a sala de guerra, a Sala Oval e conversamos com Clinton. Tenho um rolo de filme desse dia em algum lugar. Foi muito incrível. Estávamos fazendo piadas. Eu tinha acabado de ir às semifinais do campeonato em Charlotte, na Carolina do Norte, e ele tinha ido ver Arkansas jogar. Cada pessoa que foi ao jogo teve que passar por um detector de metais, mas só havia quatro ou cinco detectores no ginásio, e eu reclamei com ele por ter que perder os primeiros cinco minutos do jogo por causa disso. Então ele começou a falar do Serviço Secreto e de como tinha sido difícil para ele se acostumar àquilo; por exemplo, ele não podia andar em seu Mustang por aí. Não tínhamos medo de lhe perguntar nada, e ele não tinha medo de falar sobre nada. Era apenas um dos caras.

145

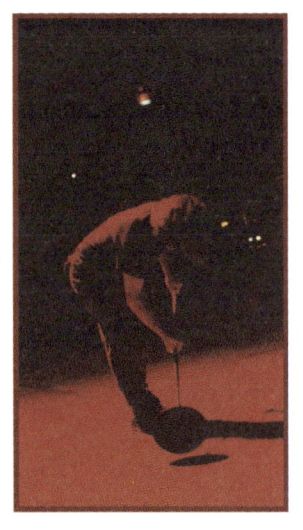

10-11 de abril
Boston Garden, Boston

No primeiro show desde o suicídio de Kurt Cobain, Eddie Vedder diz à plateia que o Pearl Jam ainda está sentindo os efeitos da notícia. "Tenho que admitir, estamos com muita coisa na cabeça. É duro tocar. Eu pessoalmente achava que não devíamos tocar e pronto. É mesmo muito esquisito — é simplesmente aquele tipo de sensação de vazio." Durante o segundo show, "Immortality" é tocada pela primeira vez com a letra bem diferente da que apareceria na versão de *Vitalogy*. Vedder abre um buraco no palco com o pedestal de seu microfone durante a última música do show, "Rockin' in the Free World", e desaparece dentro dele enquanto a música termina.

12 de abril
Orpheum Theatre, Boston

No penúltimo show da turnê da primavera, o Pearl Jam permite que sua equipe crie o setlist, o que resulta em uma das apresentações favoritas dos fãs contando com várias novas canções ("Immortality", "Not for You", "Better Man"), velhas favoritas em posições estranhas ("Release" como a primeira música do bis, "Even Flow" como a segunda do show) e verdadeiras raridades ("Dirty Frank", além de um cover de "I've Got a Feeling" dos Beatles).

16 de abril

O Pearl Jam toca três músicas no programa da NBC *Saturday Night Live*, algo inédito: a ainda não lançada "Not for You", "Daughter" e "Rearviewmirror". No fim de "Daughter", Eddie Veder acrescenta uma parte de "Hey hey, my my (Into the Black)", de Neil Young, a música cujo verso "It's better to burn out than to fade away" (é melhor se apagar do que desvanecer) Kurt Cobain usou em seu bilhete de suicídio. Enquanto os créditos sobem, Vedder abre sua jaqueta, revela um *K* escrito logo acima de seu coração em sua camiseta e coloca sua mão sobre ele de forma sombria. Sem que seus companheiros de banda soubessem, Mike McCready estava fortemente drogado na transmissão ao vivo.

Mike McCready: Terminamos com "Daughter". Eu me lembro de falar com Stone no dia seguinte e ele perguntou "O que você achou de 'Daughter'?". E eu pensei comigo mesmo, nós tocamos "Daughter"? Eu basicamente perdi a consciência na TV. Eu não lembro disso. Essas são as coisas de que não tenho orgulho. É simplesmente algo pelo qual tive que passar. Aquela era uma época difícil, com certeza; trevas. Mas foi assim que lidei com aquilo, de qualquer maneira.

17 de abril
Paramount Theatre, Nova York

Essa adição tardia ao itinerário da turnê acaba sendo a última apresentação completa do Pearl Jam por quase nove meses, assim como o último show de Dave Abbruzzese como o baterista da banda. A maioria dos ingressos é dada a membros locais do fã-clube, com o resto sendo distribuído através de promoções em estações de rádio locais, um procedimento que também causa problemas com a Ticketmaster. O show em si é poderoso, mas também sombrio, pois ninguém realmente sabe o que vai acontecer ao Pearl Jam depois disso. Vedder mostra frustração quando uma fã grita "Eu te amo, Eddie!", respondendo "Você não me ama. Você ama quem você acha que eu sou e a imagem que você criou em sua mente". Antes do show, Vedder abre seu coração em uma entrevista para o jornal britânico especializado em música *Melody Maker*, dizendo "Esse pode ser a merda do nosso último show para sempre, até onde sei. A morte de Kurt mudou tudo. Não sei se ainda sou capaz de fazer isso. Não sei aonde vamos a partir de agora. Talvez a lugar nenhum. Acho que essa vai ser a última coisa por um bom tempo. Vou simplesmente morar em uma merda de uma caverna com minha namorada. Acho que não vou mostrar minha cara por um tempo. Acho que não vou fazer nenhum vídeo. Talvez acabemos fazendo alguns shows ou algo assim. Simplesmente não sei".

6 de maio

Incapazes de achar casas de show adequadas para tocar que não tivessem contratos exclusivos com a Ticketmaster, e frustrados pelo fato de a companhia não concordar em limitar sua taxa de serviço em 10 por cento do valor de cada ingresso, o Pearl Jam cancela a turnê de verão e o empresário da banda, Kelly Curtis, diz à *Billboard* que "a banda está decidida a não excursionar até achar uma alternativa" ao que considera taxas de serviço injustas da Ticketmaster.

Representantes do Departamento de Justiça dos Estados Unidos entram em contato com a banda com a intenção de que seus integrantes registrem um memorando na divisão do departamento antitruste, o que o Pearl Jam concorda em fazer. Nele, a banda declara que a Ticketmaster, através de seus contratos extensos e exclusivos com as principais casas de show, controla um monopólio sobre o mercado e que a companhia pressionou promotores a não se envolverem em shows do Pearl Jam. No dia 31 de maio, uma porta-voz do Departamento de Justiça diz à *Billboard* que a divisão antitruste está investigando "a possibilidade de práticas anticompetitivas na indústria dos ingressos", dessa forma abrindo uma investigação.

Stone Gossard: Por causa do nosso litígio com a Ticketmaster, e sentindo que a única forma de conseguirmos excursionar era sair e tentar fazer isso por conta própria e pelo tempo que tínhamos disponível, sem mencionar nossas preocupações com segurança e com a questão de saber se seríamos capazes de organizar um show seguro de modo consiste, simplesmente achamos que não era apropriado e que devíamos resolver esse assunto primeiro e nos focar em gravar músicas.

30 de junho

Stone Gossard e Jeff Ament testemunham em Washington, DC, diante do Subcomitê de Informação, Justiça, Transporte e Agricultura em audiências do congresso a respeito de possíveis ações antitruste contra a Ticketmaster. O ponto crucial do testemunho de Gossard e Ament é que, uma vez que a Ticketmaster tinha contratos exclusivos com quase todas as principais casas de show nos Estados Unidos, as bandas não contavam com uma alternativa significativa para distribuir seus ingressos, o que dava à Ticketmaster o poder para exercer um controle excessivo sobre coisas como taxas de serviço.

Stone Gossard: "Nosso lucro é realmente bem pequeno. Nós apenas temos uma filosofia diferente da Ticketmaster sobre como e a que preços os ingressos para nossos shows devem ser vendidos. Não podemos insistir para que a Ticketmaster faça negócios sob as nossas condições, mas realmente acreditamos que devemos ter a liberdade de ir a qualquer outro lugar se a Ticketmaster não está preparada para negociar condições que sejam aceitáveis para nós."

Embora vários congressistas pareçam genuinamente interessados em conversar com os músicos sobre o assunto, outros fazem perguntas absurdas (O que Pearl Jam significa?) ou interrompem para dizer que têm praticado músicas do Pearl Jam no violão. A congressista Lynn Woolsey inclusive diz a Gossard e Ament "Vocês são rapazes simplesmente adoráveis". A certa altura, um Ament irritado pede licença para ir ao banheiro.

Kelly Curtis: O maior equívoco foi dizer que nós processamos a Ticketmaster ou que fomos até o Departamento de Justiça, mas nada disso aconteceu. Nós reclamamos sobre a Ticketmaster porque, naquela época, nossos ingressos custavam 25 ou 30 dólares e a Ticketmaster cobrava 10 ou 12 em taxas de serviço. Nós não entendíamos aquilo. Nossa grande reclamação era que pelo menos separassem os preços, para que as pessoas soubessem o quanto estávamos cobrando pelos ingressos. A Ticketmaster era superpoderosa, e acho que pensavam em nós como pirralhos intrometidos. Se éramos tão estúpidos por cobrar tão pouco por nossos ingressos, então eles ficariam com o dinheiro. A forma como o Departamento de Justiça se envolveu foi, acho, por causa da publicidade que estava sendo gerada pelo nosso boicote e do que tínhamos dito. Participar das audiências do congresso — e tenho certeza que Stone e Jeff pensam da mesma forma — foi simplesmente uma piada. Eu me lembro de pensar, depois das audiências, que isso foi uma enorme perda de tempo e apenas fingimento.

Stone Gossard: Quando você é convidado a testemunhar, você não tem ideia de onde está vindo a energia para fazer a coisa acontecer. Você pode pensar "Ah, sim, eles sem dúvida querem ouvir nosso testemunho sobre esse assunto particular", mas há muita manipulação acontecendo no mesmo nível. Quando você está em um palco tão grande, aquilo não está sob seu controle. Você interpreta um papel em algum tipo de drama maior, e acho que foi isso que saímos de lá sabendo.

Mike McCready: Muitas bandas diziam "Estamos com vocês, Pearl Jam". E elas todas nos deixaram na mão, cada uma delas. Muitas bandas renomadas nos deixaram na mão. Nós estávamos lá nos contorcendo no vento por conta própria. Acho que aquilo talvez tenha mostrado alguma integridade e as pessoas pensaram "Certo, eles estão fazendo isso pelas razões corretas. Estão tentando manter os preços baixos".

Eddie Vedder: Os rapazes foram ao Museu do Holocausto depois que testemunharam e o ingresso era grátis. No entanto, você tinha que reservá-los. Então, em um ingresso gratuito para o Museu do Holocausto, havia uma taxa de serviço de 3 dólares da Ticketmaster. Apenas a ideia de que eles recebiam taxa de serviço de um ingresso gratuito no Museu do Holocausto... Acho que essa história simboliza bem o adversário contra quem lutávamos.

1 de agosto

Dave Abbruzzese é demitido do Pearl Jam depois de uma reunião no café da manhã com Stone Gossard.

Stone Gossard: Dave Abbruzzese é um cavalheiro. É um sujeito legal e um baterista fantástico, e acrescentou muito à banda. Mas era um indivíduo em uma situação em que cinco pessoas tinham que se entender. Existem momentos em que, se um conflito pessoal não for resolvido, algumas vezes você tem que fazer mudanças. A banda sentia que uma mudança tinha de ser feita e eu ajudei a facilitar isso, porque sou parte do todo. Foi uma oportunidade perdida para ele, com certeza, já que ele não descobriu uma forma de identificar um problema e superá-lo; assim você se coloca numa posição em que não vai ser descartado. Acho que qualquer um que escute aqueles discos percebe que ele é um grande baterista. O problema não era sua forma de tocar. O problema é que ele precisava se encaixar em um grupo de cinco personalidades muito diferentes e fortes, e fazer isso de uma forma que funcionasse com essas cinco personalidades. Sinto muito que não tenha dado certo. Gostaria que tivesse dado.

Mike McCready: Dave Abbruzzese foi essencial para que chegássemos ao nível em que nos encontrávamos, porque era um baterista muito bom e estávamos excursionando com ele. Não posso dizer que ele não era uma das razões de nós nos tornarmos enormes. Ele se encaixava a princípio, e eu me dava bem com ele. Mas acho que Dave e Ed nunca se entenderam de fato.

Brendan O'Brien: Eu me lembro do último dia em que vi Dave. Ele estava no estúdio em Atlanta, e estávamos dando um tempo da gravação de *Vitalogy*. Eddie encontrava dificuldades em descobrir como faria para tirar o som de sua guitarra. Eu sabia que ele era um grande fã de Pete Townshend, então saí e encontrei uma linda Les Paul '69 gold-top. Ele veio até o estúdio numa das últimas noites em que estávamos lá, e eu disse "Ei, trouxe algo para você". Ele não sabia o que dizer. Ele ficou à beira das lágrimas. Ele e eu naquela época não tínhamos um relacionamento excelente, mas esse foi um momento realmente agradável entre nós.

No dia seguinte, eu vejo o engenheiro Nick DiDia balançando a cabeça. Ele fala "Cara, você tem que dar um jeito em algo". Dave estava correndo de um lado para o outro porque tinha que sair cedo para fazer algo. Ele me diz "Eu derrubei uma guitarra. Vou pagar para que ela seja consertada". Ele tinha quebrado a cabeça da guitarra. Foi um completo e total acidente. Eu me lembro de dizer "Talvez você devesse ficar por aqui e conversar com Eddie sobre isso". Mas ele falou "Tenho que ir". Eddie chegou mais tarde e eu lhe mostrei a guitarra. O olhar em seu rosto era de total desprezo. Nunca vou esquecer. Eu me senti muito mal. Logo depois disso, Kurt morreu. Deveríamos nos reunir novamente e terminar, mas fizemos uma longa pausa. Eles não excursionaram. Todos estavam chateados. Naquele época, Dave foi demitido. Não sei se Eddie é capaz de um dia olhar para aquela guitarra da mesma forma. Eu a mandei para ser reparada, mas aquilo era uma metáfora para o relacionamento deles. E não passou despercebido por mim e por Nick.

Começo de setembro

Rumores começam a circular, na Usenet e no fórum do Pearl Jam na America Online, de que o baterista do Nirvana, Dave Grohl, aceitara substituir Dave Abbruzzese no Pearl Jam.

Dave Grohl: Nunca falei com ninguém da banda sobre tocar bateria com eles. Eles nunca me convidaram, e isso nunca foi uma questão ou um assunto. Logo depois que Abbruzzesse foi mandado embora, eu estava em Nova York, descendo uma rua com a minha namorada. Um cara se aproxima e diz "Ei, Dave. Você autografa a pele da minha bateria?". Então eu a autografei, e ela tinha o autógrafo de Dave Abbruzzese nela. Eu falei "Ah, você tem o autógrafo do Dave, do Pearl Jam". E ele fala "Sim, ele está bem no fim da rua fazendo um show em uma loja". Então falei para minha garota "Vamos até lá dar um alô". Eu não sabia que existiam rumores circulando de que eu tinha me juntado ao Pearl Jam. Então entrei nessa loja de percussão e ele estava lá, assinando uma merda qualquer. Tinha uma fila de pessoas.

Draft of June 29, 1994
DCLAN 0027588.01

ORAL REMARKS OF STONE GOSSARD
TO THE INFORMATION, JUSTICE,
TRANSPORTATION AND AGRICULTURE SUBCOMMITTEE
OF THE HOUSE COMMITTEE ON GOVERNMENT OPERATIONS

Mr. Chairman, members of the sub-committee, my name is Stone Gossard and with me is Jeff Ament. I play guitar and Jeff plays bass in Pearl Jam.

I would first like to thank you, Chairman Condit, [for holding] this hearing today. We, and I am sure many [Amer]icans feel very strongly about the subject of this [and] we appreciate your efforts to shed light on this [matter.]

All of the members of Pearl Jam remember what it [is t]o be young and not to have a lot of money. Many of [Pearl Jam]'s fans are teenagers who do not have the money to [pay] $50 or more that is often charged for tickets today. [While], given our popularity, we could undoubtedly [continue] to sell-out our concerts with ticket prices at that [high] level, we have made a conscious decision that we do [not wan]t to put the price of our concerts out of the reach [of our] fans.

[For] these reasons, we have attempted to keep the [price of tickets] to our concerts to a maximum of $18. In [addition, we] have also tried to limit any service charges [being im]posed on the sale of those tickets to a

Exhibit A

PERFORMER/VENUE	TICKET PRICE	SERVICE CHARGE (PHONE)	SHIPPING CHARGE (PHONE)*	SERVICE CHARGE (OUTLET)
[Bo]wl	$80.00-35.00	$7.25	$2.50	$5.00
[We]stern Forum	$35.00-23.50	$6.25	$2.00	$4.25
[Ja]ckson [M]eadows	$27.50	$6.25	$2.00	$4.25
[Col]lins [We]stern Forum	$50.00-30.00			$4.25
[Ir]vine Jr. [M]eadows				$4.25
				$4.00
				$4.00
				$4.00
				$4.00
				$4.00
				$3.75
				$3.50
				$3.00
				$3.00
				$2.25
				$3.00

Eric - I showed this to Kelly. He said to make you a copy so you can find this fan on concert night. He wasn't complaining about the price, said he's sure he'll get his moneys worth. But the just wanted to inform us of whats going on. It's gotta be illegal. They are making more $$ than the band.

Thx

JAM SESSION: Gossard, right, and Ament are sworn in

Passei por elas e praticamente ninguém me reconheceu, e eu falei "Ei, Dave, como você está?". E ele olhou para mim como se tivesse visto um maldito fantasma. Ele disse "Ei, é verdade que os rapazes o convidaram a tocar bateria com eles?". E eu digo "Não! Por quê? Merda, não!". Foi um momento bem esquisito.

1-2 de outubro
Shoreline Amphitheatre, Mountain View, Califórnia

Embora nenhum anúncio oficial tenha sido feito de que ele se juntou oficialmente à banda, o ex-baterista do Red Hot Chili Peppers e do Eleven, Jack Irons, faz sua primeira aparição pública com o Pearl Jam, tocando durante a segunda apresentação da banda no anual Bridge School Benefit, de Neil Young. Na primeira noite, a banda toca "Let me Sleep (it's Christmas Time)", do single do fã-clube de 1991, pela única vez até hoje. "Bee Girl", uma canção que Eddie Vedder e Jeff Ament tinham tocado ao vivo no ar durante sua entrevista de 1993 no *Rockline*, é tocada pela primeira vez na noite seguinte. O Pearl Jam também oferece versões simplificadas de "Corduroy", "Not for You" e "Immortality" do álbum prestes a ser lançado, *Vitalogy*, e se junta a Young nas duas noites para tocar um cover da música "Piece of Crap", de seu então novo disco, *Sleeps with Angels*.

Neil Young: Estávamos criando versos na hora. Eddie criou alguns que ficaram muito bons. A versão daquela música, havia algo acontecendo que eu realmente gostava. Aquilo me mostrou quais eram as possibilidades.

22 de novembro

O terceiro álbum de estúdio do Pearl Jam, *Vitalogy*, é lançado em vinil pela Epic duas semanas antes do lançamento de sua versão em CD. Na semana seguinte, o disco estreia no número 55 na lista dos 200 discos mais vendidos da *Billboard* depois de movimentar 35 mil cópias, tornando-o o primeiro disco de vinil a entrar na parada de vendas apenas com esse formato em mais de uma década.

Michele Anthony: Naquele momento, o CD estava com tudo e a maioria das companhias não estava produzindo vinil em nenhum lançamento. Mas era muito importante para a banda que os discos saíssem em vinil. O Pearl Jam foi uma das primeiras bandas para quem fizemos vinis nos anos 1990.

Dezembro

Jack Irons é contratado oficialmente como o novo baterista do Pearl Jam.

Jack Irons: O Pearl Jam teve muitas fases de bateristas. Cada uma dessas vezes, eu estava entre os nomes falados e tive conversas com eles. Aquela foi definitivamente uma oportunidade que eles disponibilizaram para mim em algumas ocasiões. Mas eles estavam decolando tão rápido e estavam tão grandes que fiquei com medo de comprometer minha vida àquilo. Eu não me saí muito bem no Red Hot Chili Peppers depois de turnês realmente intensas. Em 1994, eu tinha me mudado de L.A.. Minha banda de tantos anos, Eleven, tinha acabado de terminar uma turnê com o Soundgarden. Meu filho tinha 3 ou 4 anos, e minha mulher e eu tínhamos feito um pacto de sair de L.A. quando ele já estivesse em idade escolar. Eu guardei dinheiro suficiente para comprar uma cabana no norte da Califórnia. Minha mulher nos mudou para lá enquanto o Eleven estava em turnê com o Soundgarden. Eu cheguei lá em junho, julho e agosto. Então ouvi que o Pearl Jam tinha despedido Dave e falei para minha mulher que talvez aquele fosse o momento certo, e talvez aqueles caras não fossem excursionar como faziam há dois anos. Então procurei Eddie e lhe disse que gostaria de ser cogitado e tentar. A diferença em 1994 era que eu não era mais a única opção. Eles definitivamente fariam audições, e cada um dos integrantes tinha na cabeça o cara com quem queriam trabalhar. Mas me ajudou eu ter sido o cara de Eddie.

Quando chegou ao ponto em que parecia que eu era o sujeito com mais chances de ficar com a vaga, passei um bom tempo com Stone. Nós ensaiamos no estúdio em seu porão. Nunca confirmamos que eu era totalmente da banda. Eu fui e fiz os shows no Bridge School, mas não me senti realmente confirmado até que começamos a excursionar alguns meses mais tarde.

Mike McCready: Nós testamos Richard Stuverud, Jack Irons e Josh Freese. Eu gostaria que tivéssemos testado Chris Friel, mas simplesmente não fizemos isso. Nós fizemos ótimos ensaios com eles. Com Richard, lembro de termos um ensaio fantástico no porão de Stone. Acho que Ed se sentia como se Jack tivesse sido o sujeito que tinha feito tudo aquilo acontecer, sabe? Jack deu a fita que recebeu de Stone a Ed, então Ed queria retribuir o favor. Ed queria que aquilo acontecesse, então aquilo aconteceu, e nós todos gostávamos dele. Ele é um baterista excelente.

6 de dezembro

Vitalogy é lançado em CD. Na semana seguinte, ele pula para o número um na lista dos 200 discos mais vendidos da *Billboard* depois de vender mais de 877 mil cópias nos Estados Unidos, a segunda maior soma de uma semana de lançamento, atrás apenas de *Vs.*, que vendeu então um recorde de mais de 950 mil. *Vitalogy* passa cinco semanas consecutivas no topo da parada.

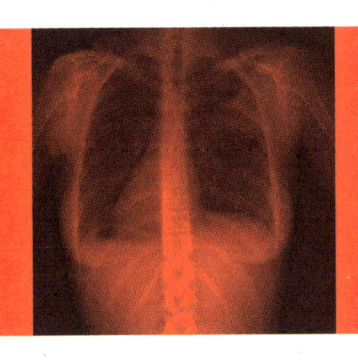

Vitalogy

O lançamento de *Vs.* no final de outubro de 1993 transformou o Pearl Jam na maior banda de rock do planeta. Isso também gerou um frenesi que teve um efeito enorme na sanidade do dia a dia da banda. Todos queriam um pouco do Pearl Jam, e muitos estavam dispostos a capitalizar sobre sua fama sem se importar minimamente com os ideais da banda. O exemplo mais notório foi a matéria do dia 25 de outubro de 1993 na revista *Time*, da qual Vedder se recusou a participar e ainda assim encontrou seu rosto estampando a capa sob o título "All the Rage" (Toda a Fúria).

Durante um tempo, pelo menos, o Pearl Jam encontrou consolo em seu impulso criativo. Na verdade, mesmo antes de *Vs.* ser lançado, a banda já estava tocando uma nova música raivosa e destruidora chamada "Whipping". E depois de semanas da chegada do álbum, o rock pulsante, "Last Exit", e a explosiva e psicodélica, "Tremor Christ", tinham sido tocadas. Na primavera de 1994, havia material mais do que suficiente para o terceiro disco.

Aquilo foi uma doce salvação para o crescente grupo de seguidores do Pearl Jam, assim como para a equipe da Epic Records, que tinha começado uma dança delicada com a banda a respeito de sua recusa a participar das formas tradicionais de promoção. Por sorte, mesmo com poucas entrevistas e ainda menos (leia-se: zero) videoclipes, *Vs.* conseguiu quebrar o recorde de maior número de cópias vendidas na primeira semana nos Estados Unidos. E não havia nenhum motivo para achar que seu sucessor se sairia de forma diferente.

"A maior parte do disco foi gravada no curso da turnê de *Vs.*", diz Jeff Ament sobre sessões em Nova Orleans, Seattle e Atlanta, mais uma vez com o produtor Brendan O´Brien no comando. "Parte daquele tempo éramos nós não querendo perder muito tempo entre os discos, além de saber que a gravadora queria outro. É bastante impressionante quando você olha para trás, mas realmente não tivemos mais que algumas semanas de folga durante os primeiros quatro ou cinco anos da banda."

Além de todas as músicas novas, a banda ainda tinha em mãos "Better Man", pela qual O´Brien tinha feito campanha vigorosamente, apesar de sem sucesso, para entrar em *Vs.* O único problema era que embora Vedder tivesse aceitado tentar a música no estúdio novamente dessa vez, ele ainda não tinha um interesse real em lançá-la.

"Nós tentamos em Nova Orleans e Eddie simplesmente não estava gostando", O´Brien diz. "Àquela altura, ele precisava que eu me afastasse." Então, no dia 3 de abril de 1994, na transmissão via satélite do show do Pearl Jam direto do Fox Theatre, em Atlanta, "Better Man" foi tocada ao vivo apenas pela terceira vez e o mundo teve a chance de ouvir a música que O´Brien vinha incensando tanto.

"Foi uma performance incrível da música", diz O´Brien. "No dia seguinte, falei para a banda como ela tinha soado bem. Perguntei a Eddie: E se pegássemos a bateria, o baixo e as guitarras daquela gravação e construíssemos a música a partir daquilo? Ele achou que era uma ótima ideia. Que fazia todo o sentido para ele. Ele ficou comprometido com isso, e ela acabou soando muito bem."

Mas "Better Man" não estava resolvida ainda, e foi necessário um pouco de magia de edição de fita do engenheiro de som Nick DiDia para terminar a saga. "Nós já tínhamos masterizado o álbum e no último minuto Eddie ligou e disse 'Eu sei que vocês vão odiar isso, mas tenho que tirar essa música do disco. É realmente importante para mim'. O primeiro refrão era muito grandioso e muito feliz e ele não conseguia suportar aquilo", recorda O´Brien. "Então eu disse 'Me faça um favor. Venha até Atlanta e vamos consertar a primeira parte da música. Vamos pelo menos tentar fazer isso'. Então ele veio e gravamos a primeira estrofe e o refrão, que são apenas eu no órgão e ele na guitarra e nos vocais. Nick deu um jeito de colar esse material na outra máster logo antes de a bateria entrar, e isso se tornou o disco."

"Mesmo quando a tínhamos tentado antes, ela não tinha a sensação certa e a pegada certa", diz Vedder. "Então começamos a tocá-la ao vivo e finalmente acertamos o clima dela. Aquilo apenas nunca tinha acontecido no estúdio."

"Ele foi resistente com aquela música até um certo nível porque acho que ele sentia que a música não era agitada o suficiente ou algo assim", diz Gossard. "E aquela é uma melodia tão inegável, uma letra tão inegável, um arranjo tão inegável. É um clássico instantâneo. Simplesmente é. É simplesmente a natureza daquela canção e a voz dele e a letra e aquela perspectiva. É única", acrescenta Ament. "Talvez seja a música mais grandiosa que temos."

O fato de "Better Man" ter se tornado uma das músicas mais populares do Pearl Jam e um verdadeiro clássico das rádios de rock, apesar da ambivalência de Vedder, é uma reviravolta sobre a qual Gossard sempre o repreende suavemente.

"Ele é definitivamente uma pessoa do tipo que engaveta coisas e diz 'Ah, isso não está bom'. E algumas vezes acho que ele sabe que o material é de fato bom e ele está apenas criando um empecilho porque, não sei, isso funcionou com ele ou algo assim", diz o guitarrista. "Nunca tive essa intuição. Minha intuição sempre foi 'quero compor a melhor canção que puder e quero trabalhar nela agora, e quero lançá-la na semana que vem e quero que todos a amem'."

O fato de Vedder quase manter "Better Man" enterrada foi uma prova de seu crescente papel de liderança no Pearl Jam. Nos dois primeiros discos da banda, Vedder era o ponto focal do Pearl Jam mais pelo seu vocal e por sua personalidade magnética do que por suas composições. Mas na época das sessões para o terceiro disco, seu rendimento como compositor estava apequenando o de seus companheiros.

"Não foi uma tomada hostil", diz Vedder com uma risada. "Não é por causa das nossas personalidades. Não é por isso ou aquilo. Tem realmente a ver com a direção da música, e talvez pelo fato de termos mais músicas rápidas, ou mais intensas, ou mais experimentais, ou o que for. Você está tentando chegar a um destino diferente com as músicas que está criando. Se está acostumado a ter o controle, pode ser complicado abrir mão. Para ser honesto, acho que sentia que tudo que lançávamos me representava muito e, porque eu estava me tornando o sujeito mais reconhecível na banda, eu precisava ser mais representado musicalmente. E se isso significava que eu teria que criar as músicas que conseguiriam essa meta, então teria que compor as músicas. Se estivéssemos compondo músicas em absoluta sintonia com meus sentimentos, então ótimo. Acho que isso era apenas eu precisando ficar tão orgulhoso quanto fosse possível da música que fazíamos. Todos deveriam ser capazes de incluir suas músicas, e a princípio eu era apenas o vocalista. E quando participei mais da composição, isso foi perceptível no disco. Não me lembro se foi doloroso. Acho que isso simplesmente tinha que ser feito, e fico feliz que não nos tenha afastado ou algo assim."

Gossard opina: "Esse foi o primeiro disco em que eu não dizia 'Certo, eu tenho mais uma. Eu tenho mais uma. Eu tenho mais uma. Eu tenho mais uma'. Quero dizer, Ed nem falou que íamos fazer aquilo de forma diferente; aquilo simplesmente aconteceu. Estávamos fazendo um disco de uma forma diferente. Eu estava compondo algumas músicas, mas de repente todos estavam começando a compor, e ele compunha mais.

"E naquela época, eu falava 'Esperem um minuto, eu sou o cara. Deixe-me entrar aí e fazer uma coisa'. Eu sabia como fazer essa coisa. Àquela altura era muito bom mostrar um riff e então todo mundo podia apenas criar sobre aquilo. Gostaria de ter sido capaz de ter mais consciência de como as coisas poderiam evoluir se você lhes desse a oportunidade, sabe o que quero dizer?"

"Um sujeito com aquele tipo de impacto sobre as pessoas, é simplesmente natural que essa pessoa assuma mais esse papel", diz O'Brien sobre Vedder. "Ele começou a tocar mais guitarra, o que não foi uma transição simples. Como você aperta todo mundo ali dentro? Acho que Stone naquela época ficou um pouco desencantado com todo o processo, porque Eddie não era mais o cara que Stone tinha encontrado. Ele era *o cara*!"

Recordando, Ament atribui a mudança de dinâmica mais à forma de trabalhar de Eddie do que a qualquer tomada de poder visível. "Ele se esforçava mais do que nós para compor canções", diz o baixista sem rodeios. "Ele tinha a capacidade de compor uma música completa naquela época, e o resto de nós não tinha. Certamente é mais fácil escrever a letra para a sua própria música do que para a música de outra pessoa, porque você entende o ritmo, os espaços e a forma como cria as melodias. Ainda não sei se ele estava conscientemente querendo assumir o controle da banda ou tomar as rédeas do poder. Acho que foi mais algo como 'Ei, cara, tenho sete músicas completas aqui. O que vocês têm?' e apenas tínhamos alguns riffs ou músicas com partes faltando. Foi uma progressão natural. Mas isso fez com que o resto de nós quisesse compor peças musicais que formassem canções completas e que fossem desde o início mais arranjadas."

Ainda assim, várias músicas nasceram de fragmentos de riffs e ideias, particularmente "Spin the Black Circle", um jorro de punk rock puro que se tornou o primeiro single do álbum, apesar das sobrancelhas levantadas dos executivos da Epic.

"Sem saber, eu estava escutando *demos* que Stone tinha me dado com a velocidade na configuração errada em meu toca-fitas Aiwa", diz Vedder. "Eu tinha pensado em algo na caminhonete com o toca-fitas na minha mão, mas então percebi que ele estava tocando com a velocidade muito alta. Eu a diminuí e ficou muito lento. Pensei 'Ah, merda!'. Chamei Stone de lado e falei 'Acho que tive uma ideia. Há uma música matadora aqui se você tocar rápido assim', e a toquei para ele. Ele achou que eu estava completamente maluco. Mas, sem querer brigar, eles aceitaram testar, e foi isso que a música se tornou."

A linda balada de Jeff Ament, "Nothingman", que o baixista tinha inicialmente gravado para uma demo com o baterista Richard Stuverud, encontrou um caminho similarmente acidental até ser completada durante uma sessão de gravação em um estúdio em Nova Orleans.

"Ouvi falar que David Bowie e Brian Eno trabalhavam em turnos de doze horas em um disco em que eles se revezavam tocando sobre o material um do outro", diz ele. "Tive a ideia de fazermos isso durante a semana, Ed e eu. Não íamos trabalhar doze horas, mas a ideia era fazer turnos de oito horas ou algo assim. Tínhamos um estúdio alugado e dois engenheiros diferentes. No primeiro dia, gravei a música de "Nothingman" e ele entrou e escreveu a letra. Isso tomou tanta energia dele que ele ficou acabado. Então fiquei por lá o resto do tempo, gravando algumas coisas. Aquela foi a melhor coisa que eu já tinha feito. Saí de lá com seis ou sete peças de música, sendo que duas delas eu acabei terminando sozinho mais adiante."

Frequentemente no disco, Vedder descarrega sua frustração com a cooptação da música pelo que ele via como meios puramente comerciais. "Corduroy" foi inspirada pelo artista vendo uma réplica de seu casaco de brechó favorito sendo vendido por centenas de dólares por uma loja ávida para capitalizar sobre o espírito do grunge. (Daí vem o verso "They can buy but can't put on my clothes" [podem comprar, mas não podem vestir minhas roupas]).

Até mesmo a série de televisão *General Hospital* entrou na dança, escalando o futuro superastro pop Ricky Martin como um cantor pensativo de cabelos compridos vestido com as inconfundíveis camisetas camufladas de Vedder. "A música estava sendo cooptada o tempo todo", diz ele. "Naquela época aquilo me assustava. Ele era, tipo assim, a minha versão galã. Agora, eu duvido que alguém se lembre que aquele era Ricky Martin. Quem sabia que ele era capaz de dançar?"

A furiosa "Not for You", com seus três acordes, que tinha sido apresentada ao público no *Saturday Night Live* meses antes de ser lançada, deixava claro, sem meias palavras, que Vedder considerava o rock'n'roll sagrado e que não tinha problemas em dizer "Foda-se" àqueles que não pensavam o mesmo.

Vedder diz "Tivemos tanta sorte depois do primeiro disco por guardar o suficiente para viver de modo modesto pelo resto de nossas vidas, que você podia realmente dizer 'Não' e dizer 'Veja, não precisamos disso. Eu não preciso disso'. Tínhamos formas diretas de fazer as coisas que queríamos fazer com preços de ingresso e a qualidade da arte do disco. Quero dizer, apenas coisas simples. Quando você se coloca em situações do tipo 'vocês contra eles', não somos nós dessa banda que vendemos um monte de discos. São, tipo, os fãs de música e pessoas que querem proteger a pureza da música, se é que isso existe, contra as pessoas que descaradamente se importam apenas com seus lucros. Eles estão vendendo a música como sabão em pó, sabe? Tive vontade de estabelecer algo naquela canção: 'Essa música não lhe pertence'. Sabe, 'Você não a sente como a sentimos, você nem sabe o que realmente está rolando aqui. Você nunca ficou em uma fila para ver um show. Você não compra um disco há anos'."

A luta do Pearl Jam para se manter inteiro diante da fama repentina é mais evidente em "Immortality", uma canção perturbadora com uma pegada de blues e um solo de guitarra de McCready igualmente comovente. Apesar de a canção ter sido composta pouco antes do suicídio de Kurt Cobain em abril de 1994, versos como "As privileged as a whore / victims in demand for public show / Swept out through the cracks beneath the door" [Tão privilegiadas quanto uma puta / vítimas procuradas para exibição pública / Varridas pelas frestas sob a porta] facilitavam para que os observadores acreditassem que a música era sobre a vida tão curta do líder do Nirvana e sua morte trágica. O verso comovente "Some die just to live" [Alguns morrem apenas para viver] também deram combustível a especulações sobre o assunto da canção.

"Não é sobre Kurt", disse Vedder ao Los Angeles Times em 1994. "Nada no álbum foi escrito diretamente a respeito de Kurt e não estou com vontade de falar sobre ele, porque pode ser visto como exploração. Mas acho que talvez haja coisas nas letras que vocês podem pescar, e que talvez respondam algumas perguntas ou os ajudem a compreender as pressões sobre alguém que está no mesmo barco que você."

Mesmo com todo o crescimento musical do Pearl Jam, a química inquieta da banda ameaçava sua própria existência. McCready estava tão à beira de um problema com drogas e álcool que ele alega que mal se lembra de partes significativas da gravação do álbum. Com o incentivo de Gossard e Ament, ele acabou se internando no centro de reabilitação Hazelden, nos arredores de Minneapolis, naquele verão. Além disso, o relacionamento do baterista Dave Abbruzzese com o resto da banda, particularmente com Vedder, tinha deteriorado até um ponto sem volta.

"Éramos quatro sujeitos com o mesmo tipo de humor e um pouco mais velhos e menos espalhafatosos", diz McCready. "Dave era um pouco desse jeito. Ele é um pouco espalhafatoso — mas um baterista e tanto. Quero dizer, ele toca de forma fantástica em Vs., e também excursionou implacavelmente conosco. Mas acho que existia uma divergência ideológica crescente entre aqueles dois sobre o que era um astro do rock, e a versão de todos sobre isso era diferente da versão de Dave, acho, para ser sincero com você. Ele e Ed simplesmente pararam de falar um com o outro depois de um tempo. Naquele verão fui a Hazelden. Tínhamos gravado o terceiro disco num verdadeiro 'apagão' para mim. Eu tinha ficado em Minneapolis porque não estávamos fazendo nada, e quando menos esperava, recebi uma ligação: 'Estamos pensando em mandar Dave embora'. Para mim foi um choque. Eu estava tendo um pouco de clareza em minha cabeça pela primeira vez e não percebi toda a dinâmica que estava rolando entre eles."

"Eu sei que havia momentos em que sentíamos que estávamos fazendo música que significava algo. Uma sensação de estar fazendo algo importante", diz O'Brien das sessões tumultuadas. "Mas houve muita tensão. Eu, pessoalmente, estava estressado quase o tempo todo. Eu me esforçava ao máximo para manter uma positividade, mas era uma época estressante. Eddie estava tomando as rédeas um pouco, mas ele estava desconfortável nessa posição. Isso tornava aquela situação difícil para todos. Eles estavam implodindo um pouco internamente, porque o baterista estava em um processo de deixar a banda. Mas gravamos quase o disco inteiro com ele, apesar de essa não ser a situação ideal."

Mais adiante no processo, a banda juntou retalhos de trechos gravados para moldar músicas de ligação, como a vinheta de um minuto Pry, To, em que Vedder meio canta e meio murmura a frase "P-R-I-V-A-C-Y, it's priceless to me" [P-R-I-V-A-C-I-D-A-D-E, é inestimável para mim] e Aye Davanita, uma jam de estúdio no estilo "apenas zoando" com uma letra sem sentido que O'Brien repetiu e esticou por três minutos.

"Ficamos obcecados com os interlúdios", diz O'Brien. "Stone estava muito ligado em hip-hop e também éramos fãs do Urge Overkill. Eles tinham gravado um disco que adorávamos, chamado Saturation, com vários interlúdios. Então começamos a pegar pedaços e sobras e passamos a adicioná-los a outras coisas."

Vedder também maneja um acordeão de brechó na vacilante balada "Bugs", em que os insetos intrusivos são uma metáfora para sua perda de perspectiva com a chegada do superestrelato. Enquanto luta para descobrir a forma certa de proceder, ele poderia tranquilamente estar falando sobre seus amigos, seus fãs ou sua carreira: "Do I kill them? Become their friend? / Do I eat them? Raw or well done? / Do I trick them? I don't think they're that dumb / Do I join them? Looks like that's the one" [Será que os mato? Me torno amigo deles? / Será que os como? Crus ou bem passados? / Será que os engano? Não acho que sejam tão burros / Será que me junto a eles? Parece que essa é a melhor opção].

Na verdade, Vedder tinha tido urticária naquela época e estava "perdendo a pele de tanto coçar. A canção é realmente sobre insetos". Ele disse à revista Spin em dezembro de 1994: "Naquela época eu estava pensando no negócio presente e provavelmente não teria me sentido tão livre para usar duas horas de aluguel do estúdio para trabalhar naquela punheta sonora de Eddie com o acordeão. Por muito tempo depois de gravá-la, eu a tocava para meus amigos, dizendo que era a melhor coisa que já tínhamos feito [risos]. Apenas decidimos fazer algo que fosse divertido escutar e não fosse bombástico nem tudo aquilo que a banda tinha se tornado."

Durante meses, um conceito despretensioso para o disco vinha sendo criado, baseado em livro de referência de saúde de 1899 que Vedder tinha comprado em uma loja de antiguidades intitulado Vitalogy, que significa o estudo da vida. A princípio, a banda tinha decidido batizar o projeto de Life, chegando até a imprimir esse título no single promocional de "Spin the Black Circle". No entanto, Vedder rapidamente decidiu que queria não apenas chamar o álbum de Vitalogy, como também queria reimprimir a capa do livro de verdade e usar algumas imagens selecionadas do livro na arte do disco.

Como os advogados da Sony logo descobriram, uma versão de Vitalogy estava em domínio público, mas outra não estava, e não foi uma proeza pequena conseguir as autorizações para a arte que a banda queria usar em tempo para a data de lançamento. "Literalmente, minha sala de conferências se transformou em uma sala de guerra de Vitalogy, com arte espalhada por todo lado", diz a então vice-presidente executiva da Sony, Michele Anthony. "Vasculhamos as duas versões para descobrir quais imagens poderíamos selecionar."

A arte final de Vitalogy reproduzia fielmente a capa do livro e, de forma bem humorada, usava partes desatualizadas do livro original para enfatizar os temas de certas canções. Por exemplo, a definição médica do livro para pesadelo é incluída na página dedicada a Pry, To, enquanto as radiografias da arcada dentária de Vedder acompanham "Corduroy", e a letra de "Whipping" está escrita em uma petição ao presidente Clinton exigindo intervenção federal na violência contra clínicas de aborto.

Mas, de acordo com Ament, o projeto visual pródigo "diminuiu em cerca de trinta a quarenta por cento dos nossos royalties, porque a fábrica não estava preparada para fazer o que queríamos" e porque uma boa parte da montagem tinha que ser feita a mão. Na verdade, a embalagem nem cabia em uma prateleira de CDs normal em uma loja de discos — outro detalhe no estilo "estamos fazendo as coisas do nosso jeito" que agradava os integrantes da banda.

Vitalogy foi basicamente terminado no verão de 1994, quando o Pearl Jam cortou laços com Abbruzzese e o substituiu pelo velho amigo de Vedder, Jack Irons. Querendo que Irons fosse representado de alguma forma no álbum, Vedder e o baterista produziram juntos mais de sete minutos de jams improvisadas abrasivas e as juntaram a gravações de áudio de pacientes de um manicômio respondendo perguntas sobre seu estado de espírito. A faixa terminada, intitulada "Hey Foxymophandlemama, That's Me", forneceu um ponto final esquisito ao projeto e uma introdução gravada bem incomum a Irons como parte do Pearl Jam. "Música é química entre as pessoas. Aquilo era apenas uma jam", diz Irons, que insiste ter sido uma coincidência que ele tenha calhado de tocar no que era na época a música mais estranha que o Pearl Jam já tinha colocado em um disco.

Como ficou claro quando ele estreou em primeiro lugar na parada dos 200 discos mais vendidos da *Billboard* com as vendas de 877 mil cópias — atrás apenas de *Vs.* em números de primeira semana — e então ficou no topo da parada por mais um mês, os ouvintes americanos estavam mais do que dispostos a tolerar a experimentação. O Pearl Jam estava no auge de sua popularidade, mas a satisfação por realizações tão extraordinárias ainda se mostrava ilusória.

"Naquela época eu pensei, 'Esse não é nosso melhor disco'. Eu me lembro de me sentir um pouco decepcionado, ou me sentir como se não estivesse conectado a ele no fim, e não ajudei a terminá-lo", diz Gossard. "Aquilo estava fora das minhas mãos pela primeira vez. E olhando para trás, dou graças a Deus por termos feito um disco que de repente tinha uma energia diferente. Agora é um dos meus favoritos, e tem nele músicas que são algumas das canções mais importantes de nossa carreira e para mim, pessoalmente."

CAPÍTULO 1995

1995

Enquanto o Pearl Jam lutava para superar o suicídio de Kurt Cobain e assimilar o novo baterista, Jack Irons, em sua trupe, a banda estava ainda menos visível na época do lançamento do terceiro álbum, *Vitalogy*, do que esteve em *Vs.*. Para escapar, a banda seguiu para o outro lado do globo para seus primeiros shows na Ásia e na Austrália. Mas em 1995 não havia um lugar no mundo intocado pela Pearl Jam Mania, e os shows muitas vezes explodiam em quase motins. Ao voltar para casa, o Pearl Jam permanecia resoluto em sua recusa a tocar em casas de show sob contrato com a Ticketmaster, escolhendo campos e espaços destinados a feiras em localidades fora do caminho em vez de arenas nas cidades grandes. No fim das contas, a turnê foi um desastre e levou cinco meses extras para ser completada. Mas o Pearl Jam estava inabalável e de alguma forma ainda encontrou tempo para gravar e excursionar com Neil Young, além de iniciar o trabalho em seu próprio novo disco antes de o ano terminar.

8 de janeiro

O Pearl Jam apresenta o Self Pollution Radio, um programa de quatro horas e meia que conta com uma performance de 11 músicas da banda dividida em dois sets e performances adicionais do Soundgarden, Mudhoney, Mad Season e The Fastbacks, além de visitas de Mike Watt e de Krist Novoselic, do Nirvana. Feita a partir de um estúdio de ensaio que Eddie Vedder e amigos mantinham em uma área pouco nobre de Seattle, a transmissão é oferecida de forma gratuita e não exclusiva via satélite a estações de rádio em todo o país. Durante o programa, Eddie Vedder anuncia oficialmente que Jack Irons é o novo baterista do Pearl Jam. Vedder também oferece o primeiro gostinho do Foo Fighters, nova banda do baterista do Nirvana, Dave Grohl, na forma da música "Exhausted", do disco de estreia homônimo da banda que ainda não tinha sido lançado.

Eddie Vedder: Naquela época, havia muita atenção sendo dada a certos grupos de nossa área. Íamos fazer um show ao vivo no rádio e então descobrimos uma forma de fazer isso sem que fosse apenas para uma estação. Na verdade, era para qualquer estação, sem comerciais. Íamos apenas fazer tudo por conta própria e colocar nas ondas do rádio com um satélite gigante que estava estacionado atrás de um pequeno estúdio de ensaio em um muquifo, e quem quisesse transmitir aquilo, podia. A ideia era assegurar que os Fastbacks tocassem e o Mudhoney tocasse, e bandas que não estivessem recebendo o mesmo tipo de atenção que a nossa, mas que mereciam talvez até o dobro. E funcionou.

Jack Irons: Aquilo foi feito de uma forma muito intimista. Eram apenas amigos e músicos em uma pequena casa. Naquela época eu não tinha a verdadeira noção da popularidade que uma banda como o Pearl Jam tinha, e estava bastante nervoso por tudo estar passando no rádio, porque eu era o novo integrante.

Jeff Ament: Precisamos fazer aquilo de novo! Eram todas as pessoas que conhecíamos na cidade e que faziam música incrível, mas não estavam vendendo zilhões de discos. Foi uma bela desculpa para ter um barril de cerveja e juntar as pessoas, e aquilo foi a visão de Ed. Acho que tinha a ver com o fato de ele não ser de Seattle mas então desenvolver amizades fortes com essas grandes bandas.

Eric Johnson: A placa podia falar algo sobre lâminas de serra. Aquilo era literalmente um muquifo coberto com tábuas de madeira, grama e musgo em uma antiga estrada que passava por Seattle. Não havia realmente nada bacana ou irônico a respeito daquele lugar. Era um esconderijo perfeito. Você não ia querer xeretar muito naquela área, pois parecia um bom lugar para achar um cadáver.

Kelly Curtis: Muitas estações de rádio distintas quiseram transmissões ao vivo, então pensamos: E se simplesmente fizéssemos isso por conta própria, mas qualquer um pudesse transmitir? Nós colocaríamos o material no ar e informaríamos a todos quais eram as coordenadas do satélite. Acabou ficando muito legal, e muitas outras bandas de Seattle puderam fazer parte daquilo.

12 de janeiro
Hotel Waldorf Astoria, Nova York

Em um discurso que faz piada sobre a proximidade da mesa do Pearl Jam à mesa dos executivos da Ticketmaster, contra quem a banda ainda lutava, Eddie Vedder apresenta Neil Young ao Rock and Roll Hall of Fame. Stone Gossard e Jeff Ament se juntam a Young e sua banda Crazy Horse para tocar "Act of Love", uma nova canção que eles gravariam duas semanas depois, durante as sessões para o que se tornaria o álbum *Mirror Ball*. Vedder, Gossard e Ament também participam com Young em "Fuckin' Up".

Eddie Vedder: Ele nos ensinou muito coletivamente como banda sobre dignidade, comprometimento e a viver o momento. Não sei se houve outro artista nomeado ao Rock and Roll Hall of Fame para comemorar uma carreira que ainda seja tão vital quanto ele é hoje. Algumas de suas melhores canções estão em seu último disco.

14-15 de janeiro
DAR Constitution Hall, Washington, DC

O Pearl Jam se junta a Neil Young and Crazy Horse, L7 e Lisa Germano em dois shows beneficentes para a Voters for Choice, um comitê de ação política fundado pela presidente do VFC, Gloria Steinem, e por Kristina Kiehl, dedicado aos direitos do aborto e a eleger candidatos favoráveis à escolha. Os ingressos estão disponíveis apenas através de uma loteria pelo correio; 175 mil cartões-postais são recebidos para os 7.400 lugares. O show de 14 de janeiro é o primeiro set completo de Jack Irons com o Pearl Jam diante de uma plateia, mas algumas pessoas vaiam quando Gloria Steinem o apresenta. Mais tarde, Vedder diz à plateia que aprecia sua demonstração de apoio a Dave Abbruzzese, mas que "Jack Irons salvou a vida de sua banda, então agradeçam a ele". Mais cedo naquele dia 14 de janeiro, Vedder, Gossard, Germano, Steinem e integrantes do L7 estão presentes em uma entrevista coletiva no 9:30 Club para discutir direitos do aborto. "Sei como é não ser ouvido, então se puder levantar a mão e me manifestar em prol de algumas dessas pessoas que não têm uma voz no momento, nesse caso quase sinto uma responsabilidade", diz Vedder.

26-27 de janeiro, 7, 10 de fevereiro

O Pearl Jam e Neil Young gravam o que se torna o álbum *Mirror Ball* com o produtor

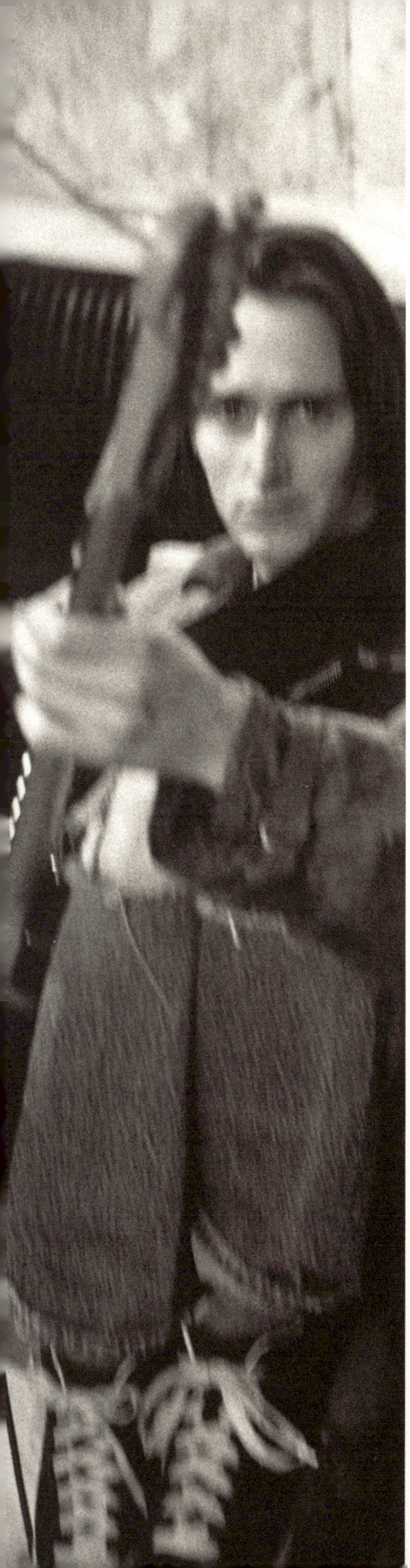

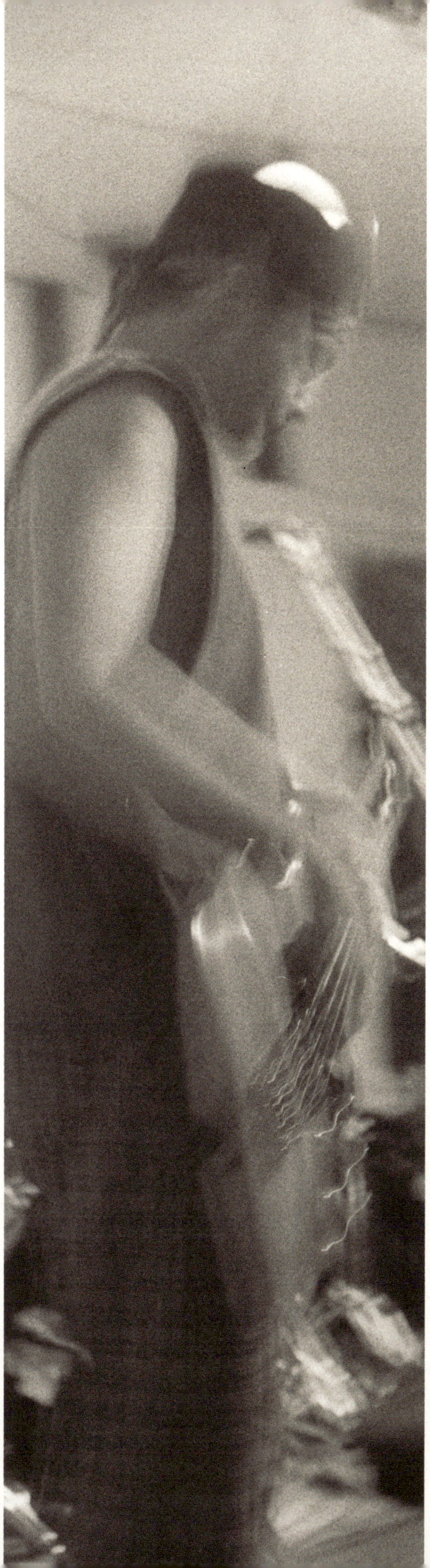

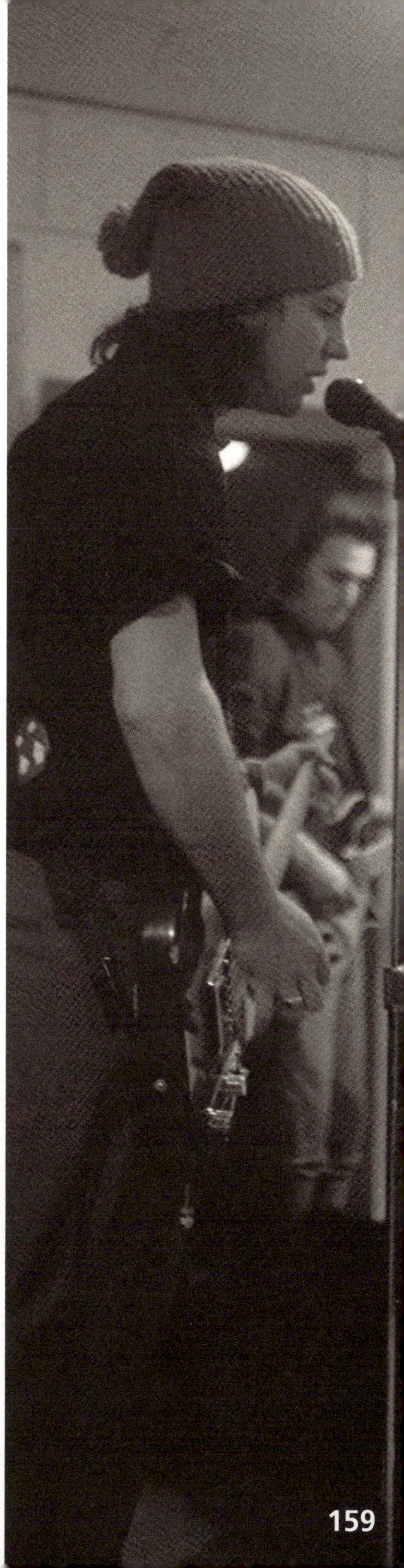

PISS BOTTLE MEN
FEB 5 & 6   8 PM

MOORE HOTEL

Brendan O´Brien no estúdio Bad Animals, em Seattle.

2 de fevereiro

Vitalogy é certificado ao mesmo tempo com o disco de platina, disco de platina duplo, triplo e quádruplo pela Recording Industry Association of America (RIAA) pela comercialização de 4 milhões de cópias.

5-6 de fevereiro
Moore Theatre, Seattle

Como aquecimento para sua iminente turnê no Extremo Oriente, o Pearl Jam, anunciado com Piss Bottle Men, faz dois shows caseiros diante de membros locais do fã-clube, que receberam ingressos grátis pelo correio. "Lukin" é tocada pela primeira vez no show de 5 de fevereiro, assim como um cover do sucesso da carreira solo de Pete Townshend, "Let My Love Open the Door". Na cidade para terminar o trabalho em *Mirror Ball*, Neil Young se junta à banda no segundo show para tocar "Act of Love". No dia 8 de fevereiro, o Pearl Jam se envolve em mais um show de última hora em Missoula, Montana, que conta com a performance única do cover de Bob Marley, "Redemption Song". A banda de abertura é o Shangri-La Speedway, que conta com o velho amigo de Jeff Ament, Tim Bierman, que acabaria se tornando o gerente do Ten Club.

Tim Bierman: Jeff foi muito gentil de vir e tocar conosco. Tocamos um cover de "Bad Liquor", uma música do American Music Club e de "I Wanna Be Your Dog", dos Stooges, com Jeff na guitarra. Por sorte eu conhecia gente suficiente na plateia para que gostassem de nós e não se virassem contra nós, porque isso definitivamente poderia ter acontecido.

18 de fevereiro
Izumity 21, Sendai, Japão

O Pearl Jam começa sua primeira turnê do Extremo Oriente, abrangendo o equivalente a um mês de shows no Japão, nas Filipinas, Singapura, Tailândia, Austrália e Nova Zelândia. "I Got Id", que tinha acabado de ser gravada durante as sessões de *Mirror Ball*, foi tocada pela primeira vez no dia 21 de fevereiro, em Osaka, no Japão. Quatro dias depois, em Manila, 8 mil fãs lotam o Folk Arts Theatre, enquanto milhares mais cantam junto do lado de fora.

Jeff Ament: Quando decidimos fazer aqueles shows, queríamos que fossem acessíveis. Os de Manila e Bangkok custavam entre dez e 15 dólares. Perdemos um bom dinheiro porque tivemos que colocar equipamentos em aviões e barcos. Então teríamos dois dias de folga com toda a equipe. Mas aquelas ainda são algumas das coisas mais memoráveis que fizemos como banda. Você olha em volta e não vê nenhuma pessoa branca. As pessoas dentro da casa de shows estão não só cantando, mas milhares de pessoas do lado de fora também estão. Eu me lembro de Eric Johnson me contando em Manila que todo mundo do lado de fora estava cantando junto durante o show. Eles formavam pirâmides humanas para ver sobre o muro, tipo cinco pessoas de altura. Eu me lembro de caminhar por Manila e pessoas nos seguirem. Aconteceram muitas interações interessantes naquela turnê e eu não tinha como ficar mais pasmo. Tínhamos uma banda que estava nos levando a lugares a que nunca seríamos capazes de ir sem ela.

28 de fevereiro

O antigo baixista do Minutemen e do fIREHOSE, Mike Watt, lança seu primeiro disco solo, *Ball-Hog or Tugboat?*, que conta com Eddie Vedder nos vocais na música "Against the ´70s". O disco é um álbum de figurinhas do rock alternativo e do punk rock, incluindo Dave Grohl e Krist Novoselic, do Nirvana, Henry Rollins, Frank Black, dos Pixies, J Mascis, Flea e Thurston Moore, do Sonic Youth.

Mike Watt: Eddie e eu nos conhecemos em um show; algum show beneficente no Hollywood Palladium. Quando estava morando em San Diego, ele me viu tocar com o fIREHOSE. Naquela noite eu lhe disse que quase conseguia ouvi-lo cantando a música "Dirty Blue Gene" do Captain Beefheart. Mais adiante, lancei uns convites do tipo "entrem no ringue com Watt" para as pessoas. Eles simplesmente apareciam sem conhecer as músicas. Era uma espécie de experimento, porque eu não tinha uma banda naquela época. Eu pensei, se o baixista conhece a música, então qualquer um pode tocá-la. Eddie apareceu com a letra toda daquela música do Captain Beefheart anotada, mas tocamos outra música que eu tinha composto no lugar dela. Ele achou uma roupa de borracha no lixo no beco, e acho que aquilo estava cheio de insetos e essas merdas. Ele teve que tirar o traje porque estava se coçando todo enquanto cantava.

10 de março
Sydney Entertainment Center, Sydney, Austrália

O baixista do Red Hot Chili Peppers, Flea, faz uma participação com o Pearl Jam em um cover atrapalhado de "The Needle and the Damage Done", de Neil Young, logo depois de um bolo de aniversário ser presenteado a Jeff Ament e seu rosto ser afundado nele. Flea permanece no palco para um cover de "Let My Love Open the Door", de Pete Townshend, quando o palco já estava coberto de migalhas de bolo.

14 de março

O Mad Season, composto pelo vocalista do Alice in Chains, Layne Staley, o guitarrista do Pearl Jam, Mike McCready, o baixista John Baker Saunders e o baterista do Screaming Trees, Barrett Martin, lança seu disco de estreia pela Columbia, *Above*. O álbum acaba recebendo disco de ouro pela Recording Industry Association of America pela venda de 550 mil cópias do disco nos Estados Unidos, e dá vida aos hits do rock mainstream, "River of Deceit" (número 2) e "I Don´t Know Anything" (número 20).

Mad Season

Mike McCready: Gravamos toda a música do Mad Season em cerca de sete dias. Layne precisou de apenas mais alguns dias para terminar seus vocais, o que foi intenso, pois apenas tínhamos ensaiado duas vezes e feito quatro shows. Então essa foi a coisa mais espontânea em que já me envolvi. Foi feito ainda mais rápido do que o disco do Temple of the Dog, que levou cerca de quatro semanas.

1995

161

16 de março

Vs. é certificado com o disco de platina sêxtuplo pela Recording Industry Association of America (RIAA) pela venda de 6 milhões de cópias nos Estados Unidos.

16-17 de março
Flinders Park Tennis Centre, Melbourne, Austrália

Depois de tentar oito noites antes em Adelaide, mas interromper porque Vedder não conseguia se lembrar da letra, o Pearl Jam vai até o fim em um cover do clássico do Split Enz "I Got You". Dave Grohl faz uma aparição surpresa na bateria durante a última música do show, "Sonic Reducer". A performance da noite seguinte no mesmo local é transmitida pela estação de rádio australiana JJJ, e mais uma vez tem Grohl fazendo uma participação, dessa vez em "Rockin' in the Free World".

Dave Grohl: Minha namorada e eu éramos próximos da dra. Sharon Zadanoff, uma acupunturista e quiroprática holística que já era muito próxima do Pearl Jam. Achamos que poderíamos ir até a Austrália e surpreendê-la. Nós voamos aquele tempo todo até a Austrália, pousamos em Sydney, dirigimos até a porra de Melbourne como idiotas por dezesseis horas, fizemos check-in no hotel e fomos ver o Pearl Jam. Fomos até o camarim e Jack Irons fala para mim "Tem alguma chance de você tocar uma música essa noite? Meus pulsos estão fodidos". Aquelas eram minhas férias. Eu não tocava diante de pessoas há um ano. Mas toquei "Sonic Reducer" e foi divertido pra cacete. Não estou brincando; foi talvez a plateia mais alucinada que já vi em uma arena. A certa altura, o público veio se derramando sobre as paredes onde estavam os assentos para chegar mais perto do palco. Foi perigoso. Foi uma loucura do cacete.

21 de março

A trilha sonora do filme *Diário de um adolescente* é lançada pela Island Records, com a participação do Pearl Jam (com Chris Friel na bateria) e da banda de apoio do personagem do filme, o escritor Jim Carroll, na música "Catholic Boy".

22 de março
Entertainment Centre, Brisbane, Austrália

Dave Grohl está de volta mais uma vez para tocar bateria com o Pearl Jam em "Against the '70s" de Mike Watt, tocada aqui pela banda pela primeira vez, e "Sonic Reducer".

24-25 de março
Mt. Smart Super Top, Auckland, Nova Zelândia

Neil e Tim Finn, do Split Enz, se juntam ao Pearl Jam nos dois shows em Auckland para tocar suas canções "I Got You" e "History Never Repeats". Na tarde do segundo show, Vedder é carregado até várias dezenas de metros da costa enquanto está nadando com Tim Finn, mas é resgatado pelos salva-vidas.

Neil Finn: Meu filho Liam, que tinha 11 anos naquela época, era um grande fã do Pearl Jam. *Vitalogy* tinha acabado de sair. Recebemos uma mensagem do produtor do show dizendo que Eddie estava muito interessado em nos encontrar. Se eu e Tim queríamos ir até o show e talvez subir no palco e cantar algo com ele. Eu provavelmente ficaria interessado nisso de qualquer forma, mas Liam jamais me deixaria recusar.

Eddie é um rapaz muito encantador, mas estava muito estressado naquela época. Havia muitos problemas de segurança naquela turnê, e ele não estava confiante de que as barricadas na frente do palco aguentariam a pressão. Mas foi muito gracioso e convidativo conosco. Nós ensaiamos duas ou três músicas em seu camarim, e tocá-las foi fantástico. Devo admitir que não fazia ideia de que o Pearl Jam fosse uma banda tão boa em tocar de forma espontânea e improvisada. Fiquei bastante impressionado na lateral do palco. Aquela foi uma boa introdução.

Aquela noite teve um desfecho engraçado. A resenha do *Herald* no dia seguinte era muito positiva, mas trazia um comentário disparatado sobre como o show tinha terminado comigo e com meu irmão Tim. Foi uma coisa esquisita, mas acho que o Pearl Jam provavelmente pretendia voltar ao palco para um bis. "History Never Repeats" acabou sendo a última música do show. A resenha fez um comentário muito malicioso, dizendo que aquele era um belo gesto, mas fez com que o show terminasse com um lamento e não com um estouro, o que me deixou realmente irritado! Já tive críticas negativas antes e sei lidar com isso, mas não quero ser a causa de uma crítica negativa para outra pessoa! Eu mandei uma carta bem desagradável para o sujeito. Essa foi a primeira e única vez que escrevi uma carta para um crítico, e eu lhe passei uma descompostura e tanto.

Depois do primeiro show, Eddie foi para casa conosco. Sharon, minha mulher, tem um bom olho para pessoas que estão meio atormentadas, e achamos que ele poderia gostar de ficar em uma casa. Liam ficou incrivelmente feliz por ele ficar com seu quarto. Nós conversamos e fomos à praia. Foram 24 horas realmente boas. Assim que ele chegou à casa, ficou bem relaxado e engraçado. Acho que aquilo era um fardo para ele naquela época, a fama instantânea. Ele tinha uma resposta muito sadia à enorme celebridade, que era ficar cauteloso com situações.

Tim Bierman: Três grupos separados de pessoas apareceram na praia. Os amigos de Jeff, os amigos de Stone e Ed e os Finn — tipo 25 pessoas. Encontramos um sujeito que estava viajando conosco chamado Rob Lamb, uma personalidade do rádio que também era músico. Ele era metade maori, e era coberto de tatuagens. Rob havia tido um ataque epilético e sofrera um acidente de moto, perdendo uma perna. Então ficou viciado em morfina e pegou hepatite C. Ele ficou só de cueca branca e estava mostrando a todo mundo como nadar na arrebentação. Mas a corrente estava inacreditável. Ed se afastou muito, e sabia o que tinha que fazer para voltar à praia, mas teria levado uma hora. Foi por isso que levantou a mão e gritou para que fôssemos buscá-lo. Quando Ed encontrou Rob, cujo programa de rádio ironicamente era chamado de *Leg of Lamb* (Perna de Cordeiro), ele ficou muito sério. Ed falou "Ei, Rob, o que aconteceu à sua perna?". E ele disse "Oh, apenas removi algumas tatuagens".

4 de abril

O Pearl Jam se alinha com a empresa de venda de ingressos novata ETM para uma turnê de verão norte-americana de 13 apresentações, que vai passar exclusivamente por casas de show que não sejam da Ticketmaster. A ETM providencia linhas de telefone totalmente automatizadas com a possibilidade de suportar 4 mil ligações recebidas ao mesmo tempo, código de barras nos ingressos para deter os cambistas e uma taxa fixa combinada de serviço e entrega de 2,50 dólares por ingresso. Os preços são fixados em 18 dólares para lugares fechados e 21 dólares para lugares ao ar livre, com capacidades variando entre os 12 mil assentos no Boise State University Pavilion, no Idaho, até os mais de 50 mil no Polo Fields do Golden Gate Park em São Francisco. "Obviamente o que estamos fazendo é arriscado", reconhece o empresário Kelly Curtis. "E tenho certeza de que algumas

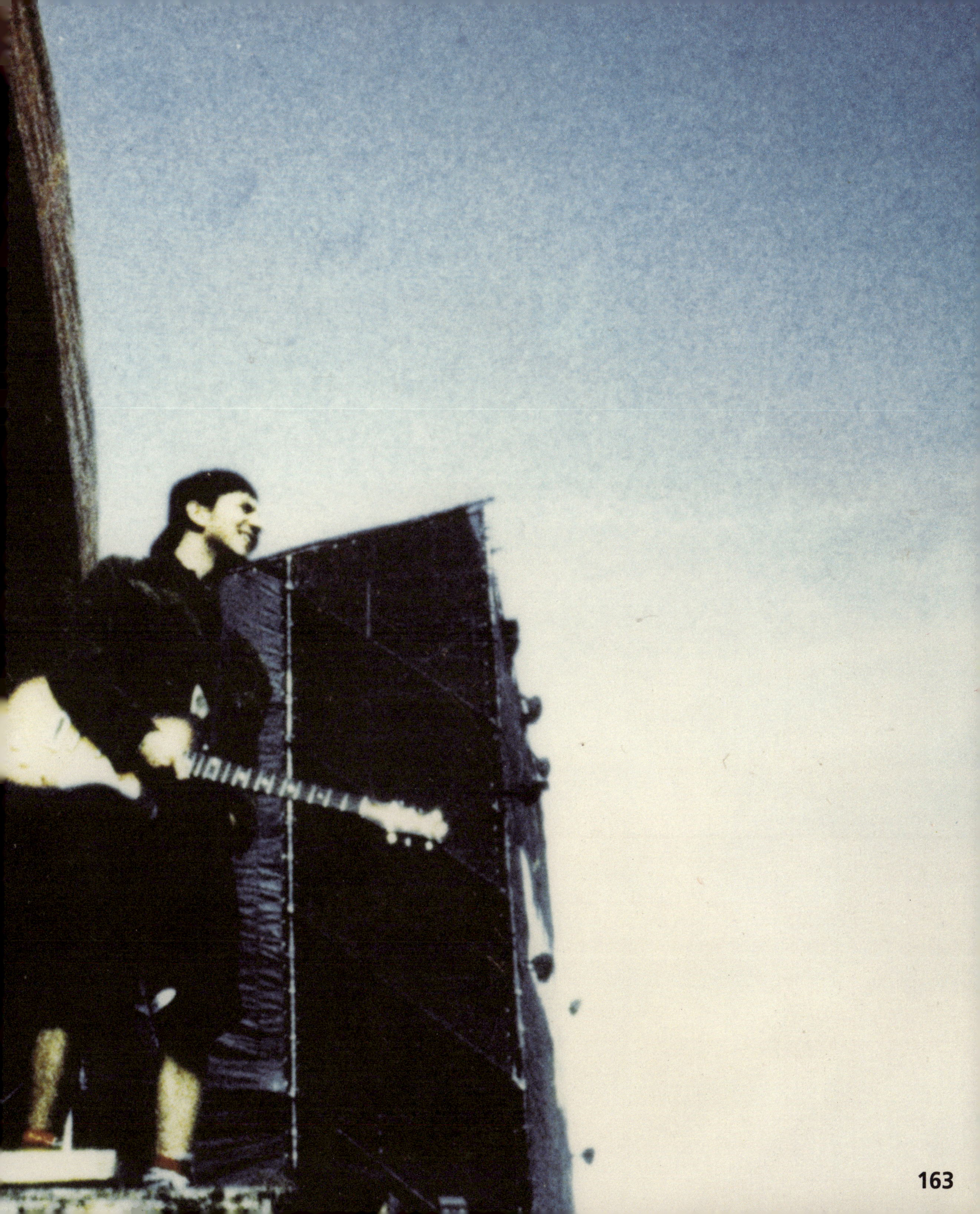

pessoas estão realmente esperando que isso dê errado. Mas sinto que estamos fazendo a coisa certa."

12 de abril
Gibson's, Tempe, Arizona

Eddie Vedder se junta a Mike Watt para tocar guitarra em sua banda em uma turnê norte-americana para divulgar *Ball-Hog or Tugboat?*. A turnê em pequenas casas de show também tem Vedder disfarçado com uma peruca e usando o codinome "Jerome230", tocando bateria com a banda de noise rock instrumental Hovercraft. Para o set de Watt, Vedder é acompanhado pelo ex-guitarrista dos Germs e do Nirvana, Pat Smear, e pelo ex-baterista do Nirvana, Dave Grohl, que também toca antes de Watt com sua banda nova em folha, o Foo Fighters. Relembrando seus primeiros dias como artistas em turnê, os músicos viajam de van e se divertem com walkie talkies durante as longas viagens até a próxima cidade. Mas a participação de Vedder permanece um segredo por apenas alguns dias, e as casas de show ficam lotadas de fãs do Pearl Jam, ou de fãs de Watt que se ressentem da distração causada por Vedder. Depois de aguentar insultos e moedas sendo jogadas nele, Vedder se retira da turnê após um show no dia 20 de maio em San Diego.

Dave Grohl: A conversa começou sobre talvez pegar a estrada: E se eu tocasse bateria, Eddie tocasse guitarra e Watt tocasse baixo? Seria uma boa banda, não? Eu estava começando o Foo Fighters naquela época, então achei que os Foos podiam abrir os shows e eu tocaria bateria com Watt. Isso nos daria uma chance de recomeçar e fazer isso da maneira certa, em vez de lançar um disco, programar uma turnê e pegar um jato para tocar diante de 20 mil fãs do Nirvana toda noite. Vamos fazer o que vem naturalmente para nós, que é ensaiar em uma porra de estúdio e subir em uma van com Mike Watt. Fazia total sentido. Com o Hovercraft estando ali também, foi uma família bem unida que tivemos por aquele mês e meio. Foi uma primeira turnê perfeita com a banda. Foi nessa ocasião que sinto que realmente conheci Eddie. Ele é um sujeito bastante engraçado, gentil e bondoso. É fácil olhar para pessoas como Eddie, Springsteen ou Leonard Cohen e imaginá-los com o peso do mundo em seus ombros 24 horas por dia, quando na realidade são apenas caras muito legais. Conversar com Eddie é divertido pra caramba. Quero dizer, o cara é uma figura.

Mike Watt: Posso imaginar que as pessoas que vieram aos shows para ver Eddie teriam falado "Quem é esse sujeito esquisito no baixo?". Foi um pouco de ingenuidade, talvez, achar que aquelas pessoas iam entender que se tratava apenas de parceiros tocando. O culto à celebridade era algo com que eu não estava acostumado. E a forma como eu tinha excursionado nos velhos tempos era tocar todas as noites. Quando você não está tocando, está pagando. Aquilo era um pouco intenso para eles. Mas acho que Eddie estava se sentindo mal por minha causa, também. Deus, jogaram todo tipo de merda em mim, incluindo sacos de cocô e vômito, pilhas de lanterna, copos de mijo. Em Seattle, eu repreendi um garoto. Talvez ele quisesse dizer a seus amigos na escola no dia seguinte que tinha usado uma camiseta que tinha escrito "Fuck you, Eddie".

Eddie Vedder: O que me irritou não foram as moedas jogadas e os fãs de Watt sofrendo por causa de um astro do rock corporativo tocando guitarra. Posso aguentar isso. Era mais a imprensa que estava me levando à loucura. O barato do show para mim era o mistério. Você via o Hovercraft, uma banda alucinada com um baterista usando uma peruca, e então o Foo Fighters, uma banda que ninguém nunca tinha visto e que tinha Dave Grohl cantando e tocando guitarra em vez de bateria. E o último show é uma fusão de Dave, Watt e eu. Isso era antes da internet. Ainda era possível guardar segredos. Mas se tocássemos em Detroit, o jornal em Toronto no dia seguinte lhe contaria tudo o que ia acontecer. Watt tinha me contado no início "Se você em algum momento tiver que puxar a cordinha, puxe". Eu gostaria de não ter feito isso. Gostaria de ter permanecido. O que me pegou de jeito foi algo como "Vocês estão de brincadeira?". Ser insultado pelos fãs fiéis de Watt — mas ele me pediu para fazer isso! Dave e eu estamos mostrando nossa aliança e nossa reverência ao seu herói. Estamos do seu lado! Aquilo foi ridículo.

22 de abril

Mais de 9 mil fãs compram ingressos através da ETM para o show do Pearl Jam no dia 16 de junho no Casper Events Center, em Wyoming. O show foi mudado para lá de seu local original no Boise State University Pavilion por causa de questões logísticas relacionadas à forma de a EMT vender ingressos para lá. Alguns dias depois, a ETM faz a transação de 18 mil ingressos em menos de dez minutos para dois shows no meio de junho no Red Rocks Amphitheatre, nos arredores de Denver.

28 de abril

Eddie Vedder, Pat Smear e Dave Grohl são a banda de apoio de Mike Watt para tocar "Big Train" e "The Red and the Black" no programa de TV *The Jon Stewart Show*, transmitido em cadeia nacional.

SAN DIEGO COUNTY SHERIFF'S DEPARTMENT

ENCINITAS STATION

SITUATION BRIEFING
PEARL JAM CONCERTS

PREPARED JUNE 5, 1995

San Diego County Sheriff's Department

Post Office Box 429000 • San Diego, California 92142-9000

William B. Kolender, Sheriff
John M. Drown, Undersheriff

June 5, 1995

Timothy J. Fennell, General Manager
22nd Agricultural District
2260 Jimmy Durante Blvd.
Del Mar, CA 92014-2216

Dear Mr. Fennell,

The Pearl Jam rock concerts planned for the 1995 Del Mar Fair have raised significant crowd control and public safety concerns for the Sheriff's Department. The band has a history of disturbances at its concerts and can be expected to draw tens of thousands of unticketed fans to the already crowded fairgrounds.

After reviewing the tentative security plans for these events and consulting with other public safety officials, it is my opinion that these events can not be adequately policed, given the anticipated crowds and environmental shortcomings of the venue. I have researched the history of this band and similar acts where disturbances have occurred and feel that even a substantial security and police presence will not reasonably insure the safety of both concert fans and other fair patrons.

I have discussed these issues with your Security Manager, Mike Murphy, and documented them in the attached situation briefing report. I strongly advise your board to consult with your legal counsel and carefully evaluate your civil liability in this matter in light of the attached information.

As your contracted provider of law enforcement services, I feel obligated to inform you of this information so that you can properly evaluate the risks of promoting this event.

---

29 de abril
Moore Theatre, Seattle

O Mad Season faz um show em sua cidade que é lançado no dia 29 de agosto de 1995 como o home video *Live at the Moore*.

Jerry Cantrell: Para ser completamente honesto, eu estava um pouco irritado com aquela história de Mad Season no começo. Eu era tremendamente territorial com a nossa música, mas a verdade disso tudo é que Layne queria fazer outra coisa, e o Mad Season era uma forma de conseguir isso. Eu me lembro de ir vê-los no Moore. Eu estava silenciosamente contra aquilo, acho. Eu pensava "Merda! O que você está fazendo, fazendo coisas fora da banda?". Mas então os vi tocar e tive toda uma nova admiração por ele fazer aquilo por conta própria, e com Mike McCready e os outros caras se afastando de suas respectivas bandas. Há muitas pessoas criativas em Seattle. E mesmo dentro de uma banda, as pessoas têm visões musicais diferentes ou coisas que não são expressadas na banda em que tocam. Aquele foi um processo saudável para Layne. Fiquei muito impressionado com o disco.

5 de junho

Citando questões não resolvidas envolvendo segurança, o Departamento de Segurança do município de San Diego pede aos organizadores do Del Mar Fairgrounds, perto de San Diego, para cancelar os shows do Pearl Jam programados para acontecer lá nos dias 26 e 27 de junho, ambos com ingressos esgotados há semanas. Em um comunicado, o empresário do Pearl Jam, Kelly Curtis, diz "Não estou ciente de suas preocupações específicas, mas se as tivessem divulgado, poderíamos tê-las discutido há meses".

7 de junho
Moe's, Seattle

O Pearl Jam é a banda de apoio de Neil Young em um show secreto para celebrar o iminente lançamento de seu álbum conjunto, *Mirror Ball*. Vedder sobe no palco apenas para fazer backing vocals em "Peace and Love".

12 de junho

O Pearl Jam cancela os shows dos dias 26 e 27 de junho no Del Mar Fairgrounds. Em uma declaração furiosa à imprensa, Vedder diz "Fizemos nossa parte, montamos o show, vendemos ingressos. É um processo longo. Obviamente estamos prontos para tocar. Não queremos fazer inimigos, mas parece que os representantes de San Diego reagiram de forma exagerada, criando uma situação impossível. É uma vergonha, de verdade. Tenham um pouco mais de fé, babacas".

14 de junho

O Pearl Jam anuncia que os shows do Del Mar Fairgrounds foram movidos para a San Diego Sports Arena, uma casa de show sob contrato exclusivo com a Ticketmaster. A banda é capaz de evitar usar os serviços da Ticketmaster ao honrar os ingressos originais vendidos para os shows do Del Mar depois que a Sports Arena recebe o consentimento para fazer isso. No mesmo dia, o empresário Kelly Curtis diz ao *Los Angeles Times* que "é impossível para uma grande banda de rock fazer uma turnê nacional sob as atuais circunstâncias sem a Ticketmaster". Curtis também libera um comunicado dizendo que se o Departamento de Justiça decidir a favor da Ticketmaster, o Pearl Jam "talvez seja forçado a se apresentar em algumas casas de show da Ticketmaster para poder alcançar seus fãs".

16 de junho
Casper Events Center, Casper, Wyoming

Apesar de os comentários de Curtis dois dias antes estarem sendo distorcidos de todas as formas na imprensa, a primeira turnê do Pearl Jam em mais de um ano começa tranquilamente e a banda abre o show com "Long Road", uma das duas novas músicas compostas por Eddie Vedder gravadas durante as sessões de *Mirror Ball*. "Não sei se vocês ouviram falar. Em Nova York e Los Angeles, nos jornais, estão dizendo que nos rendemos à Ticketmaster", diz ele à plateia. "Isso não aconteceu. Acreditem em mim. Isso é uma mentira. Isso é Nova York e Los Angeles. Estamos em Casper, então não damos a mínima para nenhuma dessas merdas." Depois do show, Vedder inaugura uma tradição das turnês ao apresentar uma transmissão pirata de rádio, apelidada de Monkeywrench Radio, de uma van do lado de fora da casa de shows, em que ele toca seus discos favoritos e recebe ligações de fãs. Frequentemente Vedder segue na van até o próximo show enquanto o resto da banda vai de avião.

Eddie Vedder: Achei que isso ia me deixar com os pés no chão, mas pouco tempo depois fiquei isolado e realmente cansado.

17 de junho
Wolf Mountain Amphitheatre, Salt Lake City

Um dilúvio torrencial acompanhado de granizo e trovões força o Pearl Jam a cancelar esse show. Vedder cumprimenta fãs nos portões da casa de show com um megafone e promete que a banda vai "tocar o dobro" quando voltar para compensar a data.

19-20 de junho
Red Rocks Amphitheatre, Morrison, Colorado

O Pearl Jam faz dois shows altamente incomuns na majestosa casa de show ao ar livre perto de Denver. Na primeira noite, a banda estreia o rock incendiário *Habit*, que Vedder tinha tocado pela primeira vez na turnê com Mike Watt, assim como um cover de "Leaving here", uma canção de Holland-Dozier-Holland gravada por uma versão inicial do The Who apelidada de The High Numbers. O Pearl Jam toca sentado durante as seis primeiras músicas do segundo show, incluindo uma versão completamente rearranjada de "Jeremy", um cover de "The Ship Song", de Nick Cave, e uma nova canção chamada "Falling Down", que nunca foi tocada novamente. Então a banda se livra das cadeiras e pluga os instrumentos.

Jeff Ament: Passamos por uma fase, durante o segundo, o terceiro e o quarto disco, em que tentamos retrabalhar aquelas canções populares e fazer coisas diferentes com elas. E nós as desmembrávamos, as tocávamos mais rápido, ou simplesmente as rearranjávamos de formas diferentes. E, sabe como é, toda vez você passava por uma fase em que se apaixonava por uma nova versão e então, de repente, escutava a música de novo a certa altura. E você falava "Cara, a versão antiga é bem melhor". Estávamos tocando uma versão diferente de "Garden" e acabamos voltando à versão original.

24 de junho
Polo Fields no Golden Gate Park, São Francisco

Sofrendo de um caso debilitante de intoxicação alimentar causado por um sanduíche de atum do serviço de quarto, Eddie Vedder aguenta apenas sete músicas antes de dizer ao público de 50 mil pessoas que não podia continuar cantando. "Essas foram provavelmente as piores 24 horas que já passei", diz ele. "Para a sorte de vocês, acho que Neil Young está aqui, então ele vai assumir um pouco". Young realmente aparece com um "Como vocês estão?" tímido e toca 14 músicas com o Pearl Jam como banda de apoio, embora a plateia não esteja nada satisfeita com a mudança de planos. No início do primeiro bis, Jeff Ament é vaiado quando anuncia que Vedder não vai voltar.

Eric Johnson: Eddie me ligou às seis da manhã e disse que queria ir ao hospital. Fui até seu quarto para buscá-lo e percebi um sanduíche de atum com uma mordida. Ele parecia estar morrendo. Eu o levei para a emergência em um táxi e eles colocaram duas bolsas de soro em sua veia. Acho que até fomos liberados. Quando apareci no local do show com Eddie, ele estava no banco de trás de um carro de passeio. Seus joelhos estavam no chão, e ele segurava o banco de couro com as mãos com tanta força que estava na verdade vincando o couro. Foi uma loucura. Neil não sabia nada sobre isso. Ele apareceu com alguns amigos em Harleys, esperando tocar uma ou duas músicas. Foi muito casual. Eu já estava com um pouco de medo do público desse show, porque era gigantesco. Ele me parecia um pouco volátil. Quando Neil percebeu o que estava acontecendo, subiu no palco e simplesmente os cansou.

Jeff Ament: Durante as duas primeiras músicas depois que Eddie saiu — e ainda posso ver o rosto desse sujeito —, havia um sujeito me mostrando o dedo médio o tempo todo. Ele estava a cerca de 3 metros de Neil. Eu fiquei tão irritado. O público não mostrava absolutamente nenhum respeito a esse cara que não tinha que fazer o que fez. Não era uma banda de bar da cidade. Era Neil Young! Vocês estão de brincadeira? Nenhum de vocês perdeu o trabalho por ficar doente uma vez na vida? E mesmo que já tenha perdido, nunca deve ter conseguido alguém tão bom, ou melhor do que você, pra te substituir em cima da hora. Esse foi provavelmente um dos meus pontos mais baixos na banda.

Jack Irons: A parte engraçada disso é que Neil subiu no palco conosco e, além das músicas de *Mirror Ball*, sabíamos apenas uma ou duas canções, então tivemos que repetir algumas. Tocamos muito "Rockin´ in the Free World" [risos].

Mike McCready: Por sorte, Neil Young estava ali. Mais uma vez ele estava em nossas vidas, nos ajudou e nos salvou. Tocamos cerca de doze músicas com ele quando Ed teve que cancelar depois de três, e ficamos com 50 mil fãs furiosos conosco. Até chegar àquele ponto, Jack, Stone, Jeff e eu viajávamos em um jato. Eddie viajava em uma van, fazendo um programa de rádio depois de cada show, depois de cantar durante duas horas e meia, três horas por noite, que foi algo que deixamos passar totalmente. Tivemos que sentar com ele e dizer "Veja, você está fazendo seu programa de rádio, mas está exausto. Você tem vergonha de nós? Ainda quer fazer parte da banda?".

Kelly Curtis: Aquele deveria ter sido um dia glorioso. Ed estava passando muito mal. Eu me lembro de vê-lo enroscado no chão do camarim, e Neil Young de pé ao seu lado lhe dizendo que ele tinha que juntar forças e subir no palco. O show começou e ele estava cantando muito bem. Achei que conseguiríamos passar por aquilo. Ele não é do tipo que desiste. Para ele ter que abandonar o palco diante de 50 mil pessoas... Bem, ele simplesmente entrou no carro e partiu. Fomos obrigados a tomar uma decisão difícil. Ficamos com medo de que houvesse um tumulto caso cancelássemos o show. Neil, graças a Deus, disse "Vamos apenas subir lá e cansá-los". Eles tocaram "Rockin´ in the Free World" umas duas vezes. Fomos vaiados. As pessoas ficaram cansadas e foram para casa. Neil nos salvou de um motim, de verdade.

Neil Young: Aquele foi um dia e tanto. Eu me lembro de Eddie deitado no chão. Pensei que daria pra fazer o show com ele passando mal. Se pudesse, eu o teria colocado em uma maca bem ao lado do microfone, e deixaria os outros rapazes tocarem as músicas e gritarem as letras. Teria sido uma bela obra de arte. Mas ele estava passando tão mal que não pensamos em arte nenhuma. Era mais no estilo "Puta merda! O que está errado com ele?". Eu falei "Sei tocar algumas canções. Podemos fazer isso". Foi uma surpresa, mas foi ótimo. No final tocamos a mesma canção de novo, apenas para que as pessoas soubessem a que ponto a situação estava ferrada. Eu me vi numa posição engraçada, porque não sou Eddie. Mas estava tocando com a banda dele, e tocando músicas que o público não conhece e que nós mal sabíamos tocar, também. Foi uma experiência musical interessante.

25 de junho

Depois de uma reunião intensa da banda logo após o show de São Francisco, o Pearl Jam opta por cancelar os sete shows restantes de sua turnê norte-americana. Em uma declaração, a banda explica que o cancelamento foi "causado pelos problemas empresariais e as controvérsias que cercavam nossa tentativa de organizar uma turnê alternativa".

Mike McCready: Nós fizemos uma reunião de cerca de três ou quatro horas de duração. Todos concordamos que precisávamos de uma folga para colocar a cabeça no lugar. Ed estava tentando manter algo que era mais Fugazi ou uma mentalidade do tipo faça-você-mesmo, que ele ainda mantém. E tentamos fazer isso da melhor forma que pudemos, mas não éramos esse tipo de banda. Éramos uma banda maior do que essas. Havia uma enorme desconexão física, mas também emocional. E ninguém estava de fato falando sobre isso naquela época. Estávamos deixando a coisa rolar. Mas tivemos que lidar com isso quando um show foi cancelado. Achamos que íamos nos separar, essencialmente foi o que pensei. Achei que isso fosse acontecer. Mas não nos separamos. Passamos um tempo afastados e nos juntamos novamente. Acho que Ed percebeu que precisava descansar um pouco e talvez se preocupar um pouco menos com nossa imagem.

Kelly Curtis: Eu me lembro de Neil dizendo "Se não está funcionando, vão para casa. Vocês não têm que se matar agora. Vocês terão uma carreira". Ele deixou claro para os rapazes que não tinha problema parar e se preservar. Isso foi muito importante. Então eles simplesmente pararam e deram um tempo.

Michele Anthony: O motivo todo de fazer uma turnê de casas de show alternativas era que a Ticketmaster alegava que aquilo não era um monopólio e que existiam opções no mercado. Então o Pearl Jam disse: Vamos tentar fazer isso sem a Ticketmaster. Eles honestamente tentaram, mas simplesmente havia obstáculos demais. Na minha cabeça, a tentativa deles de fazer isso na verdade provou seu argumento de um modo perfeito. Se o Pearl Jam, que estava no auge de sua popularidade no mercado, não era capaz de encontrar alternativas, então ninguém era. Se recebemos ligações de Fred Rosen dizendo "Vocês podem falar com sua banda?" Claro. Mas nós íamos nos envolver nisso? Claro que não. Todos nós esperamos que o Departamento de Justiça tivesse chegado a uma resolução melhor.

27 de junho

Depois de terem tempo para digerir as consequências do cancelamento da turnê dois dias antes, o Pearl Jam volta atrás e confirma os shows dos dias 8 e 9 de julho planejados como parte do Milwaukee's Summerfest e um show no dia 11 de julho no Soldier Field, em Chicago. Logo depois disso, o resto das datas canceladas é remarcado para o outono.

27 de junho

A Warner Bros. — Reprise Records lança a colaboração entre Neil Young e Pearl Jam, *Mirror Ball*, apesar de, por razões contratuais, o nome Pearl Jam não aparecer em nenhum lugar da capa nem no encarte. Em vez disso, os integrantes da banda são simplesmente listados pelo nome.

Michele Anthony: Realmente não havia um artista estilo "irmão mais velho" que pudesse ajudar a guiar o Pearl Jam nesse período complicado, e Neil se apresentou e fez esse papel. Recebi uma ligação de Kelly um dia dizendo "Ótimas notícias! Neil quer fazer um disco com a banda". Eu falei "Essa é uma ótima notícia!". Mas ele disse "tem que ser pela Warner Bros". Nessa época, eu estava tão acostumada a receber essas ligações de Kelly porque mês sim, mês não acontecia uma dessas. "Não podemos fazer isso, mas queremos fazer isso." Fico feliz de dizer que todas as vezes conseguimos encontrar uma saída.

5 de julho

O Departamento de Justiça dos Estados Unidos anuncia que a investigação sobre as supostas violações da lei antitruste pela Ticketmaster está sendo abandonada, com a Advogada-Geral da União, Janet Reno, acrescentando "Não temos base para proceder". Observadores da indústria opinam que porque as casas espontaneamente entram em contratos exclusivos com a Ticketmaster, o Departamento de Justiça não tinha muita base para continuar sua investigação. Em uma declaração, o Pearl Jam diz "No fim das contas, aqueles que sofrerão mais com a submissão do Departamento de Justiça são os consumidores de entretenimento ao vivo. Vamos continuar trabalhando em prol de nossos fãs para manter nossos ingressos acessíveis, e acessíveis a todos".

Eddie Vedder: Não perdemos nada porque aprendemos com a experiência. Não havia forma de pessoalmente termos perdido. Não era um jogo de xadrez. Era basicamente um caso de nós tentando agir de maneira responsável em relação às pessoas que vão aos nossos shows, com o mesmo espírito com que nos asseguramos de que temos uma boa barricada, assim como nos asseguramos que as camisetas sejam vendidas a preços razoáveis. Basicamente é mostrar respeito pelos fãs. E, é seguro dizer, muitas dessas pessoas — aquelas que cuidam da Ticketmaster ou das arenas, ou os promotores de shows — não iam a um show como um espectador comum há anos. E que isso fique registrado.

Kelly Curtis: Foi uma batalha de relações públicas insana para a Ticketmaster. Não consigo nem imaginar o quanto eles gastaram lutando contra nós. Eles tinham equipes de gente de relações públicas e advogados no caso. Parecia que seria mais fácil simplesmente fazer a coisa certa, mas provavelmente foi ingenuidade de nossa parte. Independentemente disso, eles serão ligados a nós para sempre com relação a essa questão.

Nicole Vandenberg, gerente de relações públicas: Apesar de existir a percepção de que perdemos o processo, que nunca abrimos, mas do qual concordamos em participar, nós definitivamente ganhamos a batalha de outras formas. Conseguimos ter nossos preços de ingresso separados de todas as taxas de serviço dos ingressos para que as pessoas soubessem a diferença entre eles; acho que conseguimos que todos pensassem mais sobre o que é incluído no preço do ingresso e o que é passado para os fãs; e a experiência nos fez pensar de forma mais estratégica sobre onde e como poderíamos cuidar melhor de nossos fãs através de nosso fã-clube.

8-9 de julho
Marcus Amphitheatre, Milwaukee

Duas semanas depois do fiasco de São Francisco, o Pearl Jam volta ao palco como parte do Summerfest anual de Milwaukee. Comentando as controvérsias recentes, Vedder diz ao público no primeiro show "Não sei o que estão dizendo sobre nós agora, mas o que quer que tenham falado, eles não sabem de nada. É simplesmente ótimo poder estar aqui e nos comunicar com vocês assim e compartilhar a música. Isso é tudo o que importa. Estava sendo esquecido". Nesse show, ele traz os imitadores locais de Neil Diamond, Lightning & Thunder, ao palco no bis para tocar "Forever in Blue Jeans". Depois que Vedder, usando uma peruca, óculos escuros e uma jaqueta cafona, canta "I Only Play for Money" com a banda de abertura, The Frogs, o segundo show começa de forma incomum com "Act of Love" de *Mirror Ball*. Mais tarde, o baterista do Red Hot Chili Peppers, Chad Smith, junta-se ao Pearl Jam para tocar "Little Wing" de Jimi Hendrix, que se emenda no clássico do Funkadelic, "Maggot Brain".

11 de julho
Soldier Field, Chicago

O Pearl Jam termina sua tumultuada turnê de 1995 em alto nível, tocando um set de 31 músicas e duas horas e meia diante de 47 mil fãs no lendário estádio de futebol americano de Chicago. Contando à plateia que o Pearl Jam está tocando no mesmo palco utilizado pelo Grateful Dead dois dias antes, Vedder diz "Achamos que o mínimo que podemos fazer é tocar tanto tempo quanto eles". Pela primeira vez, a Monkeywrench Radio transmite o show ao vivo de sua van no estacionamento. Três músicas não lançadas são tocadas ("I Got Id", "Lukin" e "Habit") e Brendan O´Brien participa de covers de "Everyday People", do Sly & the Family Stone, e "Let My Love Open the Door", de Pete Townshend. Se sentindo inspirada pelo show, no dia seguinte a banda começa a gravar músicas que acabariam sendo lançadas no álbum *No Code*.

12 de agosto
Sjöhistoriska Museet, Estocolmo, Suécia

Sem Eddie Vedder mas com Brendan O´Brien nos teclados, o Pearl Jam começa uma turnê europeia de onze datas com Neil Young para divulgar *Mirror Ball*. A jornada inclui os primeiros shows da carreira do músico em Israel. O setlist apresenta seis ou sete músicas de *Mirror Ball*, além de um punhado de clássicos de Young como "Mr. Soul", "Comes a Time", "Don´t Let it Bring You Down", "Powderfinger" e "Cortez the Killer".

Jeff Ament: Nós tocamos nesse maldito anfiteatro nazista em Nuremberg e em alguns lugares muito loucos. Os shows em Israel foram incríveis. Tocamos em um anfiteatro romano em Caesarea, que fica ao norte de Tel Aviv, bem no Mediterrâneo. Eles queimavam cristãos lá, tipo, todo domingo. Tínhamos umas velas enormes e o mar atrás de nós batendo, e você fica imaginando os cristãos sendo queimados. Neil não fala muito, mas de vez em quando ele falava algo baseado em seus trinta ou quarenta anos fazendo parte de bandas, e provavelmente olhando para trás e vendo todas as formas certas como ele fez coisas, e todas as formas erradas que ele fez coisas. Tivemos muita sorte de poder ouvir os conselhos desse grande sábio.

13 de setembro
Veterans Memorial Coliseum, Phoenix

O primeiro de nove shows remarcados logo após o incidente em São Francisco, todos em casas de show que não eram da Ticketmaster, tem uma das bandas favoritas de Eddie Vedder, o Ramones, abrindo para o Pearl Jam. Durante o bis, Vedder choca os fãs ao anunciar que a partir dali, "Quando vocês quiserem trazer um gravador para um de nossos shows, fiquem à vontade. Talvez assim vocês não tenham que pagar 30 e tantos dólares para um vendedor de gravações piratas. Você pode ter sua própria fita, sua própria memória pessoal". A banda também toca uma música aparentemente nova, "Open Road", pela primeira e última vez.

17 de setembro
Tad Gormley Stadium, Nova Orleans

Um enorme público de 42 mil pessoas lota um estádio de atletismo da universidade para esse show. Vedder brevemente deixa o palco depois de 15 músicas, e Mike McCready assume o microfone para uma jam baseada em "Voodoo Chile", de Jimi Hendrix. Na cidade para supervisionar uma nova bateria de gravações para *No Code*, Brendan O'Brien se junta à banda no órgão em "Better Man" e Joey Ramone se junta ao Pearl Jam para cantar "Sonic Reducer", uma performance capturada no single de fim de ano de 1995 do Ten Club.

13 de outubro

Vitalogy é certificado com álbum de platina quíntuplo pela Recording Industry Association of America (RIAA) pela venda de 5 milhões de cópias do álbum.

1-2 de novembro
Delta Center, Salt Lake City

De volta a Utah para compensar pelo show de junho cancelado pela chuva pesada, o Pearl Jam estreia duas novas músicas que acabariam se tornando clássicos de seus shows: o rock de tempo moderado cheio de slide guitars, "Red Mosquito", e o punk rock furioso, "Brain of J".

4 de novembro
Spartan Stadium, San Jose, Califórnia

Antes do set da banda de abertura, The Fastbacks, Eddie Vedder estreia "Dead Man", da ainda inédita trilha sonora do filme dirigido por Tim Robbins, *Os últimos passos de um homem*, estrelado por Sean Penn. Kim Warnick, guitarrista dos

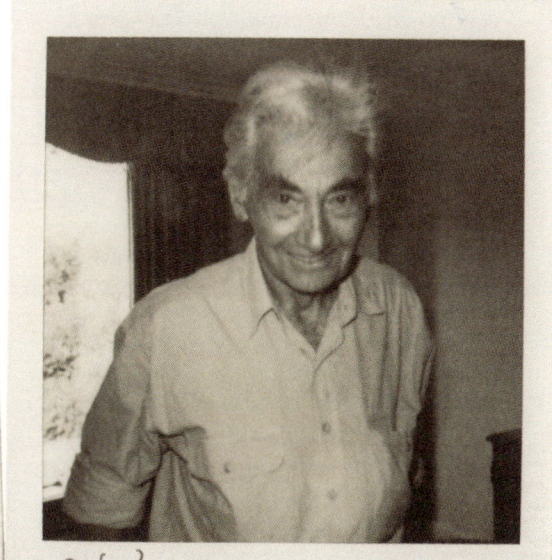

Stone, Jeff, Jack, e Mike com Neil Young e Brendan O'Brien

Fastbacks, e a outra atração de abertura, Ben Harper, fazendo seu primeiro show com a banda, se juntam ao Pearl Jam no bis para um cover de "So You Want to Be a Rock´n´Roll Star", dos Byrds.

Ben Harper: Jeff tinha ido a alguns de meus shows antes daquilo, e foi ele quem me apresentou a Ed e aos rapazes. Foi Jeff que nos colocou para tocar. Nunca vou esquecer isso. Durante as três primeiras músicas era só "Eddie! Eddie! Eddie!". Dava para ver que eram apenas cerca de doze caras, mas a sensação era que eram 12 centenas. Na próxima música, eram talvez seis sujeitos que pareciam seiscentos. E na terceira canção, a sensação era de apenas seis caras. Nos próximos quarenta minutos isso acabou. No fim do set, Jeff estava ao lado do palco levantando o punho para mim, tipo, "Eu estava certo! Eles gostam de você".

6-7 de novembro
San Diego Sports Arena, San Diego

O Pearl Jam completa sua turnê de 1995 com dois shows na cidade em que Eddie Vedder viveu por muito tempo, shows que tinham sido originalmente programados para o fim de junho. A banda doa 50 mil dólares de lucros de ingressos ao grupo de defesa dos oceanos e das praias, The Surfrider Foundation.

5 de dezembro

"I Got Id" e "Long Road", as duas músicas que Eddie Vedder compôs durante as sessões de *Mirror Ball*, são lançadas no EP do Pearl Jam, *Merkin Ball*, pela Epic. Stone Gossard e Mike McCready não estão no estúdio quando essas duas músicas são gravadas, deixando a guitarra solo a cargo de Neil Young. Brendan O´Brien toca baixo em "I Got Id".

Natal

O Pearl Jam lança seu quarto single de sete polegadas exclusivo do fã-clube. Nenhum single foi lançado no ano anterior, então a edição de 1995 é um sete polegadas duplo com uma capa dobrada consistindo de "Sonic Reducer" ao vivo com Joey Ramone, "History Never Repeats" com os cabeças do Crowded House e do Split Enz, Neil e Tim Finn, "Swallow my Pride" com Mark Arm e Steve Turner do Mudhoney, e "My Way" com o imitador de Elvis, Terry Presley.

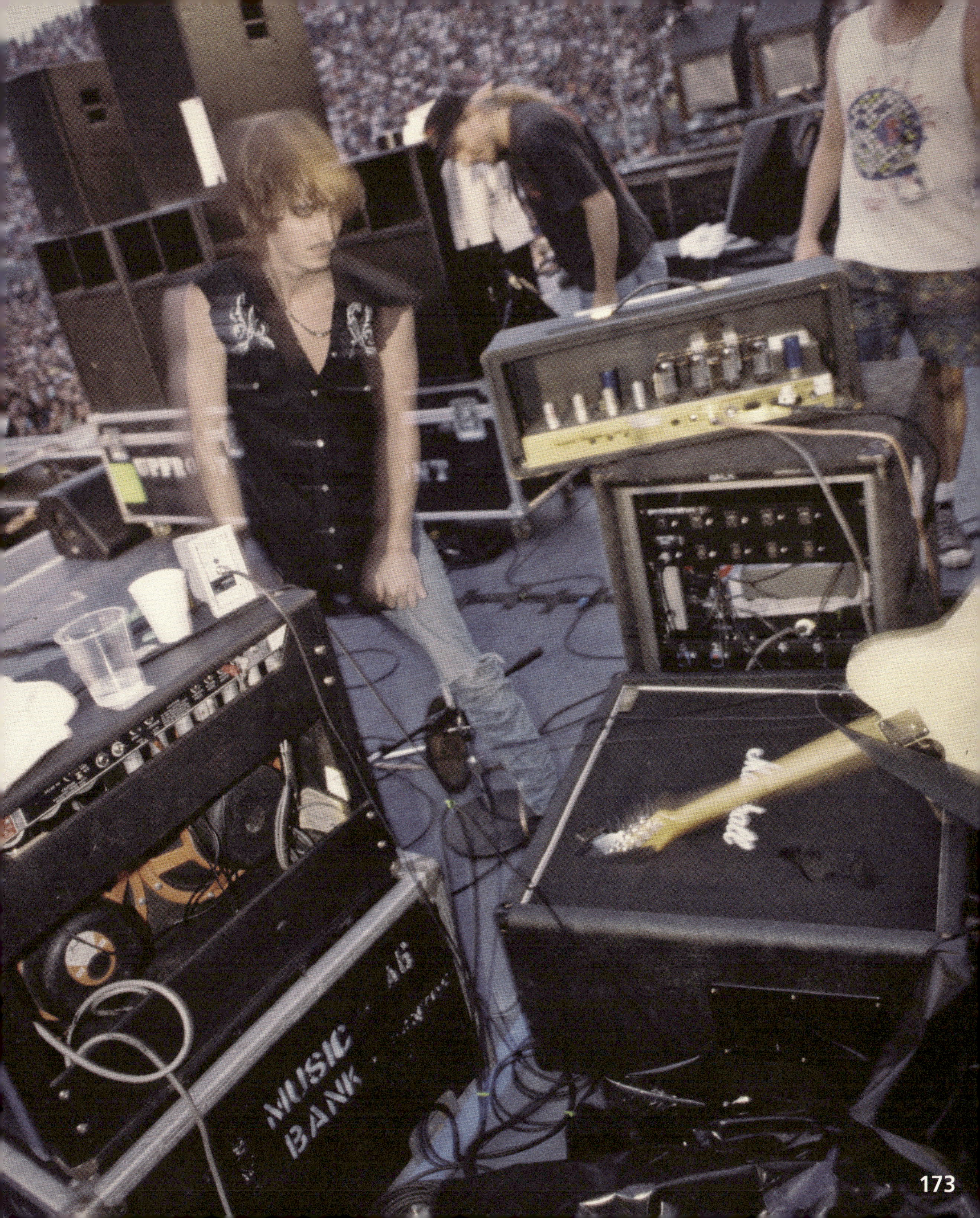
MUSIC
BANK

Mirror Ball

Toda vez que o Pearl Jam e Neil Young se juntavam, fosse para tocarem juntos em uma cerimônia de entrega de prêmios ou para sair em uma série de shows, algo simplesmente parecia estalar. Na verdade, apesar de eles apenas se conhecerem informalmente há cerca de dois anos e de não terem passado mais do que duas semanas juntos nesse período, o Pearl Jam e Young tinham cimentado um laço tão forte no fim de 1994 que parecia o produto de décadas de amizade.

"De certas formas, o Pearl Jam parece mais velho do que eu", divagou Young na época. "Há uma certa sabedoria antiga na forma como eles preenchem alguns espaços e deixam outros. Não é algo que eles aprenderam nessa vida. Através do Pearl Jam, recebi um grande presente."

Naquele mês de outubro, o Pearl Jam tinha escolhido os shows anuais de Young nos arredores de São Francisco, Bridge School Benefit, para apresentar o novo baterista, Jack Irons, ele mesmo um enorme fã de Young que costumava tocar a antologia *Decade* no volume máximo enquanto dirigia em Los Angeles. Logo depois disso, os artistas concordaram em tocar em dois shows beneficentes em janeiro de 1995 para o grupo de defesa dos direitos reprodutivos Voters for Choice em Washington, DC, logo depois da introdução de Young no Rock and Roll Hall of Fame. Naturalmente, Eddie Vedder fez a apresentação.

Primeiro na cerimônia do Hall of Fame em Nova York e então nos shows de Washington, Young tocou uma nova canção, uma explosão de dois acordes intitulada "Act of Love". O Crazy Horse era a banda de apoio de Young no Waldorf Astoria, mas algumas noites depois, Young pediu ao Pearl Jam para fazer as honras em Washington. Ávido por manter a colaboração acontecendo, Young informou aos integrantes do Pearl Jam que gostaria de ir a Seattle imediatamente para gravar com eles.

"Quando toquei com eles no Rock and Roll Hall of Fame, tocamos muito bem", diz Young. "Toquei com o Crazy Horse nos shows de Washington e não tivemos boas noites. Foi medíocre, pelo que me lembro. O Crazy Horse tem toda a energia do mundo, mas tudo tem que estar certo. E não estava certo naquelas noites. Então pensei: Bem, vou ver se o Pearl Jam quer fazer um disco. Eles estão animados, têm muita energia e são muito sólidos e focados".

O produtor de longa data do Pearl Jam, Brendan O´Brien, ouviu então da boca do empresário da banda, Kelly Curtis, que Young provavelmente ligaria para ele na próxima hora e o convidaria a produzir as sessões.

"Cheguei até a idade de 31 ou 32 anos sem ninguém me ligar", reflete O´Brien. "Foi de ninguém está ligando a Bob Dylan está ligando. Elvis Costello está ligando. Então Neil Young está ligando. Aquele foi realmente um momento incrível. Antes daquilo, ele disse aos rapazes do Pearl Jam e a Kelly 'Quero fazer isso do jeito do Pearl Jam. Quero usar o cara deles e o estúdio deles'. Ele queria nosso processo para seu disco."

Young diz "Decidi que, em vez de tornar tudo mais difícil usando o meu próprio produtor, usaria o deles. Nós nos livramos de tudo que era individual do meu lado e de tudo que me prendia, então era apenas eu entrando lá sozinho. Eu nem acho que levei um roadie. Economizamos alguns dias fazendo isso. Brendan já conhecia os sons que os rapazes gostavam de ouvir. A ideia toda era fazer isso o quanto antes, e da forma mais fresca possível. Não queria que isso se arrastasse".

Foi realmente simples assim. No dia 26 de janeiro, Young e os integrantes que não cantavam do Pearl Jam começaram a gravar no estúdio Bad Animals, em Seattle, sem ter ensaiado e nem mesmo conversado sobre qual era o plano. No início, Young tinha apenas "Act of Love" e "Song X", um comentário mordaz a respeito de oponentes da liberdade reprodutiva configurada em uma cadência de ida e vinda como um canto de marinheiros.

Jeff Ament se recorda de Young dizendo à banda "Quero apenas ir a Seattle e simplesmente gravar do jeito de vocês. Vou levar apenas meu amplificador e minha guitarra e vamos arrasar". Com as duas primeiras músicas terminadas, Young disse "Quer saber? Acho que vou ter mais umas duas amanhã".

"Ele estava com seu barco em Seattle — ele voltava para seu barco todas as noites, por quatro ou cinco noites, e compunha duas canções", diz Ament. "Ele chegava com umas folhas grandes e compridas de letras e algumas progressões de acordes. Muitas vezes trazia canções de três acordes que não mudavam. "I´m the Ocean" tinha seis páginas de letras presas com fita, sem quase nenhum verso que se repetia na canção inteira. Ele pendurava esse material em seu pedestal de microfone. Ele tinha escrito essas páginas na noite anterior. Neil escrevia os acordes em um pedaço de papel, nós ensaiávamos duas ou três vezes, e é isso o que está no disco.

"Em um momento não conhecíamos Neil muito bem, e no momento seguinte estávamos em uma sala com ele, onde ficamos durante cinco dias, tocando o que acabaria sendo o disco *Mirror Ball*", continua Ament. "Fiquei resfriado em dois daqueles dias, então aquilo tudo parecia um sonho para mim."

Que o Pearl Jam estava de repente, para todos os atos e efeitos, sendo liderado por Young era uma reviravolta peculiar e que não passou despercebida pelos participantes, particularmente por Vedder, que estava lidando com uma situação pessoal assustadora envolvendo um fã obsessivo e não estava muito ávido por sair de casa, mesmo para uma situação como aquela.

"Neil é a única pessoa que seria um grande fã da banda e então se livraria de Eddie", disse Stone Gossard. "Seria bom colaborar com o Pearl Jam, mas você acha que gostaria de ter Ed envolvido. Neil gosta de fazer as coisas de seu jeito. Isso simplesmente lhe mostra como um artista pode ser espontâneo e dizer 'É assim que meu próximo projeto vai ser. Vamos fazer um disco estranho em que apenas toco as músicas para eles três vezes, e então eles entram na jogada e tudo que eu faço basicamente é criar a sequência de acordes. E então, bem quando eu acho que eles aprenderam a música, usamos a tomada que gravamos duas ou três tomadas antes e é isso, está pronto'. Isso simplesmente passou por nós tão rápido que nunca tivemos a chance de pensar sobre o que estávamos fazendo."

Ao contrário de seus companheiros de banda, Irons nunca tinha se encontrado com Young antes dos shows da Bridge School em 1994, e ele admite que ser jogado no estúdio com a lenda do rock era intimidador em alguns momentos. "Fizemos aqueles shows em Washington, DC. E naquela época eu estava me sentindo muito confiante. Estávamos nos saindo bem com Neil", diz ele. "Durante as sessões de gravação eu fiquei um pouco mais nervoso. Era um pouco mais íntimo. Lá vinha Neil e dizia 'Certo, vamos gravar na fita e é isso o que eu quero'. Eu provavelmente descobri naquela época que um sujeito como esse sabe exatamente o que quer, porque já tocou com tantos músicos excelentes que poderia se livrar de mim se eu não estivesse servindo para ele. Mas ele não era nem um pouco assim. Ele dava muito apoio. Ele queria tocar. Foi muito rápido — talvez rápido demais."

O ritmo das coisas poderia ter sido de certa forma incomum para o Pearl Jam, mas estava ótimo para Young, que na verdade preferia dessa forma; tanto que ele se lembra das sessões principalmente por "aquela parede sonora que tínhamos. Minhas músicas são muito simples comparadas às do Pearl Jam. As minhas são enganosamente simples — algumas vezes apenas dois acordes. Eu toco guitarra com muito mais frequência do que Eddie, então agora tinha outra guitarra no mix e eles já tinham duas. Em minha história com três guitarras, a única banda em que isso funcionou foi o Buffalo Springfield. Na maioria das vezes isso se torna uma grande bagunça. Mas todos tocavam apenas o que achavam que deveriam tocar. Stone e Mike são guitarristas incríveis, o que tornou nossa tarefa fácil. Isso simplesmente aconteceu; um pequeno solo aqui, um pequeno solo ali".

Os músicos tinham completado sete músicas durante as gravações em 26 e 27 de janeiro. Young então saiu de Seattle brevemente, mas voltou no dia 7 de fevereiro com várias faixas adicionais, que foram gravadas naquele dia e depois no dia 10 de fevereiro. E assim, depois de quatro dias no estúdio, *Mirror Ball* estava pronto.

Em músicas como "Throw Your Hatred Down" e "Downtown", as letras de Young exploram a diferença das gerações entre pessoas de sua época pós-Segunda Guerra Mundial e as pessoas de 20 e poucos anos deixando sua marca nos anos 1990 — uma diferença que ele e o Pearl Jam conseguiram superar. "Todas essas músicas existiram por causa do Pearl Jam, então eu estava com esse lance de diferença de gerações na cabeça o tempo todo", diz Young.

Young se recorda de uma era passada do rock'n'roll em "Downtown", que faz referência a Jimi Hendrix, Led Zeppelin e aos "hippies" que só vão aos shows porque "querem ser vistos". "Essa é uma espécie de canção adolescente", diz Young. "Mas ela também é um pouco viajante e divertida. Talvez não tenha a mesma qualidade de algumas das outras canções. Mas é muito cândida. Ela tem uma bela forma de voltar e se repetir."

Em outra parte, a jam de mais de sete minutos, "I´m the Ocean", com versos como "I´m a drug that makes you dream" [Sou uma droga que o faz sonhar] fala sobre o poder da música como uma força unificante. "Música foi o que me uniu ao Pearl Jam", diz Young. "E é engraçado, porque não sei tocar nenhuma dessas músicas com nenhuma outra banda. Apesar de algumas delas serem apenas canções folk quando as apresentei, elas foram tocadas com esse dinamismo e essa energia do Pearl Jam que realmente as impulsionou."

Bem no fim das sessões de *Mirror Ball*, Vedder fez sua primeira aparição, ajudando Young a terminar a música "Peace and Love" e cantando a poderosa ponte: "I took it all, I took the oath / I took it all, ´til I had most / I took what´s left, I gave it breath / I had it all, once I gave it back" [Eu levei tudo, eu fiz o juramento / Eu levei tudo, até ter a maior parte / Levei o que sobrou, lhe dei alento / Eu tive tudo, assim que devolvi].

"Nós escutamos 'Peace and Love' e ele gostou da parte da letra que eu tinha escrito", diz Vedder. "Eles contaram as músicas que havia, e eram nove. Neil olhou bem para mim e disse 'Você escreve uma e teremos dez'. Naquela época eu não compunha uma música há três ou quatro meses. Então subi até um quartinho e escrevi 'I Got Id' em cerca de vinte minutos. Tudo que é necessário é alguém como Neil apontando para você, e então lá está. Foi só provavelmente uns três anos depois que eu percebi que o refrão é quase o mesmo de 'Cinnamon girl', mas eu não fazia ideia disso na época."

A música foi gravada com Young na guitarra solo e O´Brien no baixo, substituindo Ament, que estava debilitado pela gripe. "As únicas pessoas lá eram Jack, eu, Eddie e Neil", diz O´Brien. "Nós quatro entramos na sala e fizemos o que acabou se tornando 'I Got Id'. Eu me lembro de achar que aquilo era bem incrível. Nesse momento, apenas por um minuto, estou em uma banda com Eddie Vedder e Neil Young [risos]."

"Neil e Eddie estavam compondo na hora", acrescenta Irons. "Neil chegava e causava um rebuliço na sala com sua inspiração musical, então seguíamos com aquilo. Eddie também seguia aquilo."

Outra nova canção de Eddie, "Long Road", foi a reação musical espontânea ao receber a notícia da morte de Clayton Liggett, seu professor de teatro na escola em San Diego. Vedder pegou seu violão e começou a tocar um ré maior sem parar, quase como um sino dobrando. Então os outros músicos silenciosamente pegaram seus instrumentos e começaram a tocar o mesmo acorde. "Devemos ter tocado aquele ré maior por cerca de quatro minutos", diz Vedder. "Quando enfim mudamos para o dó maior, foi como se a terra tivesse tremido. Fui até o microfone e as palavras simplesmente surgiram."

"Com pessoas como Neil Young, você aprende só de testemunhar", reflete Vedder. "Tudo que você tem que fazer é observar e aprender. Não se trata de lições: 'Segundo passo dessa teoria ou daquela teoria'. Não se trata nem mesmo de conversas, como 'Naquela época, passei por isso ou aquilo'."

Lições ou não, Young estava feliz de oferecer um ouvido atento ao Pearl Jam, especialmente no meio da luta de Vedder para manter o foco na música enquanto a popularidade da banda crescia. "Tudo que Eddie queria era tocar música, mas as coisas saíram muito de perspectiva naquela época. Tudo o que ele dizia se tornava importante", diz Young. "Fico feliz que ele e o Pearl Jam tenham sido capazes de esfriar suas cabeças e apenas continuar a fazer o que estavam fazendo."

Antes de os músicos começarem a gravar, executivos da Reprise (gravadora de Young) e da Epic (do Pearl Jam) tinham concordado que

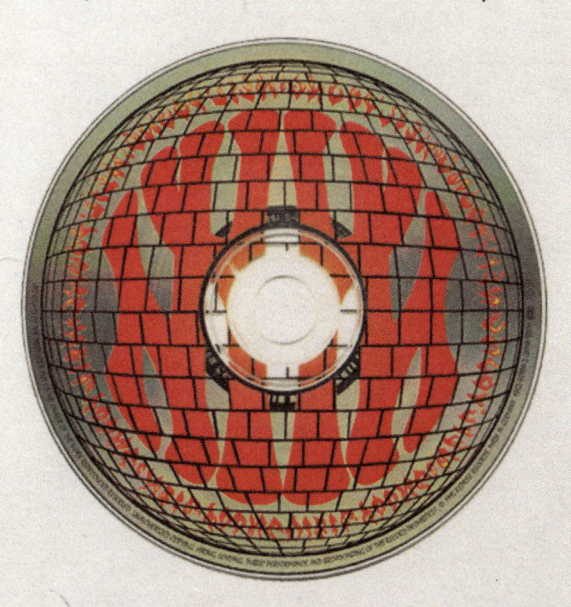

"Pearl Jam" não apareceria na capa do disco, porque naquela época estava subentendido que Vedder não estaria envolvido no projeto. Por isso, "I Got Id" e "Long Road" foram deixadas de fora de *Mirror Ball*, e em vez disso lançadas no EP do Pearl Jam intitulado ironicamente de *Merkin Ball*.

"Discutimos um bocado sobre o assunto, e Neil e eu tivemos algumas conversas no telefone a esse respeito", diz Vedder. "Não conseguimos resolver. Apenas queríamos evitar ter um monte de negociações entre as gravadoras, e no fim das contas não ter Pearl Jam mencionado foi uma decisão da qual nós nos arrependemos, porque o trabalho foi a junção das duas bandas."

Em última análise, qualquer esforço para diminuir o papel do Pearl Jam em *Mirror Ball* se provou sem sentido quando o disco estreou em julho no número 5 da lista dos 200 discos mais vendidos da *Billboard*. A melhor aparição de Young desde que seu álbum *Harvest* alcançara o primeiro lugar em 1972. Alguns críticos chamaram o disco de preguiçoso, mas outros elogiaram sua espontaneidade e um jeito casual de gravar incomum para um veterano como Young.

Logo após o infame incidente do Golden Gate Park e antes da turnê de outono de 1995 do Pearl Jam, a banda — mais uma vez sem Vedder, mas aumentada por O'Brien nos teclados — serviu de apoio para uma série de onze shows em lugares tão estranhos quanto Israel e Áustria. A maior parte de *Mirror Ball* foi tocada durante esses shows, com clássicos de Young como "Cortez the Killer", "Powderfinger" e "Down by the River" misturados.

Young e o Pearl Jam tocariam novamente muitas vezes no futuro, normalmente em seus shows da Bridge School, mas eles todos ainda se lembram da experiência de *Mirror Ball* como uma das mais satisfatórias de suas carreiras.

Ament diz: "De certa maneira, gostaria que nós pudéssemos ter tido um pouco mais de tempo, mas Neil nos mostrou que é possível compor canções boas e diferentes em um espaço de tempo muito curto. E isso não poderia ter acontecido em um momento melhor para nós. Estávamos sentindo a pressão de ser uma grande banda de rock naquela época e, de certa forma, provavelmente colocamos grande parte daquela pressão sobre nós mesmos. Ele nos fez perceber que aquilo não era tão importante. Não é uma questão de vida ou morte — é apenas música". Gossard acrescenta: "Acho que ele é em boa parte responsável por ainda sermos uma banda, com certeza."

PERFORM

NEIL YOUNG/PEARL JAM
STOCKHOLM, SWEDEN
Sjöhistoriska Museet, June 28, 1993

AT FIRST GLANCE, IT SEEMED A CLASSIC generation-gap bill. On the one hand, there was Pearl Jam, hard-edge champions of the Seattle sound whose fans formed a mosh pit in front of the stage; on the other was Neil Young, an old-fashioned rocker whose decision to use Booker T. & the MG's as backing band seemed only to underscore his elder-statesman status.

Yet for all the obvious disparities, what came across most clearly in this pairing were the similarities: a strong sense of narrative in the songs, the directness of style, the close attention paid to rhythmic dynamics. And when the two acts finally came together for a show-closing version of "Rockin' in the Free World," it seemed almost a match made in heaven.

Pearl Jam got into gear quickly, opening their set with a deceptively chugging rendition of "Even Flow" that immediately set the crowd to moshing. With its dark melody and keening chorus, it seemed the perfect vehicle for singer Eddie Vedder to establish his stage presence and lay claim to the audience. Once that foundation was in place, Vedder had no problem building upon it, drawing his listeners ever closer as he moved from the impassioned urgency of "Don't Go Out There" to the

Grunge guru Young (left) and Steve Cropper

Hair apparent: Pearl Jam's Vedder

explosive power of "Jeremy." By the time he got to the front of [...] when to push a performer and when to lie back. "This Note's for You," for example, sizzled over guest drummer Jim Keltner's fatback pulse, lending extra authenticity to the tune's stylized blues licks, while an encore rendition of "All Along the Watchtower" was so incendiary that one of the PA cabinets was actually in flames at the song's end. Yet Booker T.'s chirping B-3 rendered their arrangement of "Harvest Moon" more evanescent than the original, and when Young sat at his piano for a heartbreaking run through "I Believe in You," the rhythm work was understated enough to present the illusion of a solo performance. —J.D. CONSIDINE

PETE TOWNSHEND
NEW YORK CITY
Beacon Theater, July 12, 1993

"I'M AN ENGLISH BOY," GOES THE opening lyric of *Psychoderelict*, the new rock & roll concept album from that medium's most celebrated practitioner, Pete Townshend. Performing his opus at Manhattan's Beacon Theater, along with old Who favorites and material from his solo repertoire, the 48-year-old man certainly exhibited a boy's physical stamina. Dressed in a natty, humidity-be-damned black suit, Townshend kicked off the American leg of his first full-fledged tour as a solo artist by playing nearly three hours without taking a break; and neither his energy nor his charm wilted a jot during that time.

Initially conceived as a radio play with spoken dialogue interspersed between songs that propel and [...]

Psychoderelict [...] uncanny ability to ma[...] to brash indignation — "Whate[...] that lovely hippie shit?" High a[...] — the music reflects his knack fo[...] ly bittersweet melodies with fero[...] Ballads like "I Am Afraid" an[...] and Then" gave Townshend a[...] included six other musicians an[...] ists, the chance to reveal a delic[...] ty, while the more sonically an[...] numbers were tackled with a fe[...]

In addition to *Psychoderelict*[...] its effervescent chorus and jazz[...] most invigorating moments in [...]

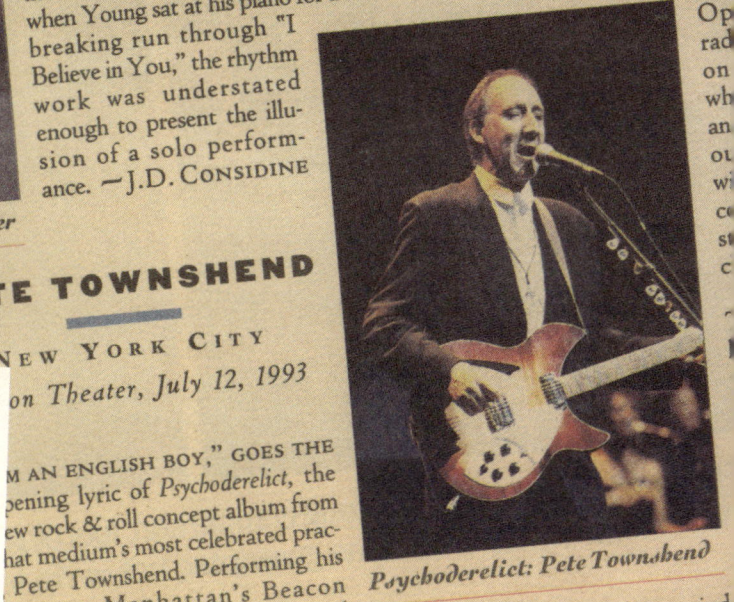

Psychoderelict: Pete Townshend

around and doing wind[...] threatening to remind [...] that trashing one's ax [...] hardly a new trick. Pe[...] more a new trick than [...] his muse and his sense [...] say nothing of his card[...] ator appears in little el[...] der any time soon.

FM104 & THE IRISH TIMES Presents
NEIL YOUNG
THE MIRRORBALL TOUR
Plus Support
RDS (Simmonscourt)
DOORS OPEN 6.00 p.m.
SAT 26 AUG 1995 7:30 PM
STANDING   C10*723
£0.00 INCL. BOOKING FEE

ALL ACCESS — MIRRORBALL

177

CAPÍTULO 1996

180

1996

O Pearl Jam continuou a inovar em 1996, lançando seu álbum mais experimental, *No Code*, e mais uma vez abrindo mão de videoclipes e entrevistas. Sozinho entre as bandas de rock em sua determinação de excursionar sem envolver a Ticketmaster, o Pearl Jam também seguiu em frente com a nova companhia de venda de ingressos, ETM, para outra turnê em casas de shows não tradicionais. Mas sem a infraestrutura apropriada, as dificuldades de organizar shows desde a estaca zero eram simplesmente grandes demais para a banda superar. Isso não apenas estava custando à banda uma energia significativa para manter o esforço, mas também tirava o foco da música do Pearl Jam. "Ainda estávamos tentando cuidar de tudo e isso não era divertido", diz Jeff Ament. "Depois de dois anos disso, dissemos 'Que se foda tudo'. Precisamos fazer música, tocar música e fazer o que pudermos para que as pessoas saibam aonde seu dinheiro está indo. Mas ser o símbolo disso tudo era uma tarefa impossível, especialmente pelo fato de não termos nenhuma ajuda." De fato, o Pearl Jam tinha ido a extremos com sua estratégia de turnê, mas ainda não tinha encontrado uma solução satisfatória. Mais uma vez, era a hora de dar um passo atrás, refletir, e pensar em novas formas de fazer as pessoas ouvirem.

6 de janeiro

A Columbia Records lança a trilha sonora de *Os últimos passos de um homem*, que traz duas músicas de Eddie Vedder, "Long Road" e "The Face of Love", tocadas por ele com o vocalista paquistanês de *qawwali*, Nusrat Fateh Ali Khan. Vedder fica amigo dos astros de *Os últimos passos de um homem*, Sean Penn e Susan Sarandon, assim como do diretor Tim Robbins durante a produção do filme.

Eddie Vedder: Cantar com Nusrat foi muito pesado. Definitivamente existia um elemento espiritual. Eu o vi se preparar uma vez, então saí do camarim e simplesmente comecei a chorar. Quero dizer, Deus, que poder e energia incríveis.

25 de janeiro
Riverhorse Café, Park City, Utah

Durante o Sundance Film Festival, Eddie Vedder faz uma aparição surpresa com os Fastbacks para tocar um cover de "Leaving Here" na festa de lançamento de *Hype!*, um documentário sobre a cena musical de Seattle que inclui entrevistas com Vedder e o futuro baterista do Pearl Jam, Matt Cameron, entre outros.

Eddie Vedder: Aquela foi a única vez que fui a Sundance. A Sub Pop alugou um pequeno chalé e apertamos cerca de cinquenta pessoas lá. Ficamos acordados a noite toda.

29 de janeiro
Shrine Auditorium, Los Angeles

O Pearl Jam vence o American Music Awards por artista favorito de heavy metal/hard rock e artista favorito de música alternativa.

20 de fevereiro

A Epic lança a compilação beneficente dupla *Home Alive: the Art of Self Defense*, que traz o cover do Pearl Jam para "Leaving Here". Lucros ajudam a organização baseada em Seattle, Home Alive, uma organização feminina dedicada a fornecer acesso a informação e técnicas de autodefesa fundada depois do estupro e assassinato de Mia Zapata, uma integrante da banda de Seattle, The Gits.

28 de fevereiro
Shrine Auditorium, Los Angeles

O Pearl Jam ganha seu primeiro Grammy, com "Spin the Black Circle" sendo escolhida a melhor performance de hard rock. Eddie Vedder faz o seguinte discurso ao aceitar o prêmio:

"Bem, viemos apenas para relaxar. Eu só queria assistir à premiação. Detesto começar qualquer coisa. Vou dizer algo em nome de todos nós. Não sei o que isso significa e não acho que signifique alguma coisa. É simplesmente assim que me sinto. Há muitas bandas e vocês já ouviram tudo isso antes, mas meu pai teria gostado disso aqui. Meu pai morreu antes que eu pudesse conhecê-lo e ele teria gostado disso. Então é por isso que estou aqui. Obrigado, eu acho."

Eddie Vedder: Eu não deveria ter feito aquilo. Eu não deveria ter ido. Eu estava de mau humor, sabe? Achávamos que iríamos até lá e simplesmente nos divertiríamos, porque estávamos juntos e gravando um disco, logo pensamos: *Vamos até lá e apenas rir disso tudo*. Tínhamos que fazer isso uma vez na vida. E então você chega lá e percebe: Cara, que merda, é isso mesmo. Isso devia ser a melhor coisa do mundo. Eu deveria estar realmente orgulhoso dessa coisa. E olhando em volta, eu não estava nem um pouco orgulhoso daquilo. Eu sentia vergonha por estar ali. Eu vi os Ramones na noite anterior no Coney Island High, um pequeno clube em Nova York, e lá eu me senti totalmente confortável, sabe? Aquilo era real. E então ir a uma coisa dessas. Aquilo era muito irreal, e nem mesmo era surreal de uma forma boa.

12 de março

Stone Gossard faz participações em várias músicas do disco da banda de Los Angeles, Thermadore, *Monkey on Rico*, lançado pela Atlantic Records.

9 de abril

Mike McCready faz uma participação com o nome "Petster" com a banda de Seattle Goodness em seu cover de "Electricity, Electricity" do disco tributo da Atlantic Records, *Schoolhouse Rock! Rocks*.

11 de junho

O projeto paralelo de Jeff Ament, Three Fish, que também conta com Robbi Robb, do Tribe After Tribe, e o antigo baterista dos Fastbacks, Richard Stuverud, lança seu disco de estreia homônimo pela Epic. Uma turnê norte-americana de um mês segue o lançamento.

2 de julho

A Interscope lança a coletânea beneficente *MOM: Music for Our Mother Ocean*, que traz o cover do Pearl Jam para o single de 1964 dos Silly Surfers, *Gremmie Out of Control*.

6 de agosto
The Palace, Los Angeles

Atendendo a um pedido de Johnny Ramone, Eddie Vedder canta "Anyway You Want It", do Dave Clark 5 com os Ramones, que é a última música do último show da banda. O show é lançado em novembro de 1997 como o CD e home vídeo *We're Outta Here!*.

10 de agosto

"Who you are", o primeiro single do próximo álbum do Pearl Jam, *No Code*, estreia no número 8 nas paradas de Modern Rock e Mainstream Rock da *Billboard*. A faixa ostenta o estilo ritmado de bateria de Jack Irons e surpreende muitos com seu som mais suave.

27 de agosto

O quarto álbum de estúdio do Pearl Jam, *No Code*, é lançado pela Epic. O disco estreia na semana seguinte na lista dos 200 discos mais vendidos da *Billboard* no número 1 com vendas de 366 mil discos nos Estados Unidos, segundo a Nielsen SoundScan, fazendo dele o lançamento mais vendido do ano até então e o terceiro disco consecutivo da banda a alcançar o topo das paradas.

14 de setembro
Showbox, Seattle

O Pearl Jam faz sua primeira apresentação ao vivo desde 7 de novembro de 1995, com um show caseiro secreto para estrear nove músicas de *No Code*. Vedder diz à plateia no início do show "Boa noite. Bem-vindos à festa de lançamento do disco do R.E.M. Bem-vindos à turnê de reunião do Pearl Jam. Vocês ouviram o disco novo? Bem, vocês estão prestes a ouvir novamente".

16 de setembro
Key Arena, Seattle

Um show em Seattle atrapalhado por problemas com equipamento é o verdadeiro começo da turnê de *No Code* da banda, que novamente é feita em uma rota passando por casas de show que não sejam da Ticketmaster e com sistemas alternativos de compra e distribuição de ingressos como o da FT&T, baseada na Philadelphia. Como resultado, o Pearl Jam toca para públicos menores do que o normal em lugares distantes como Toledo e Augusta, no Maine. Para o show de Seattle, o Pearl Jam consegue desviar da Ticketmaster ao doar todos os lucros à Seattle Center Arts and Peace Academies e à Northwest School.

Stone Gossard: Estávamos nos mantendo firmes com relação ao que achávamos que era certo, mas o que acontecia no fim das contas era que não podíamos tocar nas melhores casas de show, porque a Ticketmaster tinha contratos exclusivos com elas. Foi muito estressante e acho que isso diminuiu parte da animação de integrar o Pearl Jam naquela época.

Jeff Ament: Quando você realmente compreende como a equipe tinha que trabalhar duro, nós ficávamos muito frustrados quando tentávamos organizar aqueles shows desde a estaca zero.

20 de setembro

O Pearl Jam toca "Hail, Hail" em um episódio sem intervalos comerciais do programa da CBS *Late Show with David Letterman*, sua primeira aparição em um programa de fim de noite na TV americana além do *Saturday Night Live*. A banda também toca "Leaving Here" enquanto os créditos sobem, embora apenas alguns segundos da canção tenham ido ao ar.

23 de setembro

O website oficial do Pearl Jam, Synergy, entra no ar em www.sonymusic.com/artists/PearlJam.

26 de setembro
Augusta Civic Center, Augusta, Maine

Tendo fretado um jato da Itália para estar presente no show, o astro da NBA Dennis Rodman aparece no palco em "Alive" para fechar o set principal. Em um final incomum, Vedder toca uma versão solo e acústica de "I Am a Patriot" como pedido de um fã que tinha lhe enviado uma carta.

28-29 de setembro
Downing Stadium, Randall's Island, Nova York

Os primeiros shows do Pearl Jam em Nova York em mais de dois anos não são em uma arena de esportes, mas em um velho estádio multiuso em uma ilha no East River. Públicos de 30 mil pessoas esgotam os ingressos para as duas apresentações. Durante a primeira noite chuvosa, John Popper, do Blues Traveler, faz uma participação em "Even Flow", e Vedder faz um discurso emocionado sobre como ele está orgulhoso de tantas pessoas estarem se juntando por causa da música do Pearl Jam. Com 32 músicas e 168 minutos, o segundo show se torna o mais longo da banda de todos os tempos. Durante uma versão de "Porch" de 11 minutos, Vedder escurece seus olhos com rolha queimada, envolve todo seu corpo com silver tape e se joga sobre a furiosa roda de fãs da primeira fileira.

Jack Irons: Para quantos fãs mais dá para tocar? Se tivéssemos tocado no Madison Square Garden naquele ano, teríamos que fazer quatro shows para alcançar o número de pessoas que nos assistiu em dois. Posso lhe garantir que não teríamos feito quatro shows no Madison Square Garden. Mas onde você toca se 100 mil ou mais pessoas querem vê-lo? Como você faz isso?

Eddie Vedder: Quando os ingressos eram difíceis de conseguir e tanto trabalho tinha sido feito para organizar as casas de show, a segurança, os banheiros químicos e tudo mais, parecia estranho parar de tocar depois da habitual hora e meia de show quando você estava no auge da jornada. Todos de pé em seus assentos, amplificadores ligados e funcionando e metade de uma garrafa de vinho para beber: uma atmosfera perfeita para soltar um lado B obscuro.

1 de outubro

A trilha sonora do documentário sobre a cena musical de Seattle, *Hype!*, é lançada pela Sub Pop. Ela inclui a versão de "Not For You" gravada durante a transmissão de janeiro de 1995 do Self Pollution Radio do Pearl Jam, cujas cenas aparecem no filme.

4 de outubro
Memorial Stadium, Charlotte, Carolina do Norte

Em uma tentativa de registrar eleitores e superar o ultraconservador senador da Carolina do Norte, Jesse Helms, o Pearl

"emancipate yourselves from mental slavery none but ourselves can free our minds"

Bob Mar[ley]
-redemption s[ong]

PEARL JAM

you have a voice

vote loud

october 11 is the last day to register to vote for the next elections in north carolina

pearl jam
memorial stadium
charlotte, north carolina
october 4, 1996
6:30pm

base price: 22.00
service fee: 2.00
total charge: 24.00 per ticket
handling fee: .50 per order

MEMORIAL STADIUM
CHARLOTTE, N. CAROLINA
1004   COMP
00051729089614

Three Fish

Jam se junta a Gloria Steinem e ao Artists for a Hate Free America para esse show em Charlotte. Mais de mil novos eleitores são registrados, alguns deles no estacionamento, por um Vedder disfarçado; mas Helms acaba se reelegendo logo depois disso. Brendan O´Brien se junta à banda para tocar baixo em "I Got Id".

7 de outubro
Fort Lauderdale Stadium, Fort Lauderdale, Flórida

Vinte e cinco mil ingressos são vendidos para o fim da turnê nessa casa de shows com capacidade para 8 mil pessoas. Um jovem em uma cadeira de rodas faz crowd surf até a frente e é levantado até o palco durante "Rockin´ in the Free World", a penúltima música do show. O rapaz, Mark Zupan, mais tarde se torna o capitão da seleção de rúgbi de cadeira de rodas dos Estados Unidos e é destaque no documentário de 2005 *Murderball*.

19-20 de outubro
Shoreline Amphitheatre, Mountain View, Califórnia

O Pearl Jam, acrescido de Brendan O´Brien no piano elétrico Fender Rhodes, faz sua terceira aparição no Bridge School Benefit de Neil Young, continuando uma tradição de tocar ano sim, ano não, que começou em 1992. Ambos os shows oferecem uma versão dramaticamente rearranjada de "Corduroy", e "Porch" também é tocada na segunda noite de uma forma alterada funqueada. "Nothingman" tem sua primeira aparição ao vivo desde antes do lançamento de *Vitalogy*; a versão da primeira noite aparece na coletânea *The Bridge School Concerts, Vol. One* (Reprise).

24 de outubro
Millstreet Arena, Cork, Irlanda

O Pearl Jam faz seu primeiro show europeu em mais de três anos, dando partida em uma turnê de um mês para divulgar *No Code*. "Smile" é tocada pela primeira vez quatro noites depois em Londres.

3 de novembro
Deutschlandhalle, Berlim

Esse show é transmitido ao redor do mundo a partir de um sinal originado pela Radio Fritz, de Berlim. Depois do show, apenas na rádio alemã, Eddie Vedder solta uma dúzia de suas canções favoritas como "Pebbles", do Shudder to Think, "Sparks", do The Who e "Sword of Damocles", de Lou Reed. Ele também atende ligações de ouvintes, um dos quais pergunta por que a banda esperou até ficar famosa para deixar de fazer vídeos e dar entrevistas. A resposta dele:

"Essa é uma excelente pergunta. Não acho que entendemos isso tudo de cara. Acho que não entendemos que você se torna uma mercadoria. Acho que não entendemos isso. Achamos que aquela era a forma como você fazia suas canções serem escutadas e, de certo modo, talvez realmente seja... e me arrependo... olhando para trás, há algumas coisas que eu mudaria, mas acho que uma banda como o Fugazi, que tem muitas das mesmas crenças... acho que eles são melhores por causa disso. Acho que fomos ingênuos no começo e nós... e talvez nós tivéssemos fé que essas coisas pudessem ser boas. Um vídeo poderia ser uma obra de arte. Uma entrevista poderia ser uma forma de se comunicar com uma grande quantidade de pessoas de uma vez só. Perdemos nossa fé logo depois e decidimos fazer o que pudéssemos para nos esquivar dessas coisas."

5 de novembro
The Vera, Groningen, Holanda

Antes de a banda de abertura da turnê, The Fastbacks, tocar (a 4 dólares o ingresso) em uma casa com capacidade para 217 pessoas, os integrantes da banda, Kurt Bloch (baixo) e Mike Musburger (bateria), se juntam a Eddie Vedder para um set de seis músicas anunciado como The What. O trio toca "I Can´t Explain", "The Kids Are Alright" e "Naked Eye", do The Who, além das músicas do Pearl Jam, "Lukin", "Not for You" e "Rearviewmirror". Vedder se junta aos Fastbacks completos em seu bis para uma música obscura composta por Keith Moon, "Girl´s Eyes", e para "Leaving Here". No dia 24 de novembro, em Cascais, Portugal, o The What aparece novamente antes do set do Pearl Jam para tocar "I Can´t Explain", "The Kids Are Alright", "My Generation" e "Young Man Blues".

15 de novembro
Sports Hall, Praga, República Tcheca

Os caminhões carregando o equipamento de som do Pearl Jam ficam presos no Brenner Pass, na Áustria, por causa da neve, e em consequência disso o horário do começo do show precisou ser atrasado de modo substancial. Assim que finalmente chegam à casa de shows, a equipe consegue preparar tudo em três horas, em vez das habituais dez, permitindo que o show aconteça como planejado.

17 de novembro
Sports Hall, Budapeste, Hungria

A música que ficou de fora de *No Code*, "Black Red Yellow", é tocada pela primeira vez, enquanto "Young Man Blues", de Mose Allison, popularizada pelo The Who, faz sua estreia no bis.

21 de novembro
Palácio dos Esportes, Barcelona

Antes desse show, o Pearl Jam faz uma passagem de som de setenta minutos que se torna uma favorita entre os fãs nos círculos de troca de gravações não oficiais. A banda ensaia a canção "Parting Ways", que não seria lançada até o álbum *Binaural*, em 2000, uma versão de 16 minutos de "Hard to Imagine" e uma exploração de dez minutos de "I´m Open".

27 de novembro

Ten é certificado com disco de platina pela décima vez pela Recording Industry Association of America (RIAA) pela venda de 10 milhões de cópias do disco.

Eddie Vedder: Quando se torna um disco de platina de dígitos duplos, há uma culpa séria envolvida ali, porque você está vendo outra banda que fez um disco melhor do que você fez, ou, para qualquer que seja o gosto, você gosta mais do disco deles. Algo como "Uau, eu realmente posso me empolgar com isso". Você os vê em uma pequena casa de shows e eles já lançaram seu disco há um ano e venderam 15 mil cópias ou algo assim. A disparidade é muito grande. Você não é responsável por isso completamente, mas assim mesmo... não sei, você faz coisas. Você cria estações de rádio e começa uma transmissão de rádio e os convida para tocar. E não por culpa. Apenas dizendo "Veja, se nós temos a atenção, vamos usá-la e, tipo assim, acenar para todo mundo e então nos afastar. Aqui está uma grande banda. Aqui está outra grande banda. Aqui está uma banda melhor".

Natal

O Pearl Jam lança seu quinto single de vinil de sete polegadas exclusivo para o fã-clube, *Olympic Platinum*, com o lado B "Smile" (ao vivo no show do dia 21 de novembro de 1996, em Barcelona).

No Code

Se algum dia existiu a prova de que o Pearl Jam não era o tipo de banda que descansava sobre seus próprios louros, isso ficou evidente no dia 12 de julho de 1995. Na véspera desse dia, eles tinham feito um longo show de 31 músicas diante de 47 mil pessoas no Soldier Field, em Chicago, durante uma onda de calor que tirou seiscentas vidas na área da Grande Chicago. Buscando capitalizar na energia residual do que foi na época um de seus shows mais memoráveis, a banda reservou horário no estúdio Chicago Recording Company, na cidade, para começar a gravar novas ideias de músicas que vinham pipocando desde o início do ano.

Contudo, o baterista Jack Irons não pretendia exatamente começar logo a trabalhar em seu primeiro disco de estúdio com o Pearl Jam desde que tinha se juntado à banda no final de 1994. "Eu estava sentindo os efeitos do calor e de entrar no estúdio logo depois de um show tão importante", recorda ele. "Eu estava um pouco irritado. E falei 'Vocês não dão um tempo? Cara, eu estou cansado!' Aqueles caras estavam muito dispostos a trabalhar naquela época. Na mente deles, eles podiam arrasar no palco e no dia seguinte estariam no estúdio. Eu perguntava 'Como vocês aguentam isso?'."

"Acho que não tínhamos descoberto uma forma de nos programar naquela época", admite Jeff Ament, acrescentando que era compreensível Irons estar exausto, considerando que, como baterista, ele tinha o trabalho físico mais pesado na banda. Mas para Irons, seu próprio "pequeno ataque de temperamento" levou à inspiração criativa.

"Pedi ao meu roadie de bateria que montasse meu pequeno set de bateria em uma cabine de gravar vocais", diz ele. "Eu falei 'Apenas quero praticar em meu próprio espaço'. Sentei lá e de repente comecei a trabalhar em algo que se tornou 'In My Tree'. Era uma salinha bem pequena, com espaço suficiente apenas para mim e a bateria, que era um bumbo de brinquedo e alguns tons. Era um set para praticar que eu usava no camarim. Então, de repente, algo interessante estava acontecendo ali. Eu pensei, podemos colocar alguns microfones aqui? Brendan O'Brien e Nick DiDia montaram alguns microfones. Deixei gravando enquanto eu tocava aquilo por um tempo e guardei. Então, quando voltamos a Seattle, pegamos aquilo e construímos a música a partir daquele pedaço de bateria do começo. Foi Eddie quem fez aquilo decolar."

"In My Tree", com suas batidas tribais e galopantes e seu refrão catártico e "Who You Are", outro groove comandado por Irons acentuado por cítara, piano e palmas, acabaram sendo as rupturas chave para um tipo de som totalmente novo em *No Code*, o quarto disco de estúdio do Pearl Jam. As faixas mais soltas, carregadas pelo ritmo caíram bem na abordagem mais despojada pressagiada por "I Got Id" e "Long Road", as duas músicas originais do Pearl Jam gravadas durante as sessões na primavera de 1995 para *Mirror Ball*.

"Havia muito improviso acontecendo em *No Code*", recorda Irons. "Nós entrávamos no estúdio e começávamos a tocar. Com 'Who You Are', eu gostava muito de tocar aquela batida, e Stone entrou na sala e começou a tocar algo por cima daquilo. Quando você menos espera, existe uma faixa bem solta. Eddie compôs sobre aquilo. Eu nem acho que demoramos mais do que algumas horas para gravar aquela faixa base. Olhando para trás, aquela foi uma sessão muito boa em Chicago. Foi um momento definitivo para minha carreira como baterista criar músicas daquela forma."

"A pegada de Jack era bem funk", diz Mike McCready. "Não era tão pesada quanto a de Dave Abbruzzese. Tinha um pouco mais de groove, então ela caiu bem em coisas como 'Who You Are'. Era muito rítmico e diferente de qualquer coisa que tínhamos experimentado." Ament acrescenta: "Eu adorava o fato de Jack abordar cada música de forma diferente com a sua bateria. Ele mudava a arrumação de seu kit dependendo da música em que estávamos trabalhando."

Uma abordagem colaborativa baseada em improviso era algo que Stone Gossard tinha previsto que aconteceria vários meses antes, quando Irons tinha acabado de entrar para a banda. "Você ainda vai ouvir mais das composições de Eddie, mas também existirão elementos que possibilitarão que a personalidade de todos se revele", disse ele à revista *Musician*. "Você vai ouvir essa espontaneidade, mas espero passar mais tempo arranjando o material e tentando fazer todos se envolverem no processo de composição."

Na outra ponta do espectro, Vedder trouxe canções como "Habit" e "Lukin", a princípio completamente formadas. "Habit", um aviso a um amigo com problemas com drogas em forma de um rock furioso e desafinado, havia estreado durante sua participação na turnê de Mike Watt no começo do ano. "Lukin" foi, na verdade, a primeira música nova do Pearl Jam a ser tocada depois do lançamento de *Vitalogy*, tendo debutado em um show de fevereiro de 1995 em Seattle. Ainda mais rápida e inspirada pelo punk rock do que *Habit*, a faixa juntava toda a fúria de Vedder com a sua cada vez mais invadida privacidade em um soco no estômago de 62 segundos.

O que se tornou uma semana de gravação em Chicago também produziu versões iniciais da animada faixa estilo Motown, "All Night", que não teria um lançamento oficial por mais nove anos, e a exibição de slide guitar de McCready, "Red Mosquito", inspirada por Vedder ter que perder algumas músicas em um recente show em São Francisco por causa de uma intoxicação alimentar. McCready, na verdade, tocou a parte do solo com o Zippo do avô de Vedder, em vez de um tradicional slide.

Assim que a banda sem Eddie acabou uma turnê internacional como banda de apoio de Neil Young para divulgar *Mirror Ball*, todos os cinco integrantes se juntaram em um estúdio de gravação em Nova Orleans para uma sessão rápida no outono de 1995. Então o trabalho no disco novo continuou no Studio Litho, de Gossard, em Seattle. No entanto, Ament não sabia que dois de seus companheiros de banda tinham começado a gravar até o dia em que chegou lá.

"Eu estava em Montana naquela época", recorda ele. "Nós tínhamos estipulado uma data provisória para fazer algumas gravações, que eu achava que era uma semana depois desse dia, quando Kelly Curtis me ligou. Ele disse 'Achei que você estaria no estúdio com os rapazes', e falou que Stone e Ed estavam no estúdio naquele momento. Eu falei 'Sério?'. Quando cheguei lá, no dia seguinte, eles já tinham gravado quatro ou cinco músicas sem baixo. Eu tinha acabado de passar os últimos meses compondo músicas, então achei que havia alguma estranha disputa de poder acontecendo. Acho que nunca expressei minha raiva naquela época, mas fiquei bastante irritado. Acho que grande parte da raiva era direcionada a Stone, porque parecia que todos os outros achavam que eu tinha sido avisado.

"É interessante, porque existe muito papo sobre ter existido uma mudança no poder nessa época", continua ele. "Ed estava no poder e Stone e eu não estávamos. Mas eu acho que o que realmente estava acontecendo era que Ed trazia músicas completas e ninguém mais fazia isso. O creme estava flutuando no topo."

Todos concordavam que "Off He Goes", de Vedder, era exatamente isso. O´Brien a considera "uma das canções mais significativas deles em que já trabalhei; ela me assombra". Ament, por sua vez, diz que "é uma música com a qual todos nós podemos nos identificar". A delicada balada acústica é essencialmente a admissão de Vedder de que ele é "uma merda de amigo": o tipo de cara que entra e sai da vida das pessoas sem se desculpar, mas "antes de seu primeiro passo, ele já partiu novamente".

"Foi então que eu comecei a descobrir como podia me isolar e tive alguns bons resultados, no que diz respeito a composição. Essa e 'Around the Bend' foram compostas na mesma cadeira em um lugar afastado", diz Vedder com uma risada.

Além disso, a sussurrada música de abertura do disco, "Sometimes", encontra Vedder procurando por "my small self / like a book among the many on a shelf" [meu pequeno eu / como um livro entre os muitos em uma estante], enquanto em "Present Tense", a letra sugere que o vocalista está se ensinando a não se prender a seus erros: "You can spend your time alone, redigesting past regrets / Or you can come to terms and realize you´re the only one who can´t forgive yourself" [Você pode gastar seu tempo sozinho, remoendo antigos arrependimentos / Ou pode se conformar e perceber que é o único que não é capaz de desculpar a si mesmo].

Esse tipo de narrativa pessoal e reflexão pomposa sobre os primeiros cinco anos de existência do Pearl Jam dão assuntos para se pensar ao longo do álbum. "Ed como letrista é simplesmente sempre tão bom, mesmo em épocas em que nossa música não está à altura de suas palavras", diz Gossard. "No Code tem algumas letras incríveis, que lhe abriram algumas portas para pontos de vista que Ed continua a explorar agora. Tinha uma espiritualidade e uma humildade em suas letras que era nova naquela época, e uma narrativa clássica que continua a ser uma parte do que ele faz. Ele sempre foi ótimo em lhe dar a perspectiva de outra pessoa."

"Present Tense" também serve como o centro conceitual de No Code, fazendo um belo uso da expressão "quanto mais simples melhor". A música escrita por McCready é um épico garantido, indo de uma introdução sombria a uma jam ascendente em seu fim, ao mesmo tempo intensa e calmante. Similarmente meditativa é "I´m Open", que evoluiu de algo que Vedder costumava tocar em seu apartamento em San Diego anos antes de se juntar ao Pearl Jam. "Era como um mantra", diz ele. "Não sei se é sobre religião. Não sei se é sobre um relacionamento. É sobre estar aberto para o que quer que esteja aí fora. É dizer 'Estou aqui. Estou escutando a mensagem'. Talvez isso esteja pedindo uma canção."

A experimentação em No Code é equilibrada com uma série de exibições do incrível poder de rock do Pearl Jam. "Hail, Hail", com sua letra perspicaz escrita por Vedder ("I sometimes realize I can only be as good as you let me" [Eu às vezes percebo que só posso ser tão bom quanto você me permite]), a maliciosa "Habit" e "Mankind", uma crítica sarcástica dos imitadores grunge do terceiro escalão que marca a estreia de Gossard como vocalista e letrista, soltam em medida igual ideias com mira laser e acordes raivosos de sacudir os punhos.

O Pearl Jam também permanece fiel à profunda influência de Young, sobretudo na única contribuição de composição de Ament do álbum, "Smile". A letra de Vedder foi inspirada por um recado deixado em um de seus cadernos por Dennis Flemion, do The Frogs ("I miss you already / I miss you always" [Já sinto sua falta / sempre sinto sua falta]), enquanto os refrãos arrebentados com seus quatro acordes e solos de gaita a transformam na primeira música do Pearl Jam perfeitamente adequada para se tocar ao redor de uma fogueira.

Como muitas vezes acontece com o Pearl Jam, Ament achou que tinha "quatro ou cinco outras ideias que eram mais interessantes" do que o que se tornou "Smile", mas sua "saudação a Neil Young em duas partes" foi a coisa que mais excitou seus companheiros de banda.

"Eu sentia que, musicalmente, sobretudo com a forma com que Jack estava tocando os polirritmos tribais, eu poderia ter contribuído muito mais no disco do que contribuí", diz ele. "Você pode contestar que há duas ou três coisas em No Code que não funcionam tão bem, mas a experimentação que fizemos, a maior parte dela, deu muito certo. E muito daquilo tinha a ver com a contribuição de Ed. Eu sempre me identifiquei com ele com relação às letras, mais do que com qualquer outro vocalista com quem toquei; e aquele disco, particularmente as faixas 'Present Tense' e 'In My Tree', realmente me tocou."

Seguindo a embalagem incrivelmente elaborada de Vitalogy, o Pearl Jam criou um design de capa igualmente intricado para No Code, consistindo de 144 fotos de Polaroid diferentes que formam um quadrado quando a caixa do CD é desdobrada. Quando a colagem é vista à distância de alguns metros, um triângulo preto com um globo ocular no centro é revelado e esse logo aparece em todo o pacote. Entre as imagens estão vários globos oculares, incluindo os do astro da NBA e superfã do Pearl Jam, Dennis Rodman, um cinzeiro cheio de bitucas de cigarro, desenhos, fotografias da natureza e o topo de uma maçã. O design foi guiado por Vedder (sob seu pseudônimo Jerome Turner), que gravitava pelos vários significados escondidos que podiam ser tirados das fotos.

"Isso veio de David Byrne e seu fascínio por Polaroids, que eu adotei quando novo", diz Vedder da arte de No Code. "Eu costumava gastar metade do meu salário da Long´s Drugs comprando filme de Polaroid e fazendo colagens. Se não é a minha preferida, uma das minhas três capas de disco favoritas é a de 'More Songs About Buildings and Food', do Talking Heads. Eu a mostrava às pessoas depois de deixá-las bem chapadas: 'Essa não é a melhor capa de todos os tempos?'. Eles diziam 'Não estou entendendo!'. 'Continue olhando'. 'Não estou entendendo'. 'Continue olhando. Dê mais um trago bem longo'. São na verdade 684 Polaroids da banda agrupadas, apesar de serem apenas os quatro parados ali. No Code foi baseado nessa ideia. Achei uma câmera Polaroid forense em Atlanta. Normalmente você não consegue tirar fotos com uma Polaroid de mais do que um metro e meio de distância e mantê-la focada. Mas essa tinha uma lente macro, então tudo virava arte. Uma tigela de sopa virava arte. Merda de passarinho sobre um carro azul parecia o cosmos. Quando você abre o encarte, você vê o triângulo de *No Code*, que significa 'Não ressuscite'. Achei que isso simbolizava onde estávamos com a banda: se estivermos morrendo, nos deixe morrer. Não tente nos salvar. Não queremos viver como vegetais."

De fato, enquanto *No Code* se aproximava de seu lançamento no final de agosto de 1996, o Pearl Jam tinha feito apenas 22 shows na América do Norte nos dezoito meses que se sucederam à chegada de *Vitalogy* às lojas, e o perfil da banda estava possivelmente em seu ponto mais baixo, embora isso fosse intencional. Durante a gravação do disco, Vedder fez seu famoso discurso de aceitação do "Isso não significa nada" depois que "Spin the Black Circle" ganhou melhor performance de hard rock no Grammy.

Essas palavras de Vedder, assim como a recusa resoluta da banda de tocar em casas de show sob contrato com a Ticketmaster, de dar entrevistas ou de fazer vídeos, rendeu à banda o apoio imortal de seus fãs mais comprometidos. Mas isso também atordoou milhões de outros que apenas queriam o Pearl Jam de volta em suas vidas. Dessa forma, não foi nenhuma surpresa que, quando a banda decidiu lançar "Who You Are", que decididamente não tinha uma sonoridade muito rock alternativo, como o primeiro single de *No Code*, os fãs não sabiam mais qual Pearl Jam podiam esperar.

"Foi uma época muito esquisita na banda", diz Ament. "Estávamos no espírito de lançar uma música como 'Who You Are' como o primeiro single, quando havia pelo menos quatro ou cinco músicas em *No Code* que eram provavelmente mais apropriadas."

"Eu me senti frustrado nesse disco", diz O´Brien. "Foi o primeiro que fizemos no Studio Litho. A princípio, nada funcionava direito. Era o estúdio de Stone, e se eu reclamasse que as coisas não estavam funcionando, eu seria o babaca perturbando Stone. Além disso, sempre fui o cara que tentava empurrá-los para serem mais universais. Essa é apenas minha natureza. Se você me trouxer para ajudar, vou tentar fazer com que todos o amem. Em *No Code*, eu não sabia muito bem o que eles estavam tentando fazer. No meio do disco, Eddie teve aquele terrível problema com o fã obcecado.

Ele estava se tornando mais introvertido. E então ele disse 'Vamos todos ao Grammy'. Não planejávamos ir, mas estávamos concorrendo a álbum do ano. Todos nós nos sentamos na primeira fileira e Eddie disse algo que tenho certeza de que ele não ficou feliz de ter falado. A Nação Pearl Jam simplesmente mudou o canal naquele momento. Então lançamos um disco que dizia 'Não estamos pensando em vocês, de qualquer forma' [risos]. Foi uma experiência significativa fazer o disco, mas de certa forma foi indiferente para o ouvinte. Eu reconheci naquela época que aquilo era algo que tinha que acontecer. Ele tinha muitos méritos, e algumas músicas incríveis. Mas a reação das pessoas com relação ao Pearl Jam mudou naquela época."

"É um disco parcialmente amador", observa Gossard. "Estávamos apenas improvisando e tentando coisas que talvez não funcionassem muito bem, mas em alguns momentos aquelas coisas soam bem dez anos depois. É como em discos dos Rolling Stones, como *Emotional Rescue*, em que eles estão tentando ser funky. É uma coisa tipo 'É, sei lá...'"

"Mas você escuta o material dez anos depois e diz 'Porra! Que som!' Isso só mostra que leva um tempo para a gente ver que tomou as decisões certas. Acho que ninguém na banda sabia que *No Code* era o disco certo a ser feito. Acho que estávamos pensando 'Espero que fique bom'. Não é tão experimental, mas somos nós. Aquilo é realmente nós."

E isso era mais do que suficiente para Vedder. "Diminuir aquele nível de sucesso um pouco foi provavelmente bastante útil em termos criativos", diz ele. "Porque, você sabe, quanto mais você pensa, mais fede. A ideia de que muitas pessoas vão ouvir e analisar o que você escreveu é traiçoeira. Isso faz você se questionar e pensar duas vezes, mesmo que não queira. Nunca fui confiante o bastante para não dar a mínima."

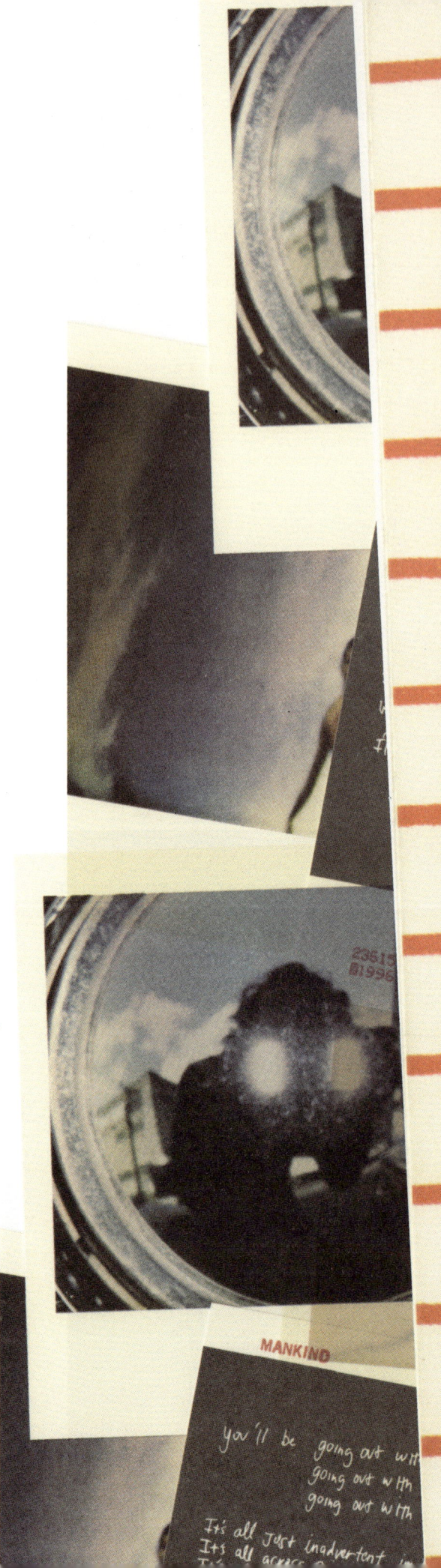

PEARL JAM
Hail, Hail
Who You Are
PEARL JAM
In My Tree
Smile
PEARL JAM
Off He Goes
Habit
PEARL JAM
Red Mosquito
Lukin
PEARL JAM
Present Tense
Mankind
PEARL JAM
I'm Open
Around the Bend
PEARL JAM

PEARL JAM
NO CODE
SPECIAL GUEST: FASTBACKS
MO. 3.11. 1996 BERLIN
DEUTSCHLANDHALLE
BEGINN 20.00 UHR

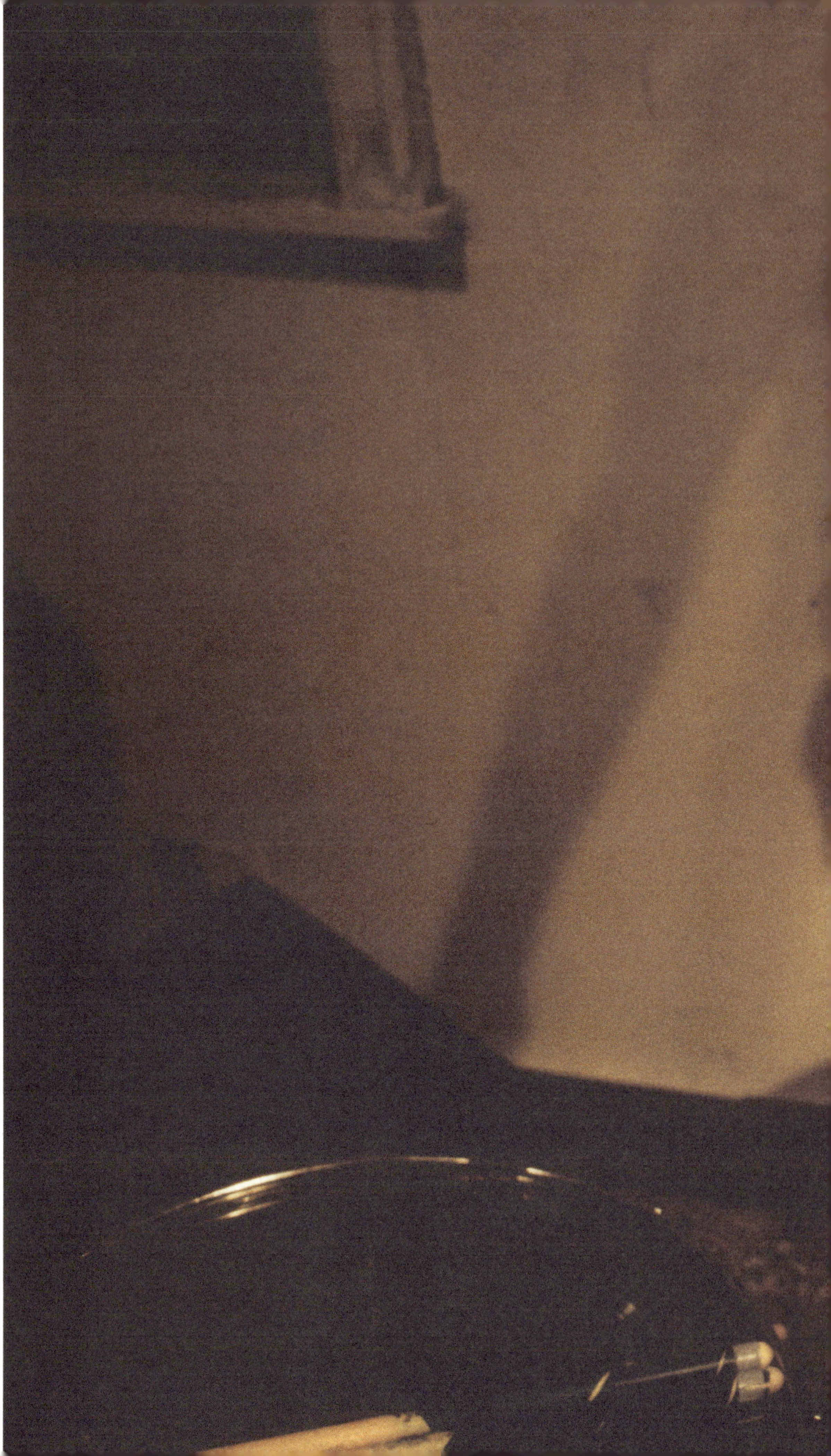

CAPÍTULO 1997

1997

Logo após uma extensa turnê europeia no final de 1996, o Pearl Jam deu um tempo para refletir sobre seus turbulentos últimos anos. Seis meses se passaram até que integrantes da banda tocassem em público em 1997, e mesmo assim, apenas Eddie Vedder e Mike McCready fizeram uma aparição passageira em um show beneficente. A banda estava enfurnada em Seattle compondo e gravando músicas para seu quinto álbum de estúdio, com Brendan O´Brien, que forçava a barra, nem sempre com sucesso, para que o Pearl Jam focasse em suas canções mais fáceis para os ouvintes. Durante uma pausa nas sessões, Stone Gossard e seus companheiros do Brad se reuniram, gravaram um novo álbum e pegaram a estrada pela primeira vez na carreira. E, uma vez que o novo disco do Pearl Jam, *Yield*, estava terminado, a banda voltou aos palcos em grande estilo, abrindo quatro shows em um estádio em Oakland para os Rolling Stones.

1 de abril

Mike McCready participa em *Breaking the Ethers*, o álbum de estreia pela Epic do projeto de rock instrumental, Tuatara. O grupo é formado pelo guitarrista do R.E.M., Peter Buck, o baterista do Screaming Trees, Barrett Martin, o baixista do Luna, Justin Harwood, e o saxofonista do Critters Buggin, Skerik.

8 de abril

Acompanhado pelo Hovercraft, Eddie Vedder lê o poema de Jack Kerouac, *Hymn*, no tributo organizado pela Rykodisc, *Kerouac: Kicks Joy Darkness*.

22 de abril

Jeff Ament faz uma aparição no disco do Tribe After Tribe, *Pearl Before Swine* (Music for Nations).

8 de junho
Downing Stadium, Randall´s Island, Nova York

Eddie Vedder e Mike McCready são convidados surpresa para abrir o segundo dia do Segundo Tibetan Freedom Concert. Usando guitarras emprestadas pela banda Pavement, eles tocam a versão retrabalhada de "Corduroy" — tocada pela primeira vez no Bridge School Benefit no outono anterior —, "Yellow Ledbetter" e uma versão acústica e desacelerada de "Rockin´ in the Free World". Mais tarde no show, eles se juntam a Michael Stipe e Mike Mills, do R.E.M., e ao baixista de Patti Smith, Tony Shanahan, para tocar "Long Road", e McCready permanece no palco para se juntar aos músicos em *Ghost Rider*, do Suicide, e *The Passenger*, de Iggy Pop. Nos dois dias de show, Vedder vaga pelo gramado coletando assinaturas para uma petição para exigir que o governo dos Estados Unidos intervenha na crise tibetana.

15 de junho
House of Blues, Chicago

Depois de assistir ao Chicago Bulls vencer o campeonato da NBA dois dias antes, Vedder toca com seu ídolo, o guitarrista do The Who Pete Townshend, pela primeira vez durante um show solo de Townshend em favor da Maryville Academy. Vedder canta "Heart to Hang Onto", "Magic Bus" e "Tattoo" com Townshend; as duas primeiras músicas mais tarde aparecem como faixas bônus no disco de Townshend de 1999, *Pete Townshend Live: a Benefit for Maryville Academy*.

24 de junho

A banda paralela de Stone Gossard, Brad, lança seu segundo álbum pela Epic, *Interiors*, e duas semanas depois começa sua primeira turnê norte-americana. Uma segunda leva de datas segue em outubro. Estranhamente, com o tempo, a faixa do disco "The Day Brings" se torna uma música muito tocada em estabelecimentos tais como mercados e farmácias.

Stone Gossard: Sentimos que tínhamos algumas músicas com potencial para estar no rádio. Certamente eu abordei isso pensando algo como "Fizemos o primeiro dessa forma. Vamos tentar ensaiar mais, melhorar o que estamos fazendo e tentar ser um pouco mais focados". Acho que o resultado é variado. "The Day Brings" é claramente uma música a que muitas pessoas se ligam, e acho que há alguns momentos legais e mais esquisitos naquele disco em que fomos além. Mas acho que se você perguntar para qualquer pessoa da banda, ela lhe responderá que o disco é um pouco seguro demais, um pouco calculado demais.

Verão

Integrantes do Pearl Jam e do Soundgarden doam 400 mil dólares para a Cascade Land Conservancy para ajudar na preservação de 220 acres de floresta nas encostas da Cordilheira das Cascatas do estado de Washington.

4 de novembro

A Capitol Records lança uma coletânea tripla destacando performances dos dois Tibetan Freedom Concerts, incluindo a versão de Eddie Vedder e Mike McCready para "Yellow Ledbetter" do show de junho de 1997 em Nova York.

12 de novembro
The Catalyst, Santa Cruz, Califórnia

Anunciado como The Honking Seals, o Pearl Jam faz seu primeiro show em quase um ano nessa casa com capacidade para oitocentas pessoas, e estreia três músicas de *Yield*, o próximo disco: "Given to Fly", "Wishlist" e "Do the Evolution". Outra que foi tocada é "Brain of J.", que tinha tido uma aparição solitária anteriormente bem no fim da turnê de 1995 da banda. Antes do primeiro bis, Vedder liga para Neil Young de um telefone celular para lhe desejar um feliz aniversário.

14-15, 18-19 de novembro
Oakland-Alameda County Coliseum Stadium, Oakland

O Pearl Jam abre quatro shows de estádio para os Rolling Stones. O setlist é cheio de faixas familiares como "Corduroy", "Even Flow", "Alive", "Black" e "Better Man", mas também inclui músicas de *Yield*, como "Do the Evolution" e "Given to Fly". No último show, a banda apresenta uma versão quase inteira de "Beast of Burden", dos Stones, tocada, de acordo com Vedder, porque os Stones não vinham incluindo a música em

193

seu show. Mais tarde, durante o show dos Stones, Vedder faz um dueto com Mick Jagger em "Waiting on a Friend".

Jeff Ament: Aqueles shows foram depois daqueles dois anos em que estávamos fazendo as coisas desde a estaca zero. Apenas ir abrir para os Stones, numa situação em que aquele era o mundo deles e nós apenas aparecíamos, foi um prazer. Não apenas estávamos tocando com a banda favorita de Mike, mas todos nós crescemos ouvindo muitas músicas dos Stones. Sentados e assistindo da lateral do palco, pudemos ver que coisas possivelmente tínhamos diante de nós, e talvez algumas coisas que não gostaríamos de fazer, como ter cinco outros músicos no palco. Eles tinham uma mesa de bilhar no camarim de Keith e Ron, os sanduíches de bacon e maionese, Guiness no barril. Era quase como o Lollapalooza.

18 de novembro

A versão do Pearl Jam para "Nothingman" de 1996 é incluída no disco *The Bridge School Concerts, Vol. One* (Reprise), uma compilação de 15 faixas dos shows beneficentes anuais de Neil Young no Shoreline Amphitheatre, nos arredores de São Francisco. Lançada no mesmo dia, a aparição de Eddie Vedder como convidado no show de despedida dos Ramones no dia 6 de agosto de 1996 é incluída no home video e no CD *We're Outta Here!* (Radioactive).

3 de dezembro

A organização Pearl Jam experimenta em primeira mão como a internet está mudando a disseminação da música quando a estação de rádio WKRL-FM, de Syracuse, Nova York, toca todo o disco não lançado, *Yield*, no ar. Um aluno da Syracuse University imediatamente posta arquivos de MP3 de alta qualidade de diversas músicas na rede, o que resulta em rápidas cartas pedindo para tirar o conteúdo do ar, enviadas pela Epic Records e pela Recording Industry Association of America.

Natal

O sexto single de sete polegadas exclusivo para o fã-clube do Pearl Jam é um lançamento em conjunto com o fã-clube do R.E.M. O Pearl Jam contribui com a faixa de Jack Irons, "Happy When I'm Crying",
enquanto o R.E.M. oferece "Live for Today". Um pequeno trecho de "Happy When I'm Crying" acaba aparecendo no começo da música "Push Me, Pull Me", de *Yield*.

Jack Irons: Eu estava começando a forçar um pouco a barra para gravarmos algumas das minhas coisas esquisitas.

Peter Buck: Quando trabalhávamos no disco do R.E.M. *New Adventures in Hi-Fi*, Eddie apareceu e tocou para nós a canção "Olympic Platinum", que ele tinha composto em um dia em que ninguém havia aparecido no estúdio. Alguém disse "Por que não fazemos uma coisa em conjunto? Assim cada um de nós tem que contribuir com uma música". "Live for Today" acho que foi uma *demo* que fiz. Se não toco todos os instrumentos nela, é algo muito próximo disso. Michael apenas pegou uma letra e a recitou por cima daquilo. Acho que foi legal para nossos fãs, porque era algo que eles nunca teriam esperado — virar o disco e ter uma música do Pearl Jam de graça. Estávamos esperando "Olympic Platinum" do Pearl Jam, mas acabamos com "Happy When I'm Crying", que é tão legal quanto.

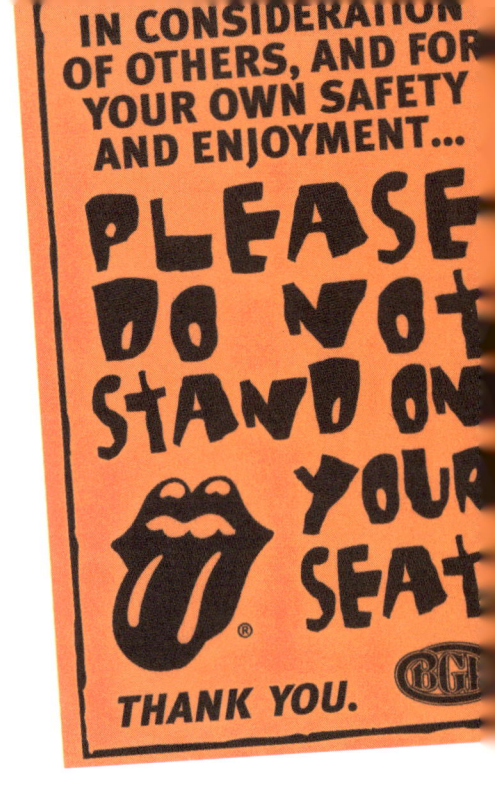

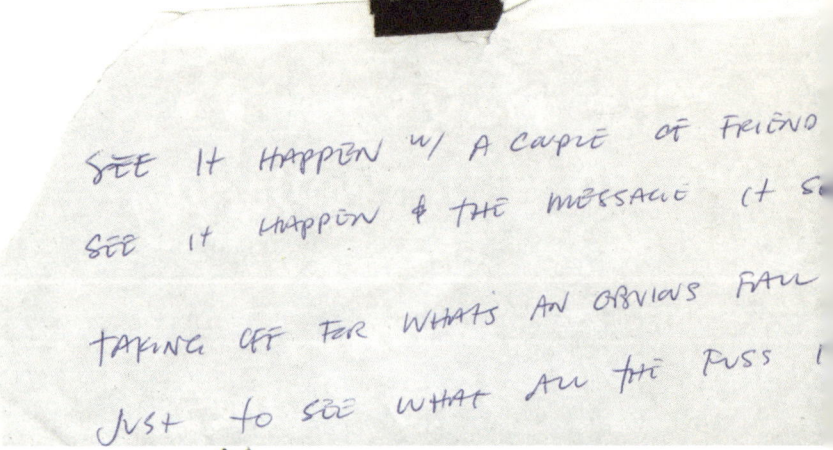

BEACON
THEATRE
NYC
NEW YEARS
w/ KEITH, WINOS

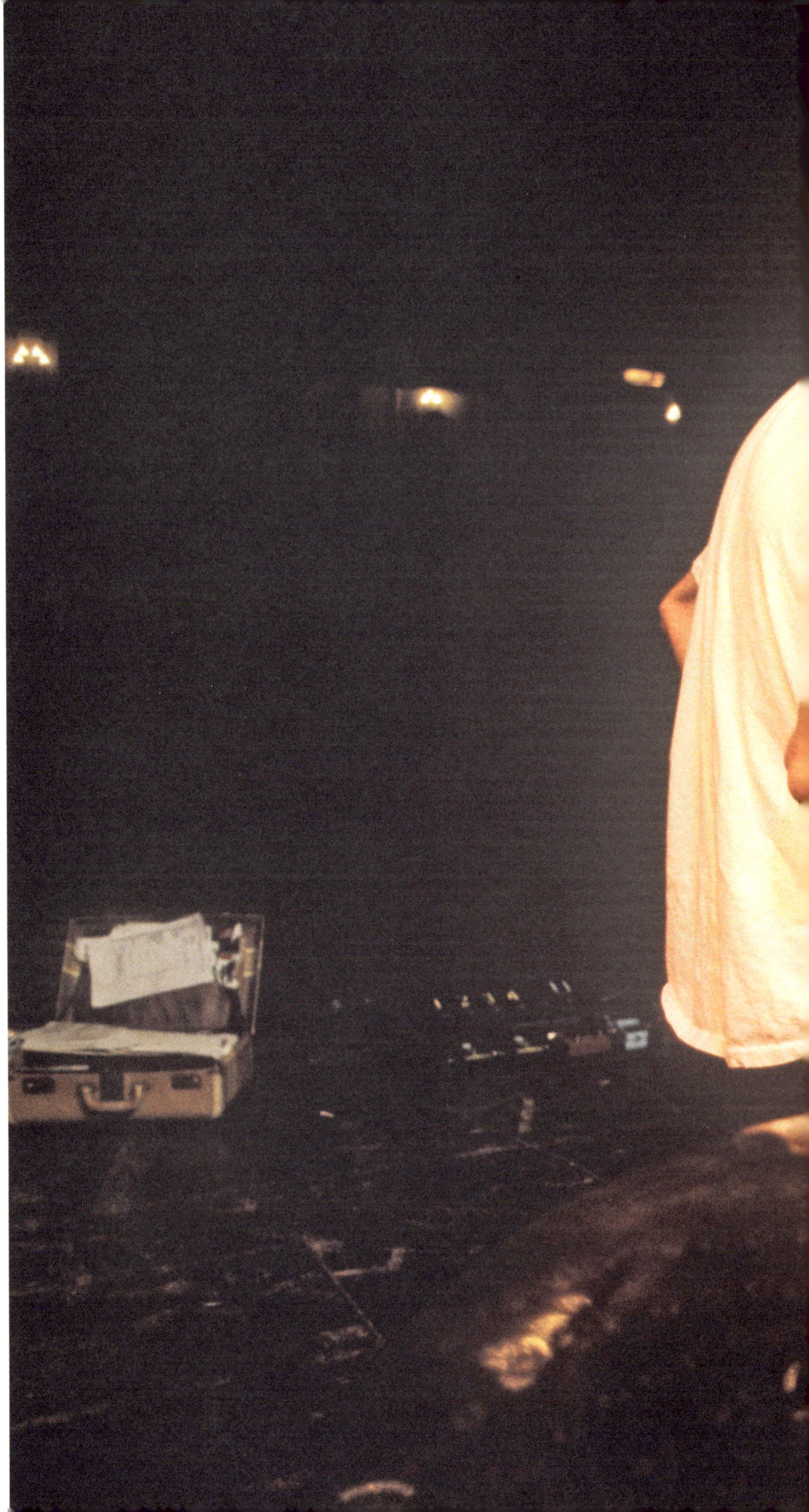

CAPÍTULO 1998

1998

O Pearl Jam não estava afastado há muito tempo, mas as rádios de rock certamente sentiam saudades da banda. Na verdade, "Given To Fly", o primeiro single do quinto álbum do quinteto, Yield, incendiou as paradas no início de 1998, preparando o terreno para uma grande estreia para o disco em março. O Pearl Jam então pegou a estrada para sua turnê mais extensa em cinco anos, começando na Austrália. Mas a estabilidade que a banda lutou tanto para conquistar foi derrubada pouco depois, quando o baterista Jack Irons anunciou que deixaria o Pearl Jam por razões pessoais de saúde. Quase sem tempo para encontrar um substituto antes que uma nova etapa da turnê começasse, a banda se voltou a um rosto familiar. E exatamente como tinha feito em 1990, com o Pearl Jam ainda em estado embrionário, Matt Cameron veio salvar a banda quando seus amigos mais precisavam dele.

7 de janeiro

A banda paralela de Stone Gossard, Brad, começa uma turnê na Austrália e Nova Zelândia como banda de abertura de Ben Harper.

31 de janeiro
225 Terry Avenue North, Seattle

Desse depósito em Seattle, o Pearl Jam apresenta sua segunda transmissão via satélite. Intitulado *Monkeywrench Radio*, o programa é oferecido gratuitamente a estações de rádio espalhadas pelos Estados Unidos. O programa de três horas e meia inclui performances ao vivo de seis músicas ("Do the Evolution", "Given to Fly", "Pilate", "Wishlist", "Brain of J.", "In Hiding") do álbum *Yield* que logo seria lançado, além de sets do Mudhoney, Brad, Tuatara e do grupo de punk hardcore de Washington, Zeke; um trecho de DJ apresentando músicas do Sonic Youth, Ramones e Stereolab; e Eddie Vedder atendendo ligações de Gloria Steinem e Mike Watt no ar.

3 de fevereiro

O quinto disco de estúdio do Pearl Jam, *Yield*, é lançado pela Epic. Na semana seguinte, ele estreia no número 2 da lista dos 200 discos mais vendidos da *Billboard* com vendas de 358 mil cópias nos Estados Unidos, de acordo com a Nielsen SoundScan.

20-21 de fevereiro
Alexander M. Baldwin Amphitheatre, Maui, Havaí

O Pearl Jam começa uma turnê do Pacífico Sul no Havaí. "Faithfull" e "MFC", de *Yield* são tocadas ao vivo pela primeira vez.

26 de fevereiro
Queen's Wharf Events Center, Wellington, Nova Zelândia

O primeiro de 13 shows na Austrália e na Nova Zelândia com abertura do Shudder to Think, há muito uma das bandas favoritas de Eddie Vedder. O último dos três shows em Melbourne, no dia 5 de março, é transmitido ao vivo no rádio e na internet pela venerável estação australiana JJJ. No dia 9 de março, em Sydney, a banda toca "Interstellar Overdrive" do Pink Floyd como uma introdução de "Corduroy", o que se tornaria comum em futuras turnês. O final da turnê no dia 20 de março em Perth é o último show do baterista Jack Irons com o Pearl Jam.

29 de março
Shrine Auditorium, Los Angeles

Ao lado de Tom Waits, Steve Earle e Ani DiFranco, Eddie Vedder e Jeff Ament tocam em Not in Our Name — Dead Man Walking: The Concert, um show beneficente contra a pena de morte para a Murder Victims' Families for Reconciliation e para a Hope House. Depois de tocar "Trouble", de Cat Stevens, solo, Vedder recebe Ament para tocar "Dead Man", que tinha sido cortada da trilha sonora do filme para dar lugar à faixa-título de Bruce Springsteen. "É uma coisa de tempo de serviço", diz Vedder com um sorriso durante o show. O sobrinho do falecido Nusrat Fateh Ali Khan, Rahat Nusrat Fateh Ali Khan, o percussionista Dildar Hussain e o baterista do The Doors, John Densmore, acompanham em "Long Road", enquanto todos os músicos se juntam para tocar a música final do show, "Innocent When You Dream", de Tom Waits. Destaques do show mais tarde são lançados em um DVD bônus com o relançamento da trilha sonora original de 1995 do filme *Os últimos passos de um homem*.

Jeff Ament: Minha principal lembrança é trabalhar nas músicas no camarim com violões e escutar Steve Earle dedilhando como um louco no palco — realmente esmerilhando. Fiquei honrado de ser incluído. Eu simplesmente amava Nusrat.

Abril

O Pearl Jam anuncia que o baterista Jack Irons não vai acompanhar a banda em sua turnê norte-americana de verão por razões de saúde não reveladas. Sem que ninguém fora do círculo central da banda soubesse, Irons, que lutava contra um distúrbio bipolar desde os 20 e poucos anos, tinha sofrido uma "grave crise psiquiátrica" durante a turnê australiana.

Jack Irons: Cerca de oito meses antes daquela turnê, eu tinha decidido parar de tomar os medicamentos. Eu já não aguentava mais aquilo. Eu sentia que eles não estavam me fazendo bem. Tomei essa decisão e tive que adaptar minha vida. Tive que começar práticas espirituais e me tornar responsável por meu comportamento.

Eu consegui ter sucesso. Estava vivendo pela primeira vez em dez anos sem tomar as medicações. Eu estava indo bem até a turnê, mas quando chegou a turnê, meu sistema nervoso ficou louco. Literalmente não conseguia dormir. Parei de dormir. Eu estava simplesmente tão sufocado por ter que sair e tocar toda noite. Achei que estivesse tendo um ataque cardíaco e todo tipo de coisas. Era como um ataque de pânico que não passava. Terminei a turnê, mas foi difícil demais para mim.

Eu sabia que estava no meio de algo realmente grande quando cheguei àquele ponto. Aquilo só aconteceu algumas vezes, mas durava muito tempo. Eu sabia que dessa forma eu não teria como excursionar, mas também sabia que de forma nenhuma começaria a tomar os medicamentos

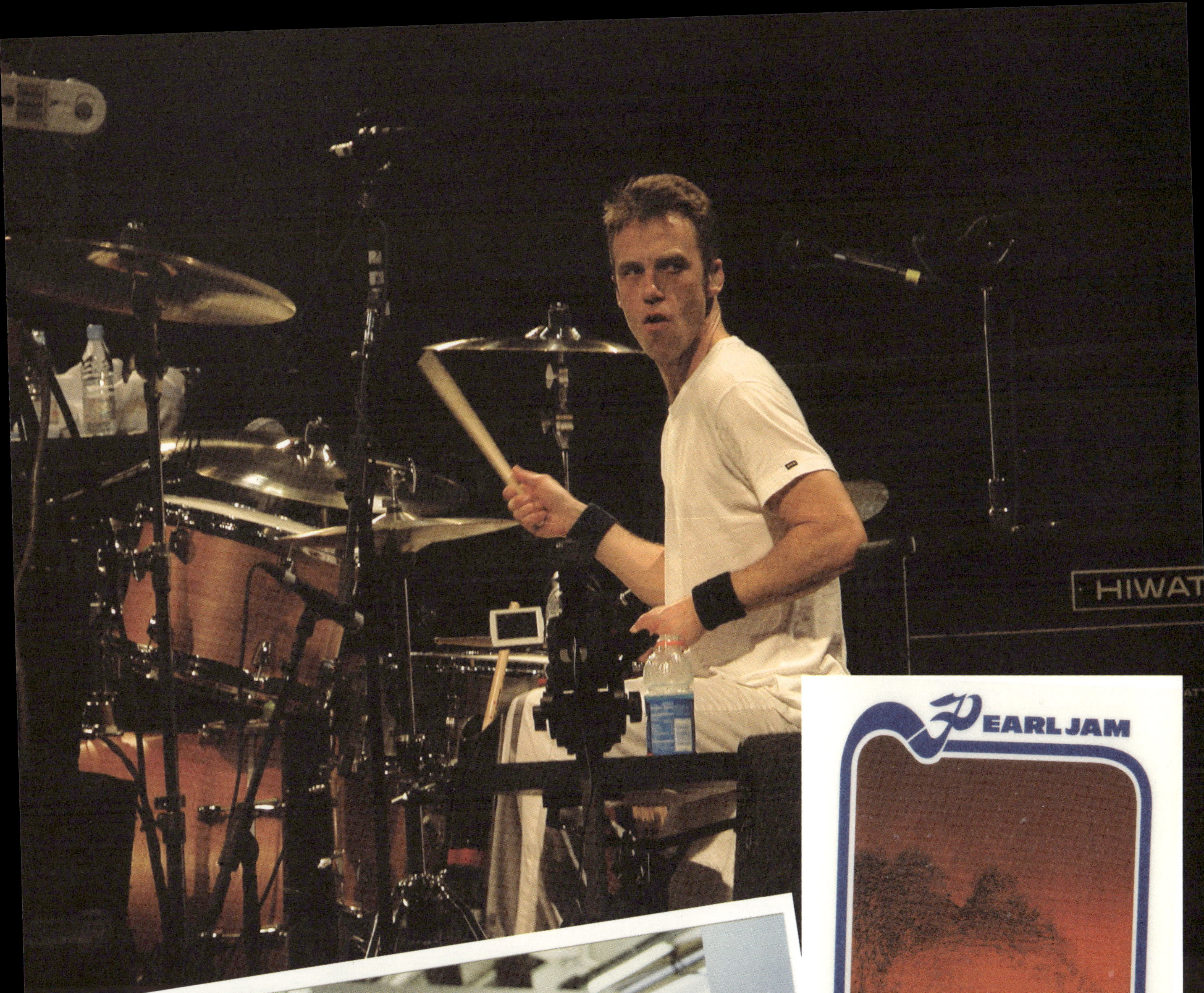

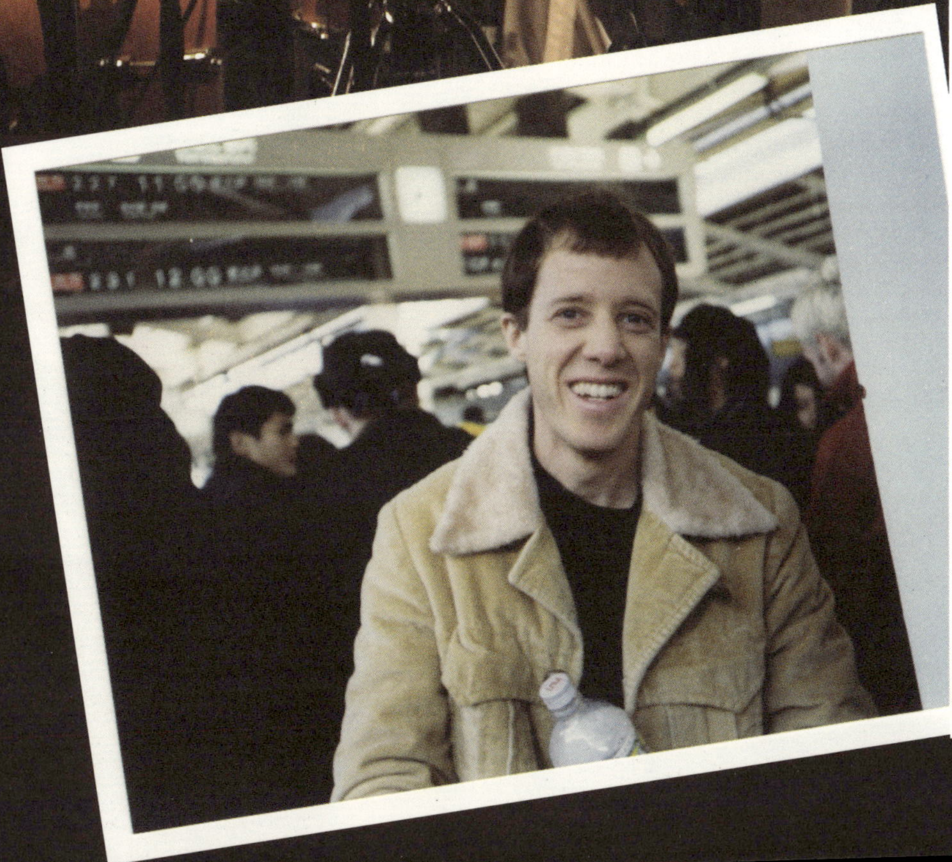

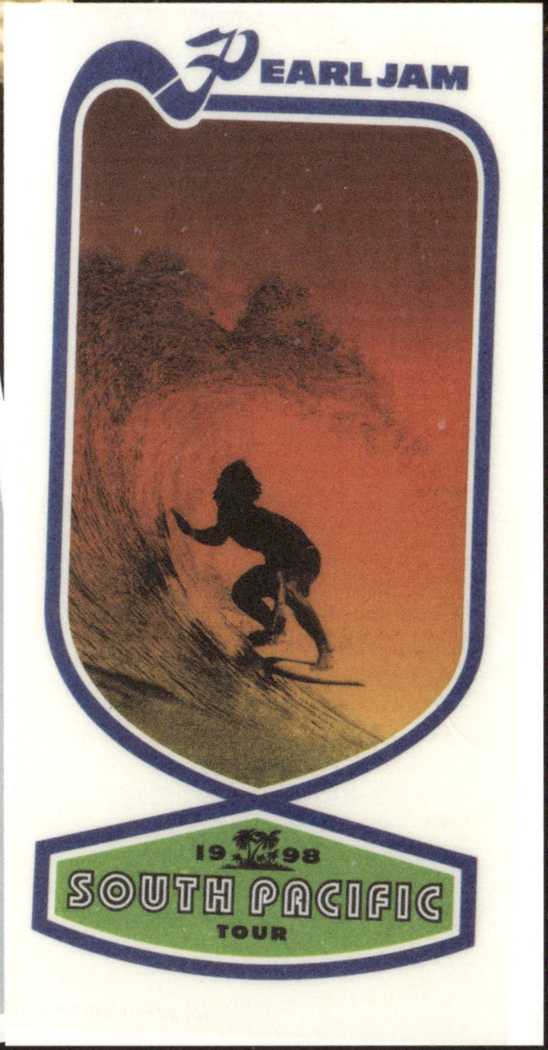
PEARL JAM
19 98
SOUTH PACIFIC
TOUR

novamente, porque já passava sem eles há sete meses. Eu apenas acreditava totalmente que havia uma forma de viver sem eles. Bati o pé, mas infelizmente isso significava não fazer mais parte do Pearl Jam. Não foi tão simples assim. Eu realmente não estava bem.

Irons é substituído na turnê pelo antigo baterista do Soundgarden, Matt Cameron, que recebe a oferta de trabalho sem ter sido avisado anteriormente, durante uma conversa ao telefone com Stone Gossard para discutir a possibilidade de o selo de Gossard, Loosegroove Records, lançar um novo álbum do projeto paralelo de Cameron, Wellwater Conspiracy. Gossard acaba entregando o telefone a Vedder para que ele faça a oferta oficial.

Matt Cameron: Eu estava falando no telefone com Stone sobre algo relacionado ao Wellwater Conspiracy, e então Stone disse "Ah, espere um minuto, Eddie quer dar um alô". Então falei "Ei, Eddie, como estão as coisas?", e ele disse "Ei, o que você vai fazer esse verão?". "Hum, nada, nenhum plano". E ele falou "Bem, Jack Irons acabou de decidir que não pode fazer uma turnê de seis semanas nos Estados Unidos, mas precisamos partir em três semanas". Quando disse o meu primeiro "sim", me senti como quando gravei as *demos* — como se fosse apenas ajudá-los até que eles se reerguessem e eu resolver o que iria fazer, porque não tinha certeza absoluta de que queria voltar ao grande mundo do rock.

Eddie Vedder: Eu fiquei com medo de perguntar se Matt queria se juntar a nós, e fui eleito para ser a pessoa que ia perguntar. Eu não queria que isso afetasse nossa amizade se a resposta fosse "não" ou se fosse "sim" e a coisa não funcionasse. Mas, correndo o risco de perder uma grande amizade, nossa amizade se tornou muito mais profunda, assim como nossa relação um com o outro como companheiros de banda. E o que ele fez para a banda é imensurável — não apenas como baterista, mas como ser humano, como músico, como compositor. Não são apenas as músicas que ele traz. É a forma como compomos músicas porque sabemos que ele está na nossa banda. Houve um determinado momento em que eu escrevia músicas que eu sabia que ele ficaria entusiasmado de tocar, e que tinham mudanças complicadas e, você sabe, coisas para mantê-lo animado, acordado e cativado por esse empreendimento em que estávamos juntos.

Mike McCready: Então, se achávamos que o círculo tinha se fechado com Jack, ele se fechou ainda mais com Matt. É uma coisa muito Spinal Tap da nossa parte ter tantos bateristas, e foi simplesmente o que aconteceu. É a nossa carreira.

1 de maio
Ed Sullivan Theater, Nova York

O Pearl Jam dá as boas-vindas a Cameron com uma performance de *Wishlist* no programa da CBS, *Late show with David Letterman*.

7 de maio
ARO.space, Seattle

O primeiro show completo de Matt Cameron com o Pearl Jam é uma apresentação surpresa na casa de shows que anteriormente era chamada de Moe´s, com a banda anunciada como Harvey Dent and the Caped Crusaders. Um cover da música composta por Wayne Cochran e popularizada por J. Frank Wilson and the Cavaliers, "Last Kiss", é tocado pela primeira vez, com Vedder explicando no palco que mais cedo naquele dia ele tinha comprado aquele single em vinil por 99 centavos enquanto fazia compras no Freemont Antique Mall, em Seattle, e aprendeu a tocar a música imediatamente.

Matt Cameron: Passei umas boas três semanas no meu porão com os CDs. Eles tinham uma lista de provavelmente sessenta ou setenta músicas. Eu fazia o seguinte (apontando o dedo): "Certo, eu conheço essa música? Não". Então eu tinha que encontrar o disco e ouvia a música. Porque era meio assim que o setlist me parecia; como se simplesmente fosse ser diferente toda noite, e eu realmente tinha que estar preparado com todas aquelas músicas. Não tivemos tanto tempo de ensaio. Posso dizer que foi algo como uma semana ou uma semana e meia. Era uma pressão louca, mas acontece que eu preciso dessa pressão para chegar àquele nível de performance.

Junho

Tim Bierman se torna o chefe do fã-clube Ten Club e começa a supervisionar melhorias a longo prazo para as operações de venda de ingressos online e das mercadorias da banda.

Tim Bierman: No começo, o fã-clube estava apenas tentando segurar as pontas e seguir naquela onda gigante. Eddie respondia

HELP VISUALIZE THE MOMENT,... SO WHILE THE WHO ARE A BAND WHO PIONEERED PLAYING ROCK
MUSIC IN GIANT SIZED ARENAS AND HAVE SUSTAINED THE ABILITY TO DO SO, I KNOW NOW THAT
THEY ARE ALSO ONE OF THE GREATEST GARAGE BANDS ON EARTH. THE NIGHT OF THE CONCERT WAS
MOVING TO SAY THE LEAST,... WHEN GREAT SONGS ARE PLAYED WITH A REASON OR CAUSE
1999
calender
newsletter 14
PEARL
mike
TEN CLUB
KEVIN SHUSS
NEIL YOUNG - MIRRORBALL EUROPEAN TOUR
16PRAGUE, CZECH REPUBLIC
26DUBLIN, IRELAND 8-27READING FESTIVAL
EVERYONE CAN TAKE DINNER AND TURN IT INTO ART,
THESE BOYS HAVE DONE IT. ED CASPER'S FILM TRILO-
TIM MCNAMARA'S SUPER-SIZED MR. POTATO HEAD
THEM BOTH THE GRAND PRIZE. YOUR CREATIVE
HAVE EARNED YOU ONE OF MIKE'S MR. POTATO
FROM HIS VERY OWN POTATO FARM, AS WELL AS A
TOGRAPHED BY THE ENTIRE BAND.
THE TEN CLUB THANK EVERYONE WHO
POTATO ART, AND

cartas de fãs pessoalmente, e havia pilhas e pilhas de cartas por todos os lados. Quando me procuraram, eles sabiam que tinham uma enorme base de fãs que queria se empenhar na parte comercial das coisas, especialmente mercadorias da banda. Eles me trouxeram para que eu desse um senso de negócios ao Ten Club. Além da parte comercial daquilo, queríamos encontrar uma forma de oferecer aos fãs ingressos e gravações ao vivo.

7 de junho
United Center, Chicago

Eddie Vedder canta o hino nacional no jogo número três da série entre Chicago Bulls e Utah Jazz pela final da NBA. O Bulls arrasa o Jazz por 96 a 54, com Utah batendo o recorde de menor número de pontos marcados na história das finais da NBA.

14 de junho
RFK Stadium, Washington, DC

Depois de trovões no meio da tarde terem ferido 11 espectadores e levado a vários cancelamentos e ao encurtamento de sets no dia anterior, o Pearl Jam toca oito músicas durante o segundo dia do terceiro Tibetan Freedom Concert. Vedder dedica "Better Man" à "relação abusiva entre nós e nosso governo... parece que não importa o que façamos, sempre alguma merda acontece conosco".

20 de junho
Washington-Grizzly Stadium, Missoula, Montana

O Pearl Jam começa a primeira parte da turnê norte-americana de *Yield* e sua primeira turnê extensiva nos principais mercados em mais de quatro anos no estado natal de Jeff Ament. O show de Missoula atrai 22 mil pessoas, o maior público de um show na história do estado. A jornada de três meses, em que a maioria dos shows tem ingressos vendidos pela Ticketmaster, tem abertura do Goodness, Frank Black, Murder City Devils, Spacehog, X, Zeke, Tenacious D, The Wallflowers, Sean Lennon, Iggy Pop, Cheap Trick, Mudhoney, Ben Harper, Hovercraft e Rancid.

Eddie Vedder: Acho que mostramos nossa opinião, e nossa opinião é que estamos tomando conta do lado de negócios do que fazemos da forma que achamos que deveria ser feito. Ninguém realmente pode questionar isso; isso é apenas o que fazemos. Mas por que ser enterrado com isso? Em um contexto mais amplo, isso simplesmente não é tão importante.

Kelly Curtis: O que percebemos no fim das contas é que não estávamos fazendo nenhum favor a nossos fãs. Nós, de alguma forma, tínhamos sido escalados como as pessoas a salvar o mundo, mas ninguém nos ajudou nem se ofereceu para ajudar. Aquela não era a nossa luta. Era uma luta dos consumidores. Então pensamos que deveríamos apenas voltar a fazer shows em casas que fossem convenientes, confortáveis e que tivessem banheiros. Apenas levou um tempo para que percebêssemos isso. O que é engraçado é que até hoje, quando excursionamos, há algum artigo em algum lugar dizendo "Não acredito que eles estejam tocando em casas da Ticketmaster". É inacreditável.

Mike McCready: Consegui que Iggy Pop autografasse uma cópia original do disco *Funhouse* dos Stooges. Iggy escreveu "Para Mike, não saia da escola". Um grande conselho!

Matt Cameron: Nas primeiras duas semanas da turnê eu sabia tocar o set inteiro, mas não sabia os nomes, então sempre fazia Jeff ficar ao lado do praticável da bateria. Eu falava "Certo, cantarole as primeiras notas dessa música!". Assim que eu escutava as primeiras notas do primeiro compasso, eu conseguia tocar. Naquela turnê, Eddie e eu andamos muito juntos. Depois do show, nós íamos até o seu quarto ou o meu, tomávamos algumas cervejas, às vezes fumávamos um baseado e conversávamos sobre o show. Ele sempre se preocupou em saber como eu me sentia a respeito daquilo e como eu achava que estava me encaixando com a música. Naquela primeira turnê, acho que estava tocando um pouco forte demais. Eu provavelmente não me encaixei tão bem quanto deveria no que diz respeito à dinâmica. Mas acho que ele gostou do resultado. Eu trouxe um novo tipo de direção.

24 de junho
Rushmore Plaza Civic Center, Rapid City, South Dakota

O Pearl Jam toca sua trilogia do "homem" com "Leatherman", "Better Man" e "Nothingman" em sequência pela primeira vez. As três músicas desde então foram tocadas juntas como um grupo, embora em ordens diferentes, 15 vezes.

4 de julho
Wrigley Field, Chicago

Tendo tomado várias cervejas na arquibancada antes, Eddie Vedder canta "Take Me Out to the Ballgame" no intervalo da sétima entrada de um jogo de beisebol entre o Chicago Cubs e o Pittsburgh Pirates. Ele permanece na tribuna de imprensa durante a segunda metade da entrada fazendo comentários sobre o jogo com o narrador Steve Stone para a estação de TV de Chicago, WGN.

5 de julho
Reunion Arena, Dallas

O astro da NBA Dennis Rodman passa grande parte do show zanzando no palco com o Pearl Jam, derramando vinho na boca de Vedder, e então segurando-o em seu colo durante "Wishlist".

14 de julho
Great Western Forum, Inglewood, Califórnia

Johnny Ramone se junta ao Pearl Jam para tocar "The KKK Took my Baby Away", dos Ramones, como o encerramento do segundo de dois shows em Los Angeles. É a última vez que Ramone toca ao vivo. As bandas de abertura são o X e, em um de seus primeiros shows importantes, Tenacious D.

21-22 de julho
Memorial Stadium, Seattle

No maior show para arrecadar fundos de sua carreira, o Pearl Jam junta aproximadamente 500 mil dólares para instituições de caridade como Seattle Public Schools, Chicken Soup Brigade e National Association for American Indian Children and Elders ao longo de duas noites em Seattle.

4 de agosto

Single Video Theory, um olhar por trás dos panos da gravação de *Yield* e dos ensaios para os shows de 1997 abrindo para o Rolling Stones, é lançado em home vídeo pela Epic. O diretor do vídeo de "Jeremy", Mark Pellington, também está por trás da câmera para *Single Video Theory*.

Stone Gossard: Achamos que poderia ser interessante e que as pessoas que gostavam da banda poderiam gostar de ver como trabalhamos juntos. Nós ensaiamos e escutamos algumas músicas do novo disco e tentamos deixar aquilo ficar no ar um pouco e agir de forma natural. Acho que conseguimos isso e não acho que seja muito vergonhoso.

18 de agosto
Breslin Student Events Center, East Lansing, Michigan

No segundo show da costa leste da turnê de *Yield*, o Pearl Jam estreia seu cover da canção soul dos anos 1960 de Arthur Alexander, "Soldier of Love", que Vedder descobriu através de Billy Childish da banda britânica Thee Headcoats. Duas noites depois, em Montreal, "Hard to Imagine" é tocada ao vivo pela primeira vez em mais de quatro anos, enquanto "No Way" debuta no dia 25 de agosto em Pittsburgh e "Push Me, Pull Me" estreia no dia 29 de agosto em Camden, Nova Jersey.

25 de agosto

A gravadora Loosegroove Records, de Stone Gossard, lança a trilha sonora do filme *Chicago Cab*, apresentando a primeira gravação oficial de "Hard to Imagine", além de "Who You Are", do Pearl Jam e "Secret Girl", do Brad.

28 de agosto

"Do the Evolution", o primeiro videoclipe do Pearl Jam desde "Jeremy", seis anos antes, estreia no programa *120 Minutes* da MTV. O vídeo de animação, que resume a história da Terra em menos de quatro minutos, foi dirigido pelo artista Todd McFarlane, criador da popular revista em quadrinhos *Spawn*.

10-11 de setembro
Madison Square Garden, Nova York

O Pearl Jam faz seus primeiros shows na histórica arena de Manhattan. No começo do bis durante a primeira noite, seguranças de mentira carregam várias caixas de arquivos como parte da piada de Vedder de que o Pearl Jam tinha trocado ingressos para o promotor Kenneth Starr por todos os registros pertencentes ao caso do Presidente Bill Clinton com a estagiária da Casa Branca, Monica Lewinsky. Para começar o bis na segunda noite, fãs levantam milhares de cartazes pedindo "Breath", que não era tocada há mais de quatro anos, como parte de uma campanha que tinha começado três shows antes pelas fãs Jessica Letkemann e Paris Montoya. Essa é a primeira grande mobilização de fãs do Pearl Jam a se espalhar largamente através de discussões online.

Eddie Vedder do palco, antes de "Breath": "Seus malditos filhos da puta. Seus babacas de merda! Quer saber, nós subimos aqui como uma banda coletiva e damos e damos e vocês simplesmente querem mais, porra! E quer saber? Vocês merecem. Isso é como algum tipo de religião organizada aqui. Nunca vi algo como isso. Vocês conseguem ver o que está acontecendo? É a terceira noite seguida, não é? Bem, vão se foder. Nós vamos tocá-la!"

19 de setembro
DAR Constitution Hall, Washington, DC

O Pearl Jam e o Hovercraft fazem um show beneficente para o Voters for Choice, voltando ao local de um evento parecido três anos e meio antes. Aquele show do dia 14 de janeiro de 1995, teve a estreia da colaboração entre Pearl Jam e Neil Young, "Act of Love", que é tocada pela primeira vez desde aquela época.

22-23 de setembro
Coral Sky Amphitheatre, West Palm Beach, Flórida

A turnê de *Yield* termina com dois shows sufocantes na Flórida. A banda monta um campeonato de pingue-pongue no palco durante o bis do segundo show e faz uma lendária festa de encerramento da turnê mais tarde naquela noite, com todos vestidos com trajes disco.

Matt Cameron: Depois dessa turnê eu soube com certeza que aquele seria um ajuste muito bom e que eu me encaixava muito bem musicalmente com a banda ao vivo. Eu sabia que podia tocar com eles no que dizia respeito à música em um ambiente de gravação ou composição, mas ao vivo algumas vezes é um tipo diferente de dinâmica que você precisa sentir com um grupo. Mas depois daquela turnê de verão de 1998, eles me ofereceram o emprego e eu simplesmente falei "Vamos nessa".

10 de outubro
Crocodile Cafe, Seattle

O Pearl Jam se materializa para tocar um set surpresa de dez músicas abrindo para o Cheap Trick nessa casa de Seattle com capacidade para 350 pessoas, com Jeff Ament pegando emprestado um baixo de 12 cordas com Tom Petersson, do Cheap Trick, em *Corduroy*.

Mike McCready: Outra razão pela qual eu amava o rock'n'roll quando era um jovem guitarrista era o Cheap Trick. Poder tocar com eles foi um sonho realizado. Fui influenciado por Rick Nielsen, que é muito importante. Eu jogo tantas palhetas para a plateia por causa dele.

6 de novembro
Karma Club, Boston

Ostentando a mão enfaixada por causa de um recente acidente de surf, Eddie Vedder faz uma aparição não anunciada em um show de Neil Finn em Boston para tocar músicas de todo o catálogo de Finn com o Split Enz e o Crowded House, incluindo "Stuff and Nonsense", "World Where you Live" e "History Never Repeats". Finn e seu filho, Liam, também acompanham Vedder em "Off He Goes", do Pearl Jam.

24 de novembro

A Epic lança *Live on Two Legs*, o primeiro disco ao vivo do Pearl Jam, gravado na recém-concluída turnê de *Yield*.

Jack Irons: O Pearl Jam gravou alguns shows na Austrália com a intenção de lançá-los, mas perceberam, depois que escutaram o que fizeram com Matt na América do Norte, que esse material era simplesmente uma escolha melhor para um disco ao vivo. Além de não ter os problemas que eu tinha, Matt estava muito mais sólido no palco.

23 de dezembro

O livro de fotos do Pearl Jam, *Place/Date*, fotografado pelos fotógrafos oficiais do Pearl Jam, Lance Mercer e Charles Peterson, é publicado em capa dura exclusivamente para os membros do Ten Club. O lançamento de uma versão normal segue na primavera de 1999.

Natal

"Last Kiss", com "Soldier of Love" no lado B, é lançada como o sétimo single de sete polegadas exclusivo para membros do fã-clube. Ambas são versões ao vivo gravadas durante a segunda parte da turnê norte-americana de *Yield*. A capa é um raio-X da mão machucada de Vedder fazendo o sinal havaiano de shaka (hang loose).

Jeff Ament: Os singles de Natal são algo que Tim Bierman normalmente nos fala por volta de agosto para começarmos a pensar. Geralmente é muito complicado, a não ser que alguém pegue o boi pelos chifres e vá até o estúdio para gravar algo. Mas é uma coisa divertida e, mesmo nos anos em que não estamos tocando muito, isso nos coloca juntos em uma sala novamente. Todos eles têm sido importantes, sem dúvida.

Breath

This is a sign to hold up to the band requesting the song "Breath". • It is a great song and one of the oldest Pearl Jam songs. • It was last played 4/11/94 in the Boston Garden. • On the band's official web-site it was the #1 most requested song for this tour. • Please hold up this sign when the band returns for the first encore. • For the band to see/hear this message and perform the song would truly be special. • Thank You.

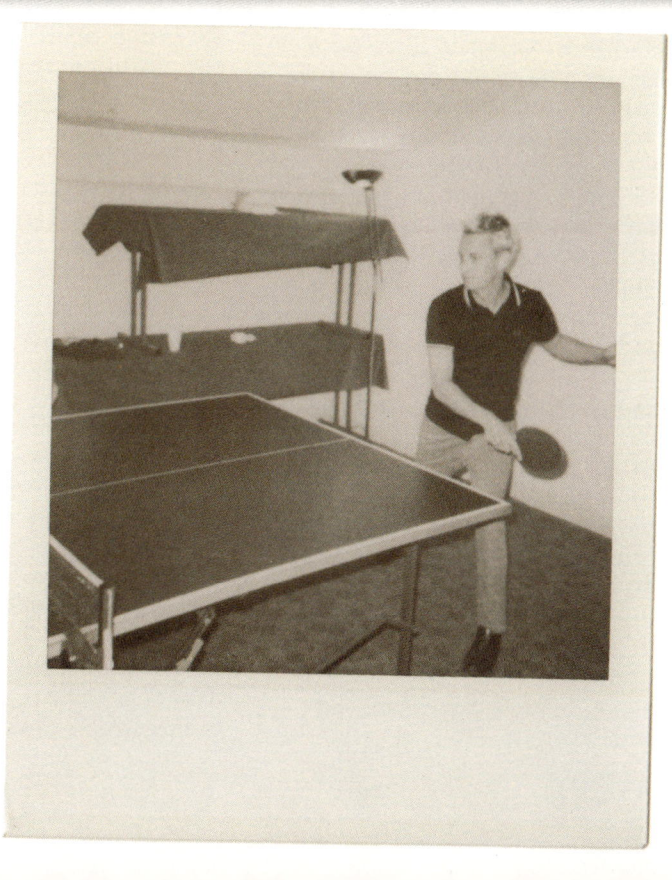

Yield

Em 1998, o Pearl Jam era o último dos quatro grandes de Seattle — que um dia tinha incluído Nirvana, Soundgarden e Alice in Chains — ainda ativamente fazendo música. A banda tinha lentamente se acostumado não apenas a sua celebridade, mas também a todas as pressões externas e às dinâmicas interpessoais delicadas que muitas vezes haviam transformado o simples ato de criar música em uma tarefa hercúlea.

"Evoluiu", diz Eddie Vedder sobre a perspicácia colaborativa da banda. "Foi na verdade muito bom desde o início, mas então provavelmente houve um período no meio em que não compusemos tanto. Os discos do meio. Talvez o terceiro disco, acho que eu estava apenas compondo um monte de canções na guitarra sozinho. Mas agora o coletivo fala mais alto. Somos todos nós cinco com nossos martelos e marretas trabalhando duro."

Trabalhar em conjunto daquela forma não foi nenhum acidente, de acordo com Vedder. "Eu me lembro de haver uma conversa estressante, quase chegando a uma discussão, baseada no que provavelmente era uma típica palhaçada de vocalista: 'Se você pensasse nisso em termos de letras, acho que comporia de forma diferente. Um riff é um riff, mas uma canção é uma canção. E existe uma grande diferença aí'", diz ele. "Tivemos que mudar a mentalidade a respeito das pessoas acharem que o que quer que elas compusessem era uma canção e não apenas um riff. Tinha que ter espaço. Tinha que ter espaço para permitir outra parte, que poderia ser potencialmente uma parte importante. Acho que para eles conseguirem isso demorou um tempo. Mas em *Yield* já estávamos no caminho certo. Esses caras já estavam chegando com uma compreensão melhor sobre o espaço e as letras. Foi um momento crucial para que todos se envolvessem na composição, que queria dizer canções contra riffs. Acho que foi libertador para todos, tipo, 'Oh! Posso compor músicas nesse grupo também! Que ótimo!'."

Quando o Pearl Jam começou a juntar material para seu quinto álbum no começo de 1997, os integrantes da banda concordaram que queriam que as músicas fossem mais acessíveis do que as do seu disco anterior, *No Code*. Mas eles também tinham uma ideia ainda mais radical: produzir as sessões de gravação por conta própria, sem a assistência do produtor de longa data, Brendan O´Brien.

"Eu me lembro de participar de uma teleconferência com Eddie, Stone e Jeff", diz O´Brien. "Eles disseram que iam fazer o próximo disco um pouco mais acessível ao ouvinte. Mas então disseram 'Queremos fazer isso sozinhos e talvez trazê-lo no final para nos ajudar a terminar e a mixar'. E eu disse 'O quê? Escutem! Eu os ajudei no último disco. Eu passei por tudo aquilo com vocês para chegar a *isso*. E agora vocês me dizem que querem fazer um disco com um som mais comercial sem a minha ajuda? Vocês estão loucos!'.

"Eu sabia que eles estavam ensaiando em Seattle naquela época", continua ele. "Eu falei 'Com a permissão de vocês, vou entrar em um avião amanhã de manhã e vocês vão me dizer por que eu não devo ajudá-los a fazer esse disco. E se a explicação fizer sentido, farei qualquer coisa que quiserem que eu faça. Mas vocês terão que me explicar por que é uma boa ideia, porque não acho que seja'.

"Então entrei no avião, furioso. Minha mulher teve que me acalmar. Eu tinha feito meu dever de casa com todas as demos. Eu me sentei com todo mundo na cozinha e conversamos por algumas horas. O importante é que começamos a trabalhar bem naquele momento, e bem ali. Não voltei para casa por mais algumas semanas."

A coleção resultante, *Yield*, é o equivalente sônico do sol abrindo passagem entre as nuvens. Além de ser o disco mais colaborativo da banda até hoje, particularmente com primeiras contribuições de letra de Stone Gossard e Jeff Ament, é também a obra mais coesa e acessível ao ouvinte que o Pearl Jam produziu até esse ponto de sua carreira.

Integrantes da banda atribuem essa distinção a O´Brien, que estava na mesa de som com o Pearl Jam pelo quinto álbum consecutivo (contando a colaboração com Neil Young, *Mirror Ball*). "Trabalhando com Brendan, o ouvido dele vai gravitar na direção de certas coisas", diz Gossard. "Tínhamos coisas comerciais em nós e sempre gostamos de músicas que são memoráveis, interessantes e bacanas."

"Fico muito feliz por Brendan ter vindo. Fico feliz que não tenhamos produzido *Yield* sozinhos", observa McCready. "Não teria soado tão bem. É sempre bom ter alguém que você respeite e que tenha ouvidos tão bons ou melhores que os seus. Não sei se teríamos tido essa perspectiva naquela época."

No centro de *Yield* estão "Wishlist" e "Given to Fly", que se tornariam duas das músicas mais populares do Pearl Jam de todos os tempos.

Baseada em um acorde dó maior com duas variações melódicas simples, a canção composta por Vedder, *Wishlist*, é uma lista de treze desejos não realizados que vão desde o universal ("I wish I was a messenger, and all the news were good" [eu gostaria de ser um mensageiro e que todas as notícias fossem boas]) até algo completamente pessoal ("I wish I was the full moon shining off your Camaro´s hood" [eu queria ser a lua cheia refletindo no capô do seu Camaro]). No fim das contas, o narrador decide que seu maior desejo já se realizou: "I wish I was as fortunate, as fortunate as me" (gostaria de ser tão afortunado, tão afortunado quanto eu).

Vedder compôs "Wishlist" depois que McCready o convidou para tocar com um amigo em comum. "Ele apenas disse algo como 'Tenho um horário no estúdio; quer vir até aqui?'. E, bem, parecia que o 'Hard Copy' daquela noite ia ser chato, então decidi ir até o estúdio e a coisa simplesmente brotou", diz Vedder, que estima que a versão original tinha pelo menos oito minutos de duração. "Escutei a fita e escolhi os melhores desejos."

Alimentada por um riff de guitarra ondulante de McCready, "Given to Fly" de certas formas expressa a primeira década confusa da banda. O fato de ela se elevar até um refrão empolgante e que causa arrepios confirma de modo definitivo aos ouvintes que o Pearl Jam tinha passado pelos anos 1990 com seu senso de propósito e comprometimento com o rock´n´roll intactos.

"'Given to Fly' veio de uma época em que eu estava finalmente colocando minha vida nos trilhos depois de passar por muitas coisas sombrias. Musicalmente, ela representa uma espécie de despertar para mim e um período de renovação, um período de apenas aprender como reviver minha vida", diz McCready. "Eu estava com a cabeça mais clara e com algumas ideias que eram um pouco celebratórias. 'Given to Fly', musicalmente, era um pouco essa declaração. É por isso que há todos os picos e vales nela. Ela começa lenta e vai ganhando força."

McCready compôs "Given to Fly" e o rock de balançar os punhos de tempo moderado, "Faithful", no mesmo dia de neve em Seattle em que ele não conseguia tirar seu Volvo da calçada e decidiu tocar guitarra para passar o tempo.

"A coisa com 'Faithful' é que para escrevê-la tive que fazer um telefonema", recorda McCready. "Eu liguei para Stone e toquei a parte da introdução para ele, e toquei a parte mais pesada para ele. Eu falei algo do tipo 'Como você junta essas duas coisas? Você pode me ajudar?'. Eu toquei aquilo no telefone para ele, e ele cantarolou como fazer a transição. Foi a primeira vez que liguei para ele para pedir ajuda com composições. Stone é a pessoa certa em nossa banda para juntar coisas. Ele e Jeff são muito bons nisso. Stone provavelmente é o mestre nessa arte, e Jeff está logo abaixo dele ou logo ao seu lado."

Outros destaques de *Yield* incluem o raivoso punk rock que abre o disco, "Brain of J.", que foi tocada ao vivo pela primeira vez em novembro de 1995, mas não foi gravada para *No Code*; a explosão Stoogiana, "Do the Evolution"; MFC, outra música sobre carros de Vedder que tem um protagonista pisando fundo para se afastar de uma situação ruim; e "In Hiding", que cresce de estrofes calmas até um refrão majestoso.

"Eu tinha gravado aquele riff em meu pequeno gravador de microcassete", diz Gossard sobre 'In Hiding', que inicialmente era intitulada 'Morning Song'. "Aquela foi provavelmente a primeira vez em que pensei 'eu quero muito me concentrar em tentar fazer a banda se apaixonar por essa música e continuar tocando-a toda vez que houver um ensaio'."

Os integrantes da banda achavam que *Yield* estava completo quando, no último minuto, Gossard e Vedder se juntaram para fazer "Do the Evolution", que se tornou um pequeno hit das rádios que tocavam rock, apesar de nunca ser lançada como single. Ela inclusive recebeu uma indicação para o Grammy de melhor performance de hard rock.

"Parecia que devia haver algo no disco que fosse um pouco mais rock", diz Gossard. "Tínhamos 'Brain of J.', que já existia há um tempo. Acho que é uma ótima música para abrir o disco. Mas eu me concentrei durante uns dois dias. Pensei, vou tocar toda noite essa semana e, se bolar algum riff, simplesmente vou até o estúdio e vou gravá-lo. Compus alguns riffs de que gostei e fui ao estúdio para fazer *demos* deles."

Para a sorte de Gossard, Vedder novamente calhou de estar "de bobeira no fim de semana", sem nenhum plano, então ele se encontrou com seu companheiro de banda no estúdio. "Ele se deixou levar por aquele riff logo de cara", diz Gossard sobre a versão embrionária do riff de "Do the Evolution". "E acabamos simplesmente usando a versão *demo* da música, o que é bastante empolgante. Eu toco um pouco de baixo e um monte de guitarras nela. É provavelmente uma das minhas letras favoritas, está entre as que mais gostei de ouvi-lo cantar, com todo o sarcasmo e o ângulo com que ele aborda o tema."

Inspirada em um romance de Daniel Quinn de 1992, *Ismael — um romance da condição humana*, que desconstrói o conceito de que a humanidade é o ápice da evolução, Vedder narra "Do the Evolution" como alguém convencido da superioridade das pessoas e da tecnologia: "This land is mine, this land is free /I do what I want so irresponsibly". [Essa terra é minha, essa terra é livre / eu faço o que quero tão irresponsavelmente.]

Gossard e Ament escreveram letras cada um para duas músicas em *Yield*. *No Way*, de Gossard, reflete sua ambivalência a respeito do superestrelato do Pearl Jam ("I´ll stop trying to make a difference / I´m not trying to make a difference" [Vou parar de tentar fazer a diferença / não estou tentando fazer a diferença]), enquanto "All Those Yesterdays", com seu groove repetido, evocativo de músicas do *Álbum Branco* dos Beatles, sugere que "não seja um crime fugir" dos muros autoimpostos do dia a dia.

As contribuições de Ament, "Pilate" e "Low Light", originaram-se de um grupo de meia dúzia de músicas que ele tinha escrito com a motivação de "Ed dizendo que queria ajuda e ideias mais completas. Todos estavam em volta durante a maior parte da gravação do disco, diferentemente do que acontecera muitas vezes antes, quando acabava sendo apenas Ed no estúdio sozinho. Ele não queria mais isso naquela época. Era um período tão criativo para a banda, porque todos estavam realmente abertos para as ideias de todos".

O baterista Jack Irons acrescenta: "Eu me lembro de muito mais envolvimento do grupo. Por alguma razão na evolução da banda, houve um movimento em prol de que todos participassem mais. Isso aconteceu naturalmente. Do meu ponto de vista, sempre foi colaborativo. No geral, a natureza daquele álbum se encaixava com a abertura para a participação de todos.

"Para mim, foi uma transição no que diz respeito à minha vida", continua ele. "Eu estava provavelmente me sentindo mais confortável na banda àquela altura. Eu tinha superado o redemoinho de mudar minha vida e trazer minha família para o norte. Eu tinha me acostumado com a ideia de fazer parte de uma banda que sobe no palco e toca para todas aquelas pessoas. Todas aquelas coisas estavam finalmente estabelecidas para mim, e se tornavam algo mais comum, o que sempre o faz se sentir mais relaxado ao tocar. É por isso que acho que *Yield* soa um pouco mais focado, polido e coeso do que *No Code*."

O reconhecimento de que o Pearl Jam e seus integrantes estavam em uma posição muito boa foi determinante para a escolha do título. Para Gossard, *Yield* era indicativo do Pearl Jam tomando o controle do que fazia o quinteto feliz, ao contrário de ceder ao que os integrantes da banda achavam que se esperava deles.

"Nós paramos de fazer todas as coisas que sentíamos que éramos obrigados a fazer, em termos de imprensa e em termos de achar que tínhamos que entrar em turnê", diz ele. "Começamos a tomar nossas decisões com base no que queríamos ou não fazer. No fim das contas, isso nos deixou de frente para nós mesmos. Qualquer problema que surgisse dentro da banda depois disso era algo como 'Certo, então, não é apenas essa questão. Somos nós, também!'"

Ament diz que a capa do disco se desenvolveu de uma reunião da banda em que Gossard sugeriu a palavra *yield* e todos os integrantes "começaram a falar sobre o que 'yield' significava para nós. Alguns falaram de coisas como se entregar à natureza, e eu continuava achando que seria legal se houvesse um sinal de yield [no trânsito, dar preferência], mas sem ninguém para quem dar a preferência, simplesmente no meio do nada".

"Toda a minha mentalidade, ou o que estava sendo processado constantemente", reflete Vedder, "é o desafio de olhar realmente de perto para o jogo que todos estão jogando — esse mito de uma existência e ver como você pode conseguir fazer algo que é um pouco diferente sem se tornar insano por completo. Não necessariamente voltar atrás no processo evolutivo, porque isso parece impossível, mas como você ajuda a moldar o futuro? Não apenas a sociedade, mas o meu próprio futuro, ou o da minha família, ou do meu entorno imediato e das pessoas nele. Então acho que *Yield* está dizendo 'Dê passagem'. Agora, para explicar isso, você teria que dizer 'Dê passagem para o quê?'. Verdadeiramente, é 'dê passagem à natureza'; é o que eu andava pensando, porque essa é a única coisa a que devemos dar passagem."

Antes de *Yield* ser lançado, mas depois de estar pronto, o Pearl Jam aceitou uma oferta rara como banda de abertura para o Rolling Stones em quatro shows em novembro de 1997, em Oakland. Na primavera seguinte, a banda começou a excursionar para divulgar o disco com uma passagem pela Austrália, que, infelizmente, acabou sendo a última turnê de Irons com o Pearl Jam, que estava lutando contra distúrbio bipolar.

"Nunca realmente tive a oportunidade de apreciar *Yield* do ponto de vista de quem o toca", diz o baterista. "O que sempre foi uma das coisas mais incríveis do Pearl Jam era que eles podiam de fato sacudi-lo, mas também eram capazes de acalmar as coisas um pouco e tornar tudo dinâmico. Para mim, como uma experiência pessoal de tocar, eu nunca tinha passado por aquilo antes. Em um show longo, era como malhar ou algo assim. Quando você pega realmente pesado e então relaxa por um segundo, seu corpo começa a se soltar e você começa a suar. Então você fica aquecido. E aí pode relaxar ainda mais nas músicas mais aceleradas. Se tenho um arrependimento, é que eu nunca tive a oportunidade de participar daquilo como um cara saudável."

E apesar de Irons estar incapacitado de se juntar ao Pearl Jam na continuação da jornada, sua presença foi crucial para a evolução do Pearl Jam em seu período mais desafiador. "Jack nos tornou capazes de conversar muito mais e deixou as linhas de comunicação abertas", diz McCready. "Ele normalmente dizia 'Ei, isso é esquisito e é assim que me sinto a respeito disso'. Então nos sentávamos e conversávamos sobre o assunto. Parecia que éramos finalmente uma banda. Estávamos todos conversando."

"*Yield* foi um disco divertido de fazer", diz Gossard. "Eu não sabia que seria, mas ele acabou sendo realmente um dos nossos melhores discos. Tivemos muitas músicas importantes que saíram desse disco para nosso show. É assim que dá para dizer de certa forma. Tentamos tocar um pouco de cada disco toda noite, e esse disco tem muitas que podemos tocar."

Ament acrescenta: "Superamos a tempestade e ainda nos sentamos em uma sala juntos, como amigos, com todas essas experiências atrás de nós."

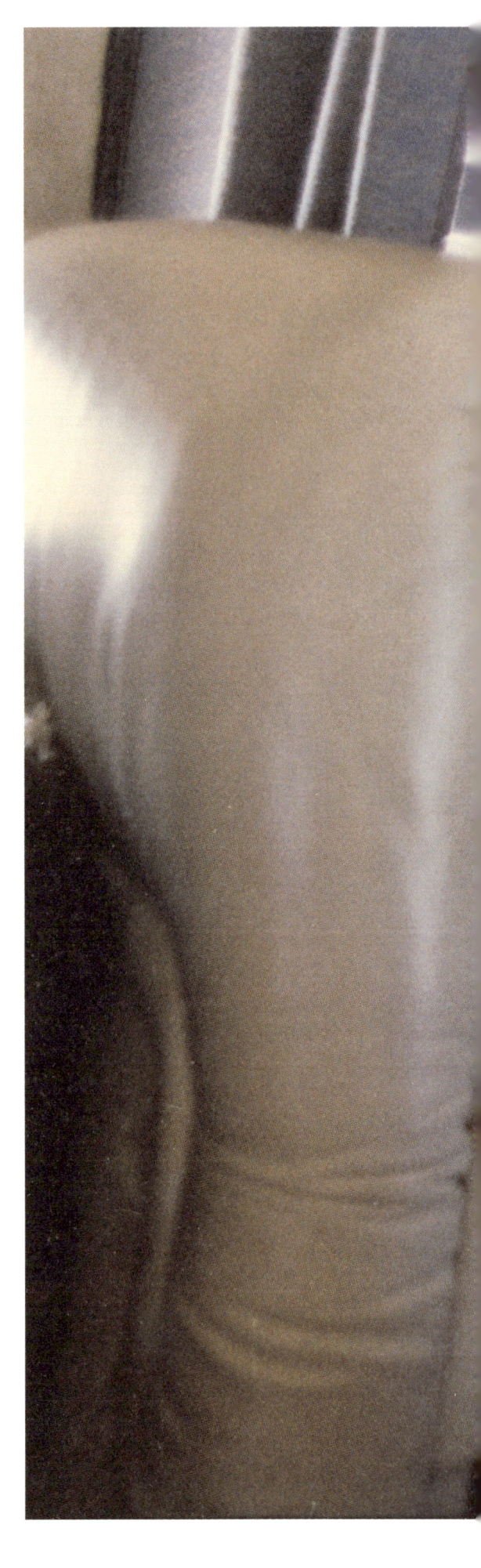

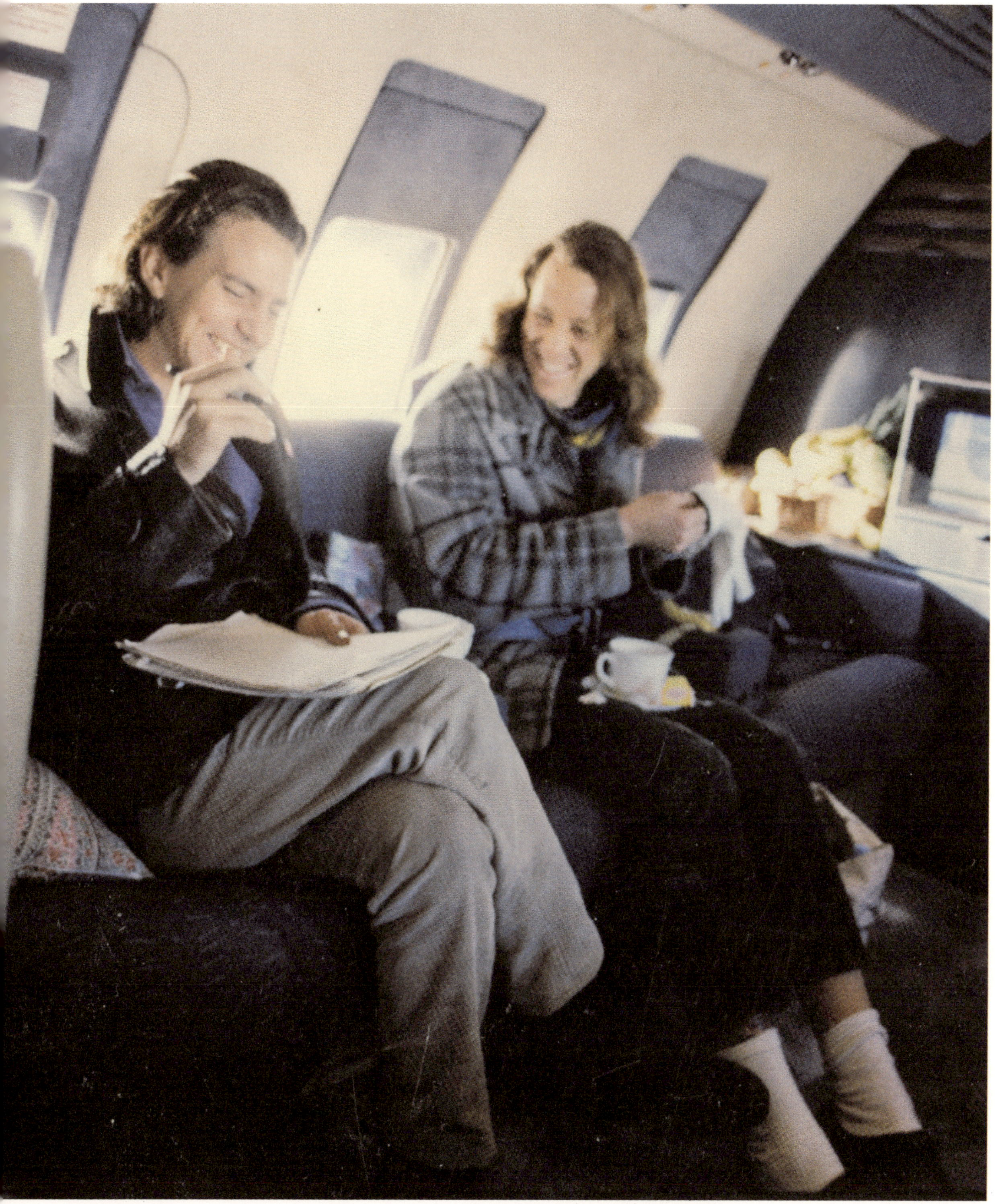

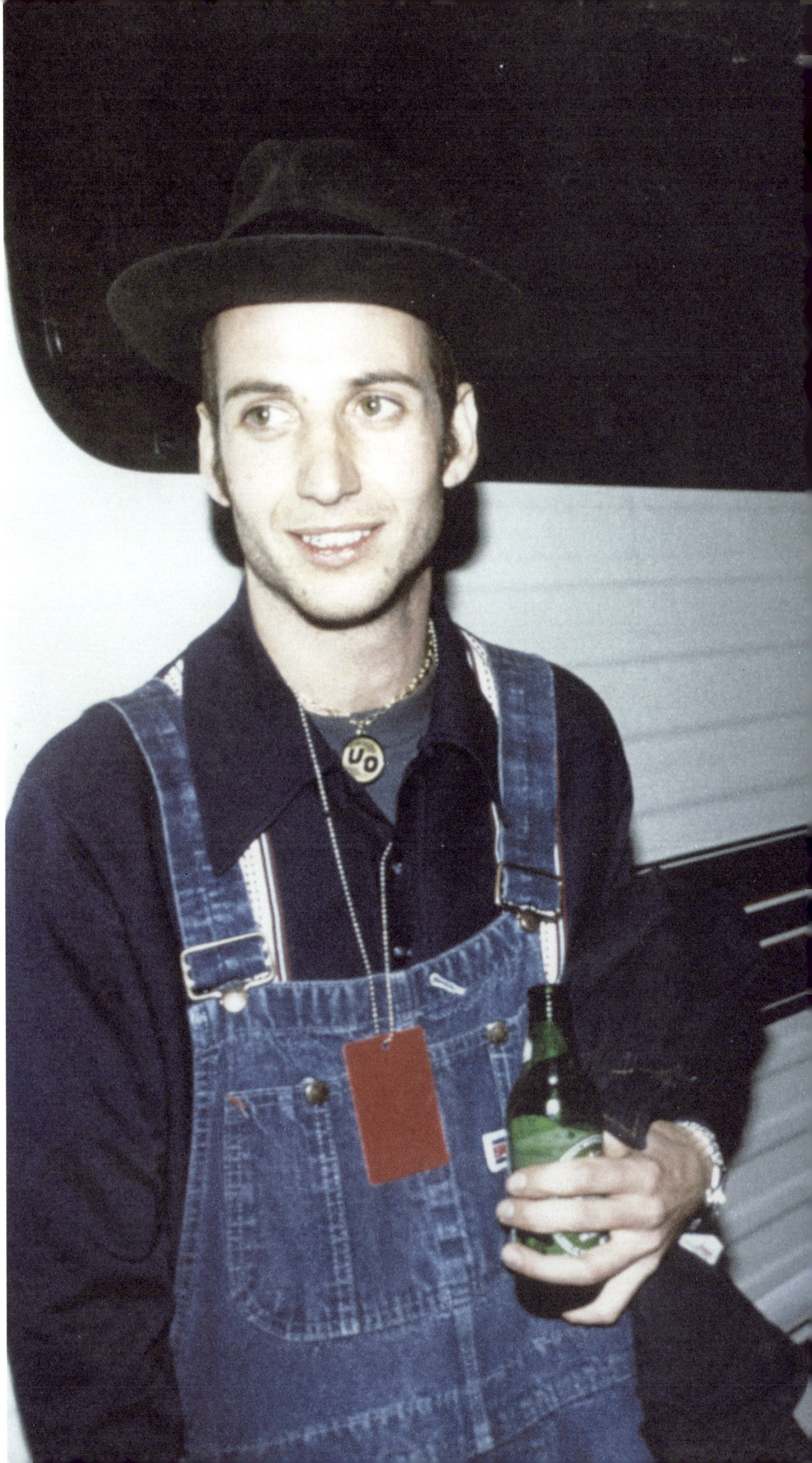

CAPÍTULO 1999

1999

No final dos anos 1990, a ideia de que o Pearl Jam de alguma forma conseguiria o maior hit pop de sua carreira através de uma música originalmente lançada como um single para o fã-clube parecia algo tão provável quanto Eddie Vedder pintar seu cabelo de louro, formar uma banda temporária e tocar em qualquer lugar, desde shows beneficentes gigantescos até chopadas. Ainda assim, todas essas coisas aconteceram em 1999, um ano que encontrou o Pearl Jam solto, relaxado e mais bem-sucedido do que nunca, aparentemente sem nem mesmo tentar.

Março

O Pearl Jam começa o trabalho em seu sexto álbum de estúdio no Studio Litho, de Stone Gossard, em Seattle, seu primeiro com o baterista Matt Cameron.

16 de março

Ten é premiado com o Diamond Award pela Recording Industry Association of America (RIAA) pela venda de 10 milhões de cópias.

Abril

O cover do Pearl Jam de "Last Kiss", disponível apenas no single de final de ano de 1998 do Ten Club, começa a ser tocado nas rádios dos Estados Unidos. No começo do verão, está em alta rotação em formatos múltiplos, incluindo rádios de rock mainstream e de mais tocadas, acabando por aparecer em treze paradas de execução diferentes da *Billboard*.

29 de maio

"Last Kiss" entra na lista Hot 100 da *Billboard* no número 84 em sua primeira de 21 semanas nas paradas.

1 de junho

O projeto paralelo de Jeff Ament, Three Fish, lança seu segundo álbum pela Epic, *The Quiet Table*, e começa em Chicago uma turnê de pequenas casas de show, de um mês de duração, logo depois de tocar com músicos na Turquia e no Egito.

8 de junho

Com o número de execuções no rádio aumentando exponencialmente, e aumentando também a demanda por uma versão mais comercial, "Last Kiss" é enfim lançada como single, com "Soldier of Love" no lado B, como no vinil de fim de ano de 1998. As duas músicas aparecem na coletânea beneficente da Epic, *No Boundaries: A Benefit For The Kosovar Refugees*, lançada uma semana depois. Até abril de 2000, quase 7 milhões de dólares são arrecadados das vendas de *No Boundaries* e do single de "Last Kiss" para os esforços dos grupos de ajuda internacionais CARE, Oxfam e Médicos Sem Fronteiras em prol dos refugiados do Kosovo.

Kelly Curtis: A música estava se tornando imensa e havia uma conversa sobre lançá-la como single ou algo assim. Nós dissemos, 'Se a lançarmos, será em um disco beneficente'. De um ponto de vista de negócios, a gravadora não gostou muito disso, mas eles nos ajudaram a preparar o disco e acho que isso arrecadou milhões para os refugiados. Tínhamos lançado aquilo como um single de Natal para o fã-clube, então, de fato, tudo aconteceu naturalmente. Isso certamente não acontece com muita frequência, no entanto. Ninguém estava trabalhando para que ela tocasse no rádio ou algo assim. Ela simplesmente começou a estourar por conta própria. Acho que isso significa que uma música boa é uma música boa, não é mesmo?

Michele Anthony: De repente, temos o maior single da carreira da banda, que, claro, não está em um disco. É exatamente uma situação clássica do Pearl Jam. Juntamos nossas cabeças para pensar em como poderíamos fazer bom uso de todas essas execuções no rádio. Tínhamos sido abordados para fazer um disco para o Kosovo, fornecendo fundos para o Médicos Sem Fronteiras. Liguei para Kelly, sugeri isso a ele e ele amou a ideia. Ele a levou até a banda e nos asseguramos de que o repertório do disco fosse algo complementar ao Pearl Jam.

12 de junho
Wrigleyville Tap, Chicago

Num show que representou um aquecimento muito intimista para sua aparição no Tibetan Freedom Concert no dia seguinte, Eddie Vedder, com Jon Merithew e Brad Balsey, do C Average, tocam em uma festa particular diante de aproximadamente cem pessoas em um bar de Chicago, na rua do estádio de beisebol Wrigley Field. O espaço para shows da casa é tão pequeno que os músicos montam o palco no chão, tocando "Last Kiss", "Corduroy", "Love — Building on Fire", do Talking Heads, "Diamonds in the Rough", do Dead Moon e uma versão punk de "I Am a Patriot", de Steven Van Zandt. Vedder diz aos espectadores sortudos: "É tão bom tocar apenas por tocar e beber algumas cervejas. Gosto da ideia de que pessoas estão passando na rua e não sabem o que está acontecendo aqui dentro."

13 de junho
Alpine Valley Music Theatre, East Troy, Wisconsin

No quarto Tibetan Freedom Concert, Vedder chega para uma apresentação durante a tarde sem ninguém no palco para se juntar a ele no baixo e na bateria e abre o show com uma versão solo de "Last Kiss". Ele então pergunta a membros da plateia se eles querem subir no palco e tocar, antes de selecionar duas pessoas do público (que na verdade são Merithew e Balsey, do C Average). Eles sobem no palco e arrasam em "Better Man" antes que Vedder revele a pegadinha, e o trio continua a tocar músicas como "Driven to Tears", do The Police, "Watch Outside", do Mono Men, e as músicas escolhidas do Dead Moon e do Talking Heads da noite anterior.

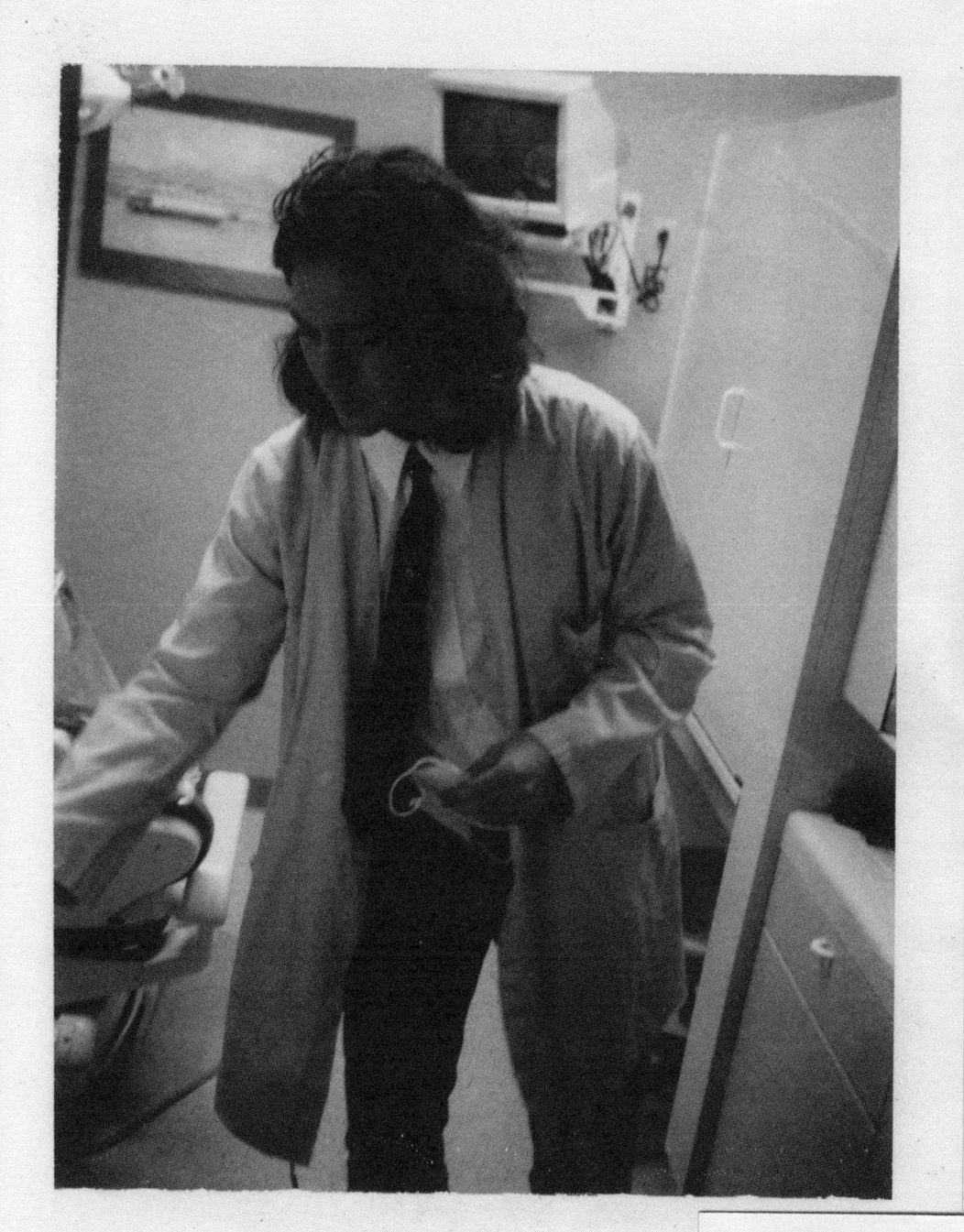

IN HIDING

I shut andlocked the front door,...
no way in or out,....
I turned and walked the hallway
pulled the curtains down,...
I knelt and emptied the mouths
of every plug around,...

a nothing sound,... |nothing sound

I stayed where my last step left me,
ignored all my rounds,...
soon I was seeing visions in cracks

upside down,...

I followed a wish just to keep from
I followed a truth just to keep me t
I swallowed my breath and went deep
I peeled back my brain and became en

Im in hiding,...   2 new

→ I followed a wish just just to keep
I traded a kiss just to keep from ly
I swallowed my breath andwent deep,.
I opened my being became enlightened
EYE OPEN..

Im in hiding,....

hiding.

Don't WANNA HAVE to LOSE
Don't WANT to HAVE 2 TAK U BACK
U KNOW ILL NEVER LOSE YOU
    ABUSE
      USE
U NO I'LL ALWAYS HELP U
BUT I JUST CAN'T DO THAT
I KNOW I SAID I'D HELP YOU BABY
HERE'S MY, CALL ME

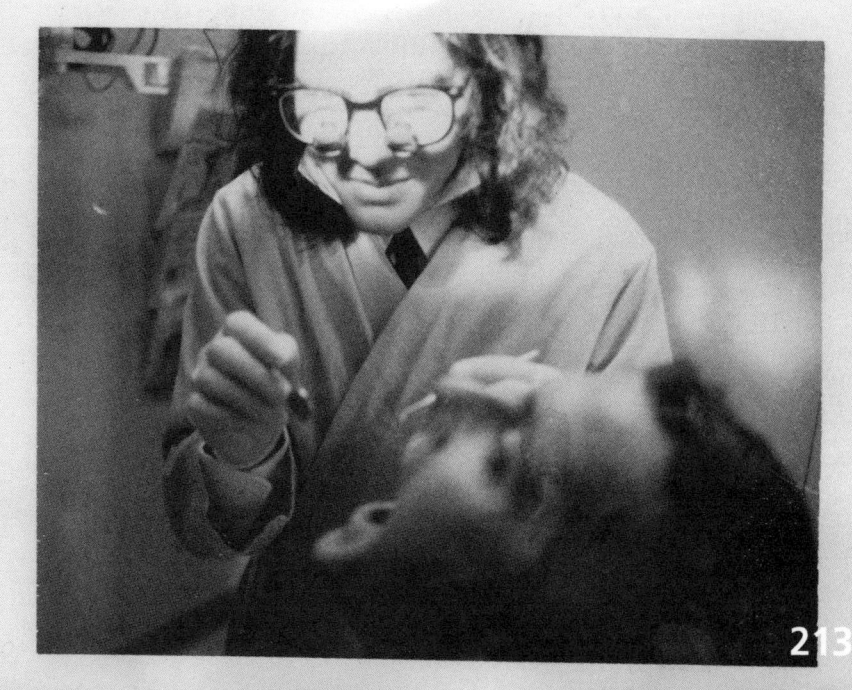

25 de junho
Hollywood Palladium, Hollywood, Califórnia

Vedder e o C Average fazem uma aparição surpresa em um show beneficente para o Musicians' Assistance Project com a participação do Red Hot Chili Peppers, Mike Watt and the Black Gang Crew e Perry Farrell. Vedder e Watt tocam "Against the ´70s", a parceria deles para o disco de Watt de 1995, *Ball-hog or Tugboat?*, antes do set de Watt. Durante o set de Vedder, ele continua sua piada sobre seus laços com o C Average, dizendo à plateia que eles nunca tinham tocado juntos antes do Tibetan Freedom Concert e que eles achavam que deviam tentar novamente naquela noite. O setlist é praticamente idêntico ao que eles tocaram naquele dia.

26 de junho

"Last Kiss" sobe vertiginosamente do número 49 até o número 2 da Hot 100 da *Billboard*, o maior salto até essa posição em mais de quarenta anos, dando ao Pearl Jam o maior hit de sua carreira. O único outro single entre os dez primeiros antes disso foi "I Got Id" com "Long Road" no lado B, que alcançou o número 7 logo antes do Natal de 1995.

Eddie Vedder: Eu estava em uma ilha no Havaí, longe de tudo, quando Kelly Curtis ligou e perguntou se eu tinha ouvido falar do que estava acontecendo com "Last Kiss". Aquilo pareceu surreal para mim. Ainda mais louco foi que liguei o rádio e ela estava tocando logo de cara. Essa é a maior música que já tivemos no rádio e não estava nem disponível para venda. Isso é muito mais empolgante e mágico do que conseguir que um plano de marketing tenha sucesso.

Mike McCready: Ela simplesmente explodiu. Não tínhamos a menor ideia. Isso só prova cada vez mais que, quando as pessoas tentam entender o que é um hit, sejam integrantes de uma banda ou pessoas de A&R, ninguém tem a menor ideia. Aquilo estava tão fora dos nossos planos! Foi algo como "Uau, ela está sendo muito tocada e as pessoas estão gostando dela". Foi, tipo, a coisa mais bizarra para nós em termos de singles.

26 de junho
La Paloma Theatre, Encinitas, Califórnia

Vedder e o C Average fazem shows cedo (oito da noite) e tarde (11 da noite) nessa casa com capacidade para 390 pessoas perto de San Diego, com ingressos a 10 dólares sendo postos à venda naquela tarde apenas na bilheteria da casa. Vedder toca as três primeiras músicas de cada show sozinho, incluindo "Trouble", de Cat Stevens, "Bobby Jean", de Bruce Springsteen e "Throw Your Arms Around Me", do Hunters & Collectors, antes de Merithew e Balsley se juntarem a ele para arrasar em "Got the Time", de Joe Jackson, "Naked Eye", "The Good´s Gone" e "I Can´t Explain", do The Who e uma frenética versão influenciada pelo punk rock de "Corduroy", do Pearl Jam.

14 de julho
510 Columbia Street, Olympia, Washington

Em uma de suas aparições ao vivo mais intimistas de todos os tempos, Vedder toca um set de 45 minutos de músicas do The Who com o C Average diante de menos de cem pessoas em uma oficina de carpintaria em Olympia durante o festival Yo Yo a Go Go, que acontece na cidade. Vestido com uma jaqueta branca e jeans e ostentando uma peruca loura encaracolada no estilo do período clássico de Roger Daltrey, Vedder se mantém no personagem ao longo do show, até mesmo reciclando pedaços de falas entre as músicas de velhas gravações não oficiais do The Who nos intervalos. Entre as músicas tocadas: "Heaven and Hell", "I Can´t Explain", "Young Man Blues", "Fortune Teller", "Tattoo", "A Quick One", "While He´s Away", "I´m a Boy", "My Generation", "See Me", "Feel Me" e "Sparks". Bem ao estilo The Who, os músicos destroem o palco no fim do show, cujos ingressos custavam apenas 4 dólares na porta.

28 de julho
Ed Sullivan Theater, Nova York

Vedder se junta a Pete Townshend para tocar *Heart to Hang Onto*, do disco de Townshend com Ronnie Lane de 1977, "Rough Mix", no programa da CBS, *Late Show with David Letterman*. Acompanhados por Paul Shaffer e a banda do programa de Letterman, Vedder e Townshend emendam em "Magic Bus", do The Who, enquanto o programa vai para o intervalo comercial.

28 de julho
Supper Club, Nova York

Alguns blocos ao sul do Ed Sullivan Theater, Vedder é um convidado secreto mal guardado em um show privado planejado para promover o próximo disco de Pete Townshend, *Pete Townshend Live: A Benefit for Maryville Academy*. Depois que Townshend toca as primeiras sete músicas sozinho, ele dá as boas-vindas a Vedder, que se junta a ele em "Heart to Hang Onto", "Let´s See Action", "Better Man", "Till the Rivers All Run Dry", "Sheraton Gibson", "Magic Bus" e "I´m One".

29 de julho
House of Blues, Chicago

Outro show privado para promover o disco ao vivo de Pete Townshend que está prestes a ser lançado. O setlist é quase idêntico ao da noite anterior em Nova York, mas dessa vez com uma plateia barulhenta e que não para de falar, o que claramente irrita os músicos. Vedder diz no palco: "Os últimos dias, passando tempo com Pete, me ensinaram coisas novas sobre música e coisas novas como ser humano. Uma dessas coisas é dizer o que você pensa. E eu penso que vocês falando entre as músicas estão me levando à loucura."

6 de agosto

Ten é certificado com 11 vezes disco de platina pela Recording Industry Association of America (RIAA) pela venda de 11 milhões de cópias do disco.

17 de agosto

A Interscope lança a terceira edição da coletânea beneficente *MOM: Music for Our Mother Ocean*, que traz a faixa do Pearl Jam composta e cantada por Jack Irons, "Whale Song". Os lucros beneficiam a Surfrider Foundation.

30-31 de outubro
Shoreline Amphitheatre, Mountain View, Califórnia

O Pearl Jam faz sua quarta aparição no Bridge School Benefit, de Neil Young, e estreia duas novas músicas programadas para o ainda não anunciado álbum *Binaural*: a balada composta por Stone Gossard, "Thin Air", e o rock de tendências psicodélicas de Jeff Ament, "Nothing As It Seems". Os integrantes do Pearl Jam também participam em uma cantoria durante "I Shall Be Released," de Bob Dylan, e fazem uma aparição com Brian

215

Wilson durante "Surfin´ U.S.A.", dos Beach Boys. Do palco, Vedder diz à plateia: "Neil fez uma reuniãozinha em sua casa ontem à noite. Nós caminhamos pela floresta e ele disse 'Tenho pensado em lhe dizer isso, mas nunca pareceu ser o momento certo... mas sou seu pai'". Vedder então dedica *Footsteps* ao "pai e todos os meus novos irmãos e irmãs". Durante a longa viagem de carro até a casa de Young na noite anterior, Vedder compõe uma nova música, "Driftin", no verso de uma passagem de avião.

12-13 de novembro
House of Blues, Chicago

Vedder e o C Average se reúnem para abrir shows beneficentes de ingressos a 300 dólares para o The Who em Chicago, tocando praticamente o mesmo repertório dos seus shows do verão ("Driven to Tears", "Love — Building on Fire", e músicas do Pearl Jam como "Wishlist" e "Last Kiss"). Quase no fim dos dois shows, Vedder e companhia fazem uma menção ao The Who ao tocar "Leaving Here", uma música que o grupo originalmente tocou no meio dos anos 1960, quando era conhecido como The High Numbers. No segundo show, Vedder toca um violão que Townshend usou na época de *Tommy* que foi comprado para ele em um leilão no show na noite anterior. "Todos os meus Natais pelo resto da minha vida estão bem aqui, e estou contente com isso", diz Vedder sobre o violão. Ele e o C Average também se juntam ao The Who para tocar "Let´s See Action" nos dois shows.

3 de dezembro

O Pearl Jam lança o TenClub.net, o website oficial de seu fã-clube. Visitantes são saudados por uma carta escrita a mão por Vedder, que fala de planos para fornecer no futuro "gravações de shows, transmissões de rádio, *demos* etc. Até lá, temos algumas mercadorias à venda. Confiram e se entretenham com a nossa falta de humildade, oferecendo camisetas com nosso nome nelas". Discutindo a incursão do Pearl Jam no mundo da internet, ele escreve: "Se você está lendo isso em uma tela de computador, você se encontra em um novo mundo de comunicação, assim como nós. É um lugar interessante; nenhum de nós sabe muito bem quais são as ramificações dessa tecnologia recém-descoberta, mas como com qualquer coisa, nossa abordagem vai ser extrair algo positivo."

Natal

O Pearl Jam lança seu oitavo single de fim de ano do fã-clube, que apresenta duas músicas novas: "Strangest Tribe" e "Driftin'".

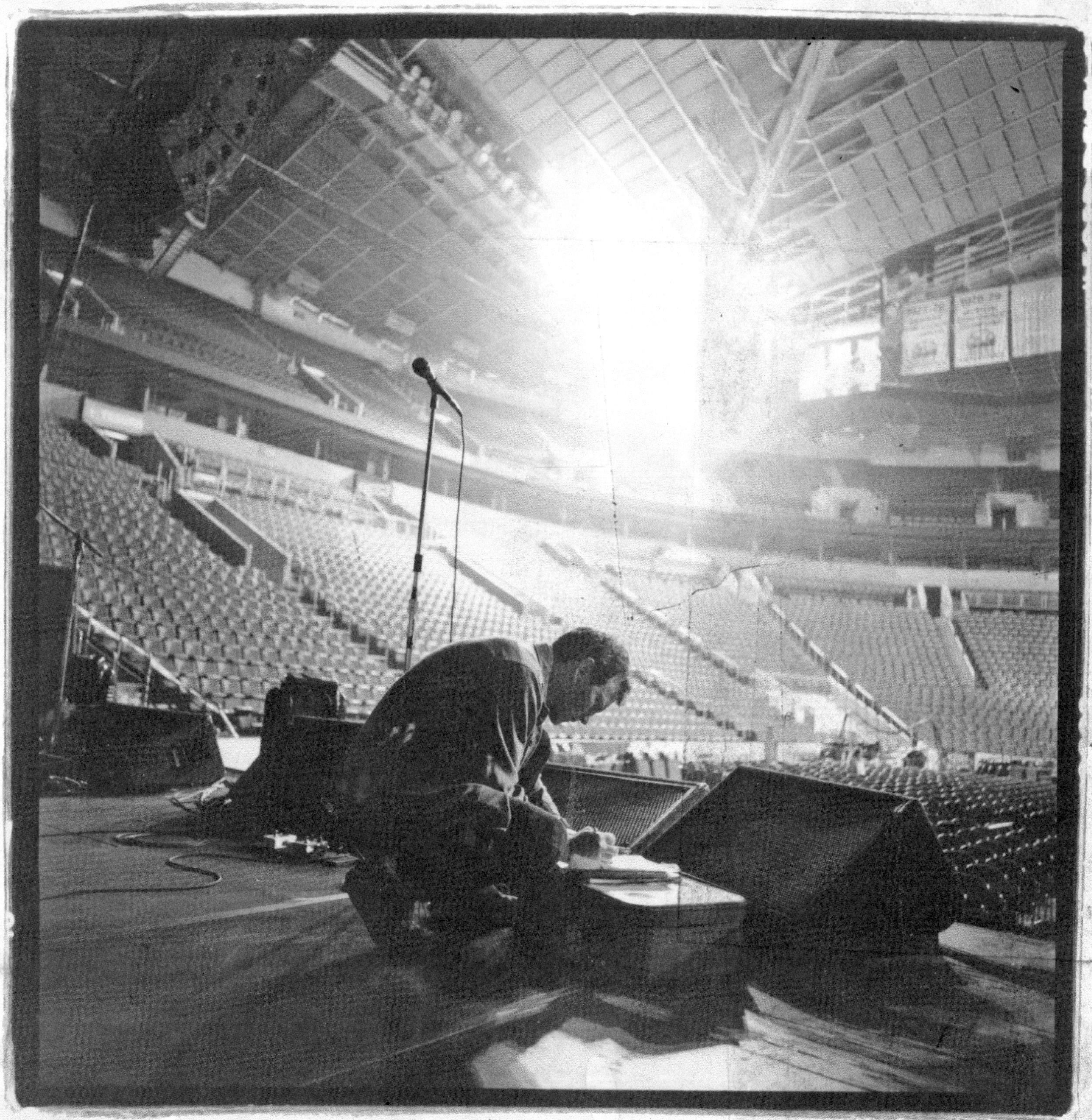

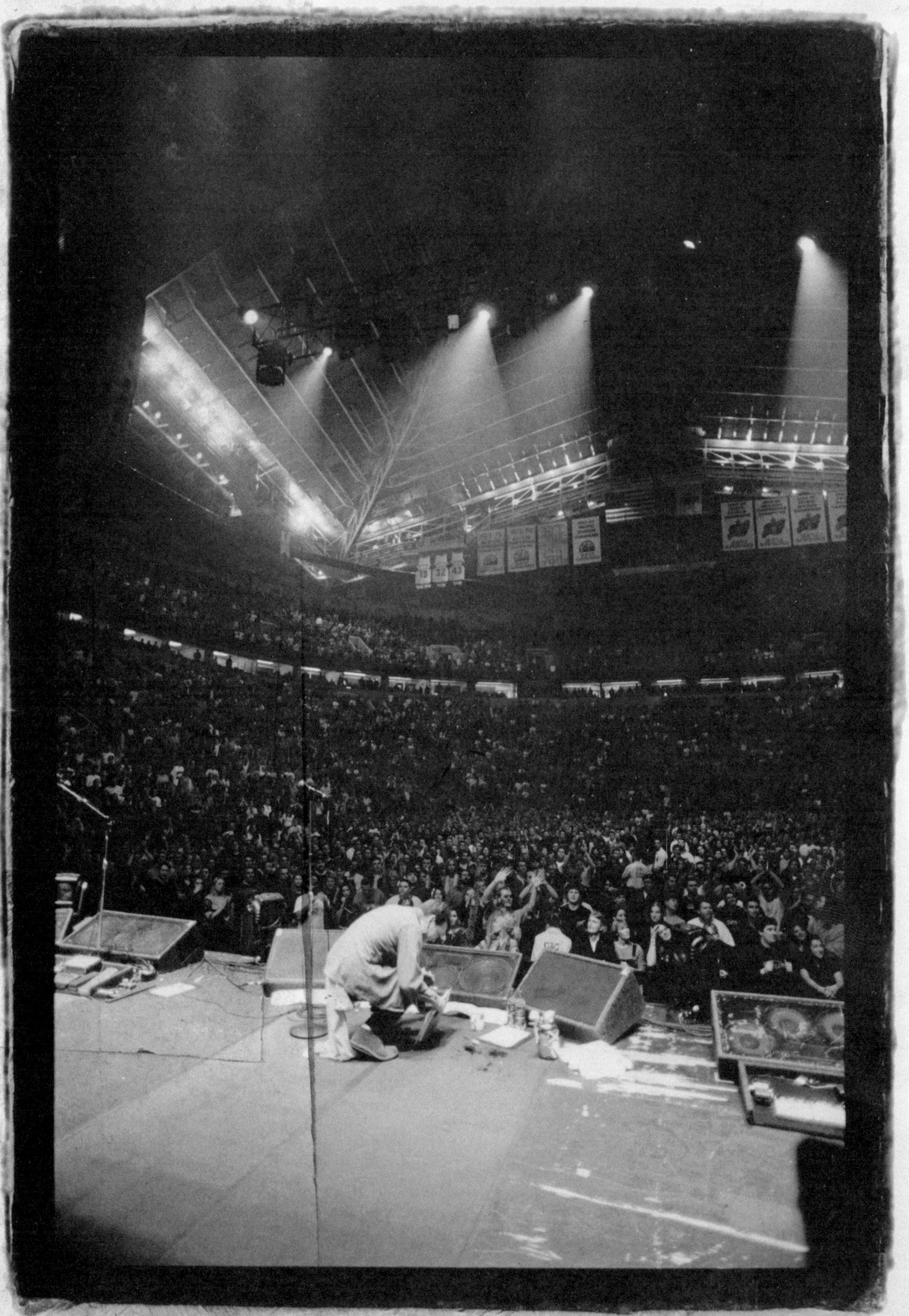

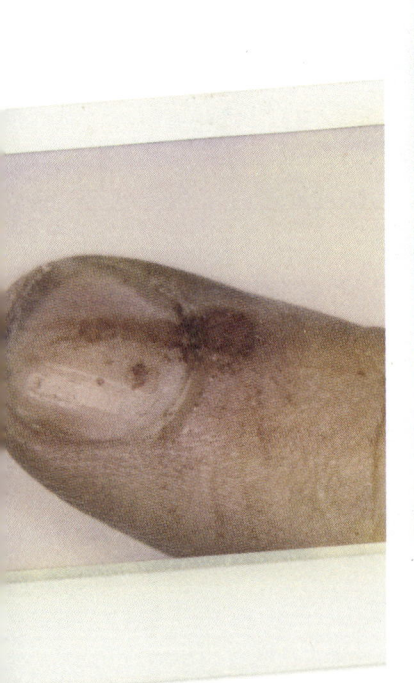

MINNE APOLIS

BRONCO

HAMBURG

BYE POP '92

BOWL

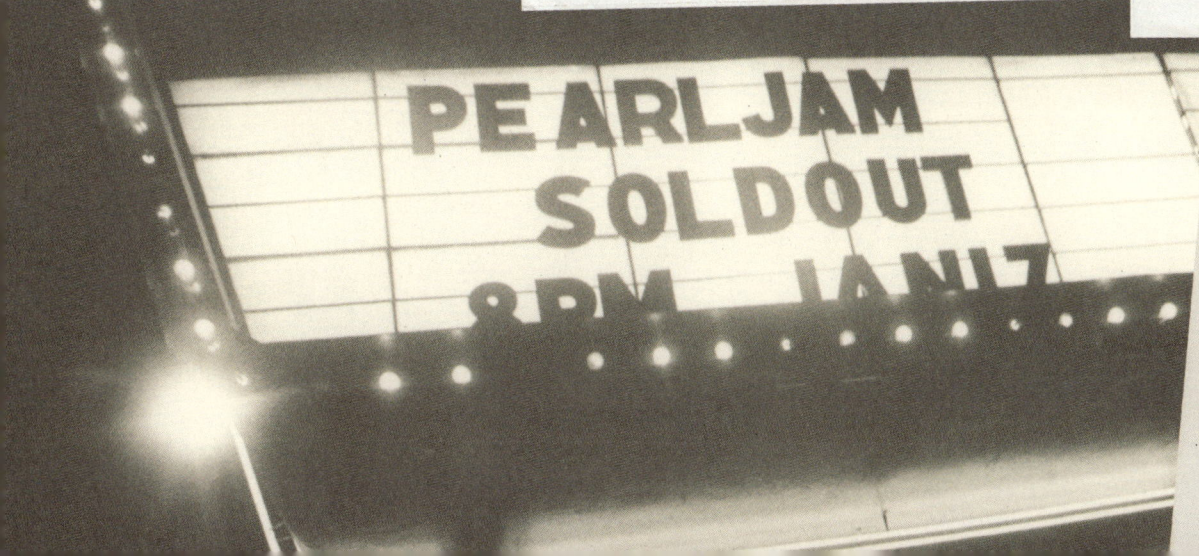

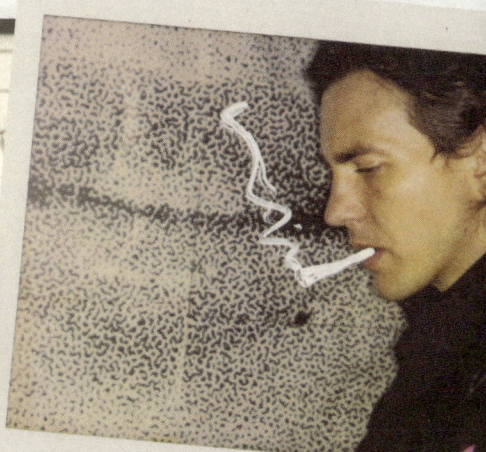

DALLAS

BREMIN. Germany
w/ BAD RELIGION

PEARL JAM
SOLD OUT
8PM JAN 17

221

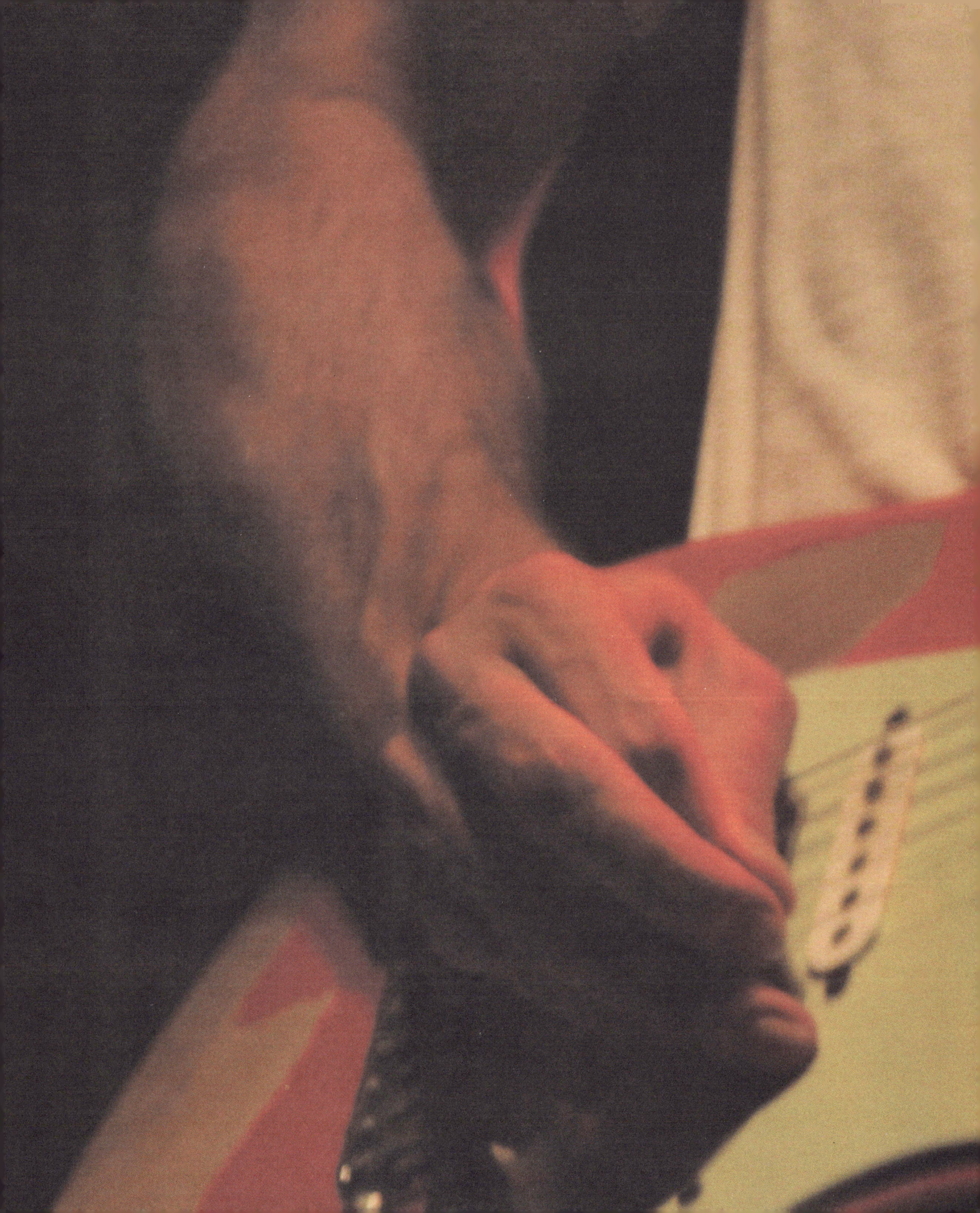

CAPÍTULO 2000

2000

A nova década significou não apenas novas músicas, mas também novas ideias para o Pearl Jam. A principal delas era um plano até então inédito de vender gravações autorizadas de toda a turnê de 2000 da banda através de pontos de venda tradicionais. O Pearl Jam permitia que os fãs gravassem seus shows desde o outono de 1995, mas discos caros com gravações com som ruim continuavam a ser vendidos. O novo empreendimento dessa forma vencia os vendedores de gravações não autorizadas em seu próprio jogo, ao oferecer um produto com a qualidade do áudio infinitamente superior a um preço substancialmente mais baixo. Para divulgar seu sexto álbum, *Binaural*, o Pearl Jam pegou a estrada na primavera para uma turnê internacional, com um show de aniversário de 10 anos planejado para o dia 22 de outubro em Las Vegas. No dia 30 de junho a banda chegou ao Festival de Roskilde na Dinamarca para o que achava que seria apenas mais um show. Dentro de algumas horas, nove vidas seriam perdidas e o Pearl Jam seria mudado para sempre.

1 de fevereiro

O álbum homônimo do Rockfords é lançado pela Epic Records. A banda consiste de Mike McCready, Danny Newcomb, Rick e Chris Friel e Carrie Akre. McCready, Newcomb e os irmãos Friel tocaram na banda Shadow quando estavam no segundo grau em Seattle. Nancy Wilson, do Heart, escreve a letra e canta na música "Riverwide".

11 de abril

"Nothing As It Seems", o primeiro single do sexto álbum de estúdio do Pearl Jam, *Binaural*, estreia no rádio ao redor do mundo. A faixa, que foi tocada pela primeira vez em novembro do ano anterior no Bridge School Benefit nos arredores de São Francisco, estreia na semana seguinte no número 5 das paradas de Faixas de Mainstream Rock da *Billboard*, e no número 11 na classificação do Modern Rock. Um single comercial, que traz também "Insignificance", faixa de *Binaural*, é lançado no dia 25 de abril.

Jeff Ament: "Nothing As It Seems" era como uma pequena canção folk. Quando Stone ficou animado com ela, eu falei algo como "Uau, se ela tivesse uma bateria e se Mike participasse um pouco...". De repente ela virou essa outra coisa completamente diferente.

12 de abril
Ed Sullivan Theater, Nova York

O Pearl Jam estreia outra faixa de *Binaural*, "Grievance", no programa da CBS, *Late Show with David Letterman*. Mike McCready tenta quebrar sua guitarra no fim da apresentação depois de presentear Letterman com o instrumento.

10 de maio
Mount Baker Theatre, Bellingham, Washington

O Pearl Jam estreia mais sete músicas de *Binaural* ("Of the Girl", "Breakerfall", "God's Dice", "Light Years", "Evacuation", "Insignificance", "Soon Forget") em seu primeiro show inteiro como *headliner* desde o final da turnê de 1998 de *Yield*. "Que muquifo maravilhoso. Essa é a melhor sala de ensaio em que já estive", diz Vedder ao pequeno público de 1.100 fãs.

11 de maio
Commodore Ballroom, Vancouver, Canadá

Pouco mais de mil ganhadores de uma promoção no rádio estão presentes para outra pré-estreia ao vivo de *Binaural*, contando com nove músicas do álbum ainda não lançado.

16 de maio

O sexto disco de estúdio do Pearl Jam, *Binaural*, é lançado pela Epic Records. Ele estreia na semana seguinte no número 2 da lista dos 200 discos mais vendidos da *Billboard*, com vendas na primeira semana de 226 mil cópias nos Estados Unidos, de acordo com a Nielsen SoundScan.

23 de maio
Estádio Restelo, Lisboa, Portugal

O Pearl Jam começa uma turnê mundial para divulgar *Binaural* com seis semanas de shows como *headliner* e aparições em festivais na Europa. Bandas de abertura incluem The Vandals, The Monkeywrench e The Dismemberment Plan. Na abertura da turnê em Lisboa, o astro do basquete profissional Dennis Rodman aparece no palco logo antes da última música, "Yellow Ledbetter".

Travis Morrison, líder do Dismemberment Plan: Eu me lembro de admirar o modo como Eddie sabia falar com 12 mil pessoas olhando fixamente para ele. Tenho certeza que até certo ponto ele aprendeu isso fazendo, mas certamente ele tinha um dom para a coisa. Entre as músicas ele era muito amigável e realmente fazia essas plateias enormes se sentirem à vontade. Vir de um lugar onde tínhamos acabado de tocar para 450 pessoas em Nova York, achando que éramos gigantes, e ver alguém lidar com 12 mil, especialmente depois de nossa própria piração de trinta minutos — é a coisa de que me lembro mais intensamente.

1 de junho
The Point, Dublin, Irlanda

"Garden" é tocada ao vivo pela primeira vez desde 20 de junho de 1995.

4 de junho

Desejando que os fãs tivessem acesso fácil aos shows da banda, a um preço acessível, o Pearl Jam anuncia um plano inovador de lançar oficialmente gravações autorizadas de sua turnê europeia de 2000 em CD.

Kelly Curtis: Comecei a comprar toda gravação não autorizada que conseguia encontrar, e a ideia era que os que tivessem som realmente bom nós lançaríamos. Achamos que seria engraçado, porque não podíamos ser processados. Eu procurava aqueles com a melhor qualidade, mas a maioria deles tinha um som de merda. Mas as pessoas estavam comprando aquilo. Então pensamos: E se nós lhes fornecêssemos algo oficial diretamente de nós, a preços mais baratos e com o som muito melhor? Nunca tivemos a intenção de tornar isso um produto. Era apenas para os

The Rockfords

fãs que já estavam comprando o material. A ideia não era acabar com os vendedores de gravações não autorizadas, mas dar ao nosso consumidor uma versão mais barata e com melhor qualidade.

9 de junho
Rock Am Ring Festival, Colônia, Alemanha

O Pearl Jam faz seu primeiro show em um festival europeu desde 27 de junho de 1993 diante de um público estimado em 60 mil pessoas. Aparições em festivais seguem no dia 11 de junho (Rock Im Park, Nuremberg, Alemanha) e no dia 12 de junho (Pinkpop, Landgraaf, Holanda).

16 de junho
Spodek, Katowice, Polônia

Depois de ter esgotado os ingressos da casa com capacidade para 8 mil espectadores na noite anterior, o Pearl Jam volta na noite seguinte para encontrar o local com menos de um terço de sua capacidade. Com isso, a banda imediatamente se desvia de seu setlist impresso, abrindo com quatro músicas lentas em sequência ("Release", "Of the Girl", "Sleight of Hand", "Thin Air"). A partir daí, o quinteto escolhe o repertório na hora, desencavando raridades como "In Hiding", "Dissident", "I Got Id" e "Smile", no que acaba sendo um dos shows mais incomuns da banda em anos.

Jeff Ament: Chegamos a um setlist que era definitivamente muito diferente de qualquer coisa que tínhamos feito na turnê. No início, apenas falamos "Vamos relaxar e fazer o que der na telha". Aquele foi um destaque musical para mim ao vivo, simplesmente se livrar de toda a pressão de ter que entreter e apenas subir no palco e tocar músicas como se você estivesse na sala de sua casa.

Matt Cameron: Eddie simplesmente decidiu escolher as músicas na hora. Não havia um setlist ou algo assim. Era como se estivéssemos tocando em uma chopada.

28 de junho
Sjöhistoriska Museet, Estocolmo, Suécia

Eddie Vedder surpreende o público com uma apresentação solo de cinco músicas ("Last Kiss", "Trouble", "Dead Man", "Parting Ways", "Throw You Arms Around Me") antes do set do Dismemberment Plan, reprisando um mini-set de abertura que ele tinha feito quando o Pearl Jam tocara nesse mesmo local em 1992.

30 de junho
Festival de Roskilde, Copenhague, Dinamarca

Nove espectadores com idades entre 17 e 26 anos morrem e trinta ficam feridos durante um tumulto na plateia enquanto o Pearl Jam está tocando "Daughter", a 12ª música de seu set. A banda imediatamente cancela as últimas duas datas da turnê europeia.

O Pearl Jam publicou uma declaração depois do incidente: "Isso é muito doloroso. Acho que estamos todos esperando que alguém nos acorde e diga que isso foi apenas um terrível pesadelo. E não há absolutamente nenhuma palavra para expressar nossa angústia com relação aos pais e entes queridos dessas vidas preciosas que foram perdidas. Ainda não fomos comunicados sobre o que realmente ocorreu, mas pareceu ser aleatório e nauseantemente rápido. Não faz sentido. Quando você concorda em tocar em um festival desse tamanho e com essa reputação, é impossível imaginar uma situação tão chocante. Nossas vidas nunca mais serão as mesmas, mas sabemos que isso não é nada comparado à dor das famílias e dos amigos daqueles envolvidos. Isso é trágico demais. Não há palavras. Estamos devastados".

18 de julho

Um single comercial de "Light Years" é lançado, trazendo também as versões ao vivo de "Soon Forget" e "Grievance" do show de 10 de maio de 2000 em Bellingham.

3 de agosto
Virginia Beach Amphitheatre, Virginia Beach, Virginia

Depois de um período de descanso emocionalmente devastador de um mês, o Pearl Jam recomeça sua turnê de *Binaural* em Virginia Beach, a primeira de mais 47 datas planejadas. Vedder modifica algumas de suas letras depois de Roskilde ("I have wished for so long, how I wish for them today" [Desejei por tanto tempo, como as desejo hoje] na música de abertura "Long Road"; "Absolutely everything´s changed" [Absolutamente tudo mudou], em "Corduroy").

Stone Gossard: Nosso primeiro show depois da tragédia de Roskilde. Sentimos uma tristeza profunda por causa de nossas lembranças recentes e compartilhamos o alívio de tocar novamente como irmãos.

Eddie Vedder: Houve um momento crucial vendo o Sonic Youth abrir o primeiro show, de volta aos Estados Unidos. Todas as perguntas, dúvidas e o desespero foram descartados pelo poder do som e daqueles que o produziam.

5 de setembro
Post-Gazette Pavilion, Burgettstown, Pensilvânia

A primeira parte da turnê norte-americana de *Binaural* termina com um show que apresenta a primeira performance de "Wash" desde 24 de setembro de 1996, tocado por pedido de uma fã chamada Amy, que estava seguindo a turnê pelo país. Antes do set do Sonic Youth, Vedder toca quatro músicas, incluindo "Parting Ways" e "Naked Eye", do The Who, com o auxílio de Lee Ranaldo, Steve Shelley e Jim O´Rourke, do Sonic Youth.

12 de setembro

A trilha sonora de *Quase famosos*, de Cameron Crowe, é lançada pelos estúdios DreamWorks. Mike McCready toca guitarra em uma música composta por Nancy Wilson, "Fever Dog", creditada à banda ficcional do filme, Stillwater.

23 de setembro
Key Arena, Seattle

Apoiando o Partido Verde nas eleições presidenciais de 2000, Eddie Vedder faz a primeira de três aparições para tocar nos Supercomícios do candidato Ralph Nader. Do palco, ele diz à plateia de milhares de pessoas: "Nunca estive em algo assim. Acho que a razão é que eu nunca tinha achado alguém em quem pudesse acreditar antes." Vedder na verdade doa alguns milhares de dólares de dinheiro do Pearl Jam à campanha de Nader sem perguntar a seus companheiros de banda antes.

Eddie Vedder: Basicamente eu contei a eles no dia seguinte "Ei, doamos alguns mil dólares a Nader". Apenas presumi que eles concordariam comigo. Eles disseram "Certo. Mas temos algumas perguntas". Acho que essas perguntas estão sendo respondidas.

26 de setembro

Depois de um período de três semanas de pré-venda para membros do fã-clube, 25 discos duplos ao vivo do Pearl Jam chegam às lojas ao redor do país, algo nunca antes visto. A coleção consiste de gravações sem cortes de cada show da turnê europeia de 2000. Os "piratas oficiais do Pearl Jam" têm o preço de 10,98 dólares no website da banda durante as duas primeiras semanas em que estão disponíveis. Os Cds estão disponíveis nas lojas por menos de 15 dólares por show. Essa é a primeira de três levas de lançamentos de gravações oficiais dos shows, que no total incluem 72 shows e contam a história de toda a turnê mundial do Pearl Jam de 2000.

4 de outubro

Com cinco músicas da série de gravações oficiais dos shows, o Pearl Jam quebra um novo recorde da *Billboard* 200 de maior número de títulos estreando em apenas uma semana. *Katowice 6/16* (número 103), *Milan 6/22* (número 125), *Verona 6/20* (número 134), *London 5/30* (número 137) e *Hamburg 6/26* (número 175) têm vendas totais de mais de 54 mil cópias, de acordo com a Nielsen SounScan. *Manchester 6/4* e *Cardiff 6/6* ficam de fora das paradas por menos de mil cópias.

Stone Gossard: Foi outra situação em que nosso instinto inicial era apenas tornar esses discos ao vivo disponíveis em nosso website. Baseado no nosso acordo com a Sony, a gravadora estava convencida de que precisávamos lançá-los através de seu sistema, ou então os varejistas ficariam chateados e existiriam todos os tipos de ramificações políticas. Nós falamos "Bem, tanto faz, podemos fazer isso". Quando eles venderam tão bem quanto venderam, todos ficaram muito surpresos. Nosso instinto inicial era que havia talvez dez shows de que as pessoas estavam realmente falando, mas o resto deles provavelmente estava parado em suas estantes de qualquer forma, juntando poeira ou sendo devolvido. Certamente fui alvo de algumas provocações por causa disso, com gente me perguntando se eu ia lançar outros 72 discos ao vivo medíocres no ano seguinte [risos].

Kelly Curtis: Na primeira vez fizemos Brett, nosso técnico de som, mixar algo como 48 shows depois da turnê. Como isso deve ter sido horrível para ele. Colocamos tudo à venda no varejo, e convencer a gravadora a fazer isso foi uma obrigação. O erro que cometemos ali foi que teríamos 10 mil cópias do show do Madison Square Garden e 10 mil cópias do show de Boise, Idaho. Aprendemos com isso. Éramos amigos das pessoas do Grateful Dead e conversamos muito com eles sobre como eles faziam a coisa funcionar. Apenas demos um passo adiante.

Michele Anthony: Acho que falei para Kelly "Você está me matando!". As lojas estavam sufocadas com aquilo, mas algumas das contas estavam realmente interessadas, porque ninguém nunca tinha feito aquilo antes. Naqueles dias, havia lojas de disco de verdade que tinham estoques grandes. Então lançamos todas as gravações oficiais dos shows. Foi uma experiência maravilhosa. E histórica. O Pearl Jam sempre teve um instinto para escolher coisas para fazer que fossem as mais inovadoras. Não significa necessariamente que faríamos aquilo da mesma forma da próxima vez, mas as gravações oficiais dos shows no varejo eram outro excelente exemplo da banda pensando de forma não convencional e tornando as gravadoras melhores e mais criativas. De muitas formas, eles influenciaram a Epic mais do que a Epic os influenciou.

4 de outubro
Molson Centre, Montreal

A turnê de *Binaural* recomeça no Canadá com a banda de abertura Supergrass.

ALBANY

- Breakerfall
- Whipping
- Spin the Black
- Hail Hail
- Corduroy
- In My Tree
- Dissident
- Given to Fly
- Nothing as it Seems
- Grievance
- Light Years
- Daughter
- Lukin
- MFC
- Wishlist
- Better Man
- Evenflow
- Insignificance
- R.V.M.
- Evolution
- Once
- Timeless Melody
- Small Town
- Leatherman
- Nothingman
- Porch
- Soon Forget
- Saviour of Love
- Yellow Ledbetter

(Schenectady)

- Evenflow
- Hail Hail
- Animal
- Corduroy
- Grievance
- In My Tree
- Nothing as it Seems
- Light Years
- Daughter
- Leatherman
- Betterman
- Sleight of Hand
- Given to Fly — Last Exit
- Rearviewmirror
- I Got Shit
- Black
- Porch

Boston #2

- Release
- Animal
- Corduroy → Hail Hail
- In My Tree
- Given to Fly
- Breakerfall
- Grievance
- Evaluation
- ~~Born~~ (Footsteps)
- Jeremy Christ
- Evenflow
- Daughter
- Not For You (I Got Id)
- Lukin
- Brain of J
- Insignificance
- Black
- ~~RVM~~ Evolution / Last Exit
- Dire Co

Wash Small Town Garden Breath
Betterman State Last Exit Last Kiss
Evenflow Light Years Soon Forget RVM
Nothingman Once Daught C.Mony
Leatherman Immortality Hail Hail

PEARL JAM
JONES BEACH NEW YORK
AUGUST 24 2000

SARATOGA NEW YORK
AUGUST 27 2000

BREAKERFALL WHIPPING SPIN THE BLACK CIRCLE HAIL HAIL CORDUROY
IN MY TREE DISSIDENT GIVEN TO FLY NOTHING AS IT SEEMS GRIEVANCE

8 de outubro
Alpine Valley Music Theatre, East Troy, Wisconsin

O Pearl Jam suporta a temperatura de dois graus negativos para tocar um set de 26 músicas e 130 minutos diante de 40 mil fãs nos arredores de Milwaukee, no show que fica conhecido como "Ice Bowl".

Jeff Ament: Jesus. Foi um dos shows mais estranhos que acho que já fizemos. Tínhamos pequenos aquecedores no palco para que pudéssemos aquecer nossas mãos entre as músicas. Mas em geral, depois de um minuto e meio tocando, sua mão ficava totalmente dormente, então... mas o público estava gostando e assim foi, sabe como é? Eles estão todos prontos para fazer isso acontecer, então precisamos fazer isso acontecer. Aquilo sem dúvida parecia um jogo do Green Bay Packers ou algo assim, ou como você imagina que seria um jogo dos Packers.

10 de outubro
UIC Pavilion, Chicago

Eddie Vedder aparece em um segundo comício de Ralph Nader, tocando versões solo acústicas de "I Am a Patriot" e "The Times They Are A-changing".

10 de outubro

A participação especial de Eddie Vedder com o Supersuckers em sua música "Poor Girl" é lançada em *Free the West Memphis Three: A Benefit for Truth and Justice* (Aces & Eights Recordings). Eddie tinha se interessado pelo caso dos West Memphis Three quatro anos antes, depois de ver o aclamado documentário *Paradise Lost*, que levanta dúvidas sobre a condenação por homicídio em 1993 de três jovens. Nos anos que se seguiram, ele arrecadou fundos incansavelmente para a defesa legal que estava em andamento.

11 de outubro
Riverport Amphitheatre, Maryland Heights, Missouri

O Pearl Jam toca o lado B de *Yield*, "U", pela primeira vez, mas, ironicamente, tem que usar o expediente de achar e baixar a música no serviço de compartilhamento de arquivos Napster para poder reaprender a tocar a música.

13 de outubro
Madison Square Garden, Nova York

Ao lado de Patti Smith, Ben Harper e Ani DiFranco, Eddie Vedder aparece pela terceira vez em um comício de Ralph Nader, tocando as mesmas duas músicas que tinha tocado em Chicago três noites antes. Vedder diz: "Acho que os jovens que não estão votando [estão] apenas tendo dificuldades para se animar com qualquer coisa. E eles têm preocupações. Mas o fato de não agirem e não votarem os está deixando de fora do processo. Se os votos desses jovens se revelarem e eles mostrarem que são uma força, então suas questões talvez sejam discutidas em breve. Se Ralph estivesse nesses debates, teríamos uma dúzia de questões importantes, importantes ao extremo que seriam discutidas mas que não vamos discutir com os outros dois [candidatos]. Ralph pode se manifestar quanto a essas questões, porque ele não está à venda."

22 de outubro
MGM Grand Arena, Las Vegas

O Pearl Jam celebra o décimo aniversário de sua primeira apresentação (como Mookie Blaylock) no dia 22 de outubro de 1990 no Off Ramp Cafe, em Seattle. A banda exibe um estado de espírito nostálgico, e Vedder conta ao público como a fita com as faixas instrumentais de Stone Gossard chegaram até ele por meio de Jack Irons. Mais tarde, o Pearl Jam choca o público com sua primeira performance da música característica do Mother Love Bone, "Crown of Thorns", com a participação do produtor de longa data Brendan O´Brien nos teclados. Vedder tinha anteriormente dado a entender em uma entrevista de 1993 para a *Rolling Stone* que ele tinha uma canção favorita do Mother Love Bone, mas que não planejava contar a seus companheiros de banda qual era. O´Brien permanece no palco para acompanhar em "Black" e em "Can´t Help Falling in Love With You", de Elvis Presley.

Stone Gossard: Fiquei simplesmente tão agradecido por Ed ter dito "Vamos fazer isso. Quero fazer isso. Essa música significa algo para mim". E por nunca realmente saber que ele tinha uma música favorita. Sempre achei que o Mother Love Bone não era muito a praia dele. Não tem muito a ver com ele em termos de... o Mother Love Bone não era o tipo de banda que necessariamente ele teria mencionado. Não tinha a ver com o gosto dele, que é o que torna o Pearl Jam tão interessante. Para ele cantar aquela música da forma como ele canta — que reverencia totalmente a forma como Andy a cantava — de repente, temos a chance de reconhecer o passado e dizer "Isso é parte de onde surgimos". Ed tem centenas de músicas e muitas histórias do próprio passado que são dignas de celebração e dignas de lembranças, e ele vir naquele dia em particular e dizer "Vamos tocar essa sobre vocês". Se você não está contando com nada e apenas deixa rolar, é então que as pessoas podem lhe dar algo que você nunca teria esperado.

Mike McCready: Foi entusiasmante. Eu queria fazer aquilo direito, sabe? Eu queria não estragar a música. Era basicamente nisso que eu pensava. Ed queria que aquela fosse uma música especial para uma noite especial. Acho que era um processo de pensamento como, se Andy ainda estivesse vivo, ele poderia estar tocando essa música nesse local. Quando tocamos a música, aquilo me trouxe de volta lembranças de vê-los tocando em pequenas casas de show. A maior parte do público conhecia a música; talvez não todo mundo. Mas eles foram receptivos e estavam animados por fazermos aquilo.

Jeff Ament: De repente, tocando "Crown of Thorns", foi a primeira vez que refleti apropriadamente sobre as coisas por que tínhamos passado, e que jornada foi essa. E esse momento foi refletido de uma maneira puramente positiva, sentindo-me abençoado, feliz por ainda estar tocando música.

Eddie Vedder: Eu podia ver emoções saindo dos topos de nossas cabeças como vapores subindo do asfalto no verão.

Chris Cornell: Se o Pearl Jam toca uma música do The Who, para mim isso faz muito mais sentido do que o Pearl Jam tocando uma música do Mother Love Bone. Não sei por que, já que dois dos caras eram do Mother Love Bone. Mas "Crown of Thorns" se tornou uma música do Pearl Jam quando os ouvi tocando-a. Eles não estão tentando ser o Mother Love Bone, e isso traz à tona emoções diferentes, mas de uma forma realmente natural. Que coisa incrível.

31 de outubro
Shoreline Amphitheatre, Mountain View, Califórnia

O Pearl Jam entra no espírito de Halloween ao tocar o segundo bis vestido como o Village People: Vedder como o índio, Gossard como o policial, McCready como o motoqueiro, Ament como o operário e Cameron como o soldado. Ament abaixou a calça de McCready enquanto o guitarrista solava, forçando-o a se esconder atrás de uma caixa de retorno para terminar a música.

5-6 de novembro
Key Arena, Seattle

O Pearl Jam conclui a turnê de *Binaural* em dois shows emotivos em sua cidade, com os lucros de quase meio milhão de dólares sendo doados a dezoito instituições de caridade locais e nacionais. "Alive" é tocada no segundo show pela primeira vez desde a tragédia de Roskilde. Essa apresentação se estende tanto (160 minutos) que requer três discos para a gravação oficial do show, a única vez em que isso acontece na série de 2000.

14 de novembro

Matt Cameron faz uma participação no disco solo de estreia do vocalista e baixista do Rush, Geddy Lee, *My Favorite Headache* (Atlantic).

27 de novembro
Royal Albert Hall, Londres

Tendo deixado suas férias no Havaí, Eddie Vedder vai a Londres para tocar uma série de músicas com o The Who, incluindo "I'm One", "Let's See Action", "Gettin' in Tune" e "My Generation" em um show beneficente para o Teenage Cancer Trust.

Natal

O Pearl Jam lança seu nono single de sete polegadas exclusivo do fã-clube: "Crown of Thorns", do Mother Love Bone, com "Can't Help Falling in Love With You", de Elvis Presley, no lado B, ambas gravadas no show de dez anos da banda no dia 22 de outubro, em Las Vegas.

Binaural

Quando o século mudou de XX para XXI, a internet tinha explodido como o modo dominante de comunicação de todos os tipos, incluindo o roubo descarado de arquivos de música através de programas como o Napster; protestantes raivosos estavam perturbando a tranquilidade de Seattle durante um encontro de cúpula da Organização Mundial do Comércio; e os Estados Unidos estavam prestes a eleger um presidente que lideraria o país em uma guerra muito questionável no Oriente Médio.

No meio desse tumulto, o Pearl Jam estava apertando o botão de recomeçar enquanto gravava o disco que viria a ser chamado *Binaural*. O baterista Matt Cameron, que se juntou à banda logo antes do início de sua turnê de verão de 1998, estava no banco da bateria no estúdio pela primeira vez com o Pearl Jam. Havia também um novo rosto manejando a mesa de mixagem: o produtor Tchad Blake, mais conhecido por seus trabalhos com cantores e compositores como Suzanne Vega, Tracy Chapman e Tom Waits, assim como por sua paixão pela técnica de gravação de que o disco acabou tirando seu nome.

A gravação binaural busca aproximar a forma como os ouvidos humanos processam o som e, quando escutada, oferece uma profundidade e nuances muitas vezes em falta na produção moderna do rock'n'roll. "Tchad tem uma forma muito distinta de gravar o som de uma sala, e estávamos interessados em explorar essa atmosfera", diz Eddie Vedder. "Em grande parte de *Binaural* é quase como se o ouvinte estivesse ali na sala conosco."

Uma das primeiras músicas compostas para o disco, e candidata ideal para ser gravada de forma binaural, era a atmosférica e sóbria "Nothing As It Seems", de Jeff Ament. A faixa foi estreada em outubro de 1999 em uma apresentação no anual Bridge School Benefit, de Neil Young, nos arredores de São Francisco — onde o Pearl Jam muitas vezes fez experiências com novas músicas e arranjos incomuns —, e acabou se tornando o single inicial de *Binaural*.

"Eu estava em Montana sozinho e compus duas músicas", recorda Ament. "Compus 'Nothing As It Seems' e uma música chamada 'Time To Pay', baseado na experiência de testemunhar uma terrível briga doméstica no posto de gasolina local. Voltei para casa e acabei escrevendo essas duas músicas naquela noite, e 'Nothing As It Seems' em particular era simplesmente uma repetição triste de acordes menores que levei para a banda com a letra pronta.

"A ideia era que no começo ela tivesse um clima realmente pesado no estilo Pink Floyd. Então me aproximei de Mike McCready e disse 'Preciso que você faça essa música funcionar. Ela não será boa o suficiente a não ser que você pense em algo simplesmente irreal'."

McCready fez exatamente isso, usando um pedal da Fender dos anos 1960 que combinava efeitos de wah-wah e phaser para tirar um som inspirado por épicos do Pink Floyd como "Comfortably Numb". O pedal desde então se estragou, impedindo que McCready reproduza em shows a forma como ele gravou no disco; mas ele ainda vê o solo da canção como "um dos meus solos favoritos de todos os tempos".

"Essa é a minha percepção de Jeff compondo canções realmente sombrias", diz McCready. "Acho que a letra original era 'One-way ticket tombstone'. E Ed a mudou para 'One-way ticket headstone'. Acho que tombstone, 'lápide', é tão apropriado porque ele é de Montana e talvez fosse sobre isso que ele estivesse pensando."

Que McCready simplesmente estivesse contribuindo para *Binaural* em um âmbito criativo era algo como um milagre, pois o guitarrista lutava intensamente contra problemas de saúde e pessoais. "*Binaural* é uma época sombria para mim, com certeza. Eu estava lutando contra a doença de Crohn e contra o vício", diz ele. "Eu tomava remédios para tratar isso. E então isso saiu de controle e ficou sombrio."

Vedder, por sua vez, percebeu que havia deparado com o pior caso de bloqueio criativo que já experimentara em sua vida, o que ele reconhece com bom humor ao incluir trinta segundos de uma máquina de escrever fazendo barulho como uma faixa escondida na última música do disco, "Parting Ways".

Faltavam poucos dias para acabar as sessões no estúdio e Vedder ainda não tinha terminado as letras de duas músicas que havia composto, "Insignificance" e "Grievance". De acordo com o vocalista, ele ficou acordado a noite toda e inclusive tentou compor melodias no piano em uma tentativa de fazer sua criatividade aflorar. Então um acidente feliz ocorreu na forma da canção "Soon Forget".

"Eu não estava me permitindo pegar o violão para compor algo novo porque tinha todas essas outras coisas que precisava terminar", diz ele. "Mas olhei para o lado e vi um ukulele e disse 'Bem, isso não é um violão' [risos]. Então não terminei meu dever de casa como tinha planejado, mas abri um pouco as coisas. 'Soon Forget' provavelmente levou vinte minutos para ficar pronta. E ela tem algum mérito. Então voltei às outras, e de repente terminá-las já não era um problema."

"Soon Forget", de um minuto e meio, é uma cutucada sarcástica em um multimilionário como Bill Gates que "conta seu dinheiro toda manhã", porque essa é "a única coisa que o deixa com tesão". É também um conto instrutivo, de acordo com Vedder: "Assegure-se de que você não vai terminar assim".

Indo além de "Soon Forget," com sua formação de voz e ukulele, as técnicas de Blake são utilizadas com melhores resultados em músicas como "Of the Girl", um blues pomposo escrito por Stone Gossard em que o baixo espesso e a bateria galopante dão a impressão de se estar passando pelo crepúsculo.

A meditação de Ament acerca da rotina exaustiva da humanidade, "Sleight of Hand", tem linhas de baixo tão profundas e ricas que elas quase parecem estar vivas. A faixa é uma das experiências mais bem-sucedidas do Pearl Jam sobre como expressar seu lado mais artístico, com um refrão que ostenta uma parede de som inédita anteriormente nos discos da banda.

Apesar de todas as texturas intricadas ouvidas em *Binaural*, o álbum começa com uma trifeta de rocks de bater cabeça patenteados, a surtada "Breakerfall", em um estilo The Who clássico, "God's Dice", de Ament, capaz de causar torcicolos, e "Evacuation", agitada e com sabor punk, a primeira contribuição de composição de Cameron no Pearl Jam.

"Evacuation" causou convulsões em McCready no estúdio em suas tentativas de entender as mudanças de andamento da música, e muitas vezes desconcertou os fãs do Pearl Jam, que a acham simplesmente esquisita demais. Na verdade, de acordo com Gossard, Cameron sempre faz piadas a respeito da música, "porque em algum website do Pearl Jam, ela foi eleita a música mais odiada da banda".

"É uma música de baterista! O que você quer, cara?", diz Cameron com uma risada. "Músicas de baterista não fazem sentido. Elas são estranhas ritmicamente. Não há como um guitarrista compor uma música de baterista. Acho que Mike teve problemas com 'Evacuation' no estúdio, mas eles a tocam muito bem ao vivo. Não demorou *tanto* tempo. Mais uma vez, nunca deixe seu baterista compor músicas. Eu não tinha uma melodia vocal para ela; foi Eddie que fez tudo. Normalmente eu componho a música primeiro, então a escuto por um tempo e, se pensar em algo, ótimo. Se não conseguir, eu a entrego a um vocalista de verdade. Tive muita sorte de eles quererem gravar essa música. Eu não tinha ideia do que fazer com ela."

"Pessoalmente, acho que mandei muito bem escrevendo a letra e cantando aquela música. Ela tem três pontes, pelo amor de Deus! É como Pittsburgh!", diz Vedder.

Binaural diminui o ritmo lindamente em *Light Years*, um tributo inspirador a alguém muito próximo de Vedder que tinha falecido naquela época. O que começou com uma estrutura de estrofe calma e refrão pesado intitulada "Puzzles and Games" acabou dando espaço a uma peça musical mais pomposa e emotiva.

"Ela não tinha nada a ver com o que é hoje em dia", diz Ament sobre a música. "Mike tinha alguns riffs e Ed realmente se sentou e tentou compor sobre aquilo. No início ele teve alguns problemas, e um dia ele ficou sozinho e escreveu uma letra que era muito sincera. Acabou rearranjando a música completamente. Ela foi tocada em um milhão de andamentos diferentes e com um milhão de ângulos diferentes na bateria."

A inquietação no mundo por volta de 2000 com certeza teve papel importante nas letras de *Binaural*, especificamente em "Grievance" (sobre o impacto da tecnologia sobre a individualidade), "Insignificance" (inspirada nos protestos contra a Organização Mundial do Comércio e que se perguntava se tais ações conseguiam de fato alcançar algo) e "Rival" (baseada no massacre de 1999 na Columbine High School, no Colorado).

"Você tende a ficar frustrado e dizer 'Foda-se. Não há nada que eu possa fazer a respeito disso'", diz Vedder. "Mas você pode se fortalecer, e pode fazer a diferença. Há formas de fazer isso, mesmo que seja apenas dar um pulo no comício que está acontecendo na sua rua. Você nem mesmo tem que concordar com o que está acontecendo. Apenas ouça as discussões em público. Expanda suas fontes de informação além da mídia tradicional."

Depois de Columbine, Gossard se inspirou a compor a estridente "Rival", que começa com o som do cachorro de Tchad Blake rosnando no microfone binaural, enquanto ele refletia "o que faz as pessoas explodirem e como as pessoas são imprevisíveis. Tentei pensar sobre o que poderia estar passando pela cabeça daqueles caras na noite anterior".

Para Cameron, a preferência do Pearl Jam por improvisos no estúdio é um contraponto bem-vindo aos métodos de exatidão utilizados pelo Soundgarden. Ele diz: "Nós ensaiávamos pra caralho antes de entrar no estúdio, e chegávamos lá de uma forma totalmente 'É assim que a música é. É assim que vai ser gravada. Fim de papo'. Então foi bem legal trabalhar daquela forma improvisada como o Pearl Jam trabalha, tipo, ensaiar a música duas vezes e então gravar."

Assim que a gravação de *Binaural* estava completa, a banda e Blake se depararam com o desafio de montar um tracklist coerente com as quase vinte músicas prontas. Algumas músicas mais diretas — incluindo o rock de pegada grunge de Cameron, "In the Moonlight", a balada acústica de Gossard, "Fatal", e "uma grande canção pop" na época intitulada "Letter to the Dead" e depois renomeada como "Sad" — foram cortadas do disco, mas por sorte foram relembradas no disco de raridades de 2003, *Lost Dogs*. Três instrumentais ("Thunderclap", "Foldback" e "Harmony") do começo das sessões de gravação também apareceram como material extra no DVD *Touring Band 2000*.

"Há certamente algumas canções que Ed compôs, como 'Sad' e 'Education', que poderiam ter sido hits ou dado um ângulo mais comercial ao disco", diz Ament. "Eu me lembro que quando montamos a sequência do disco não houve grandes brigas sobre o que deveria estar nele ou não. Tendo feito aquele disco com Tchad, e da forma como ele soava e o clima que ele tinha, ele era mais sombrio. Fazia sentido para nós naquela época que lançássemos o disco da forma como lançamos. Mas olhamos para trás agora e achamos que não colocamos algumas das melhores músicas nele."

Perto do fim do processo, a banda decidiu que não estava satisfeita com a mixagem de Blake e se voltou ao colaborador com quem tinha sempre se sentido mais confortável: Brendan O´Brien, que produzira os quatro discos anteriores do Pearl Jam. McCready diz: "Tchad tinha algumas ideias boas. Ele fez um ótimo trabalho nas canções lentas, como 'Nothing As It Seems'. Mas outras músicas eram mais difíceis para ele, então chamamos Brendan para remixar, para deixar as músicas mais pesadas."

Olhando para trás, os integrantes da banda reconhecem que embora *Binaural* tenha seus momentos, várias distrações e oportunidades perdidas contribuíram para deixar o álbum menos poderoso do que poderia ter sido.

"Esse é um disco que preciso escutar daqui a uns dez anos", diz Gossard. "Nós não estávamos tão soltos um com o outro nem compartilhando tanto quanto costumávamos fazer. Era nosso primeiro disco com Matt Cameron. Ele é um gênio e um dos bateristas mais pesados de todos os tempos. Sinto que deveríamos ter explorado mais isso. Devia ser devastador da forma como Temple of the Dog era devastador. Mas, do modo como aconteceu, não acho que compusemos músicas que realmente tivessem vínculo com Matt. Ainda estávamos compondo canções individuais e tentando continuar a ser o Pearl Jam, o que era bacana, mas apenas me parece que poderíamos ter feito mais. Acho que há algumas coisas lindas que saem dali, mas nunca vamos nos lembrar desse disco como um dos melhores."

Apesar disso, Vedder acredita que *Binaural* marcou uma evolução importante na forma como ele abordava o canto, em um momento em que os vocalistas de incontáveis bandas de rock estavam obviamente imitando seu estilo vocal até chegar ao topo das paradas.

"Muitas pessoas me falaram sobre esses vocalistas que pareciam me imitar, mas o que acontece é que eu não estava muito satisfeito com a minha própria voz nos dois ou três primeiros discos", diz ele. "Eu cantava músicas furiosas de uma forma e músicas mais calmas de outra. Isso é diferente para mim hoje, mas demorou um tempo. Em *Binaural*, as músicas pareciam vir mesmo da minha voz."

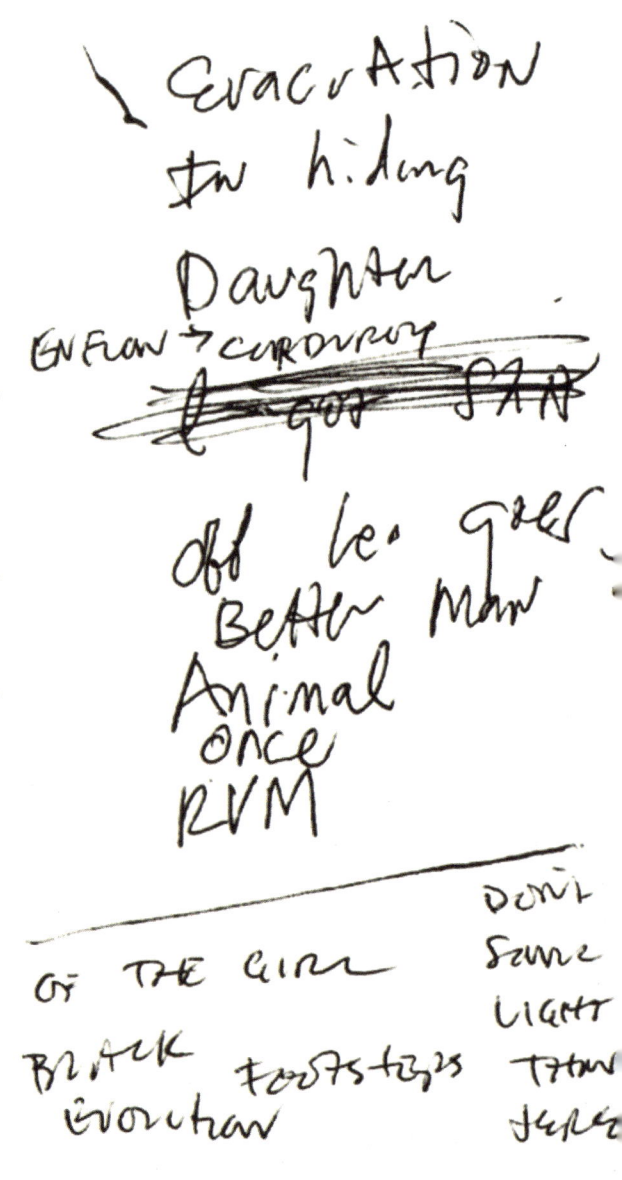

Better Bored
Than Stressed

ROSKILDE

No dia 30 de junho de 2000, enquanto o Pearl Jam fazia seu show como *headliner* do Festival de Roskilde em Copenhagen, o impensável aconteceu: nove pessoas foram mortas e outras trinta ficaram feridas em um tumulto na plateia durante a 12ª música do show, "Daughter". Bem no começo da música, o vocalista Eddie Vedder apelou ao público de mais de 50 mil pessoas que parasse de empurrar na direção do palco e pediu que as pessoas dessem "dois passos para trás", mas alguns fãs perderam o equilíbrio sobre o gramado coberto de lama e foram pisoteados. A tragédia balançou a banda em seu núcleo.

"Pessoalmente eu não achei que havia nada errado, porque chegamos lá, subimos no palco e tocamos", diz Matt Cameron. "Mas aqueles festivais enormes... é simplesmente tão difícil saber o que está acontecendo de fato. O clima todo estava um pouco sombrio. O tempo estava chuvoso. Era apenas mais um show para nós. Mas então percebemos que algo estava terrivelmente errado e respondemos. Pela forma como começou, não dava para dizer que seria diferente de um festival europeu normal."

"Eu só queria sair de lá", diz Eddie Vedder. "Eu apenas queria que aquilo não fosse verdade. Tudo estava acontecendo bem na nossa frente, mas eu apenas não queria que fosse verdade."

Duas semanas depois do acidente, a polícia dinamarquesa concluiu que as mortes foram um acidente e que não constituíam um caso criminal contra os organizadores do festival. Mas, em uma jogada que chocou os observadores, no dia 20 de julho de 2000, o delegado-chefe de Roskilde, Bent Rungstrom, enviou um relatório para o parlamento dinamarquês alegando que o Pearl Jam era "moralmente responsável" pela tragédia. O relatório alegava se valer de entrevistas com quase trezentas testemunhas, muitas das quais supostamente disseram aos investigadores "que o Pearl Jam é bem conhecido por quase incitar um comportamento violento".

Em uma declaração, o empresário da banda, Kelly Curtis, imediatamente respondeu: "O Pearl Jam é bem conhecido por seu show animado, mas em sua história de dez anos de shows a banda nunca 'incitou um comportamento violento'. Como empresário da banda, acho difícil crer que depois que isso aconteceu — tendo em vista a desolação da banda a respeito da tragédia que ocorreu no Festival de Roskilde durante sua apresentação, bem como a sua longa história de atenção à segurança de seus fãs — alguém possa atribuir 'responsabilidade moral' aos músicos. Isso eu considero estarrecedor e ridículo."

Olhando em retrospecto, Curtis ressalta: "O mais irônico é que tudo aconteceu enquanto tocavam 'Daughter'. Que é provavelmente a música menos frenética do Pearl Jam, sabe? Quando percebemos como aquilo estava montado e como as linhas de comunicação estavam confusas... bem, aquilo poderia ter sido prevenido facilmente."

Os integrantes do Pearl Jam publicaram uma declaração à parte:

> Nossa sensação é de que o que aconteceu no Festival de Roskilde não pode ser descartado como um "acidente insólito" ou "azar", como alguns o chamaram. Quando algo tão desastroso ocorre, quando tantas vidas são perdidas, é essencial que cada aspecto seja examinado minuciosamente e de todos os ângulos. Até agora, não achamos que isso tenha sido feito.
>
> Entendemos que pelo menos 15 minutos se passaram entre o momento em que um membro da equipe de segurança do festival identificou um problema potencial e o momento em que fomos informados. Paramos imediatamente quando fomos informados de que poderia haver um problema, apesar de nos pedirem para esperar até que a natureza do problema fosse determinada. Acreditamos que se tivéssemos sido informados de um problema em potencial no instante em que foi identificado pela segurança do festival, poderíamos ter parado o show mais cedo e vidas poderiam ter sido salvas.

No dia 3 de agosto de 2000, em Virginia Beach, Virgínia, o Pearl Jam voltou a se apresentar ao vivo pela primeira vez desde Roskilde. Cinco dias depois, em West Palm Beach, Flórida, oficiais de polícia de Roskilde se encontraram com integrantes da banda e outros indivíduos importantes na organização do grupo, em uma tentativa de esclarecer as dúvidas sobre as alegações de responsabilidade. Vedder foi interrogado em particular por mais de seis horas em um pequeno quarto de hotel. Os investigadores dinamarqueses também estiveram presentes ao show de West Palm Beach "em um esforço para aprender sobre medidas de segurança que poderiam ser implementadas no Festival de Roskilde no ano seguinte".

Depois disso, o comissário de polícia de Roskilde, Uffe Kornerup, disse em uma declaração: "Estamos todos de acordo que faremos todos os esforços possíveis para identificar cada um dos fatores que podem ter contribuído para as tragédias no Festival de Roskilde, com a esperança de aprender a evitar tragédias dessa natureza no futuro. Visamos a continuar trabalhando de forma cooperativa em um esforço para alcançar esse objetivo."

"Pessoalmente, eu nunca achei que devíamos nos separar ou que aquilo tinha sido nossa culpa", diz Stone Gossard candidamente. "Nós repensamos tudo a partir daquele momento. Quando éramos responsáveis pela nossa própria segurança, quando éramos responsáveis pelos nossos próprios shows, eles eram selvagens, mas estávamos muito cientes do que acontecia à nossa volta. Depois do que ocorreu, passamos a não acreditar mais em eventos em que não tínhamos permissão no contrato para intervir e supervisionar a segurança da forma como sabíamos que deveria ser feito, sobretudo lidando com públicos grandes como aquele."

"Nunca reagimos a fim de nos proteger", diz Curtis. "Desde o primeiro dia, nós todos queríamos saber o que tinha acontecido e como acontecera. Se tivesse sido nossa culpa de alguma forma, não há dúvida de que gostaríamos de saber. Acho que teria um impacto se a banda tivesse continuado. Houve uma espécie de justiça poética por isso ter acontecido com essa banda, porque eles não teriam varrido aquilo para debaixo do tapete. Eles fariam tudo em seu poder para se assegurar de que nada parecido voltasse a acontecer."

"Você sabe, meus anos com o Soundgarden definitivamente tiveram altos e baixos; um pouco mais de baixos, mais perto do fim. Mas isso não quer dizer que todos nós não nos sentimos tragicamente perdidos depois do que houve na Dinamarca", acrescenta Cameron. "Acho que a banda inteira seguiu em frente e essa foi a melhor coisa que podíamos ter feito. Foi definitivamente uma coisa muito emotiva para todos os envolvidos."

Perto do fim de 2000, o Ministério da Justiça dinamarquês concluiu que apesar da falha na comunicação entre os integrantes da força de segurança voluntária e da falta de clareza sobre a escala de comando, o Festival de Roskilde não seria responsabilizado pelas nove mortes, que o ministério alegou que foram causadas por "uma combinação de circunstâncias infelizes e comportamento violento do público".

O festival voltou ao mesmo local no verão seguinte. Como um memorial às vidas perdidas, nove bétulas foram plantadas em um círculo, com pedras no meio delas e uma grande rocha no centro. Os organizadores disseram que "as nove árvores levam a vida adiante, e as pedras fornecem um lugar para as pessoas sentarem e contemplarem".

As emoções envolvidas em lidar com o episódio de Roskilde se tornaram um tema dominante nas composições do Pearl Jam nos dois anos seguintes, começando com "I Am Mine". Por apenas ter sido lançada em 2002 no álbum *Riot Act*, versos como "And the meaning, it gets left behind / All the innocents lost at one time" [E o significado, ele fica para trás / Todos os inocentes perdidos ao mesmo tempo] foram interpretados por alguns como referência aos ataques terroristas de 11 de setembro de 2001.

Mas Vedder tinha na verdade escrito a música em seu quarto de hotel em Virginia Beach, durante uma tempestade, na noite anterior ao primeiro show da banda pós-Roskilde; e versos como "There's no need to hide / We're safe for tonight" [Não há necessidade de nos esconder / Estamos seguros por essa noite] falavam sobre sua convicção de que algo positivo poderia vir da tragédia.

Outra música de *Riot Act*, "Love Boat Captain", fala sobre a situação muito mais diretamente: "It's an art to live with pain / Mix the light into gray / Lost nine friends we'll never know / Two years ago today" [É uma arte viver com dor / Misture a dor no cinza / Perdi nove amigos que nunca conhecerei / Amanhã faz dois anos]. E em *Arc*, desse mesmo álbum, Vedder construiu nove loops de seu vocalize sem palavras em tributo a cada pessoa que morreu naquele dia.

Em 2003, Stone Gossard se encontrou frente a frente com as famílias de algumas das vítimas de Roskilde pela primeira vez. "Nada poderia ser mais emocionante do que a dignidade e abertura deles durante aquela visita", reflete ele. "Tentei exprimir a tristeza de nossa banda e reconhecer e sentir um pouco de sua perda. Talvez minha visita tenha sido útil de alguma forma." Desde então, os integrantes do Pearl Jam se comunicam com seis das nove famílias dos falecidos, e Vedder se tornou particularmente próximo da família da vítima australiana, Anthony Hurley.

Para a banda, o processo de cura teve outro passo importante no final de 2005 e no verão de 2006, quando ela voltou a fazer shows como *headliner* para todas as idades e a tocar em festivais com diversas atrações pela primeira vez desde Roskilde. Os integrantes da banda também mantiveram contato próximo com as famílias de algumas das vítimas, várias das quais estavam presentes em um show em Berlim no dia 30 de junho de 2010 — o décimo aniversário do incidente.

"Mais do que tudo, a indústria de uma forma geral mudou desde Roskilde", observa Gossard. "As circunstâncias foram discutidas, particularmente a situação das barricadas, as linhas de visão e os problemas de tumulto na plateia. Temos uma consciência elevada sobre o que precisa acontecer todas as noites para que as pessoas fiquem tão seguras quanto possível. Agora entendemos tudo isso melhor do que em 2000. A respeito de permitir que alguém mais fique responsável, isso nunca vai acontecer novamente. Mas seremos muito observadores e atentos a essas questões, com certeza.

"É muito, muito duro", diz Cameron. "Leva tempo até mesmo para imaginar como vamos voltar a nos sentir bem tocando em festivais novamente. Eu sabia que nossos shows iriam bem, porque são nossos shows. Tomamos conta da segurança de uma forma única e abrangente. Fizemos uma série de festivais europeus em 2010, e acho que foi difícil sobretudo para Eddie ver todas aquelas pessoas, mas ele conseguiu. Foi um grande obstáculo a ser superado, porque nos saímos muito bem nesse ambiente. Fico feliz que todos nós tenhamos nos sentido suficientemente confortáveis para trazer nosso show para as pessoas nesse ambiente.

O Pearl Jam continua a lamentar as vidas perdidas na Dinamarca, mas os integrantes da banda dizem que a tragédia os aproximou mais. "Roskilde foi obviamente a pior coisa que poderia acontecer a uma banda, ou a pior coisa da qual você poderia fazer parte como indivíduo", diz Vedder. "É algo que a maioria das pessoas não tem que passar. Ter que passar por isso e estar do lado dos outros, e passar por isso juntos e nos aproximar de algumas das famílias e lidar com a situação, isso foi uma reviravolta. Acho que nos aproximamos.

"Para honrar todas as vidas que foram perdidas, você faz algo positivo com isso", continua ele. "E acho que é isso que algumas das famílias fizeram, e é isso que tentamos fazer. Isso faz com que você aprecie mais a vida, faz você dar valor à sua situação na vida. Faz você apreciar as famílias que perdem seus filhos como soldados na guerra, porque você sentiu a tragédia de perto. Você soube como a tragédia afetou essa imensa multidão de pessoas que eram família e amigos."

PJ 4

238

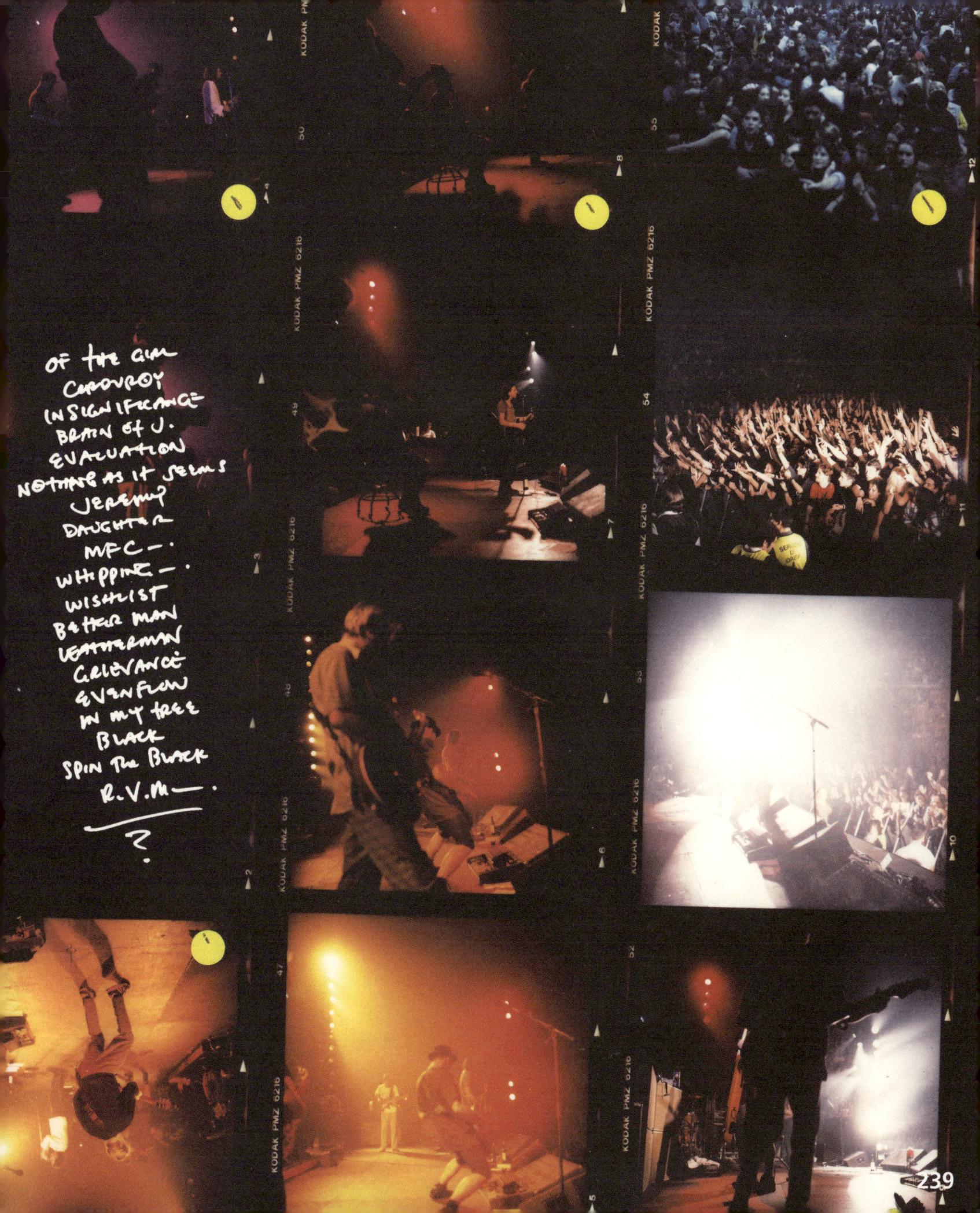

OF THE GIRL
CORDUROY
INSIGNIFICANCE
BRAIN OF J.
EVACUATION
NOTHING AS IT SEEMS
JEREMY
DAUGHTER
MFC —.
WHIPPING —.
WISHLIST
BETTER MAN
LEATHERMAN
GRIEVANCE
EVENFLOW
IN MY TREE
BLACK
SPIN THE BLACK
R.V.M —.
———
?

240

```
                        VEDDER/ED
          CA-01*6445
          INV-141559                                          PAGE 1 OF 1
                        TKT-0161503792625
          AIR- 1248.15   TAX- 104.85   TTL AIR- 1353.00        22JUL99
-----------------------------------------------------------------------
27JUL    757  ✈   UA   20  DEPART: SEATTLE    8:00AM NONSTOP SEAT:05-B (CLASS-F)
TUESDAY       UNITED       ARRIVE: NEW YORK/KENNEDY  3:59PM

    SERVICE FEE MCO: 8901967588410    AMT: 15.00

                   THANK YOU FOR YOUR BUSINESS
```

241

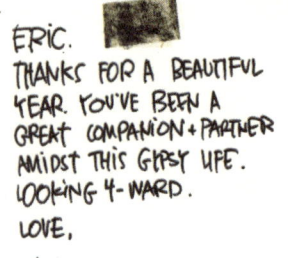

ERIC.
THANKS FOR A BEAUTIFUL YEAR. YOU'VE BEEN A GREAT COMPANION + PARTNER AMIDST THIS GYPSY LIFE. LOOKING 4-WARD.
LOVE,
JEFF

PEARL JAM

242

SEXECUTIONER,
our crew BAND
w/ ED on DRUMS
CIRCA '91

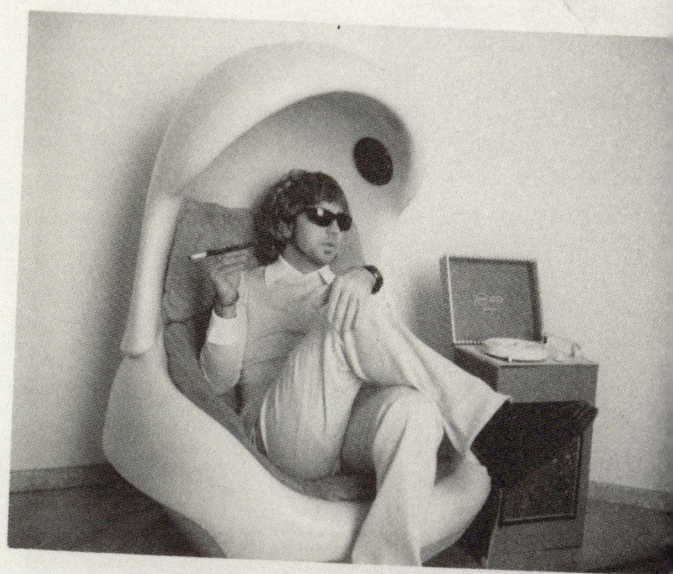

Hey Ed,
we all want
the Ramones guy to
come to the next
place also.

243

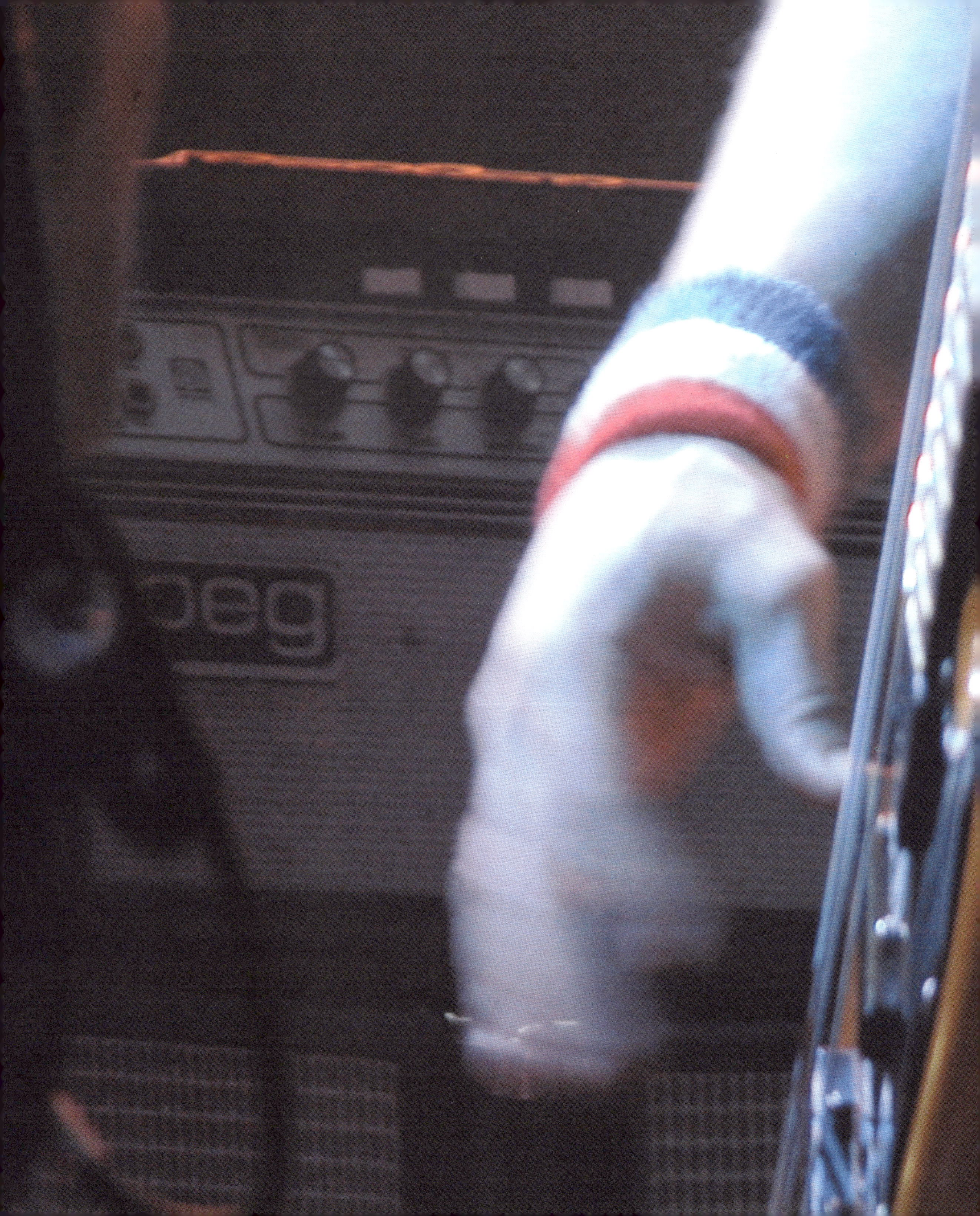

CAPÍTULO 2001

2001

Logo após a tragédia de Roskilde, a mera existência do Pearl Jam estava em risco. Depois de uma breve pausa, o grupo se juntou novamente para completar sua turnê norte-americana de 2000, que incluía um show de comemoração de dez anos em Las Vegas no fim de outubro e um final catártico algumas semanas depois em Seattle. Exaustos, os integrantes do Pearl Jam passaram quase todo o ano de 2001 trabalhando em projetos individuais: Eddie Vedder com Neil Finn, do Crowded House, em uma curta turnê e um disco ao vivo; Stone Gossard em *Bayleaf*, o primeiro disco solo de um integrante do Pearl Jam; e Matt Cameron com um novo disco de seu projeto paralelo, Wellwater Conspiracy. E embora a banda já estivesse concebendo maneiras de transformar o programa em um conceito mais ligado à mídia digital, as cópias dos CDs das gravações oficiais da turnê de 2000 continuavam a vender de forma ágil.

Depois de quase um ano afastado do palco, e imediatamente depois dos ataques terroristas de 11 de setembro de 2001, o Pearl Jam voltou para se apresentar no Bridge School Benefit, de Neil Young, onde estreou duas novas músicas. Apesar de tocar diante do público de sua cidade, a banda cedeu o status de *headliner* ao R.E.M. na noite seguinte, no final da série de shows beneficentes Groundwork, em Seattle. O estúdio chamou e o Pearl Jam tinha muito mais a dizer.

7 de março

Sete títulos da série das gravações oficiais da turnê do Pearl Jam pela Epic estreiam na lista dos 200 discos mais vendidos da *Billboard*, quebrando o recorde de cinco títulos da própria banda, estabelecido no último mês de outubro. As entradas na parada, que fazem parte da primeira etapa da turnê norte-americana do Pearl Jam em 2000, são lideradas por *Jones Beach 8/25/2000*, no número 159, que vende mais de 7.900 cópias. Também na parada estão *Boston 8/29/2000*, no número 163; *Indianapolis 8/18/2000*, no número 174; *Pittsburgh 9/5/2000*, no número 176; *Philadelphia 9/1/2000*, no número 179; *Tampa 8/12/2000*, no número 181; *e Memphis 8/15/2000*, no número 191. Juntando tudo, os discos movimentam mais de 50 mil cópias combinadas. No dia 4 de abril, *Seattle 11/6/2000* e *Las Vegas 10/22/2000* entram nas paradas nos números 98 e 152, respectivamente.

2-6 de abril
St. James Theatre, Auckland, Nova Zelândia

Eddie Vedder se junta a uma lista de músicos repleta de astros como Johnny Marr, dos Smiths, e Ed O´Brien e Phil Selway, do Radiohead, para cinco shows de Neil Finn na Nova Zelândia, todos eles gravados para serem lançados futuramente. Os músicos colaboram intimamente uns com os outros nos shows em tudo, desde músicas do Pearl Jam ("Better Man", "Parting Ways", "Around the Bend", "Not for You") até clássicos do Crowded House e do Split Enz ("I See Red", "History Never Repeats", "I Got You", "World Where You Live").

Neil Finn: Foi uma época incrível. Foi apenas uma noção impulsiva que surgiu com o guitarrista do Radiohead, Ed O´Brien, um dia em que estávamos na praia. Estávamos falando sobre como é comum uma conversa com outro músico terminar em "Seria ótimo fazer alguma coisa um dia!". E tal coisa quase nunca acontece, por uma razão ou outra. Nós pensamos "Vamos apenas fazer algumas ligações e fazer alguns shows sem nenhuma outra intenção". Liguei para Eddie e disse "Tive essa ideia. Você acha que poderia estar interessado?". E ele disse "Sim, parece ótimo". E eu falei "Certo, bem, você sabe, pense a respeito e me ligue em umas duas semanas". E ele disse "Não, não, estou dentro!". Eu fiquei um pouco chocado. Não achei que seria tão fácil. Ele apareceu com dois dias de sobra. Na primeira noite, ele estava ensaiando três músicas do Split Enz com meu filho Liam e sua banda em uma pequena cabana perto da praia. Aprendemos algumas de suas músicas, também. Tocamos "Better Man", que ficou relativamente okay. Estava dentro do nosso domínio. Também tentamos "Corduroy", que ficou simplesmente uma porcaria absoluta. Eu me lembro de olhar para Phil Selway, baterista do Radiohead, e ele estava morrendo e agonizando. Ele amava a música e queria tocá-la, mas estava errando tudo. Foi muito engraçado. Acho que Eddie adorou a experiência. Ele passava por um momento difícil em sua vida pessoal, e acho que a parte da amizade daquilo foi muito valiosa para ele. Todos partiram revitalizados e revigorados.

1 de maio

O primeiro DVD ao vivo do Pearl Jam, *Touring Band 2000*, é lançado pela Epic. Tirado da turnê norte-americana do ano anterior para divulgar *Binaural*, o projeto tem 28 músicas de dezenove shows diferentes. *Touring Band* é filmado pelos membros da equipe do Pearl Jam, Liz Burns, Steve Gordon e Kevin Schuss, que "terminavam suas tarefas normais até a hora do show, então pegavam câmeras e se transformavam em uma equipe de documentário", diz Vedder. O material extra inclui cenas da turnê europeia ao som de três músicas instrumentais que não tinham sido lançadas anteriormente, o videoclipe animado de Todd McFarlane de 1998 para "Do the Evolution", o vídeo não lançado de *Oceans* de 1992 e três músicas filmadas do ponto de vista de Matt Cameron. Depois de estrear com vendas de 33 mil cópias nos Estados Unidos, de acordo com a Nielsen SoundScan, *Touring Band* termina no número 11 na parada de fim de ano de vídeos musicais da *Billboard*.

Liz Burns: Nós realmente queríamos que os fãs sentissem que estavam em um show mesmo que eles não estivessem lá.

22 de maio

O terceiro disco de Matt Cameron e do guitarrista John McBain como Wellwater Conspiracy, *The Scroll and Its Combination*, é lançado pela TVT Records. Eddie Vedder contribui com o vocal principal em "Felicity´s Surprise", creditado como Wes C. Addle.

Matt Cameron: Eu nem imaginava o que ele ia fazer quando aparecesse, mas encaixou perfeitamente. Foi também a primeira vez em que ele dobrou seus vocais. Fiquei feliz por ele ter escolhido a nossa banda para isso.

Wellwater Conspiracy

12 de junho

Uma versão ao vivo do Pearl Jam de "The Kids Are Alright", do The Who, gravada na turnê de 2000 é incluída no tributo ao The Who aprovado por Pete Townshend, *Substitute: the Songs of The Who*, lançado pela EAR Records.

9 de julho
Showbox, Seattle

Eddie Vedder se junta ao Wellwater Conspiracy e ao Supersuckers em um show beneficente organizado pelo ex-astro do beisebol, o lançador Jack McDowell, para várias instituições de caridade da Major League Baseball. Vedder canta "Red Light Green Light" e "Felicity´s Surprise" com o Wellwater Conspiracy e "Poor Girl" com o Supersuckers. O Mudhoney e Pete Droge também tocam.

4 de agosto
Rose Garden, Portland, Oregon

Eddie Vedder toca "Soon Forget", "Gimme Some Truth" e "I Am a Patriot", além de "People Have the Power", de Patti Smith, em um comício político com a presença de Ralph Nader.

24 de agosto
Casbah, San Diego

Eddie Vedder faz uma aparição surpresa com o Wellwater Conspiracy para cantar "Red Light Green Light" e "Felicity´s Surprise".

1-3 de setembro
The Breakroom, Seattle

O Brad toca músicas novas em uma série de três shows em Seattle.

8 de setembro
Street Scene Festival, San Diego

Mike McCready toca "Machine Gun", de Jimi Hendrix, com Buddy Miles e Billy Cox, integrantes da Band of Gypsys.

11 de setembro

Stone Gossard se torna o primeiro integrante do Pearl Jam a lançar um disco solo usando seu próprio nome com *Bayleaf* (Epic). Enquanto ele está em Nova York para divulgar o projeto, terroristas jogam dois aviões comerciais sequestrados contra o World Trade Center, matando milhares de pessoas.

Stone Gossard: No meu tempo vago com o Pearl Jam, sempre gostei de me levantar, tocar guitarra e compor. No processo de fazer isso, compus um monte de canções. Eu vinha gravando e buscando aprender a cantar, e tentando terminar algo que não tivesse que ser uma música do Pearl Jam. Apenas aconteceu de eu ser o primeiro sujeito a juntar tudo e dar o empurrão final para lançar aquilo.

21 de setembro

Eddie Vedder, Mike McCready e Neil Young tocam "Long Road" em um estúdio da CBS em Los Angeles como parte de *America: A Tribute to Heroes*, uma maratona de doações que arrecada fundos para as vítimas dos atentados terroristas de 11 de setembro de 2001 contra os Estados Unidos. O show é lançado oficialmente no dia 4 de dezembro, com os lucros amparando o September 11th Fund. Vedder tinha desejado originalmente tocar um cover de "Gimme Some Truth", de John Lennon, mas optou por "algo para participar no processo de luto em vez disso".

25 de setembro

The Who and Special Guests Live at the Royal Albert Hall é lançado em DVD e VHS pela Image Entertainment. Gravado no dia 27 de novembro de 2000 em Londres, em um show beneficente para o Teenage Cancer Trust, o filme tem participações especiais de Eddie Vedder, Noel Gallagher e Paul Weller.

20-21 de outubro
Shoreline Amphitheatre, Mountain View, Califórnia

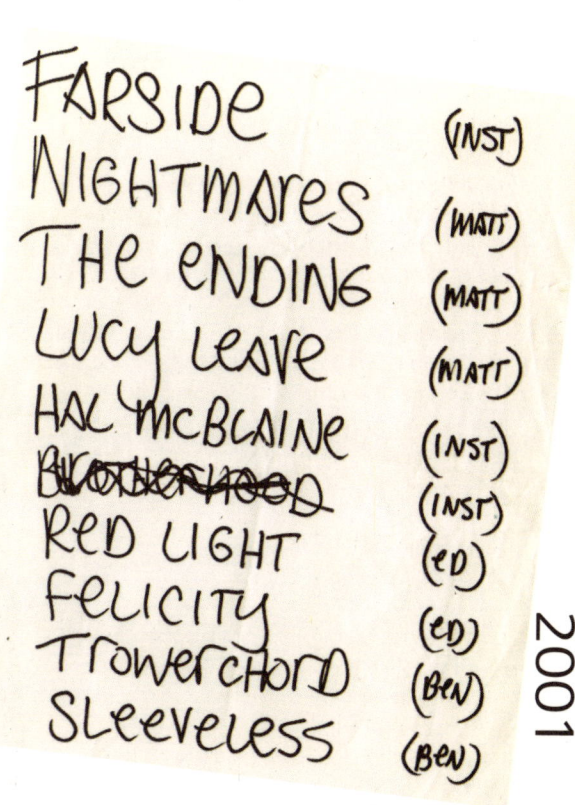

O Pearl Jam faz sua primeira aparição ao vivo desde os ataques terroristas de 11

de setembro, e sua quinta participação no Bridge School Benefit, de Neil Young. Na primeira noite, o single de fim de ano de 1999, "Driftin´", é tocado ao vivo pela primeira vez, assim como uma nova música composta por Mike McCready, "Last Soldier". Durante o segundo show, "Low Light" e outra nova canção, "I Am Mine", estreiam, com os versos "And the meanings that get left behind / All the innocents lost at one time" [E os significados que são deixados para trás / Todos os inocentes perdidos ao mesmo tempo] tocando no assunto de 11 de setembro. Ben Harper se junta ao Pearl Jam para tocar "Indifference" nas duas noites.

Ben Harper: Comecei a fazer cover de "Indifference" há pelo menos dez ou 12 anos. Sempre pareceu natural. Ed ficou sabendo disso e começamos a tocá-la juntos. Essa música, sinto que ela é uma parte de mim. Eu a sinto profundamente, e significa mais para mim cada vez que a canto. Fico feliz de ser convidado para cantá-la com eles de vez em quando.

22 de outubro
Key Arena, Seattle

Pearl Jam, R.E.M., Alanis Morissette, Rahat Nusrat Fateh Ali Khan e Maná fecham a série de shows Groundwork em 2001. Os lucros do evento que aconteceu durante o fim de semana — estimados em um milhão de dólares pelos organizadores — são usados pela Organização das Nações Unidas para Agricultura e Alimentação (FAO) para contribuir com o fundo global TeleFood, que canaliza dinheiro diretamente para projetos de produção de alimentos em pequena escala ao redor do mundo. O Pearl Jam novamente toca a nova "I Am Mine", além de várias faixas de *Binaural* como "Insignificance", "Grievance", "Nothing As It Seems" e "Light Years". O vocalista paquistanês Khan, que voou por 32 horas desde seu lar como uma adição de última hora à escalação, junta-se ao grupo para uma versão estendida de "Long Road".

23 de outubro
Crocodile Cafe, Seattle

Eddie Vedder faz aparições frequentes durante um show secreto do R.E.M. em uma pequena casa de show, a certa altura servindo à banda margaritas de uma bandeja. Michael Stipe assassina a letra de "Better Man", mas amigavelmente concorda em fazer um dueto com Vedder mais adiante no show em "Begin the Begin", do R.E.M., apesar de alegar que não se lembrava da letra.

Peter Buck: Estávamos todos apenas nos divertindo e aceitando pedidos. Tocamos até "Better Man", que nenhum de nós tinha ensaiado alguma vez. Chegamos a, tipo, noventa por cento dela. Ed disse "Toque 'Begin the Begin'", e Michael disse "Certo, se você cantá-la!". Aqueles acordes não vão para aonde você espera que eles vão. Estávamos todos olhando um para o outro como se disséssemos "Que porra é essa? Como se toca essa música?" Mas Ed sabia tocá-la.

26 de novembro — 2 de dezembro

O Brad faz uma turnê de cinco datas na costa oeste que termina em Seattle, tocando material destinado a aparecer em seu terceiro disco, *Welcome to Discovery Park*.

Natal

Os singles de sete polegadas do Pearl Jam exclusivos do fã-clube são um lançamento duplo de *Last Soldier* com *Indifference* com participação de Ben Harper no lado B (ambos do recente Bridge School Benefit) e "Gimme Some Truth" (do show do Groundwork) com a versão solo de Jeff Ament de "I Just Want to Have Something to Do", dos Ramones, no lado B.

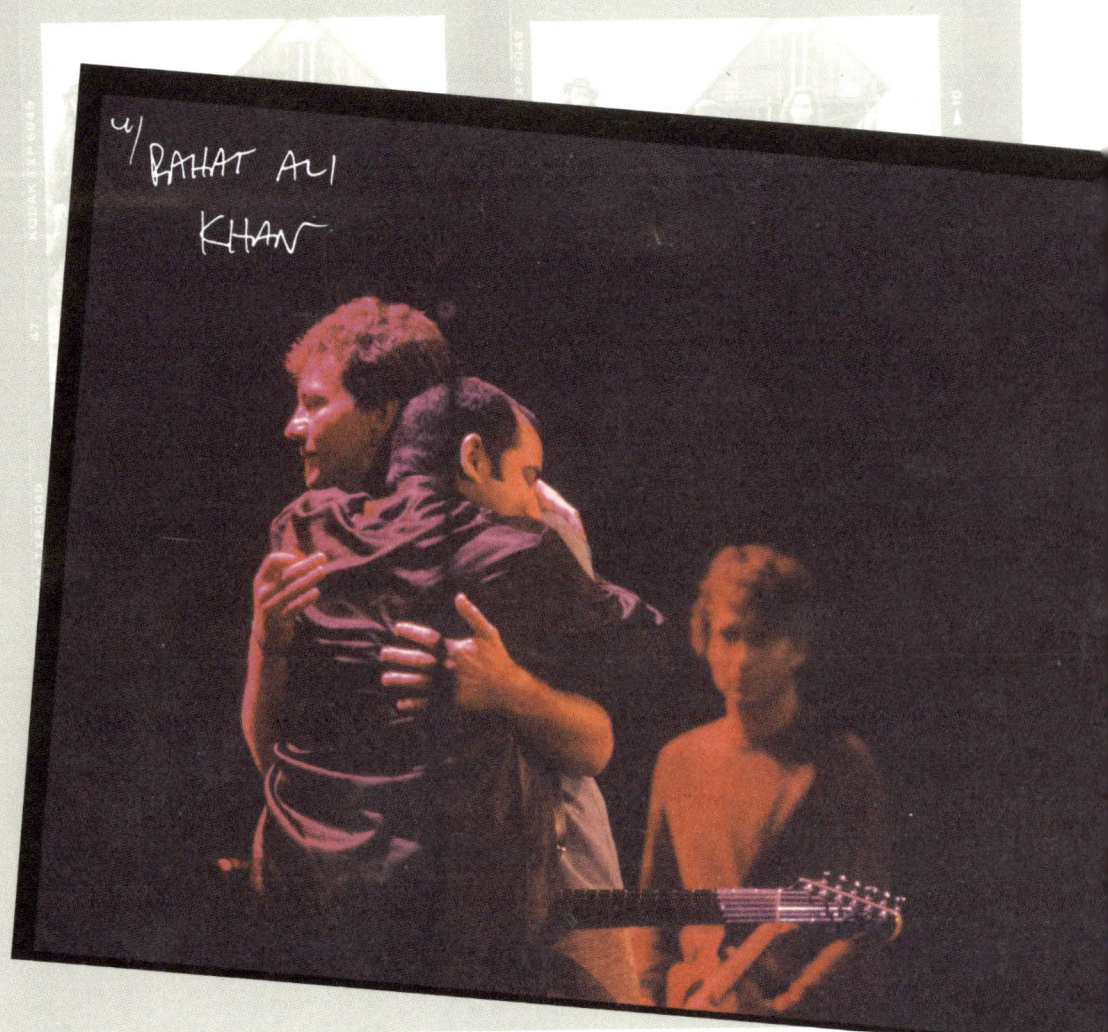

INSIGNIFANCE

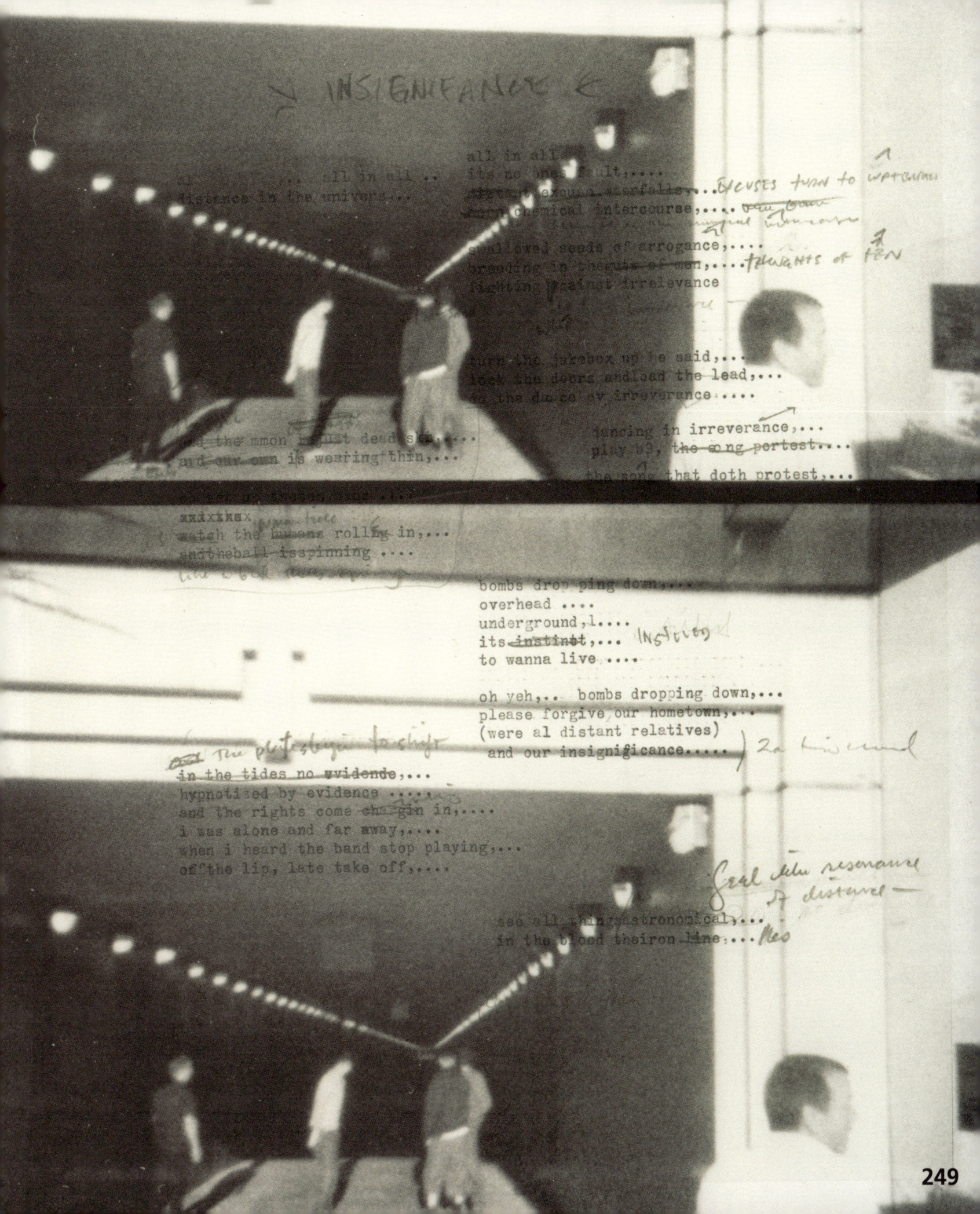

```
                    all in all
     ... all in all...    its no ones fault,....
    distance in the univers...    excuses turn to waterfalls
                          chemical intercourse
                          swallowed seeds of arrogance,....
                          breeding in biscuits of men,....  thoughts of zen
                          fighting against irrelevance

                          turn the jukebox up he said,....
                          lock the doors and load the lead,....
                          to the dance ov irreverance....

                                  dancing in irreverance,....
                                  play b3, the song pertest....
                                  the song that doth protest....

    watch the humans rolling in,....
    and the ball is spinning....

                          bombs dropping down,....
                          overhead....
                          underground,l....
                          its instinct,....  Insticked
                          to wanna live....

                          oh yeh,... bombs dropping down,....
                          please forgive our hometown,....
                          (were al distant relatives)
                          and our insigificance......    ) 2a tinceud

    The pittesburgin to shift
    in the tides no evidence,....
    hypnotized by evidence....
    and the rights come chargin in,....
    i was alone and far away,....
    when i heard the band stop playing,....
    off the lip, late take off,....
                                                   feel the resonance
                                                    of distance

                          see all things astronomical,....
                          in the blood their iron line....  Keo
```

CAPÍTULO 2002

2002

O Pearl Jam passou a primeira parte de 2002 lidando com um desafio tão difícil quanto qualquer um que já tinha enfrentado. Duas grandes tragédias haviam ocorrido desde que a banda entrara no estúdio pela última vez: Roskilde — em que nove fãs foram mortos em um tumulto na plateia durante o set da banda no festival dinamarquês no dia 20 de junho de 2000 — e os ataques terroristas de 11 de setembro de 2001. Abordar esses assuntos em sua nova música de uma forma que fosse apropriadamente respeitosa e significante foi algo que o Pearl Jam levou muito a sério. "Temas universais não são fáceis de encontrar quando você é apenas um sujeito com uma máquina de escrever e um violão", diz Eddier Vedder. Na verdade, Roskilde continuou profundamente desolador para a banda e cada integrante ainda tentava lidar com isso da própria forma: Stone Gossard procurou as famílias das vítimas; Eddie Vedder se lançou em jornadas a partes remotas do globo e testou novas formas de expressão criativa através de instrumentos e colaboradores estranhos. O álbum que chegaria naquele outono seria o último sob o contrato com a Epic Records, seu lar desde antes de o "som de Seattle" explodir em um fenômeno mundial mais de uma década antes.

8 de janeiro

Gravado em um dia e com ele mesmo tocando todos os instrumentos, o cover de Eddie Vedder de "You´ve Got to Hide Your Love Away", dos Beatles, é lançado na trilha sonora de *Uma lição de amor*, pela V2. O filme é estrelado pelo amigo de Vedder de longa data, Sean Penn; a versão de Vedder de "Love" rapidamente se torna uma presença constante em seus sets surpresa solo antes dos shows do Pearl Jam.

26 de janeiro
Spin Alley Bowling Center, Shoreline, Washington

Um Vedder com um moicano recente toca dois sets (solo acústico e elétrico, acompanhado pelo C Average) de covers e algumas músicas originais do Pearl Jam na festa de aniversário de 40 anos do CEO da RealNetworks, Rob Glaser. Glaser, por sua vez, doa 400 mil dólares ao fundo de defesa legal dos West Memphis Three.

Eddie Vedder: Eu não era a favor dos bombardeios. Era assim que eu me sentia, então fiz a minha própria declaração com o moicano. Houve uma verdadeira razão para isso, por mais tolo que seja pensar que eu poderia fazer uma declaração com um corte de cabelo. Especialmente vendo que eu tinha me isolado em uma pequena ilha — uma ilha secreta no Pacífico Sul —, então não era como se eu estivesse por perto de alguém mais. O corte de cabelo foi feito por uma velha senhora em uma loja de lembranças da ilha. Ela tinha alguns filhos que exibiam cortes moicanos, então ela tinha feito isso antes.

26 de fevereiro
Wiltern Theater, Los Angeles

Outra aparição incomum de Vedder ao vivo, dessa vez em um show beneficente em prol da Recording Artists' Coalition. Ele estreia várias canções que acabariam aparecendo em *Riot Act* mais tarde naquele ano, incluindo "Can´t Keep", no ukulele, e "Thumbing My Way", no violão, além de duas mais que não seriam lançadas oficialmente por quase uma década ("You´re True" e "Broken Heart"). Ao longo do show, Vedder também colabora com Beck e Mike Ness, do Social

Distortion, em covers de Skip Spence (a força criativa da pouco conhecida, mas muito apreciada, banda dos anos 1960 Moby Grape) e do astro country Lee Hazlewood. Ele também diz ao público que pretende manter o moicano até que "paremos de matar pessoas no exterior".

15 de março
Royce Hall, Los Angeles

Vedder toca na primeira edição do popular festival originado no Reino Unido, All Tomorrows Parties, com curadoria do Sonic Youth e acontecendo no campus da UCLA. Dessa vez ele promete não falar "nada político" e, em vez disso, se concentra em uma série de novas músicas no ukulele (as quais ele encaixa no gênero "speed trash ukulele"), incluindo "You´re True", "Longing to Belong" e "Satellite". O set termina com "Parting Ways", enquanto Vedder pisa em seu ukulele. No fim da noite ele se junta a J Mascis, Mike Watt e Ron e Scott Asheton, dos Stooges, para tocar o clássico da banda, "No Fun".

Jim O´Rourke, baixista e produtor do Sonic Youth: Quando ele tocava solo, eu adorava. Dava para ouvir as partes das músicas. Gosto de cantores-compositores, e esses shows eram muito mais nesse filão. Era realmente magnético. Eddie passou muito tempo com Kim, Thurston e eu. Em dias de folga, ele saía para comprar discos conosco. O fato de ele dar mostras genuínas de entusiasmo por aprender sobre coisas novas — se mostrássemos a ele Loren Mazzacane e ele de fato gostasse, ele sairia e compraria os discos.

18 de março
Waldorf Astoria, Nova York

Com seu moicano punk parecendo mais apropriado do que nunca, Vedder introduz seus heróis, os Ramones, ao Rock and Roll Hall of Fame. Seu discurso de 16 minutos, que foi cortado pela metade quando acabou transmitido na televisão, enfatiza como os Ramones influenciaram enormemente os roqueiros iniciantes. "Eles destruíram a mística a respeito do que era fazer parte de uma banda", diz ele. "Você não precisava saber escalas. Com o conhecimento de dois acordes simples, você podia tocar os discos da banda. Era isso o que as pessoas faziam. Elas se sentavam em frente aos aparelhos de som de seus pais e tocavam junto de 'Road to Ruin' ou 'It´s Alive'. Poucas semanas depois, estavam começando bandas com outros jovens que faziam a mesma coisa. Os Ramones foram um modelo, um modelo muito necessário na época." O baixista Dee Dee Ramone morre menos de três meses depois; o vocalista Joey Ramone tinha morrido de câncer no ano anterior.

9 de julho
Showbox, Seattle

Ainda empolgado com a experiência de ter tocado com uma banda repleta de estrelas com Neil Finn em Auckland, em abril de 2001, capturada no disco ao vivo *7 Worlds Colide*, Vedder se junta ao astro do Split Enz e do Crowded House nas músicas "The Kids are Alright", "Watch Outside" e "History Never Repeats" no show de Finn em Seattle.

11 de julho
Chop Suey, Seattle

Vedder canta com duas bandas de tributo ao The Who montadas às pressas, The Low Numbers e The How, que contam com integrantes dos Fastbacks e do C Average, em tributo ao baixista do The Who, John Entwistle, que morreu de ataque cardíaco em Las Vegas no dia 27 de junho.

13 de agosto

O Brad lança seu terceiro disco de álbum de estúdio, *Welcome to Discovery Park*, pela gravadora de vida curta Redline.

Stone Gossard: Quando você lança um disco pela Epic e existe uma relação com o Pearl Jam e tudo mais, tudo fica meio nebuloso quanto a coisas que acontecem ou não por causa do Pearl Jam. Achamos que se somos mesmo uma banda boa, deveríamos ser capazes de sair e conseguir um contrato. Então vamos apenas cortar nossos laços com a Epic e acreditar que somos uma banda boa e que alguém vai ficar animado em lançar nossos discos. Então foi isso o que fizemos.

6-7 de setembro
Chop Suey, Seattle

O Pearl Jam toca uma série de músicas de seu próximo disco durante a gravação de um vídeo de divulgação dirigido por James Frost. Clipes de "I Am Mine", "Save You", "Love Boat Captain", "Thumbing My Way" e "½ Full" são gradualmente lançados através de parceiros online.

23 de setembro
House of Blues, Chicago

O Pearl Jam toca ao vivo pela primeira vez em sua história sem um de seus integrantes principais, nesse raro show que não é em uma arena, abrindo para o The Who, enquanto Stone Gossard está na Nova Guiné honrando um compromisso anterior de trabalhar em um projeto com a Conservation International. Um Gossard de papelão em tamanho real vestindo um terno dourado brilhante é trazido ao palco no início do show, e Vedder brinca: "Stone está muito unidimensional essa noite."

"É preciso muita coragem para subir no palco quando você sabe que um sujeito chamado Pete Townshend vai entrar depois e destruir você", diz Vedder. Esse é também o primeiro show do tecladista Boom Gaspar com o Pearl Jam e a estreia oficial das faixas ainda não lançadas de "Riot Act", "Love Boat Captain" e "Green Disease". Em uma referência ao traje do falecido John Entwistle da famosa participação do The Who no Festival Isle of Wight de 1970, Jeff Ament usa uma camiseta de esqueleto. Lucros do evento são doados à instituição de caridade a jovens da área de Chicago, Maryville Academy.

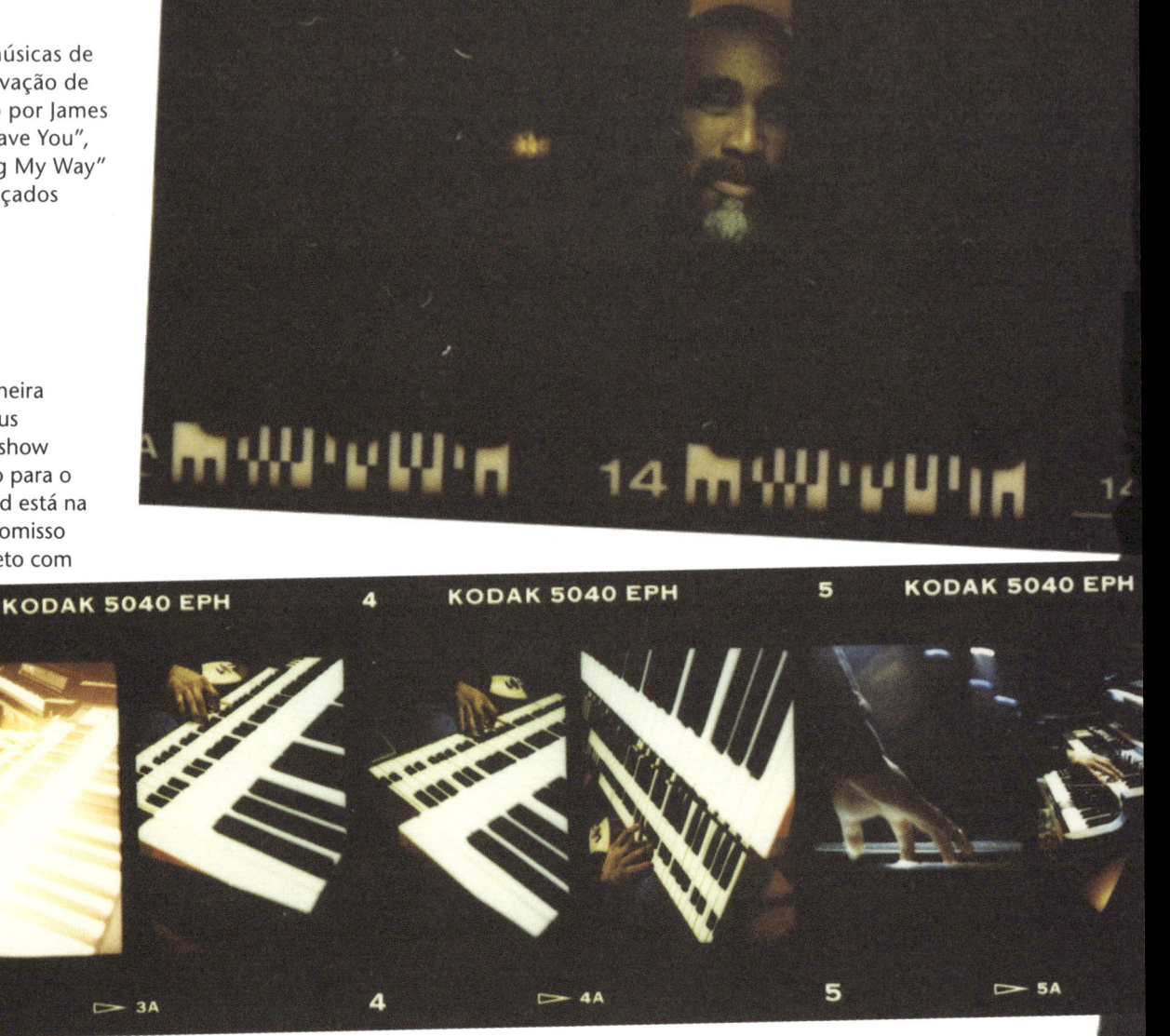

LOVE BOAT CAPTAIN

is this just another day,... this god forgotten place?
first comes love, then comes pain. let the games begin,...
questions rise and answers fall,... insurmountable.

love boat captain
take the reigns and steer us towards the clear,... here.
its already been sung, but it cant be said enough,
all you need is love

is this just another phase? earthquakes making waves,...
trying to shake the cancer off? stupid human beings,...
once you hold the hand of love,... its all surmountable.

hold me, and make it the truth,...
that when all is lost there will be you,....
cause to the universe i dont mean a thing
and theres just one word i still believe
and its

its an art to live with pain,... mix the light into grey,....
lost 9 friends well never know,.. 2 years ago today.
and if our lives became too long, would it add to our regret?

and the young, they can lose hope cause they cant see beyond today,....
the wisdom that the old cant give away
hey,....
constant recoil,....
sometimes life
dont leave you alone.

hold me, and make it the truth,....
that when all is lost there will be you.
cause to the universe i dont mean a thing
and theres just one word that i still believe and its
love,... love. love. love. love.

love boat captain
take the reigns,.. steer us towards the clear.
i know its already been sung,... cant be said enough.
love is all you need,...... all you need is love, ...
love.... love,...
love

25 de setembro
United Center, Chicago

Apresentado como "a hometown boy" [um garoto da cidade natal], Vedder faz uma aparição surpresa para cantar "My Hometown" em um show de Bruce Springsteen com a E Street Band.

Bruce Springsteen: Lembro de quando Eddie subiu no nosso palco como um momento encantador para mim. Estávamos no estágio inicial da reunião da E Street Band, e escutar e ver para onde uma parte da nossa energia tinha ido era uma coisa bonita. Além disso, foi lindo ver o Eddie cantando a minha música.

12 de novembro

O Pearl Jam lança seu sétimo disco de estúdio pela Epic Records, *Riot Act*.

14-15 de novembro

O Pearl Jam aparece duas noites consecutivas no *Late Show with David Letterman* em Nova York, tocando "I Am Mine" e "Save You".

19 de novembro

Riot Act estreia no número 5 da lista dos 200 discos mais vendidos da *Billboard* com vendas na primeira semana de 166 mil cópias.

5-6 de dezembro
Showbox, Seattle

Em pequenas casas de show em sua cidade, o Pearl Jam faz suas primeiras aparições completas em mais de um ano, com dois shows em que o resto das músicas de *Riot Act* tem sua estreia. Na passagem de som da primeira noite, a banda grava um cover de "Don't Believe in Christmas", dos Sonics, para ser lançado algumas semanas depois como o single anual de fim de ano do fã-clube. No segundo show, lançado mais tarde em DVD como *Live at the Showbox*, Vedder pela primeira vez veste a máscara de George W. Bush enquanto toca "Bu$hleaguer". Anteriormente, na turnê de *Binaural*, Vedder tocou várias vezes "Soon Forget" com uma máscara de borracha de Bill Gates pendurada em seu pedestal de microfone.

8-9 de dezembro
Key Arena, Seattle

O Pearl Jam doa lucros desses dois shows a várias instituições de caridade locais. Tanto Vedder quanto McCready quebram guitarras nesses shows, enquanto Vedder novamente veste a máscara de Bush em "Bu$hleaguer" e não se intimida em fazer vários comentários políticos entre as músicas.

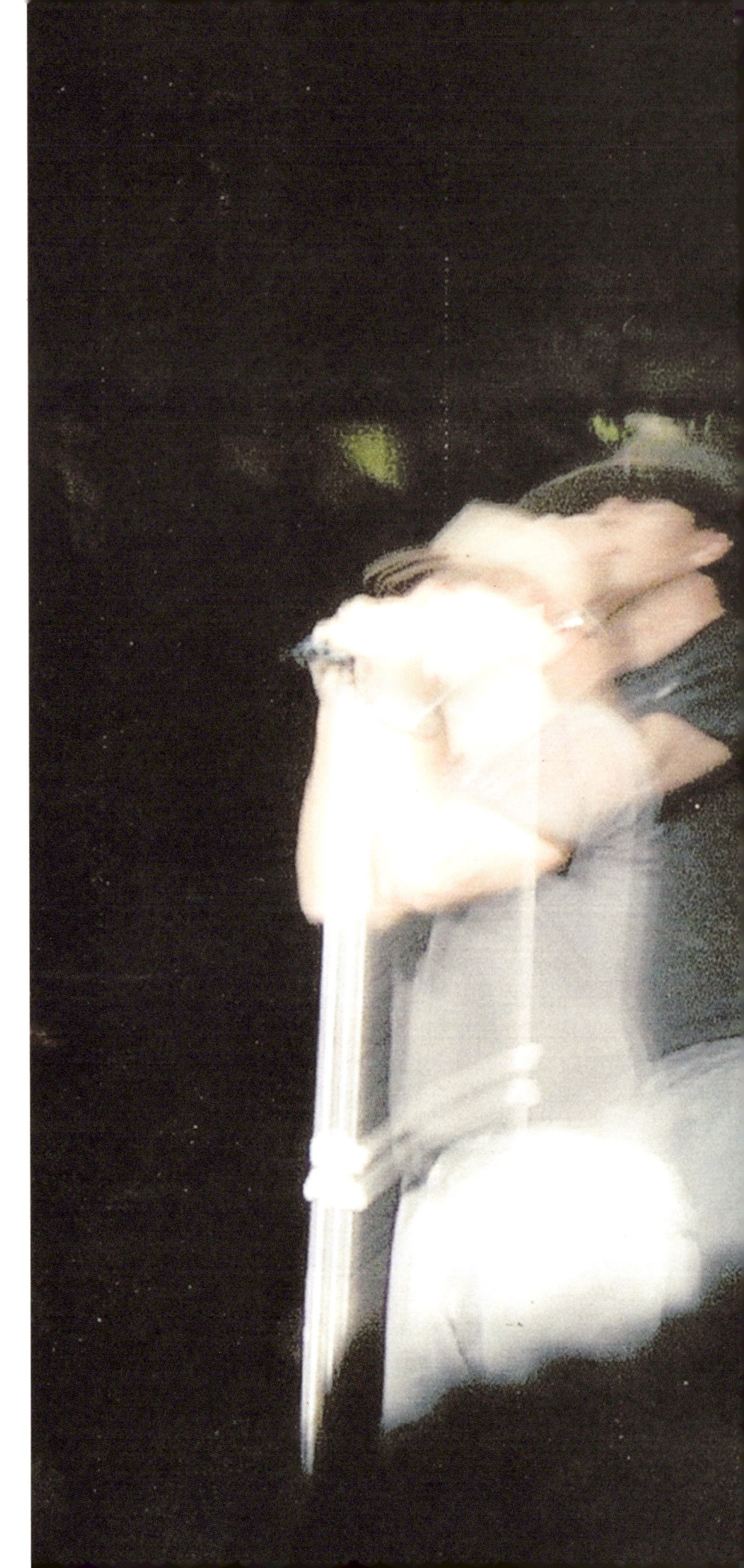

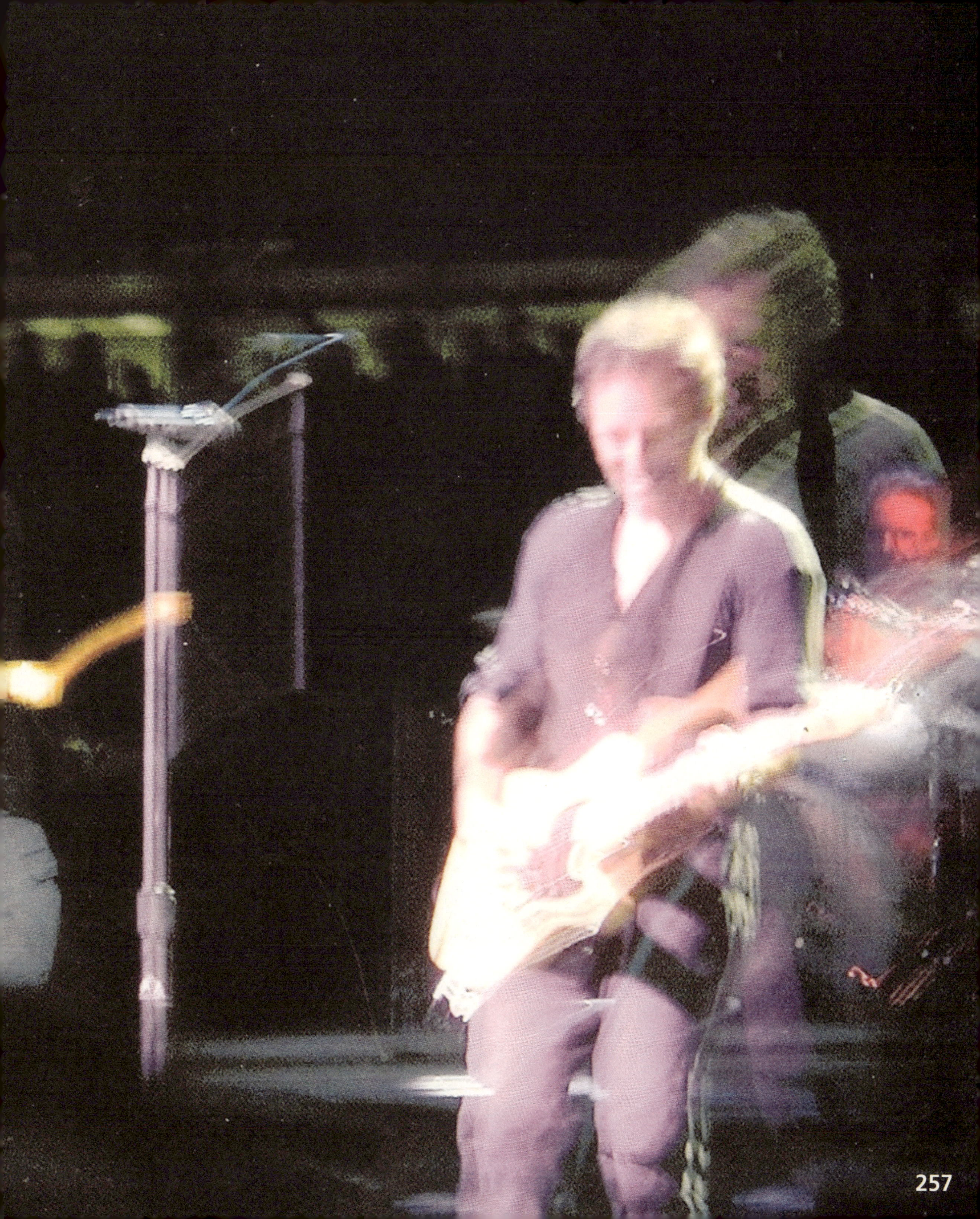

22 de dezembro

O antigo guitarrista do The Clash, Joe Strummer, morre de ataque cardíaco em Londres. Strummer e sua banda, Mescaleros, tinham confirmado apenas dias antes que abririam para o Pearl Jam durante a última parte da turnê de 2003 de *Riot Act*. A banda tinha anteriormente convidado Strummer a se juntar a ela na estrada, sem sucesso, mas dessa vez ele havia falado da ideia com Pete Townshend, que deu apoio à parceria.

Jeff Ament: Alguns meses antes de Joe falecer, Mike e eu o vimos tocar na EMP Sky Church, provavelmente a pior casa de shows já construída, e Joe e os Mescaleros fizeram um dos melhores shows que já vi. Melhor do que as duas vezes em que vi o The Clash. Joe disse no meio do show "Alguém pode desligar a porra do ar condicionado? Nem James Brown conseguiria suar aqui". É muito triste que ele tenha partido.

Natal

O 11º single de sete polegadas exclusivo para o fã-clube do Pearl Jam inclui um cover de "Don't Believe in Christmas", dos Sonics, gravado durante uma passagem de som no recente show no Showbox, com o lado B trazendo a versão de Beck e Vedder para "Sleepless Nights", dos Everly Brothers, gravado no show beneficente da Recording Artists' Coalition.

Riot Act

Pergunte a Eddie Vedder por que o processo criativo continua a inspirá-lo depois de mais de uma década no Pearl Jam, e ele rapidamente mostra um sorriso orgulhoso. "Temos cinco compositores", diz ele. "A banda sem dúvida se tornou um veículo para que todos ofereçam suas músicas, tem músicos muito competentes para tocá-las e uma comunicação bastante boa com esses músicos. É por isso que consigo nos ver continuando por muito tempo."

"Nenhum vocalista do seu calibre já chegou perto de se preocupar se todos na banda tinham composto uma música. A maioria deles não dava a mínima para isso", diz Stone Gossard. "E para ele isso é importante, e essa é a diferença. É uma de suas armas. Ele é muito atencioso nesse sentido."

Na realidade, Riot Act é um projeto extremamente colaborativo, canalizando a energia criativa dos músicos em uma série de demonstrações do poder de rock característico da banda: a música de abertura tensa e psicodélica, "Can't Keep"; os ataques de guitarras enlouquecidos de "Get Right" e "Save You"; e as propulsivamente melódicas "Green Disease" e "Cropduster". Fora isso, "Thumbing My Way" e a lindamente agridoce última música do disco, "All Or None" revelam o toque dinâmico hábil da banda, trocando acordes potentes por dedilhados acústicos e floreios no órgão Hammond B3.

Produzido por Adam Kasper, que tinha anteriormente trabalhado com Matt Cameron tanto no Soundgarden quanto no projeto paralelo do baterista, Wellwater Conspiracy, o disco também encontra o grupo usando sua criatividade coletiva em um patamar muitas vezes chocante, com muitas músicas que não encontram referências em nenhum dos discos anteriores do Pearl Jam. "You Are", composta por Cameron, é um monstro de explosões de guitarras recortadas alimentado através de uma bateria eletrônica e soldado com um groove corajoso, enquanto "Help Help", de Jeff Ament, varia de estrofes cantadas docemente a refrãos maníacos e uma parte instrumental ainda mais intensa.

"Quando alguém tem uma ideia clara de como a música vai soar, inevitavelmente a banda diz 'Bem, não sei. Vamos tentar outra coisa'", diz Gossard com uma risada. "Por outro lado, tem sempre aquele riff que você tocou três vezes. Você simplesmente o compôs pela manhã e nem se importa mais com ele, mas todos dizem 'Esse é matador! Vamos gravá-lo!'. O processo de se desprender é constante nessa banda. Algumas vezes você tem que fazer isso."

As sessões tiveram um impulso extra de experimentalismo graças à presença do tecladista Kenneth "Boom" Gaspar, com quem Vedder começou a colaborar logo depois que o conheceu em 2001, no meio de um ano sabático em uma remota ilha havaiana. Uma das músicas deles, "Love Boat Captain", serve como o destaque emocional do álbum, pois ela tenta se comunicar com as famílias dos nove fãs que foram mortos depois de um tumulto na plateia durante o set do Pearl Jam no dia 20 de junho de 2000, no Festival de Roskilde, na Dinamarca.

"Comecei a desaparecer para áreas de surf há cerca de cinco ou seis anos, como uma forma de recarregar o que quer que eu tivesse gasto ao estar perto de muitas pessoas", diz Vedder. "Eu simplesmente ia a algum lugar onde não houvesse ninguém. Um lugar que não tivesse sinais de trânsito. É uma vida muito de cidade pequena. Conheci um sujeito bem estilo kahuna (uma espécie de guia espiritual havaiano) na ilha. O amigo dele também era músico. Havia outro sujeito na ilha que estava gravando alguns dos locais. Ele faleceu; era um rapaz jovem. Deixou a mulher e um filho. Eu nunca ia a cerimônias ou coisas assim, mas fui a esse velório em uma grande varanda. Músicos estavam tocando a noite toda; os sujeitos que ele tinha gravado. Era algo muito intenso e muito triste. Percebi um rapaz tocando um B3, uma coisa incrível! Cruzei com ele algumas outras vezes, então comentei que nós deveríamos tocar juntos algum dia. Eu tinha um pequeno kit de gravação para quando quisesse me afastar e compor um pouco. Ele simplesmente apareceu e começamos a tocar. Naquela noite tocamos o que se tornou 'Love Boat Captain'. Em uma hora tínhamos algo que colocamos no aparelho de som e escutamos alto. Era provavelmente uma versão de cerca de onze minutos naquele ponto."

Antes de conhecer Vedder, Gaspar nunca tinha ouvido falar do Pearl Jam, muito menos tinha gravado com uma banda de rock com discos múltiplos de platina. Vedder diz: "Sem ter realmente nenhum conhecimento da dinâmica da nossa banda —apesar de eu ter que admitir que, por ser tão sólida, é um pouco mais fácil se encaixar —, ele foi capaz de encontrar seu lugar e estava fazendo exatamente o que nós fazíamos: adicionando coisas em vez de subtrair."

Quando chegou o momento de escrever as letras, aumentar o foco em temas mais abrangentes — amor, perda e a luta para fazer a diferença — ajudou Vedder a relaxar para poder comentar diretamente sobre as tragédias como a de Roskilde e os ataques terroristas de 11 de setembro de 2001. "Você começa a pensar algo como 'O que devo dizer? Qual é a minha opinião?'", reflete Vedder. "Então percebi que eu tinha uma opinião. Não apenas eu tinha uma, como eu sentia que ela tinha sido formada ao processar muitas informações e ter boas influências."

"Você pode pensar que seria fácil, com tanto material à disposição e tantas coisas no ambiente dentre as quais escolher e sobre as quais escrever", continua ele. "Se você parar para pensar nisso, é muito confuso e esmagador tentar juntar isso tudo e colocar no papel."

O trabalho adiante se tornou ainda mais difícil graças a uma conversa com um rosto familiar na edição de 2001 do Bridge School Benefit, de Neil Young. "Eu vi Michael Stipe. É claro que bebemos um bocado", recorda Vedder. "No fim da noite, ele disse 'Faça um grande disco'. E então, de repente, eu falei 'Oh, merda. Isso vai ser difícil'."

Cameron diz que "I Am Mine" foi um importante ponto de saída. "Ela tem todos os elementos pelos quais essa banda é conhecida: uma letra forte, um refrão pegajoso e um bom-senso de melodia." Mike McCready acrescenta: "É uma afirmação positiva sobre o que fazer com a vida de uma pessoa. Eu nasço e morro, mas no meio disso posso fazer o que quiser ou posso ter uma opinião forte sobre algo."

"Can't Keep" foi tocada pela primeira vez por Vedder no ukulele durante dois shows solo no início de 2002, mas a faixa que cresce aos poucos é transformada aqui com camadas de guitarras barulhentas e com efeitos e uma batida estrondosa no estilo de "Poor Tom", do Led Zeppelin, que teria se encaixado muito bem no disco de 1996 da banda, No Code. A demo de ukulele de Vedder era a primeira música em uma fita com ideias que ele deu ao resto da banda, e foi rapidamente apontada por Gossard como uma das que seriam "matadoras" se pudessem ser traduzidas para a banda toda.

"Essa é a coisa legal a respeito de deixar rolar e não tentar manter controle sobre sua visão", diz Vedder. "Algumas vezes você compõe uma música e tem uma certa forma de escutá-la em sua cabeça. A versão de ukulele de 'Can't Keep' é muito mais rápida. É mais punk rock do que a que acabou gravada, com certeza. E está tudo bem. Você quase consegue sentir a banda se sentindo e construindo aquilo junta."

Em contraste, a balada acústica de Vedder, "Thumbing My Way", mal foi modificada de como era em sua *demo* original e foi gravada durante um dos primeiros encontros da banda. "Estávamos no estúdio tocando a música e estudando-a", recorda Ament. "No processo, Adam entrou e reposicionou os microfones, bem na encolha. Então, de repente, quando estávamos prontos para tocá-la, ele a capturou. Ficou ótimo. Para mim, esse foi um momento crucial e mostra como o disco soa. Muitas vezes acontece aquela coisa bacana quando você não conhece bem a música e todos estão realmente se concentrando. Isso leva umas quatro ou cinco tomadas e então acaba. Depois disso, é tudo cerebral.

A canção também aponta para o trabalho com pegada acústica de Vedder alguns anos depois na trilha sonora de *Na natureza selvagem*. "'Thumbing My Way' é uma espécie de começo para Ed gostar mais daquela coisa de cantor e compositor de canções acústicas de uma forma que você sempre soube que ele poderia gostar", diz Gossard. "Ele estava finalmente se acostumando à ideia de que talvez pudesse trazer um pouco daquilo para o Pearl Jam. O sentimento na música é incrível."

Por outro lado, músicas como "Save You" e "Green Disease" oferecem um rock implacável de pegada punk que remete ao segundo ou terceiro discos do Pearl Jam. "Eu cheguei com aquele riff, e nós começamos a improvisar sobre ele", diz McCready sobre "Save You", a história de uma relação de amor e ódio mutuamente prejudicial. "Foi uma delícia tocar. Na tomada que acabou sendo usada, no meio da música o headphone de Matt caiu de seus ouvidos. Ele estava saindo do tempo. Essa é a minha parte favorita da música — suas viradas de bateria alucinadas."

Com um toque do híbrido de new wave e punk do Split Enz, "Green Disease" mostra Vedder querendo entender uma cultura de ganância: "I said there´s nothing wrong with what you say / Believe me, just asking you to sway / No white or black, just gray /Can you feel this world with your heart and not your brain?" [Eu disse que não há nada de errado com o que você diz / Acredite, só estou pedindo para você reconsiderar / Nada de branco ou preto, apenas cinza / Você pode sentir esse mundo com seu coração e não seu cérebro?].

"É uma coisa tipo assim: certo, não vou dizer que o capitalismo é o que está errado nisso", diz Vedder sobre a música, para a qual sua visão de um som muito fino e seco o levou a gravar a base da música apenas com Cameron e Ament o acompanhando. "É mais uma coisa de responsabilidade corporativa. Você não pode me dizer que não há outras formas de tornar isso bom para todos."

Não existe dúvida sobre o tema de "Bu$hleaguer", uma pancada cômica no então presidente George W. Bush, em que Vedder faz uso de spoken word para lançar suas opiniões incisivas nos versos: "A confidence man, but why so beleaguered? / He´s not a leader, he´s a Texas leaguer" (Um homem de confiança, mas por que tão atormentado / Ele não é um líder, ele é uma jogada atrapalhada). Embora associada mais de perto a Vedder quando ele começou a cantá-la enquanto usava a máscara de Bush, a música na verdade foi composta por Gossard.

"É tão satírica", diz ele. "A pegada four-on-the-floor que Matt está tocando — ele está tocando um desenho de bumbo que não temos muito em nossas músicas. O final grooveado e assustador é uma coisa meio diferente." Ament acrescenta: "Tudo que Stone trouxe era um pouco sombrio. A única letra que ele tinha era 'o apagão se espalha pela cidade'. Esse é um verso totalmente pesado. A forma como Ed escreveu a letra a partir disso era quase bem humorada. Isso deixou a música ainda mais arrepiante para mim."

Na outra ponta do espectro está uma canção como "You Are", que continua a ser uma das músicas com o som mais estranho do Pearl Jam. Ela tem riffs de guitarras afundadas em reverb e uma batida funqueada e empertigada, enquanto a parada do meio tem Vedder em um falsete repetido em várias faixas, repetindo a frase do título.

"Eu tinha comprado uma nova bateria eletrônica que permitia que você criasse padrões e então os tocasse através de qualquer instrumento de áudio que você ligasse nela", diz Cameron. "Foi mais uma experiência usar os parâmetros dessa máquina também. Acabou ficando muito legal, e os rapazes realmente gostaram. Levei minha bateria eletrônica para o estúdio, despejei aquilo no computador e fiz um arranjo. Eddie terminou os pequenos pedaços de letra que eu tinha escrito para ela. É apenas mais um exemplo de deixar sua banda levar sua música a um nível que você nunca imaginou."

Gossard diz: "Aquele foi um momento de inspiração, com certeza."

McCready complementa: "Transpiração para mim! Eu fiquei embasbacado com aquilo. Aquilo me lembrava um pouco o Cure, talvez, ou algo que essa banda nunca tinha experimentado antes. Fiquei animado demais, e orgulhoso de tocar aquela música para todos os meus amigos, sabe? 'Saca só essa aqui! Ela tem um tipo de clima totalmente diferente.'"

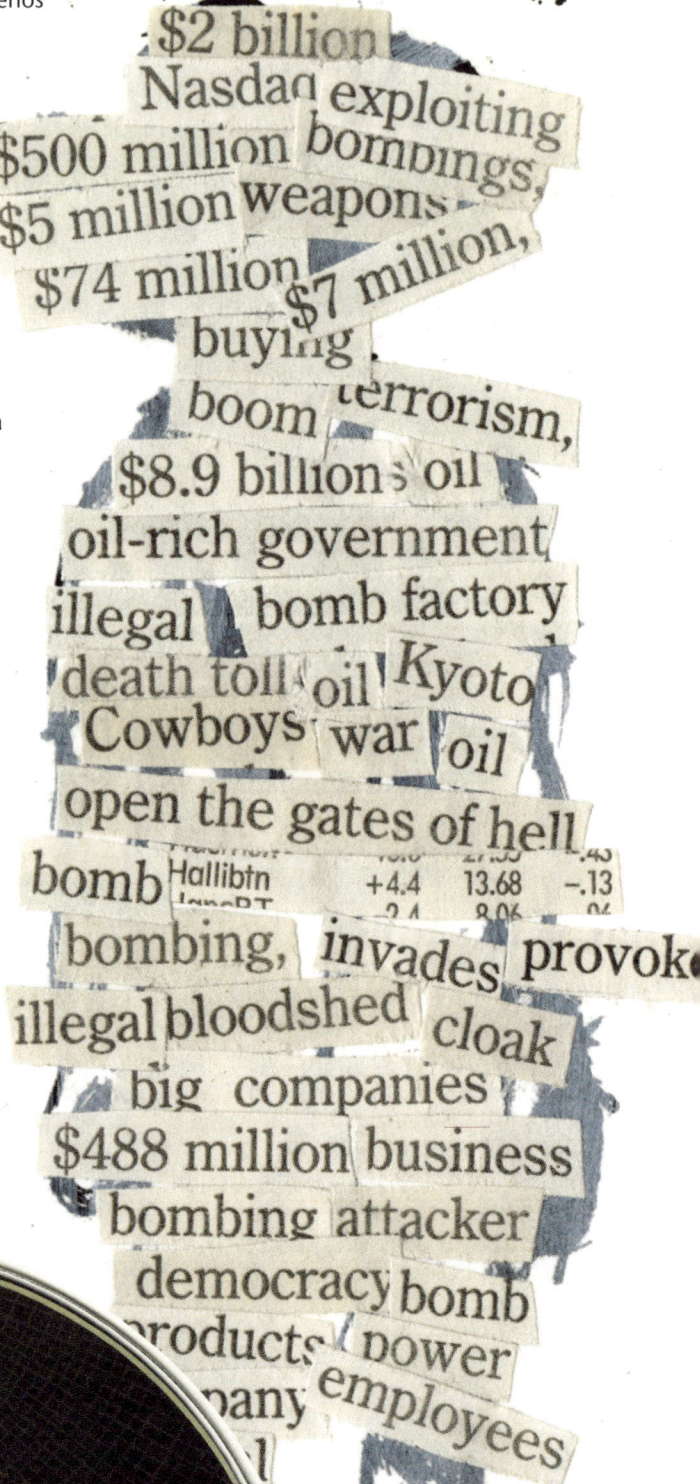

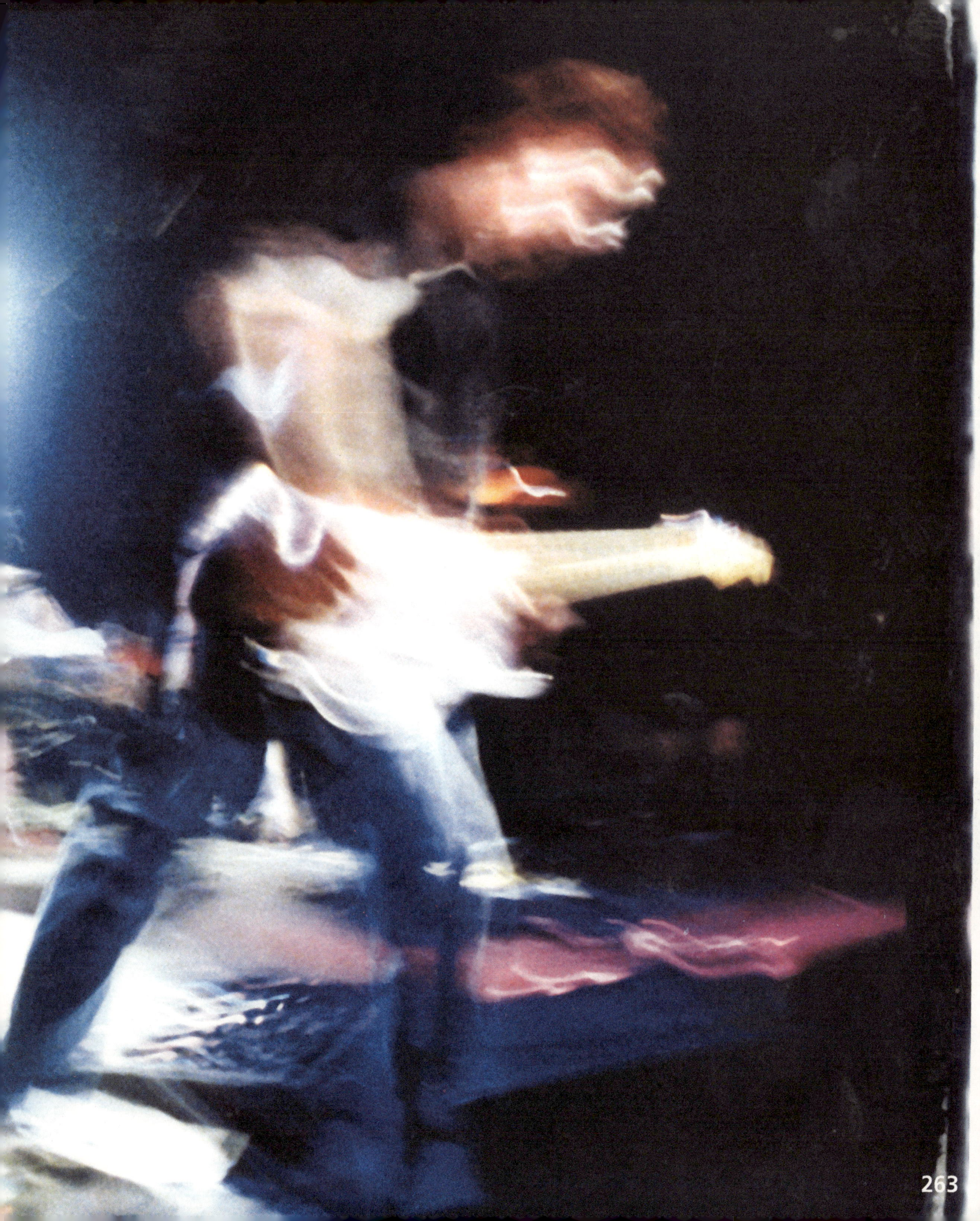

GHOST

THE MIND IS GREY,... LIKE THE CITY
PACKING IN AND OVERGROWN
LOVE IS DEEP,... DIG IT OUT
STANDING IN A HOLE ALONE

WORKING FOR SOMETHING
THAT ONE CAN NEVER HOLD
A FACE IN THE CLOUDS
GOOD PLACE TO HIDE OH MY OH

SO IM FLYING   away away
      DRIVING   away away

FINDING HOPE IN WAYS I MISSED BEFORE

THE TV,...   SHE TALKS TO ME
BREAKING NEWS AND BUILDING WALLS
SELLING ME,... WHAT I DONT NEED
I NEVER KNEW SOAP MADE YOU TALLER

SO IM WRITING   away away
      HIDING   away away

SO MUCH TALK IT MAKES NO SENSE AT ALL

MY SENSES GONE AWOL

SO IM RIDING   away away
      DRIVING   away away

PASSING NEW FRIENDS I WON'T KNOW ANYWAY

IT DOESNT HURT,...   WHEN I BLEED
BUT MY MEMORIES THEY EAT ME
IVE SEEN IT ALL BEFORE
BRING IT ON CAUSE IM NO VICTIM

DIVING
  DYING

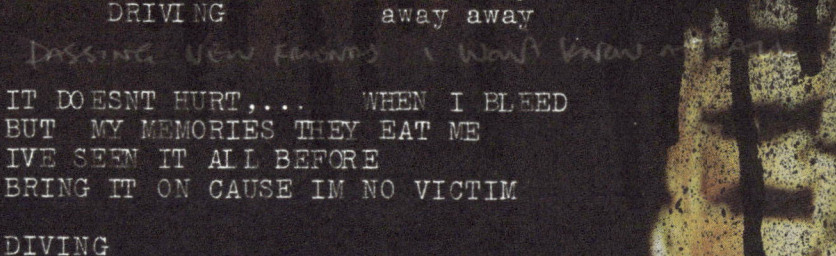

265

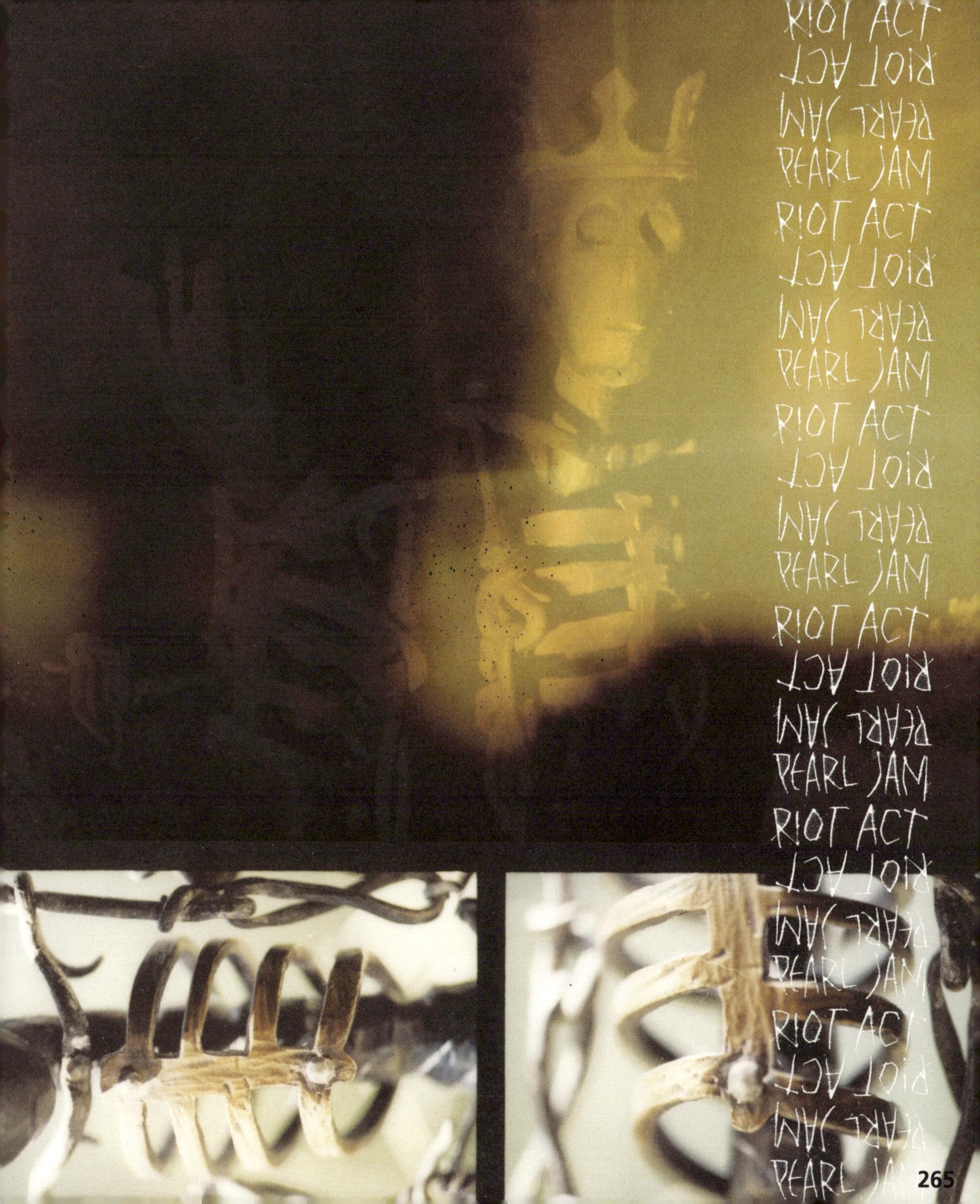

266

267

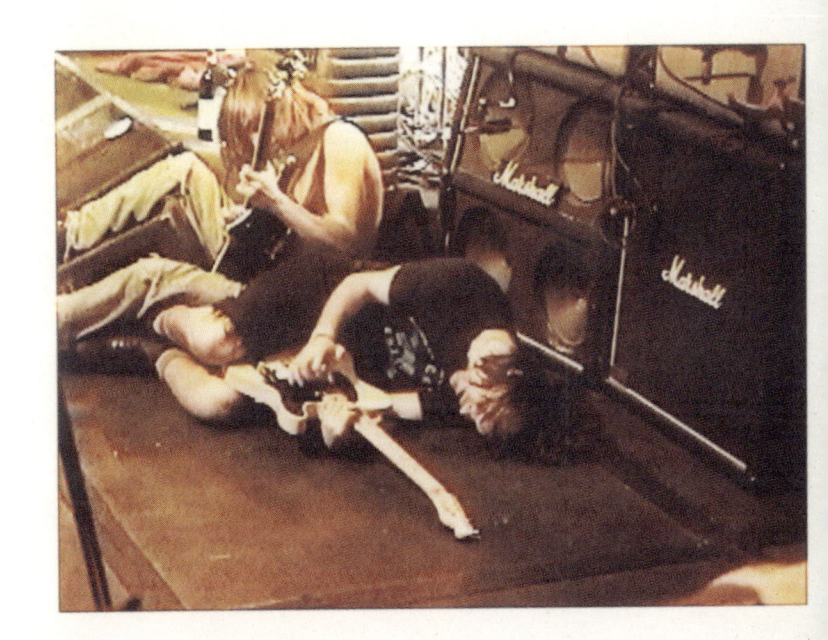

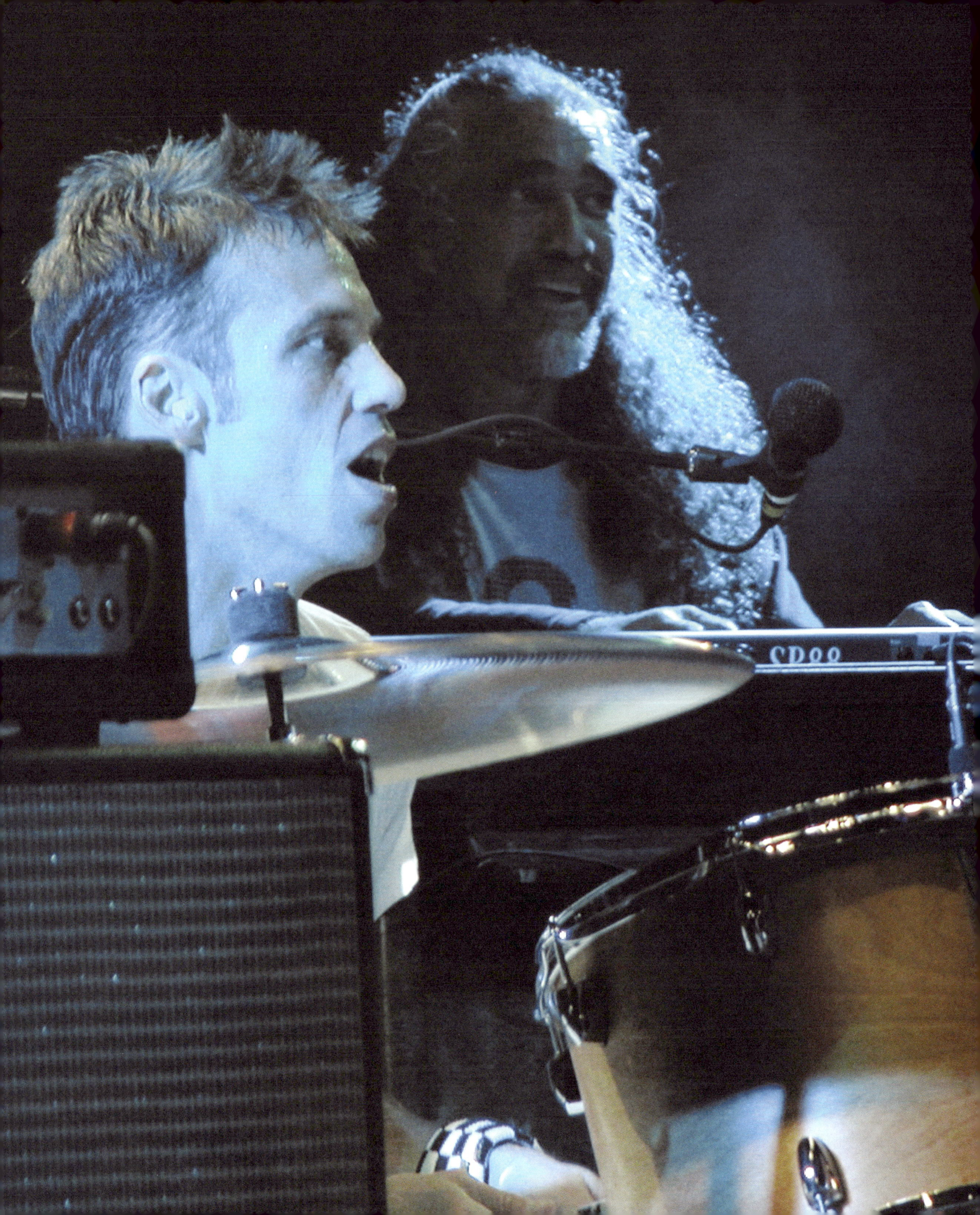

CAPÍTULO 2003

2003

Pela primeira vez em três anos, o Pearl Jam pegou a estrada com vontade em 2003, deleitando fãs com longos shows que contavam com setlists sempre diferentes, repletas de músicas raras. Casas de shows históricas e marcantes pareciam inspirar a banda, com destaques da turnê incluindo uma série de shows em julho no Madison Square Garden, em Nova York, que deu origem a um DVD ao vivo, e um show beneficente no Santa Barbara County Bowl que teve a primeira performance de Chris Cornell de "Hunger Strike" com a formação completa do Temple of the Dog em mais de 11 anos. Mas as críticas abertas do Pearl Jam às decisões do presidente George W. Bush, especificamente à nascente Guerra do Iraque, não caíram bem com alguns dos ouvintes que ainda lidavam com o impacto dos ataques terroristas de 11 de setembro de 2001. Manter aquele diálogo fluindo com seus fãs estava em primeiro lugar na mente da banda enquanto a eleição presidencial de 2004 se aproximava e o Pearl Jam estava comprometido a usar sua voz para fazer a diferença.

8-9 de fevereiro
Brisbane Entertainment Centre, Brisbane, Austrália

O Pearl Jam começa uma turnê mundial para divulgar *Riot Act* com dez shows na Austrália e cinco no Japão, os primeiros nessa parte do mundo com Matt Cameron na bateria. O antigo guitarrista dos Smiths, Johnny Marr, abre a parte australiana da turnê com sua nova banda, The Healers, assim como o Betchadupa, que conta com o filho de Neil Finn, Liam. Covers tocados pela primeira vez nessa jornada incluem "Know Your Rights", do The Clash, e "Fortunate Son", do Creedence Clearwater Revival. Pela primeira vez nessa turnê, o Ten Club expande o programa de gravações oficiais para incluir acesso no dia seguinte a arquivos de MP3 não masterizados dos shows como bônus na compra das versões em CD.

Eddie Vedder: Consigo me lembrar da banda de Johnny Marr indo à praia e entrando na água com as mesmas roupas que usavam nos shows. E não estou falando de bermudas e camisetas.

11 de fevereiro

Os covers de "I Believe in Miracles" e "Daytime Dilemma", dos Ramones, gravados por Eddie Vedder acompanhado pelo Zeke, são lançados na coletânea da Columbia, *We're a Happy Family — A Tribute to Ramones*.

18 de fevereiro

O sexto disco de Chan Marshall como Cat Power, *You Are Free*, que conta com vocais de Eddie Vedder nas músicas "Good Woman" e "Evolution", é lançado pela Matador Records.

Chan Marshall: Acho que a falta de conexão entre homens e mulheres é a razão para casamentos problemáticos, crianças abusadas, amor negligenciado, desconfiança, mentiras e infidelidade. Essa conexão perdida é a razão de "Good Woman" ter sido composta. Ter Eddie cantando na faixa realmente ajudou a mostrar o outro lado da moeda em relação ao que é importante sobre homens e mulheres em relacionamentos.

23 de fevereiro
Burswood Dome, Perth, Austrália

O Pearl Jam convida Mark Seymour, da banda australiana Hunters & Collectors, a subir no palco para tocar a música de sua banda "Throw Your Arms Around Me", que o Pearl Jam vem tocando em shows desde 1992.

1 de abril
Pepsi Center, Denver

A etapa norte-americana da turnê de *Riot Act* começa e imediatamente gera atenção da mídia nacional depois de um número desconhecido de fãs, de acordo com relatos, se levantar e sair quando Vedder veste uma máscara de George W. Bush e a banda toca "Bu$hleaguer". O *Rocky Mountain News* também relata que Vedder "empalou" a máscara em seu pedestal de microfone. O incidente ocorre menos de um mês depois que as Dixie Chicks disseram a uma plateia de um show em Londres que eram contrárias à Guerra do Iraque, que estava acontecendo naquele momento, e que estavam "envergonhadas pelo fato de o presidente dos Estados Unidos ser do Texas". Estações de rádio de música country imediatamente baniram o grupo, que anteriormente era um dos mais tocados do gênero.

Eddie Vedder: Era o nosso primeiro show desde que a guerra tinha começado. Eu apareço com a máscara e faço uma dancinha, um *moonwalk*, para deixar as pessoas verem George W. Bush com ritmo, sendo livre. Mas não consigo cantar através da máscara. Então tiro a máscara, tiro o microfone do pedestal e coloco a máscara ali. Tenho que ser delicado, porque quero que a máscara fique virada para a frente. Então canto para ele. De alguma forma isso foi interpretado como "empalar".

A crítica dizia algo como: se você é um fã de música desse planeta, se houvesse um lugar na Terra onde você teria gostado de estar, seria essa noite na McNichols Arena, ou qualquer que seja o nome, era ali o lugar em que você deveria estar. Era uma crítica muito positiva. Um ou dois dias depois, ele escreveu uma outra matéria que dizia "Fãs congestionam saídas em resposta a música anti-Bush". O mesmo sujeito. Então, a coisa sobre a segurança das pessoas na plateia depois de passar por Roskilde, esse era um assunto delicado para nós. E ele sugerir que tenha havido qualquer tipo de perigo envolvido ia além do insulto, mas levamos isso muito a sério. E então, se você ler o artigo, verá que ele diz "Dúzias de fãs seguiram para as saídas". Agora, pense bem, já era, tipo assim, o segundo bis ou algo parecido, mas dizer dúzias de fãs? Acho que havia 18 mil pessoas lá. A história poderia ter sido "17.250 pessoas adoraram a música anti-Bush". Mas como foi escrito daquela forma, acho que a imprensa de direita tomou aquilo como apenas outra oportunidade para aproveitar e dizer que éramos antiamericanos e antipatriotas, e aquilo se tornou um assunto.

Nicole Vandenberg: Aquele foi um momento interessante no país. O 11 de setembro tinha acontecido. Estávamos em guerra. As pessoas estavam com medo, furiosas e instáveis. Performances musicais e artísticas sempre foram ocasiões em que as pessoas lidam com os grandes assuntos do dia e os questionam. E a banda estava fazendo isso. Mas houve um relato da mídia local da resposta da plateia à performance de "Bu$hleaguer" que me pareceu enganoso, mesmo que não tenha sido ilegal. De repente você podia ver como essas coisas aconteciam: como algo que não

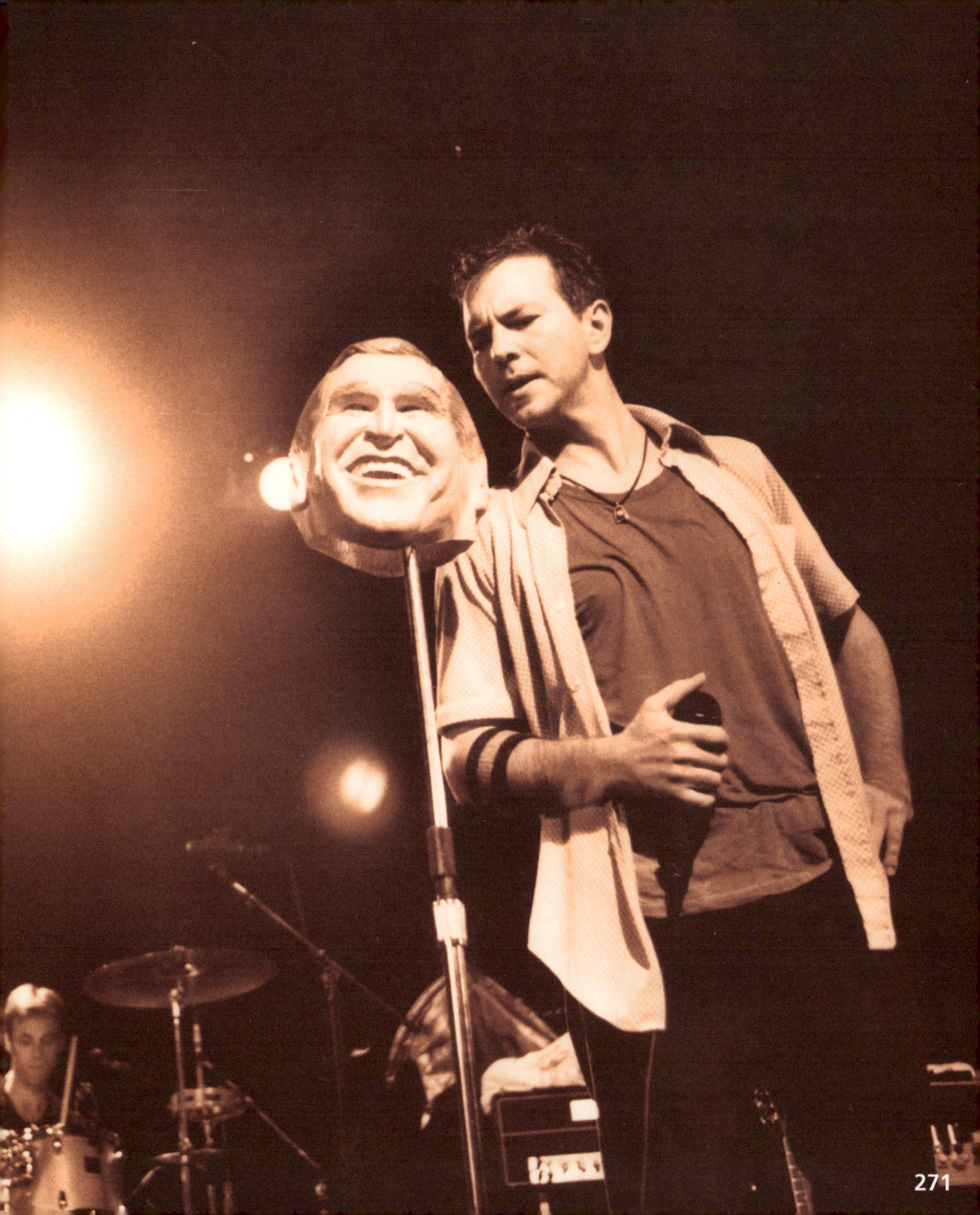

era um incidente podia ser transformado em um com uma boa manchete. Fiquei com medo que isso tivesse um efeito silenciador desproporcional nos músicos e nos cidadãos em geral, o que não era útil em uma época em que as pessoas precisavam fazer perguntas difíceis e se manifestar. Fiquei muito orgulhosa da resistência da banda àquilo. Teria sido muito mais fácil calar a boca e não fazer nada.

3 de abril
Ford Center, Oklahoma City

"Deep" é tocada pela primeira vez desde 7 de outubro de 1995, enquanto "Driftin´" é tocada pela primeira vez desde sua estreia ao vivo no show de 2001 do Bridge School Benefit.

11 de abril
Sound Advice Amphitheatre, West Palm Beach, Flórida

"Glorified G" volta ao setlist pela primeira vez desde 17 de novembro de 1996.

12 de abril
House of Blues, Orlando, Flórida

O Pearl Jam faz um raro show em uma pequena casa, que é transmitido online dois dias depois pela RealNetworks. Vedder oferece uma versão solo no ukulele de "Blue Red and Gray", do The Who.

19 de abril
Hi Fi Buys Amphitheatre, Atlanta

O colaborador do Pearl Jam de longa data Brendan O´Brien se junta à banda no órgão para apenas a terceira performance de todos os tempos de "Crown of Thorns", do Mother Love Bone.

23 de abril
Assembly Hall, Champaign, Illinois

"Driven to Tears", do The Police, é tocada pela primeira vez desde 25 de junho de 1992.

30 de abril
Nassau Coliseum, Uniondale, Nova York

Mais uma vez, "Bu$hleaguer" encontra uma reação adversa por parte da plateia no começo do segundo bis, com vaias claramente ouvidas na casa de shows. Vedder responde "Vocês não gostaram dessa. Não entendo. Talvez gostem dele porque ele vai fazer um corte nos impostos. Talvez gostem dele porque ele é um sujeito verdadeiro, vocês se identificam com isso, com ele ser um sujeito simples". A plateia começa a cantar "USA, USA!", e Vedder logo responde "Estou com vocês. USA! Apenas acho que todos nós nesse espaço deveríamos ter voz para poder falar sobre como os Estados Unidos são representados. E ele não nos concedeu a nossa voz. Isso é tudo o que estou dizendo. Nós amamos os Estados Unidos. Estou sobre um palco diante de um público enorme. Eu trabalhei em uma maldita farmácia. Eu amo os Estados Unidos, certo? Isso é bom, é um debate aberto, honesto e é assim que deve ser. Se continuarmos a fazer isso, boas coisas vão acontecer. Se vocês não falarem nada, vocês não sabem o que vai acontecer. Porque estamos à beira da eternidade. E se não participarmos do andamento das coisas, quando somos a superpotência número um do mundo, você quer ter uma parte nisso e se assegurar de que isso é uma coisa boa, não? A favor ou contra, seja ativo. Isso é uma coisa boa". A banda toca mais duas músicas ("Know Your Rights" e "Rockin´ in the Free World") antes de Vedder jogar seu microfone no chão em um sinal claro de frustração e sair do palco três músicas antes, de acordo com o setlist impresso.

Matt Cameron: Uma rajada de moedas foi atirada sobre nós, e essa foi a primeira vez em um show do Pearl Jam que, tipo, senti que o público estava realmente irritado e que tentaram nos machucar.

Mike McCready: Saí do palco debaixo de vaias algumas vezes em minha vida. E já toquei no Shadow. O Nassau Coliseum me lembrou isso um pouco, mas foi mais assustador porque era um público maior. Era mais apaixonado porque para eles estávamos, de alguma forma, sendo antiamericanos e contra os valores de Bush. Outra coisa que amo em Ed é que ele é capaz de compor uma música como aquela. E ele a defende com lógica e bom comportamento, e é sincero quando fala. Eu me lembro que tinha um bombeiro na primeira fila e ele estava me mostrando seu distintivo. Ele olhou para nós com uma expressão de "Vocês nos traíram". Eu achava que, como americanos, nós deveríamos ter o direito de dizer o que temos a dizer. E "Bu$hleaguer" é um exemplo disso, pensamos. As pessoas não concordaram com aquilo e estavam irritadas conosco. E provavelmente perdemos um monte de fãs naquela noite. Foi mais um de nossos capítulos negros.

Eddie Vedder: Parecia que aquilo era parte da conversa. Achei que estávamos nos comunicando, e aquilo realmente não me incomodou nem por um segundo. E foi só quando outros integrantes da banda expressaram desconforto que eu tive que levar em conta e entender o que as outras pessoas estavam sentindo, porque eu não sentia aquilo de forma alguma. Tínhamos tocado aquela música muitas e muitas vezes e não tivemos nada além de coisas positivas; e então, de repente... acho que isso é que foi chocante.

Jeff Ament: Já toquei em bandas em que fomos vaiados. O Green River abria para o Dead Kennedys ou para o Public Image, e as pessoas estavam lá para vê-los, não para ver a gente. Mesmo nessa banda fomos vaiados um pouco, nas primeiras duas semanas daquela turnê dos Chili Peppers. Mas não como o que aconteceu no Nassau. Eu realmente saí do palco e me senti ótimo. Foi uma experiência totalmente nova. Matadora. Fomos vaiados defendendo algo em que acreditávamos com todo o coração. Pelo menos do meu ponto de vista, e sei que do ponto de vista de Ed também. Eu me senti cem por cento orgulhoso daquela música e do que estávamos dizendo, sobretudo na época em que dizíamos aquilo. Naquela época, a liberdade de expressão e todas essas coisas; as pessoas estavam com medo, incluindo algumas pessoas no nosso meio. E com razão. Eu não tenho filhos. Dentro da banda, havia muitas coisas diferentes acontecendo e não acho que todo mundo estava muito animado por ser vaiado. Mas eu estava totalmente à vontade com aquilo. Pronto para sair e começar o show com aquela música todas as noites. Eu tinha orgulho dela. Eu não ia ser parte de algo e então voltar atrás. Nós gravamos a música e a colocamos em um disco, e era assim que nos sentíamos.

3 de maio
Bryce-Jordan Center, State College, Pensilvânia

O Pearl Jam termina a primeira parte da turnê norte-americana de *Riot Act* com um show de 36 músicas e duração de 3 horas e 38 minutos, o show mais longo de sua carreira até hoje. Os três bis sozinhos somam dezessete músicas, incluindo a primeira performance de "Satan´s Bed" desde 7 de outubro de 1996 e a primeira vez que a banda toca "Mankind" desde 22 de

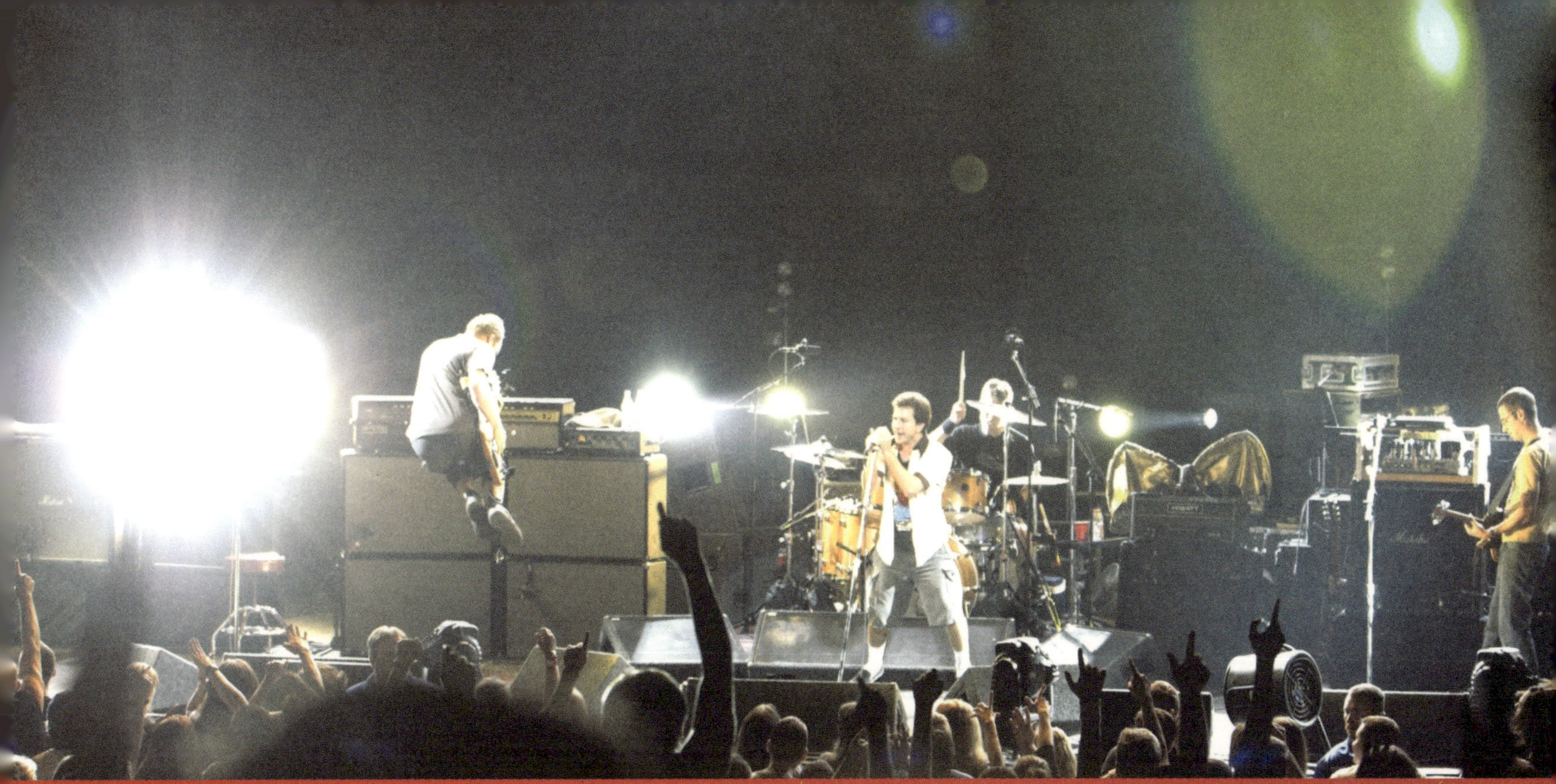

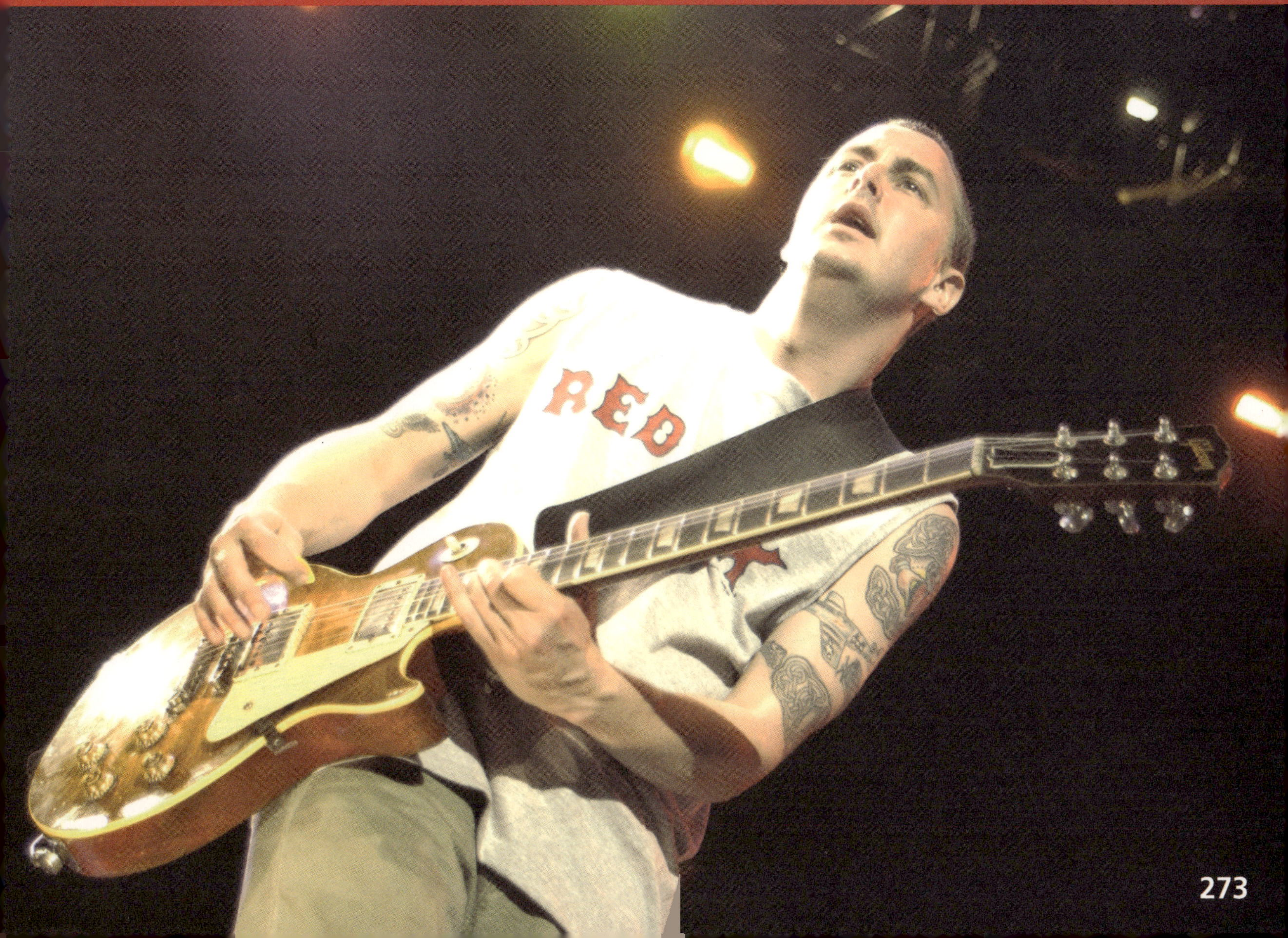
RED

outubro de 2000. A apresentação é lançada comercialmente no dia 15 de julho.

7 de maio

O website do Pearl Jam começa a vender o DVD *Live at the Showbox*, filmado no dia 6 de dezembro de 2002, na casa de shows de Seattle. Ele é colocado à venda em lojas tradicionais no dia 30 de junho.

13 de maio

Mike McCready torna pública sua batalha de 15 anos contra a debilitante disfunção gastrointestinal, a doença de Crohn, em um discurso no terceiro almoço beneficente anual Many Faces of Hope, na sede noroeste da Crohn's & Colitis Foundation of America (CCFA) em Seattle. McCready diz que finalmente juntou a coragem para falar sobre Crohn depois de se encontrar, no outono anterior, com outras pessoas que tinham a doença no Painted Turtle, um acampamento nos arredores de Los Angeles fundado pelo ator Paul Newman e Page Adler para crianças com doenças crônicas.

Mike McCready: As histórias que me contaram foram muito piores do que o que eu tinha experimentado. Um garoto tinha 14 anos e já tinha sofrido seis cirurgias, mas ainda não estava curado. Quis me revelar e dizer "Eu tive uma carreira apesar da doença de Crohn". Aprendi com essas crianças e isso me dá muita força e esperança.

28 de maio
Adams Field House, Missoula, Montana

A segunda parte norte-americana da turnê de *Riot Act* começa no estado natal de Jeff Ament.

30 de maio
General Motors Place, Vancouver, Canadá

Apesar de alegações anteriores de que seria aposentada, "Bu$hleaguer" volta ao set ao vivo do Pearl Jam sem incidentes.

Stone Gossard: Ainda tocamos a música em alguns de nossos shows. Não gostamos de nos restringir quanto ao que podemos e não podemos tocar. Ed não a tem tocado com a animação da máscara de Bush e a parte teatral que era associada a ela antes. Agora ele permite que as pessoas se concentrem mais na música e menos na controvérsia que a cerca. Essa foi a escolha correta nesse momento para nós.

3 de junho
Verizon Wireless Amphitheatre, Irvine, Califórnia

O antigo baterista do Pearl Jam, Jack Irons, faz sua primeira aparição com seus ex-colegas de banda desde que saíra do grupo em 1998; ele assume a bateria para tocar "Rockin' in the Free World".

Jack Irons: Houve um período de cinco anos em que tive no máximo três ou quatro conversas com os rapazes do Pearl Jam. No máximo. Quando saí da banda, não ficou totalmente clara a situação pela qual eu passava. Ao mesmo tempo, todos aqueles caras estavam passando por coisas em suas próprias vidas. Então foi difícil que eles se envolvessem na minha jornada. Eu deixei a questão de lado. Comecei a pensar, "Cara, será que um dia eles vão me ligar?" Mas então pensei, "Isso é idiotice. Tenho apenas que aparecer lá e dar um oi. Se eu for até lá e lhes mostrar que estou me sentindo melhor, e me saindo melhor, e que o que estava acontecendo comigo naquela época não é quem eu sou..." Esses sujeitos são muito importantes para mim. Foi isso o que aconteceu. Acabei indo até lá, e eles ficaram muito felizes por me ver.

5 de junho
San Diego Sports Arena, San Diego

De volta à cidade onde começou a tocar música profissionalmente, Vedder compartilha boas lembranças de ver Ted Nugent, Kiss, The Who, David Bowie e Cheap Trick nessa casa de shows. Para começar o terceiro bis, Vedder usa um pedal de loop para construir as nove partes vocais sem letra da faixa "Arc" de *Riot Act*, um tributo às vítimas da tragédia de Roskilde que nunca tinha sido tocado ao vivo. Essa performance, e as oito outras que se seguiram (uma para cada pessoa morta em Roskilde), são omitidas gravações oficiais dos shows de 2003.

Eddie Vedder: Não há letra porque não há palavras para o que foi aquela situação. É como se fosse uma prece.

20 de junho
Wrigley Field, Chicago

Eddie Vedder faz sua segunda aparição na tribuna de imprensa em um jogo do Chicago Cubs para cantar "Take me Out to the Ballgame". O time do outro lado da cidade, Chicago White Sox, derrota os Cubs por 12 a 3.

1 de julho
Nissan Pavilion Stone Ridge, Bristow, Virginia

Posicionada entre "Blood" e "Know Your Rights", do The Clash, "Why Go" reaparece no setlist pela primeira vez desde 7 de novembro de 1995.

2-3 e 11 de julho
Tweeter Center, Mansfield, Massachusetts

O Pearl Jam começa o primeiro de três shows nos arredores de Boston se desafiando a tocar cada uma das mais de cem músicas em seu repertório atual sem repetir nenhuma nesses shows. Os dois primeiros shows não têm nenhuma música repetida, mas apresentam apenas cinquenta músicas no total, por causa de limitações de horário em que barulho é permitido na área. Para compensar o terreno perdido, o Pearl Jam faz dois sets no terceiro show: um set de 12 músicas, em sua maioria acústicas, antes da banda de abertura, Sleater-Kinney, repleto de raridades como "All Those Yesterdays", "Driftin'" e "Off He Goes"; e 33 outras músicas em seu set regular mais tarde naquela noite.

Eddie Vedder: Seria muito mais fácil fazer um set parecido todas as noites. Seria tão mais fácil para todos nós. E ainda assim não conseguíamos achar motivação para fazer aquilo. Simplesmente não conseguíamos. E se sou a força motriz por trás desse sentimento de não nos repetir, mesmo tendo ficado dez anos sem tocar em determinado lugar, não quero apresentar as mesmas músicas que tocamos há dez anos, a não ser talvez algumas das que eles gostam de ouvir, sabe? Johnny Ramone tinha uma coisa de deixar as pessoas ouvirem as músicas que elas passaram a conhecer e amar. Essa foi uma das coisas que passei a consentir ao longo dos anos; tocar as músicas famosas. Quero dizer, acho que se você tem, deve tocar. Mas não todas na mesma noite [risos]. Quando você chega ao tamanho dos lugares em que estávamos tocando, você quer que aquilo seja agradável para todos, para que eles possam curtir as músicas com as quais se apaixonaram e músicas que os ajudaram a passar por situações, exatamente como canções fizeram comigo. E então você toca aquelas. Aquilo realmente se torna um tipo de cubo mágico. Um setlist em 1991 ou 92 tinha dez músicas. E em 1994, era de

† DON'T GO - 72 G / D	F. UP - 72 G / DROP D
– ANIMAL - 53 G	SONIC - 53 G
⊘ E. FLO - 72 G	ROCK'N - 53 G
– R. VIEW - 53 G / Ed	THE KIDS - Ed
– WHIP'N - 53 G / Ed	– BABA - 53 G
– SMALL TN. - 53 G / Ed	I GOT U - 53 G / Ed
– DIS'DENT - 53 G	THR. YR ARMS - Ed
ONCE - 53 G	ACT OF LOVE - 53 G
– Y. GO - 53 G	CATH. BOY - 53 G
– JEREMY - 53 G	MY LOVE - 53 G / Ed
STATE - 53 G	
– GLOR G. - STRAT / DG	
– DAUGHT - AC / GG	
– BLOOD - 69 B / GG	
– DEEP - 72 G / E SLIDE	
? ⓐLIVE - 53 G	
– RATS - 53 G	
LEASH - 72 G / D	
HARD TO I. - 53 G	
– INDIF - 53 G	
– BLACK - 53 G	
OCEANS - 72 G / D	
GARDEN - 69 B / DROP D	
– FOOTSTEPS - 53 G	
W. M. A. - 69 B / EADGAE / Ed / Ebo	
BREATH - 53 G	
– RELEASE - 53 G	
speed WASH - 53 G	
– NOT 4 U - 53 G / Ed	
– CORD - 53 G / Ed	
~~BLACK - 53 G~~	
– ALREADY IN LUV - 53 G	
– T. CHRIST - 53 G	
– B. MAN - 53 G / Ed	
– IMMORT. - 53 G / Ed	
– LUKIN - 53 G / Ed	
– I GOT SHIT - 53 G / Ed	
– LAST EXIT - 53 G	
NOTH'N' MAN - EADGCD w/ kpaw 5th ADGCFG work w/ stone	
YELLOW LED	
– LONG ROAD	
LEAVING HERE	

Handwritten (right side):

LONG ROAD
CORDUROY
SPIN
TREMOR
ANIMAL
~~DEEP~~ WHY GO
JEREMY
Better Man
~~NOTHING~~
~~GLORIFIED~~
LUKIN
NOT 4 U
WHIPPIN'
GLORIFIED
DAUGHTER
Don't Go → ALIVE
IMMORT
BLOOD

BLACK
I GOT SHIT
(porch)

vinte músicas de duração. E aquelas eram ainda todas as músicas que sabíamos tocar. Agora há mais de cem. Então o quebra-cabeça fica mais detalhado. As pinceladas são mais finas, e há uma arte nisso. Seria ótimo simplesmente pensar na plateia como sua tela em branco, e que você poderia pintar o que quisesse ali. Mas eles merecem mais do que apenas rabiscos.

Jeff Ament: Boston em 2003 foi um exercício em nos desafiar. Deu um trabalho enorme, mas foi bem divertido — mesmo quando algo terminava como um desastre.

8-9 de julho
Madison Square Garden, Nova York

O Pearl Jam faz sua primeira visita à "arena mais famosa do mundo" em quase cinco anos, e o público responde com tanto barulho que o palco literalmente chacoalha durante o primeiro show, que é filmado para ser lançado futuramente. "Me contaram que o palco só tremeu dessa forma com poucos outros, e foram o Grateful Dead, Iron Maiden e Bruce Springsteen", diz Vedder. "Estamos realmente orgulhosos de fazer parte desse grupo, mas tenho que lhe dizer — aquilo nos assustou de verdade!". O convidado surpresa Ben Harper se junta à banda em "Daughter" e "Indifference" na primeira noite, que também tem "Crown of Thorns" e uma versão furiosa de "Baba O'Riley", do The Who, com todas as luzes da arena ligadas. O show de 8 de julho se estende tanto que a banda é multada em 14 mil dólares por desrespeitar o limite de horário, embora a multa seja perdoada pela casa e pelo promotor. Mais cedo naquela noite, Vedder, Ament e McCready cantam com a banda de abertura, The Buzzcocks, em sua música "Why Can't I Touch It?".

Eddie Vedder: Os Buzzcocks foram uma grande influência. Eu os conheci há muitos anos, quando trabalhava como assistente de palco, e eles se lembraram. Eu implorei para que tocassem a música "Why Can't I Touch It?". Aparentemente o vocalista Pete Shelley achou que eu ia cantá-la. A música começou e ele olhou para mim na lateral do palco. Balancei minha cabeça dizendo não. Tenho uma gravação do momento em que ele grita "Seu desgraçado!".

Ben Harper: Antes disso, ou desde então, eu nunca senti nada como o palco chacoalhando. Eu estava sentado no palco, e a coisa passou de chacoalhar para quicar. Fico arrepiado de pensar nisso. Cases pesados de instrumentos começaram a pular. Era intenso e empolgante e, de repente, por um segundo, pareceu perigoso de verdade. A turbulência no avião estava ficando um pouco pesada demais. Olhei em volta e estavam todos apenas pulando e sacudindo os punhos. Eu pensei, quer saber? Se for assim que eu tiver que partir, está tudo bem por mim. Aquele foi um momento e tanto.

Tim Bierman: É incrível estar no Garden em uma noite do Pearl Jam e passar entre os fãs e conversar com eles. Sou simplesmente um fã como eles. Não fico olhando para quanto dinheiro está entrando na banca de mercadorias. Estou lá pela música. Adoro saber que estou envolvido com cada uma daquelas pessoas. Sinto que estou semeando a alegria.

14 de julho
PNC Bank Arts Center, Holmdel, Nova Jersey

O show final da turnê norte-americana de *Riot Act* ostenta um dos setlists mais incomuns do Pearl Jam de todos os tempos. O show começa com a primeira performance do lado B da época de *Ten*, "Wash", desde 5 de setembro de 2000 e segue apresentando duas músicas de cada disco de estúdio do Pearl Jam em ordem cronológica ("Once" e "Even Flow", de *Ten*, seguidas de "Go" e "Dissident", do disco de 1993, *Vs.*, e assim por diante). Até mesmo "I Got Id", da colaboração entre o Pearl Jam e Neil Young, *Mirror Ball*, é encaixada em sua posição apropriada entre "Corduroy" e "Nothingman", de *Vitalogy*, de 1994, e "In My Tree" e "Present Tense", do álbum de 1996, *No Code*. Durante o segundo bis, a banda tira a poeira de "Hunger Strike", do Temple of the Dog, para sua primeira performance completa desde o Lollapalooza, em 1992, com Corin Tucker, do Sleater-Kinney, assumindo os vocais de Chris Cornell enquanto o público gritava em deleite.

Corin Tucker, guitarrista e vocalista do Sleater-Kinney: Foi selvagem. Foi como um sonho maluco. Acho que foi ideia de Matt Cameron que eu cantasse aquela música, e a princípio eu perguntei "Sério?". E isso é o que é tão divertido naqueles caras. Eles são tão animados! Estão sempre dispostos a fazer qualquer coisa.

17-19 de julho
Palacio De Los Deportes, Cidade do México, México

O Pearl Jam completa sua turnê de *Riot Act* no México. A banda faz uma rara entrevista coletiva com a imprensa latino-americana antes do primeiro show, discutindo a primeira visita ao México em sua carreira, política norte-americana e patriotismo, assim como a história e as experiências da banda. Depois do show, todos comemoram em uma festa com karaokê.

Mike McCready: O público era fantástico. Eu me lembro de vários isqueiros piscando em uníssono. Foi a primeira vez que vi algo assim.

Corin Tucker: Havia uma quantidade enorme de mercadoria ilegal do Pearl Jam por lá. Eles não têm nenhuma regra para esse tipo de coisa lá, basicamente. Compramos umas camisetas ilegais malucas do Pearl Jam com camisinhas coladas nelas. Decidimos usá-las para o bis. Os rapazes tinham todos comprado aquelas máscaras de luta livre mexicana e entraram no palco com elas enquanto estávamos tocando nosso set. Foi tudo uma festa e uma loucura sem fim.

19 de agosto

A canção "Powerless" — com participação de Mike McCready nos vocais e na guitarra, Stone Gossard na guitarra, Chris Friel, dos Rockfords, na bateria e Cole Peterson, da banda de Seattle Sweet Water, no baixo — aparece na coletânea beneficente *Live From Nowhere Near You*. Lucros ajudam iniciativas em prol de jovens que moram na rua, através da instituição de caridade Outside In. No dia 29 de agosto, os Rockfords tocam no festival Bumbershoot, que acontece anualmente em Seattle.

7 de setembro
Street Scene Festival, San Diego

Eddie Vedder faz uma aparição surpresa com o R.E.M. para cantar "It's the End of the World As We Know It (And I Feel Fine)".

9 de setembro

O Wellwater Conspiracy, de Matt Cameron e John McBain, lança um álbum de mesmo nome pela Transdreamer-Megaforce Records.

Matt Cameron: Nunca achei que estaríamos em nosso quarto disco. Ainda é muito divertido e gostamos de fazer isso juntos. Nunca houve uma razão para compor um single radiofônico ou tentar competir de alguma forma. É apenas a oportunidade de tentar trabalhar nas suas composições, ou apenas tentar juntar algum material que funcione como música e que também possa ser divertido.

16 de setembro

Gravações oficiais dos shows dos dias 8 e 9 de julho no Madison Square Garden e do dia 11 de julho em Mansfield são lançadas nas lojas.

22 de outubro
Benaroya Hall, Seattle

O Pearl Jam faz um show acústico especial para ajudar a instituição YouthCare Orion Center, com base em Seattle. A banda estreia duas novas músicas: "Man of the Hour", que está prevista para aparecer na trilha sonora do filme de Tim Burton, *Peixe grande e suas histórias maravilhosas*, e *Fatal*, uma faixa ainda não lançada incluída no disco de raridades que está para sair, *Lost Dogs*. Também no setlist há faixas raramente tocadas, como "Low Light", "Thin Air", "Around the Bend", "All or None", "Dead Man" e "Parting Ways", além do cover de uma música de Shel Silverstein popularizada por Johnny Cash, "25 Minutes to Go". A apresentação é mais tarde lançada em CD no final de julho de 2004, como *Live at Benaroya Hall*.

Jeff Ament: Acho que é apenas uma questão de tempo antes de sairmos e fazermos pelo menos alguns shows dessa forma. É muito divertido tocar alto, mas é ótimo tocar baixinho também.

25-26 de outubro
Shoreline Amphitheatre, Mountain View, Califórnia

O Pearl Jam faz sua sexta aparição no Bridge School Benefit, de Neil Young, tocando em sua maioria covers como "Last Kiss", "Crazy Mary", de Victoria Williams, "Masters of War", de Bob Dylan e "I Believe in Miracles", dos Ramones, além da novíssima "Man of the Hour" e "Long Road", a última com Young no pump organ.

28 de outubro
Santa Barbara County Bowl, Santa Barbara, Califórnia

O Pearl Jam recebe uma série de amigos famosos em um show beneficente para o Louis Warschaw Prostate Cancer Center do Centro Médico Cedars-Sinai. A banda recebe o antigo baterista Jack Irons, Jack Johnson, o guitarrista Lyle Workman, o guitarrista do Red Hot Chili Peppers, John Frusciante, e o líder do Soundgarden e do Audioslave, Chris Cornell, para uma rara reunião do Temple of the Dog. ("Não chamamos nenhum dos amigos de merda", brinca Vedder.)

Irons toca bateria em "In My Tree" e "Hail Hail", duas músicas de *No Code* claramente influenciadas por seu estilo, enquanto Johnson se junta a Vedder em "Soon Forget" e "Better Man". Depois de um set solo acústico de duas músicas, Cornell reprisa seu dueto com Vedder em "Hunger Strike", do Temple of the Dog, pela primeira vez desde a turnê do Lollapalooza de 1992, seguido por uma versão de quase dez minutos de "Reach Down", também da banda. Todos os convidados voltam ao palco para uma colaboração na última música, "So You Want To Be a Rock´n´Roll Star", dos Byrds.

Eddie Vedder: Organizamos esse show para arrecadar fundos para combater o câncer de próstata a pedido de Johnny Ramone. Ele estava morrendo, e seus amigos faziam o que podiam não apenas para mantê-lo vivo, mas também para deixá-lo feliz. John Frusciante viajou de avião de milhares de quilômetros de distância depois do fim de uma turnê dos Peppers. Cornell veio. Aquele também foi o dia em que contei às pessoas próximas que estávamos esperando um filho. Não era apenas um show de vida ou morte... era de vida e morte — emotivo. Acabou que aquela foi a última vez que Johnny me viu, ou viu a banda tocar ao vivo. Ele estava feliz, eu fiquei orgulhoso. Fico feliz que ele tenha aguentado para que minha filha pudesse conhecer seu Tio John.

10 de novembro

"Man of the Hour", a contribuição do Pearl Jam para o filme *Peixe grande e suas histórias maravilhosas*, de Tim Burton, é lançada em um single em CD acompanhada da versão *demo* da música gravada em casa por Eddie Vedder, exclusivamente através do website da banda. A Amazon.com se torna a distribuidora exclusiva do single no dia 17 de dezembro, apesar de "Man of the Hour" também aparecer na trilha sonora da Sony de *Peixe grande e suas histórias maravilhosas*, que é lançada no dia 23 de dezembro. A música passa enquanto sobem os créditos finais do filme, que chega aos cinemas dos Estados Unidos em 10 de dezembro.

11 de novembro

O Pearl Jam divulga dois lançamentos ansiosamente aguardados através da Epic: a coleção de raridades que atravessa a carreira da banda, *Lost Dogs* e o DVD *Live at the Garden*, filmado no dia 8 de julho de 2003 na casa de shows de Nova York.

Jeff Ament: Todos os discos têm um grupo de cerca de 12 músicas que são trabalhos em andamento. Algumas delas são terminadas e acabam lançadas como lados B ou singles de Natal, e algumas delas nunca viram a luz do dia. *Lost Dogs* foi uma ótima forma de mostrar essas músicas.

24 de novembro

Eddie Vedder é um dos juízes de *Bush in 30 Seconds*, um concurso do MoveOn.org Voters Fund para encontrar as melhores e mais memoráveis ideias para anúncios de TV dizendo a verdade sobre as políticas do presidente George W. Bush.

17 de dezembro
Ed Sullivan Theater, Nova York

O Wellwater Conspiracy toca "Wimple Witch", de seu disco que carrega o nome da banda, no programa da CBS *Late Show with David Letterman*.

Eddie Vedder: Estávamos todos nervosos em casa assistindo, e Matt foi lá e detonou. Estávamos realmente animados por ele.

Natal

O Pearl Jam lança seu 12º single de sete polegadas exclusivo do fã-clube, trazendo a versão de "Reach Down" com Chris Cornell do show de 28 de outubro de 2003, em Santa Barbara, como o lado A e um cover de "I Believe in Miracles", dos Ramones, no lado B.

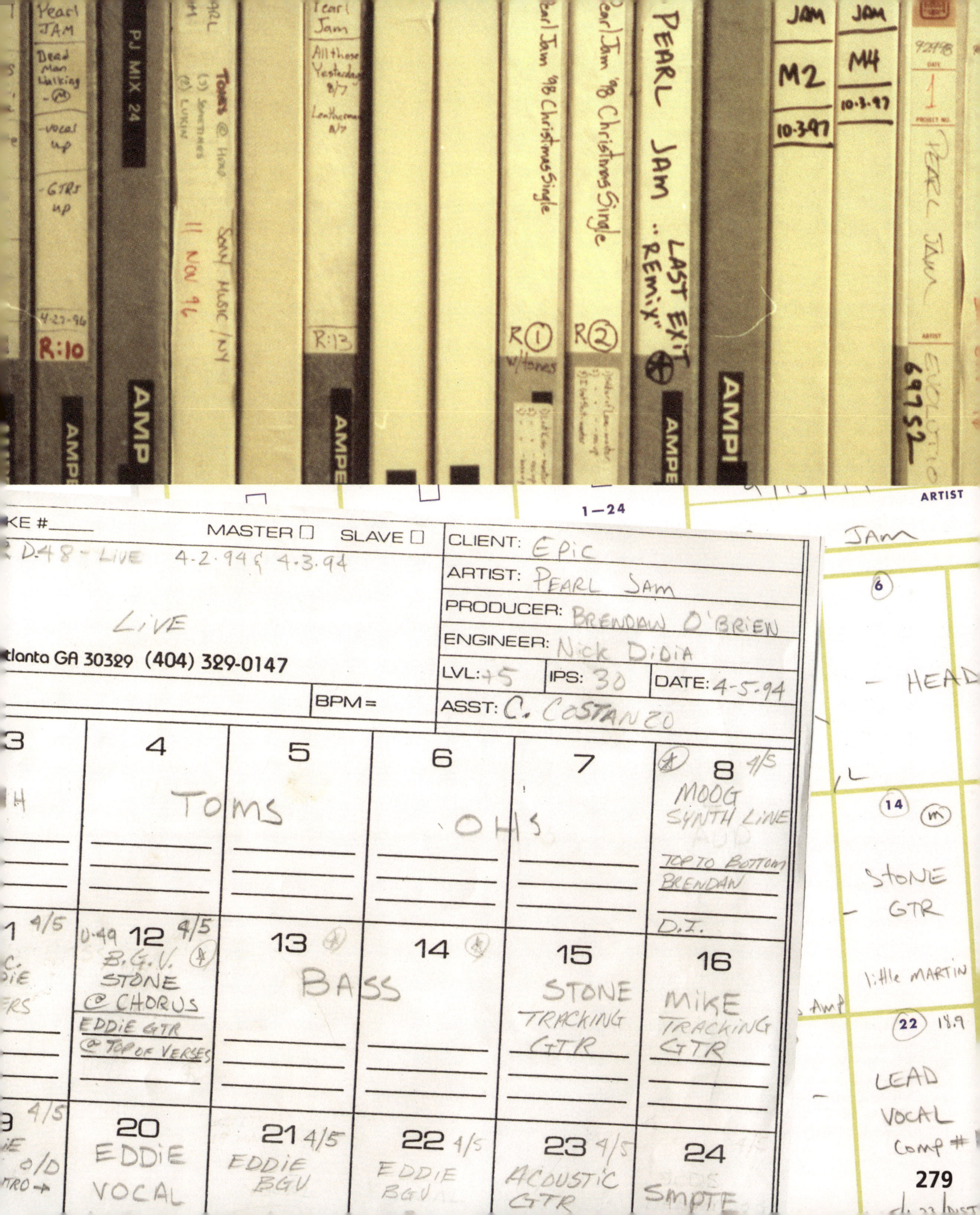

KE # ____		MASTER ☐	SLAVE ☐	CLIENT: EPIC		
D-48 - LIVE 4-2-94 & 4-3-94				ARTIST: PEARL JAM		
				PRODUCER: BRENDAN O'BRIEN		
LIVE				ENGINEER: NICK DIDIA		
tlanta GA 30329 (404) 329-0147				LVL: +5	IPS: 30	DATE: 4-5-94
			BPM =	ASST: C. COSTANZO		
3	4	5	6	7	8 4/5	
H	TOMS		OHS		MOOG SYNTH LINE AUD TOP TO BOTTOM BRENDAN D.I.	
1 4/5	U-49 12 4/5 B.G.V. STONE @ CHORUS EDDIE GTR @ TOP OF VERSES	13	14	15 STONE TRACKING GTR	16 MIKE TRACKING GTR	
			BASS			
9 4/5	20 EDDIE VOCAL	21 4/5 EDDIE BGV	22 4/5 EDDIE BGV	23 4/5 ACOUSTIC GTR	24	

279

Lost Dogs

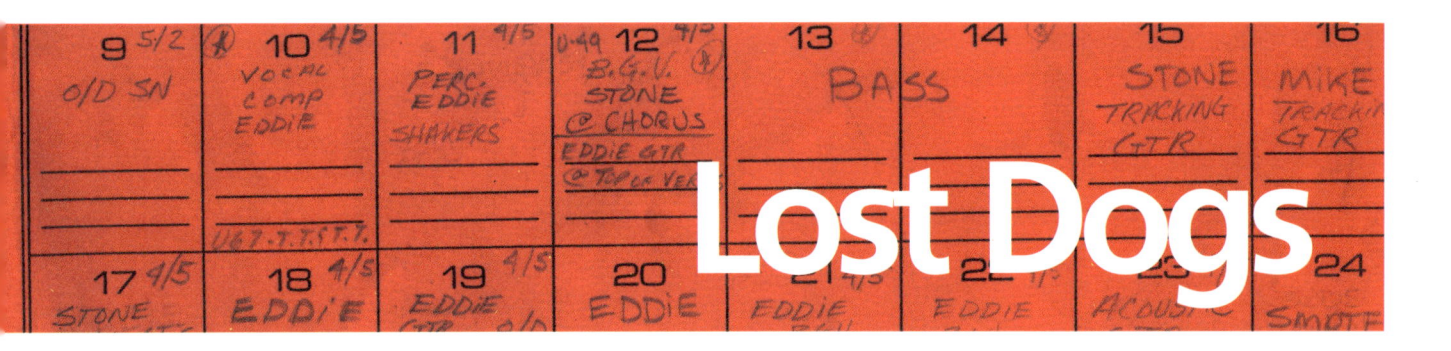

Em novembro de 2003, o Pearl Jam terminou sua associação de mais de uma década com a Epic Records, da Sony Music, arrasando e lançando o DVD duplo de três horas e meia de duração *Live at the Garden*, assim como uma coletânea dupla de raridades que vinha sendo preparada há muito tempo, *Lost Dogs*.

Com 31 faixas, *Lost Dogs* apresenta 11 músicas que nunca tinham sido lançadas em nenhum formato, abrangendo sobras de estúdio ao longo da carreira da banda. Entre elas estão doses potentes do lado mais pesado do Pearl Jam, como "In the Moonlight", composta por Matt Cameron, a sobra da época de *No Code*, "All Night", a música que foi rejeitada na época de *Ten*, "Hold on", a épica "Sad" e a canção de levada acústica que vai crescendo aos poucos, "Fatal" — as duas últimas cortadas de *Binaural*.

Também incluídas estavam eternas favoritas dos fãs, como "Yellow Ledbetter", "Last Kiss", "Wash", "Footsteps" e "Hard to Imagine", que foi gravada para possivelmente ser incluída em vários álbuns do Pearl Jam, mas disponível anteriormente apenas na trilha sonora de *Chicago Cab*, de 1998. As contribuições frequentes da banda a discos beneficentes são representadas por "Leaving Home", "Gremmie Out of Control" e "Whale Song", enquanto músicas como "Let Me Sleep (It´s Christmas Time)", "Driftin´" e "Strangest Tribe" são tiradas dos singles anuais de natal para membros de seu fã-clube, Ten Club. A seguir, as histórias por trás de algumas dessas músicas negligenciadas:

"Yellow Ledbetter" — Uma das músicas mais populares do Pearl Jam, apesar de ter sido lançada apenas na versão importada do single de "Jeremy" e nunca ter sido trabalhada no rádio, ela mesmo assim alcançou sete diferentes paradas da *Billboard* no meio dos anos 1990. A faixa lenta com pegada blues tem uma letra praticamente indecifrável de Eddie Vedder e frequentemente é a última dos shows da banda.

Mike McCready: É uma loucura. Em Seattle, a KISW fez um especial apresentando as 99 melhores músicas do Pearl Jam e "Ledbetter" era a número cinco. Apenas falei "Uau!". Ela foi escrita na época de *Ten*. Acho que foi a segunda coisa que Ed e eu compomos juntos. Ela saiu de um improviso no estúdio, e Ed realmente não tinha uma letra para ela. Ele teve algumas ideias bem ali, na hora, e foi isso o que gravamos. Por alguma razão, ela não entrou em *Ten*. Fiquei um pouco chateado na época. Eu queria muito que ela estivesse em nosso primeiro disco. Mas naquela época eu era bastante jovem e estava apenas muito feliz por estar naquela situação, então não fiz nada.

Na ocasião em que a gravamos, estávamos tocando sets curtos no Lollapalooza, coisas assim. Queríamos atingi-los com o material realmente pesado — você sabe, bang! E então cair fora. Nos shows em clubes, tocávamos o disco e algo como um cover de "I´ve Got a Feeling", dos Beatles. Ela simplesmente foi ficando para trás. Nós, da banda, nos esquecemos dela. Mas quando ela voltou a aparecer, começou a parecer que era um ponto final no fim dos shows.

Através dos anos, ela recebeu um apoio imenso, ao vivo especificamente. As pessoas simplesmente gostam dela e a cantam. *Eu* mesmo não sei qual é a letra! Dependendo do que está passando na cabeça de Ed no dia, ele a muda. Isso acontece o tempo todo, em momentos em que ele solta um verso novo. Eu vejo as pessoas cantando a música e elas estão entusiasmadas, e isso me deixa totalmente animado e humilde. Ela se tornou algo sem nem mesmo termos tentado.

Eddie Vedder: A letra de "Yellow Ledbetter" evolui constantemente. Admito que, algumas vezes, cantei coisas totalmente sem sentido. A música foi originalmente escrita sobre a primeira Guerra do Golfo, e eu tinha criado a imagem de um jovem rapaz com cabelo comprido e roupas no estilo grunge que acabara de receber um telegrama amarelo lhe dizendo que seu irmão tinha sido morto em ação.

Ele está passando por umas pessoas mais velhas com aparência conservadora em uma varanda, tremulando uma bandeira americana; acena para elas em sinal de solidariedade, e elas não lhe dão atenção e lhe mostram o dedo médio. Então, você sabe, por que mesmo seu irmão morreu?

Jeff Ament: Mike tinha um riff matador e eu falei "Cara, vamos trabalhar nisso". Era uma coisa meio Hendrix, e era meio o que adorávamos em Mike. Quando começamos a tocar com ele, ele veio até o meu apartamento e fizemos mais umas duas partes para a música, e talvez a tenhamos tocado duas vezes no estúdio. Ed não deu muita atenção a ela, e a música nunca foi terminada. Acabamos focando nessas outras 11 ou 12 músicas que terminaram no disco. E então, seis meses depois — acho que foi para o single de *Jeremy* — precisamos de um lado B. Não estávamos gravando músicas ao vivo nos shows naquela época, então não tínhamos nada para o lado B. Eu tinha uma fita com as nossas gravações das músicas instrumentais e essa era uma das que estavam ali. Em vez de acabar sendo o lado B de "Jeremy", que era o último single que havíamos lançado, as estações de rádio gostaram daquela música e ela acabou se tornando grande. Acho que na época ela era a música que não fazia parte de um disco cheio que tinha alcançado o lugar mais alto nas paradas de rádios de rock. Então é óbvio que deveríamos ter trabalhado naquela música um pouquinho mais. Ela provavelmente deveria ter entrado no primeiro disco. Provavelmente prestamos um desserviço por não colocá-la no primeiro disco, mas isso acontece em todos os discos.

"Last Kiss" — Um cover de uma música de J. Frank Wilson and the Cavaliers de 1964, originalmente lançada no single do fã-clube de 1998 e mais tarde na coletânea beneficente *No Boundaries*. De forma improvável, a faixa chegou ao número 2 da parada Hot 100 da *Billboard*, tornando-se o maior hit da carreira do Pearl Jam.

Mike McCready: Ela se originou de Eddie ter comprado dois singles, "Last Kiss" e "Soldier of Love", no Fremont Antique Mall, aqui em Seattle. Ele a trouxe para escutarmos, e nós gostamos. Ela tem um clima muito anos 1950, início dos anos 1960. Ed também tinha tirado a música "Soldier of Love". Decidimos gravá-las na passagem de som, e acho que gravamos as duas músicas apenas duas vezes. Nós a tocamos novamente à noite em um show, mas a versão que tocamos na passagem de som estava melhor. Eu queria colocar, tipo assim, uma coisa Keith Richards no final dela. Decidimos guardá-la e então lançá-la para o fundo de auxílio ao Kosovo. Ela simplesmente estourou. Não tínhamos ideia.

"Dirty Frank" — Uma cançoneta bem humorada composta na turnê do Pearl Jam de 1991 com o Red Hot Chili Peppers e o Smashing Pumpkins e claramente inspirada pelo estilo elástico de funk rock dos Peppers. Ela foi lançada em um punhado de singles importados no início da carreira, e foi até mesmo tocada ao vivo como uma brincadeira em alguns shows.

Mike McCready: Tínhamos um motorista de ônibus naquela época, um sujeito chamado Frank, que chamávamos de "Dirty Frank" [Frank Sujo] porque tínhamos medo dele. Achamos que ele podia ser um assassino em série e que ele ia *me* comer. Eles estavam apenas mexendo comigo. E naquela época eu era o mais magricela da banda, então eu não tinha muita carne. Roubamos aquela parte do meio dos Peppers quando estávamos abrindo para eles, que foi uma das turnês mais divertidas que já fizemos. Foi tão incrível.

"Dirty Frank" me lembra de um mundo inteiro se abrindo de uma forma nova, que eu nunca tinha experimentado: sair em turnê, andar de ônibus e abrir para os Peppers. Algumas vezes Anthony Kiedis usava um gorro do Pearl Jam no palco e era uma coisa tipo "Oh, meu Deus. Essa é a medida do quanto seremos grandes". Eu não podia acreditar naquela porra. Eu estava tão animado. Eles eram muito legais conosco. Foi uma época incrível. Nós queríamos apenas subir no palco e arrasar todas as noites. Poder fazer parte daquela turnê foi um sonho total. Aquilo nos ajudou a criar um padrão logo de cara para a forma como queríamos tratar as bandas que abrissem para nós. Não sinto nada além de amor pelas lembranças daquele tempo.

Eddie Vedder: Anthony, Flea e os Peppers nos deram uma quantidade imensurável de apoio no início da banda. Nunca expressei minha gratidão de forma apropriada, embora tenha tentado. É quase impossível traduzir para palavras o que aquilo significou para nós, e para mim pessoalmente.

"Brother" (instrumental) — Uma candidata inicial para entrar em *Ten*, tendo chegado longe a ponto de entrar na primeira mixagem do álbum mandado para os executivos da Epic, a música desapareceu dos planos da banda logo depois disso e é apresentada aqui como instrumental. Seis anos mais tarde, Eddie Vedder finalmente gravou novos vocais para uma versão que apareceu na primavera de 2009 na reedição deluxe de *Ten*. Nesse formato, "Brother", por mais improvável que fosse, alcançou o número 1 da parada de Modern Rock da *Billboard* e, em um show no dia 8 de agosto de 2009 em Calgary, Alberta, foi tocada pela primeira vez em mais de dezoito anos.

Mike McCready: "Brother" era um grande ponto de disputa entre Stone e Jeff. Eu me lembro de Jeff amar a música, e Stone não gostar ou apenas ser indiferente a ela. Jeff e Stone discutiam muito a respeito dessa música e estavam um pouco irritados um com o outro. Jeff ficou tão puto que saiu e começou a dar enterradas na quadra de basquete. Era uma coisa tipo "E aí, cara?". Ele ficou realmente puto.

Era aquela coisa típica de Stone ir para um lado e Jeff ir para o outro. É simplesmente assim que eles funcionam. Eles estão juntos desde sempre e a dinâmica entre os dois faz as coisas funcionarem. Houve uma grande discussão acalorada. Mas eu achava que era uma música legal, com um clima legal. Talvez fosse outro exemplo de crise de andamento moderado. Eu me lembro da grande discussão entre os dois. Jeff disse que era quase como se ele fosse sair da banda. Foi uma merda séria. Quando ela voltou, eles não discutiram, mas aquilo estava sendo revivido de uma forma bem menor. Stone ainda não gostava dela. Ed não gostava mesmo da letra original. Ele falava "Ei, cara, se você quiser, entre lá e grave algumas guitarras nela". Eu não tinha realmente nenhuma ideia sobre o que fazer, mas fui até lá, ouvi a música e achei que podia gravar algumas guitarras em camadas nela, como Brian May, do Queen. Acho que esse é um capítulo final e o enterro de uma letra.

"Let Me Sleep (It's Christmas Time)" — Uma faixa com tema de Natal lançada em 1991 no primeiro single de fim de ano para os membros de seu fã-clube Ten Club.

Mike McCready: Acho que essa foi a primeira coisa em que Ed e eu trabalhamos. Eu tinha acabado de começar a mexer com afinações diferentes. Era minha uma pequena parte, o riff principal, que eu tinha há uns dois anos, mesmo antes de a banda iniciar. Nós apenas começamos a mexer com ela no estúdio e ela estava soando bem. É uma daquelas coisas que simplesmente acontecem. É apenas uma coisa do tipo fluxo de consciência. Fazia muito frio do lado de fora, perto da época do Natal. Foi minha primeira percepção do tipo de comportamento socialmente consciente de Eddie e seu processo de pensamento. Foi bem quando eu estava começando a conhecê-lo. Ele morava no nosso estúdio de ensaio no centro de Seattle. Suas letras eram muito sombrias, poéticas, profundas e comoventes. Aquela foi a minha primeira experiência escutando-o de verdade em um nível tão intenso.

Eddie Vedder: Eu ia dormir no apartamento de Jeff naquela noite, mas quando cheguei lá eu não tinha a chave. Eu me sentei no degrau da entrada, naquele frio, e escrevi a canção, pensando em todas as outras pessoas sem teto em Seattle congelando exatamente como eu.

"Down" — Uma faixa que McCready compôs para o disco de 2002 do Pearl Jam, *Riot Act*, que tem uma melodia levada em acordes maiores no estilo dos Replacements ou do Wilco. Foi lançada como lado B no single de "I Am Mine".

Mike McCready: Essa é uma música que compus no estúdio. Entre tomadas na gravação, apenas comecei a tocar um riff, que Matt achou legal. É uma música legal, que me lembra um pouco o Social Distortion. No final ela não pareceu se encaixar. Tive que abrir mão de querer que ela entrasse no disco. Ela parecia não se encaixar musicalmente com as outras músicas. Não sei por quê. Ainda tenho orgulho da música, mas não pareceu funcionar.

Matt Cameron: Para mim aquilo lembrava o Hüsker Dü ou uma música muito boa de Bob Mould. Eu na verdade gosto muito daquela música e estava esperando que ela ficasse no disco.

Jeff Ament: É realmente um tipo diferente de música. Isso era parte da coisa com a qual eu estava tendo dificuldades, como encaixá-la. É engraçado você falar do Hüsker Dü, porque eu estava pensando mais em algo como Replacements ou Social Distortion.

281

Eddie Vedder: Ela sofreu da síndrome de "uma coisa aqui não é como as outras". Inspirada pelos escritos de, e pela amizade com o historiador e ativista, Howard Zinn. Durante um tempo essa foi minha música favorita das que gravamos para *Riot Act*. Não sei bem como foi cortada. Ela deveria ter sido o single.

"**Alone**" — Um rock de tempo moderado composto por Stone Gossard que vem da época das primeiras *demos* instrumentais gravadas antes de Eddie Vedder entrar para a banda. Foi tentada no estúdio nas sessões tanto de *Ten* quanto de *Vs.*, mas foi lançada apenas como um lado B single de *Go*, em 1993.

Mike McCready: Eddie cantou uma letra nova nessa. O solo de guitarra, acho, é um slide com uma garrafa. Ela simplesmente nunca funcionou de verdade, mas não sei por quê. Tenho uma gravação em vídeo de nós há anos no nosso, tipo, terceiro show, tocando "Alone". Ela estava na verdade soando muito bem, mas apenas paramos de tocá-la depois de um tempo. Acho que é uma canção realmente boa. Para o primeiro disco, talvez ela tivesse um andamento muito moderado, ao lado de "Alive" e outras músicas que eram na mesma veia.

"**Fatal**" — Uma sobra do álbum de 2000, *Binaural*, marcada por uma melodia acústica melancólica. A canção foi tocada ao vivo pela primeira vez no show beneficente do Pearl Jam no dia 22 de outubro de 2003 no Benaroya Hall, em Seattle.

Mike McCready: Stone compôs essa. Ele cantou na *demo* original. Ela soa muito como Bowie quando ele canta, eu acho. É apenas uma canção um pouco sombria. Acho que ele compõe muitas músicas que são assim agora. Sei que ele compõe muita coisa no violão e que experimenta afinações diferentes. É onde sua mentalidade está. Nos últimos anos ele tem trazido essas músicas em vez de riffs pesados como "Animal". Stone sempre foi bastante sombrio, mas ele também é muito engraçado. Existe uma mistura desses dois tipos de coisas.

"**Gremmie Out of Control**" — um cover de uma música dos Silly Surfers, de 1964, amavelmente improvisado, lançado na coletânea beneficente de 1996, *MOM: Music for Our Mother Ocean*.

Mike McCready: Eu nem toco nessa. Brendan O´Brien, nosso produtor, está tocando o riff de guitarra. Eu não poderia alegar que toco tão bem. É Brendan simplesmente fazendo a coisa acontecer. Quando a escutei, eu disse "Temos que ficar com essa aqui". Aquilo é Brendan mandando ver na guitarra.

Eddie Vedder: Stone não conseguiu tocar a parte surpreendentemente complexa da guitarra, mas ele mais do que compensou isso com seu backing vocal alucinado e totalmente comprometido.

"**Sad**" — Originalmente intitulada "Letter to the Dead", essa canção cheia de energia escrita por Vedder foi descartada de *Binaural* no fim do processo de seleção.

Jeff Ament: Simplesmente uma excelente canção pop. Em quase todos os discos Ed compõe uma grande canção pop. E muitas vezes essas músicas acabam não se encaixando tanto no disco, porque não fizemos realmente muitos discos pop [risos].

"**Sweet Lew**" — Fanático por basquete, Jeff Ament compôs e cantou essa música cheia de groove sobre a vida de Lew Alcindor, que chegou ao superestrelato na NBA como Kareem Abdul-Jabbar. A música começou a aparecer em setlists em 2009, com Vedder quicando uma bola de basquete ao lado de um microfone para uma batida adicional.

Jeff Ament: Essa foi uma música completa, que a banda inteira trabalhou. Ela de fato não cabia em *Binaural*. Nunca esperei que ela entrasse no disco, mas achei que talvez fosse um lado B. Acredito que seja conhecida como a pior música do Pearl Jam de todos os tempos!

Eddie Vedder: Essa música tem uma linha de baixo com acordes de Jeff que é inegavelmente incrível.

"**4/20/02**" — Eddie compôs essa na guitarra usando uma afinação de ukulele na noite em que foi informado que o vocalista do Alice in Chains, Layne Staley, tinha morrido depois de uma longa batalha contra o vício em drogas. A banda estava no estúdio gravando *Riot Act* naquela época. A música é uma faixa escondida no fim de *Bee Girl* em algumas edições de *Lost Dogs*.

Mike McCready: Isso é Eddie sozinho. Recebi uma ligação de Kelly Curtis dizendo que Layne tinha morrido. Estávamos no estúdio, provavelmente às onze da noite. Não fiquei surpreso, mas fiquei. Foi triste. Eu não o via há cerca de três ou quatro anos. Ed tem uma guitarra que é afinada como um banjo. Ele gravou a música, tipo, às duas ou três da manhã, apenas com o produtor Adam Kasper. Acho que ele estava simplesmente com muita raiva e queria extravasar. Acho que a razão para estar escondida é que ele não queria que fosse apelativa. Acho que ele quer que esteja escondida para que você tenha que encontrá-la e pensar sobre ela.

Stone Gossard: *Riot Act* de uma forma geral tem um clima bastante universal, muito mais do que alguns de nossos outros discos. A maioria das músicas é sobre tipos maiores de coisas. A energia estava tão positiva, e havia algo em relação à música que dizia que ela talvez não fosse ideal para esse disco em particular.

283

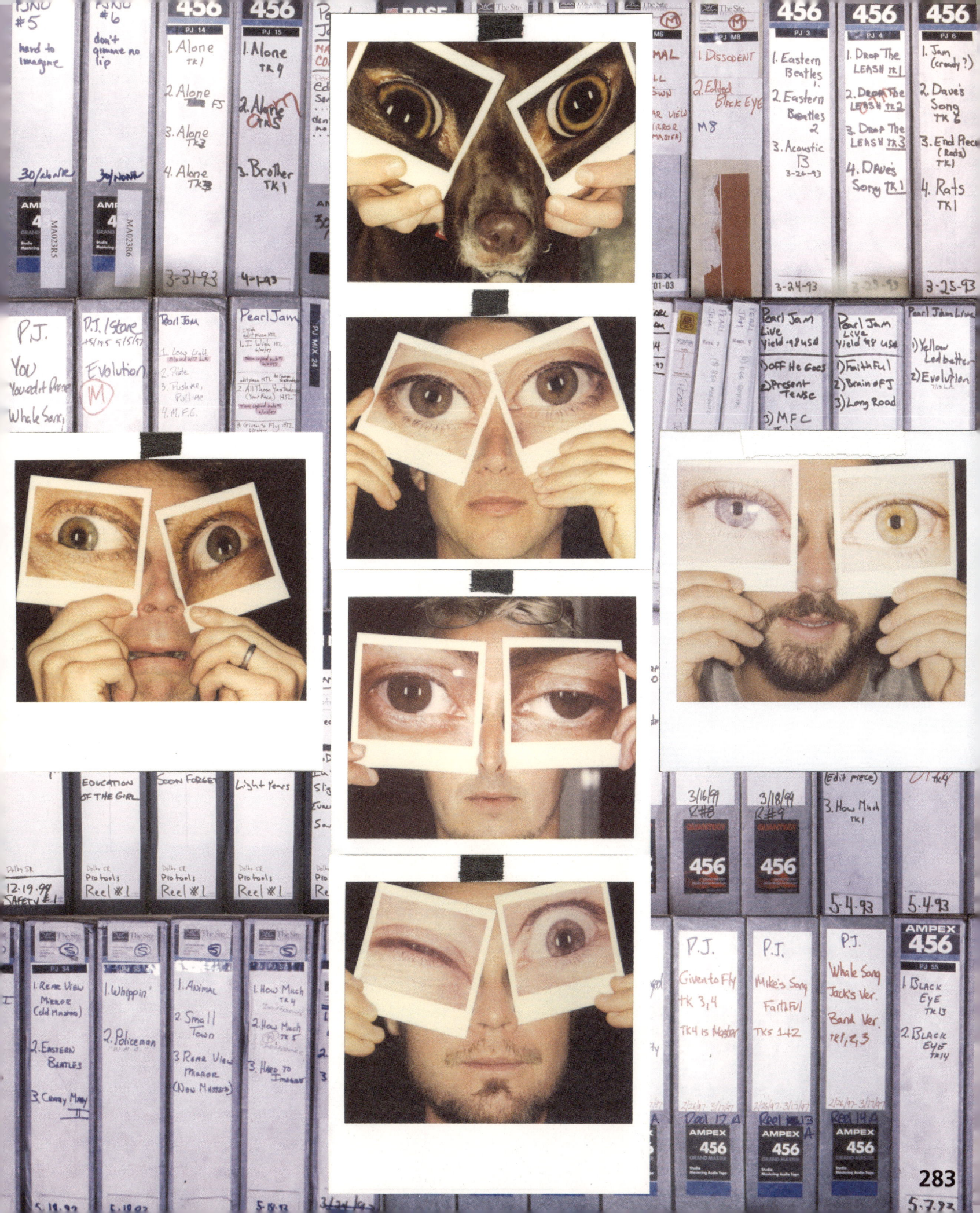

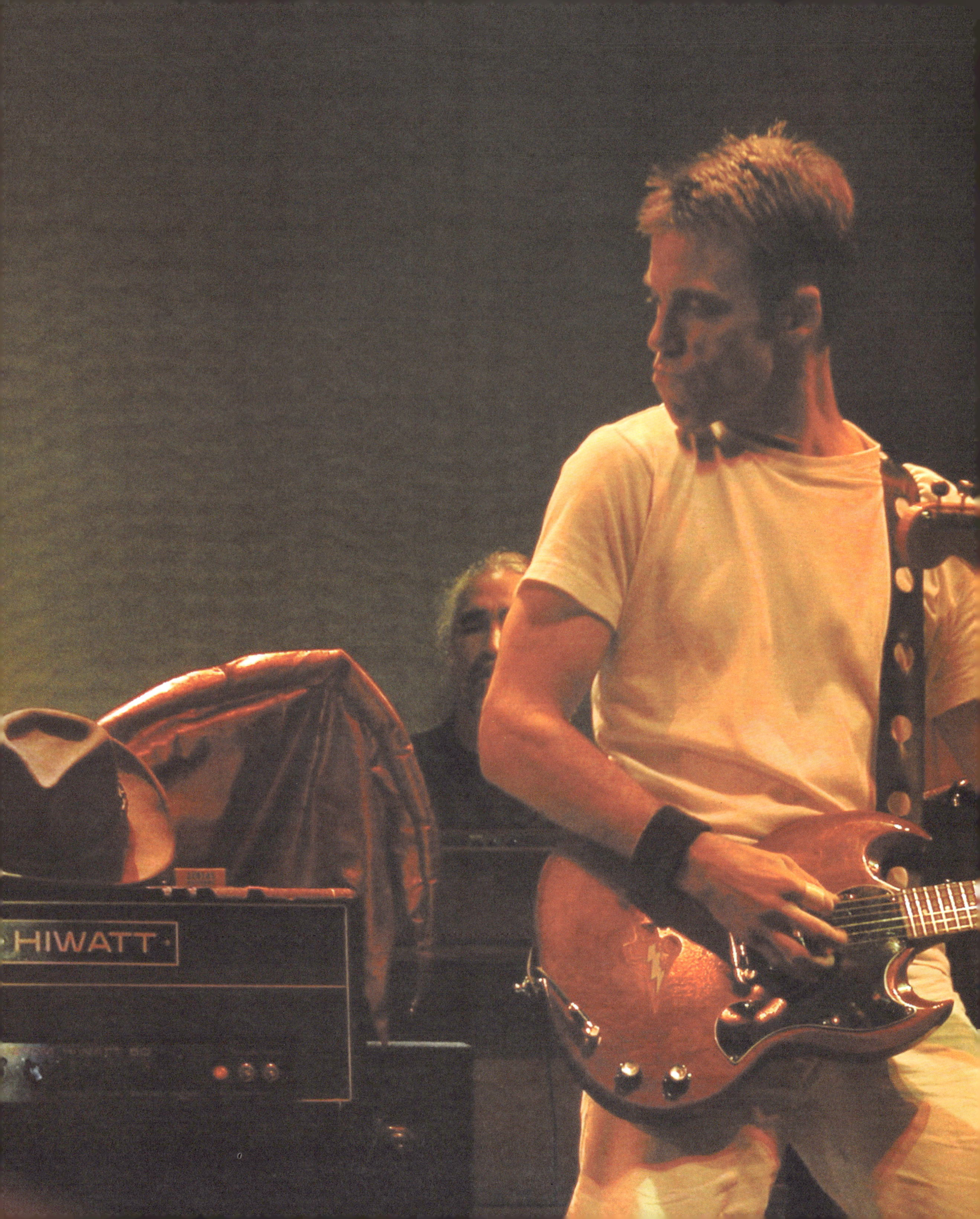
HIWATT

CAPÍTULO 2004

2004

Encorajado por defender o que achava ser certo, mesmo que isso significasse ser vaiado em shows ou exposto ao ridículo pela imprensa, o Pearl Jam estava em posição de destaque na turnê Vote for Change, em 2004, juntando-se a alguns dos artistas mais populares do rock´n´roll para uma jornada caçando votos nos estados em que as eleições estavam indefinidas. "Essa é a quarta eleição presidencial em que o Pearl Jam está envolvido como banda, e achamos que é a mais importante de nossas vidas", disse Eddie Vedder na época. No fim das contas, o democrata John Kerry deixou a vitória escapar por pouco para o presidente, George W. Bush. Para os integrantes do Pearl Jam, essa foi uma derrota decepcionante. Mas o processo inspirou a banda tanto pessoal quanto musicalmente, abrindo caminho para novas músicas que eram mais poderosas do que nunca.

20 de janeiro

O Pearl Jam cede a versão de "Bu$hleaguer" do show de Denver no dia 1 de abril de 2003, que causou uma pequena retirada de pessoas, à coletânea *Peter Gammons Presents: Hot Stove Cool Music*. Lucros das vendas do disco vão para o Jimmy Fund, que contribui para a pesquisa do câncer no Dana-Farber Cancer Institute, em Boston.

22 de fevereiro
Paramount Theatre, Seattle

Mike McCready toca guitarra em "Killing Floor" na noite de abertura da turnê do Experience Hendrix, que também conta com artistas como o guitarrista de blues Buddy Guy, Jerry Cantrell, a vocalista do Heart, Ann Wilson, Paul Rodgers (Free, Bad Company) e os antigos colegas de banda de Hendrix, Mitch Mitchell e Billy Cox.

6 de março
Key Arena, Seattle

Mike McCready toca o hino nacional ao estilo da apresentação de Jimi Hendrix e Woodstock antes de um jogo de hóquei no gelo do Seattle Thunderbirds. Uma parte dos lucros das vendas de ingressos vai para a Crohn's & Colitis Foudation of America.

9 de abril
Westin Seattle Hotel, Seattle

O Pearl Jam toca em público pela primeira vez em 2004 depois de receber um prêmio IMPACT da Sede Pacífico Noroeste da Recording Academy, em reconhecimento por suas significantes contribuições filantrópicas para a cena musical da área. A banda toca "Last Soldier" ao vivo pela segunda vez apenas, assim como "Down" e "½ Full".

6 de maio

"Yellow Ledbetter" toca ao fundo enquanto a personagem de Jennifer Aniston, Rachel, está prestes a embarcar em um avião para Paris no episódio final de *Friends*, marcando a primeira vez que o Pearl Jam licencia uma música sua para um programa de televisão. Os produtores do programa simplesmente pediram a permissão e a banda concedeu.

14 de maio
Showbox, Seattle

Eddie Vedder e Stone Gossard (com seu projeto paralelo, Brad) fazem aparições surpresa no show beneficente anual de Mike McCready para a Crohn's & Colitis Foudation of America. Depois da banda de abertura, Vast Capital, Vedder toca "Parting Ways", "Man of the Hour", "The Seeker", do The Who, "Porch" e, com auxílio de Gossard e McCready, "Yellow Ledbetter". Na última, Vedder toca bateria e canta, derrubando a bateria no fim da música — uma bateria que não pertencia a ele.

Junho

O Pearl Jam cede músicas para dois documentários. "Go" aparece em *Riding Giants — no limite da emoção*, de Stacy Peralta, um documentário histórico sobre a cultura do surfe de ondas grandes nos Estados Unidos. "Down" aparece em *Howard Zinn: You Can't Be Neutral on a Moving Train*, produzido por Deb Ellis e Denis Mueller, sobre a vida do historiador, ativista e autor.

27 de julho

O Pearl Jam lança *Live at Benaroya Hall*, gravado no dia 22 de outubro de 2003 em Seattle, por meio de um acordo de distribuição apenas para esse lançamento entre seu próprio selo, Monkeywrench, e a BMG Distribution. Na semana seguinte, *Benaroya* estreia no número 18 da parada dos 200 discos mais vendidos da *Billboard* com vendas de 52 mil cópias na primeira semana nos Estados Unidos, de acordo com a Nielsen SoundScan.

2 de agosto
Estúdio Splashlight, Nova York

Os artistas envolvidos na turnê Vote for Change, incluindo o Pearl Jam, Bruce Springsteen and the E Street Band, R.E.M., John Fogerty, John Mellencamp, Ben Harper, The Dixie Chicks, Death Cab for Cutie e The Dave Matthews Band se juntam para uma sessão de fotos em Nova York. Divulgada dois dias depois, a turnê inclui quase quarenta shows em nove estados em que a batalha da eleição presidencial não está definida. Embora a maior parte dos artistas não dê apoio explícito ao candidato democrata, o senador John Kerry, contra o presidente George W. Bush, há poucas dúvidas de que essa é a intenção da turnê. Os artistas participantes também se juntam à Bonneville Environmental Foundation, baseada em Portland, Oregon, para financiar diversas pequenas fábricas que usam energia solar ou eólica.

Vedder declarou na época: "Acreditamos no poder da Primeira Emenda e sempre exercemos nosso direito de expressão em todos os aspectos da nossa vida e da nossa música. Esse ano não há uma forma mais poderosa para que todos os americanos exerçam esse direito do que votando. Dado o clima político intenso de um país em guerra, nós nos orgulhamos de estar entre os muitos artistas envolvidos nessa turnê e de encorajar os americanos não apenas a votar para presidente, mas a votar pela mudança que eles desejam ver no mundo."

Kelly Curtis: Estávamos sendo bombardeados com pedidos para tocarmos perto das eleições, e pensei em procurar conselhos. Então liguei para o empresário de Bruce Springsteen, Jon Landau, para saber como eles estavam lidando com toda aquela coisa acontecendo. Quanto mais conversávamos, mais achávamos que seria uma boa ideia juntar um monte de empresários e tentar nos informar. O que saiu disso foram cinco empresários se conectando e decidindo que devíamos tentar montar um tipo de turnê nos estados indefinidos. Então a coisa toda se tornou um pesadelo logístico.

17 de agosto

O antigo baterista do Pearl Jam, Jack Irons, lança seu primeiro disco solo, *Attention Dimension*, pelo seu próprio selo, Breaching Whale, com assistência de distribuição da equipe do Pearl Jam. Eddie Vedder canta em um cover de "Shine On You Crazy Diamond", do Pink Floyd, Stone Gossard toca guitarra em "Water Song" e Jeff Ament toca baixo em "Dunes".

Jack Irons: Eu costumava pensar, anos atrás, que seria uma ideia realmente boa se eu pudesse fazer algo e conseguir que meus amigos doassem partes, porque isso tornaria o disco muito mais diversificado musicalmente. Seria apenas interessante também para as pessoas ouvi-lo. Cheguei com a música ao ponto em que era algo como "Certo, se eles disserem sim ou não, eu vou em frente". Isso levou, você sabe, quatro anos e meio! A maioria dos convidados apareceu naquele momento em que eu poderia dizer "O que você acha? Você pode tocar alguma coisa nessa música?".

10 de setembro
Vera Project, Seattle

Eddie Vedder toca músicas como "Better Man", "Long Road" e "Love Boat Captain" com dez integrantes do coral da escola secundária Walmer, de Porto Elizabeth, na África do Sul.

Eddie Vedder: Eles eram a pura personificação do poder da música. Essa música os carregou ao longo do *apartheid* e lhes deu forças para viajar para fora do país e compartilhar aquilo. Esses jovens respeitam a música pelas oportunidades que ela lhes deu. Quando cantavam, inspiravam todos que entravam em contato com eles. As melodias transcendentes que eles inventaram para "Better Man" e outras músicas eram uma loucura.

12 de setembro
Avalon Hollywood Theater, Los Angeles

Eddie Vedder se junta ao Red Hot Chili Peppers, X, Tim Armstrong, do Rancid, Henry Rollins e The Dickies, entre outros, em um show celebrando o aniversário de 30 anos dos Ramones. Os lucros foram doados à Fundação de Pesquisa do Linfoma (linfoma foi o tipo de câncer a que Joey Ramone sucumbiu em 2001) e ao centro de pesquisa de câncer de próstata do Cedars-Sinai, em Los Angeles. Vedder está entre o grupo de amigos próximos e parentes presentes quando Johnny Ramone morre três dias depois em sua casa, em L.A., depois de cinco anos de luta contra o câncer de próstata.

Eddie Vedder: No dia em que ele morreu, ele e eu assistimos ao DVD ao vivo de Cat Stevens, *Majikat*, e respondemos perguntas sobre beisebol juntos. Éramos pessoas muito diferentes, mas ele causou um impacto tremendo na minha vida.

24 de setembro
Showbox, Seattle

Apresentado pelo congressista de Washington Jim McDermott, o Pearl Jam faz seu primeiro show completo desde 28 de outubro de 2003, apoiando a No Vote Left Behind, um comitê de ação política baseado em Seattle arrecadando fundos e gerando conscientização para a vindoura eleição presidencial. O lado B da época de *Yield*, "U", é tocado apenas pela nona vez, enquanto a banda toca pela primeira vez covers de "The American in Me", dos Avengers, e de "The New World", do X, a última com John Doe, do X, como convidado.

28-29 de setembro
Fleet Center, Boston

O Pearl Jam faz dois shows em Boston diante de uma plateia repleta de membros do fã-clube, com os lucros revertendo para o fundo de defesa legal para os West Memphis Three. A banda estreia os covers de "Bleed for Me", dos Dead Kennedys, e de "Lion's Share", dos Germs, e também tira a poeira de "Alone" e de "I´ve Got a Feeling", dos Beatles, pela primeira vez em mais de uma década. Durante a primeira noite, Howard Zinn aparece no palco antes de "Down", dizendo à plateia "Parem com a guerra".

30 de setembro
Ed Sullivan Theater, Nova York

O Pearl Jam toca uma versão fascinante da canção antiguerra de Bob Dylan *Masters of War* no programa da CBS, *Late Show with David Letterman*.

1 de outubro
Sovereign Center, Reading, Pennsylvania

A participação do Pearl Jam na turnê Vote for Change começa, com abertura do Death Cab for Cutie. "Sad", faixa de *Lost Dogs*, é tocada pela primeira vez, como parte de um setlist que apresenta uma grande variedade de músicas originais do Pearl Jam e de covers ("Masters of War", "Bleed for Me", "Gimme Some Truth", de John Lennon). O primeiro bis é um set acústico, começando uma tradição pelo resto da jornada. E, como faria no resto dos shows, Vedder abre a noite tocando sozinho acústico ou plugado, dessa vez oferecendo "Don´t Be Shy", de Cat Stevens, e "Growin´ Up", de Bruce Springsteen. Em certo ponto, ele diz à plateia: "Johnny Ramone era um republicano ferrenho, e fomos capazes de ser amigos. Não é uma questão de ódio ou oposição direta, é uma questão de achar a melhor forma de passar por isso para todos nós. E quando digo todos nós, falo de todo o globo. Mas se vocês participarem votando tão bem quanto participam cantando junto, não precisaremos realmente falar de política."

2 de outubro
Sports Arena, Toledo

Neil e Pegi Young, além de Peter Frampton, fazem aparições surpresa no segundo show do Vote for Change, tocando músicas como "Harvest Moon", "All Along the Watchtower", "Act of Love", "Cortez the Killer" e "Rockin´ in the Free World" com o Pearl Jam. Vedder lê de um jornal no começo do show: "Quatro por cento de toda a população dos Estados Unidos estão em Ohio. Vocês somam 25 por cento dos empregos que foram perdidos nos últimos quatro anos. Isso é assombroso. E esse é um estado indefinido?"

3 de outubro
DeltaPlex, Grand Rapids, Michigan

O Pearl Jam estreia dois novos covers: "Millworker", de James Taylor, e "Kick Out the Jams", do MC5. Segurando uma bandeira americana jogada no palco por um membro da plateia, Vedder vocifera do palco: "Quero sentir orgulho disso novamente. Quero tê-la — não como patriotas vazios por dentro que penduram versões baratas de bandeiras de plástico de 98 centavos em suas caminhonetes"

5 de outubro

Antes do show do Pearl Jam no Vote for Change no Fox Theatre, em Saint Louis, fãs organizam uma campanha popular para se encontrar e doar suprimentos para o St. Louis Area Food Bank. O movimento fica conhecido como Wishlist Foundation, e desde então já levantou 400 mil dólares para causas de caridade apoiadas pelos integrantes do Pearl Jam.

Tim Bierman: Agora, em todos os shows, há algum tipo de encontro do Wishlist. Alguém do lugar promove um evento para arrecadar fundos, fãs trazem coisas relacionadas ao Pearl Jam e eles leiloam essas coisas para caridade. A banda é uma presença tão poderosa no mundo filantrópico e eles inspiraram fãs a não apenas se juntar ao redor da música, mas a tentar fazer a diferença.

11 de outubro
MCI Center, Washington, DC

A turnê Vote for Change termina com um show repleto de grandes estrelas, a apenas alguns quarteirões da Casa Branca, que é transmitido ao vivo pelo Sundance Channel. O Pearl Jam faz um set rápido de cinco músicas, com John Mellencamp, Kenneth "Babyface" Edmonds, Bonnie Raitt, Jackson Browne, Keb´ Mo, Jurassic 5, R.E.M., The Dixie Chicks, James Taylor, Dave Matthews Band, John Fogerty e Bruce Springsteen and the E Street Band também tocando ao longo da noite. Vedder se junta ao R.E.M. em "Begin the Begin", e toda a companhia sobe ao palco para um final com "(What´s So Funny ´Bout) Peace Love and Understanding?", popularizada por Elvis Costello, e *People Have the Power*, de Patti Smith, acompanhados pela E Street Band. A jornada arrecada 15 milhões de dólares para os esforços da America Coming Together para aumentar a conscientização do eleitor para a eleição vindoura.

13 de outubro
Continental Airlines Arena, East Rutherford, Nova Jersey

Eddie Vedder faz uma aparição surpresa em um show de Bruce Springsteen com a E Street Band combinada no final da turnê Vote for Change, tocando "No Surrender" e "Darkness On the Edge of Town" com a banda. Ele também toca "Better Man", do Pearl Jam, acompanhado de Springsteen e companhia, completo com um solo de saxofone de Clarence Clemons. "Olá, Nova Jersey!", diz Vedder antes de "Better Man". "Bruce me pediu para tocar essa música, e como ele é o patrão (The Boss) e eu o empregado, aqui está." O público responde com um potente canto de "Ed-*die*!", o que traz um sorriso ao rosto de Springsteen.

Bruce Springsteen: Eddie se juntando a nós foi uma pequena revelação. Quando começamos a tocar "Better Man", ficou óbvio, enquanto a plateia cantava junto, que eles estavam tão familiarizados com a música do Pearl Jam quanto estavam com a minha. Nossa plateia tinha acabado de começar a ficar mais jovem, com vários jovens nos escutando pela primeira vez, e perceber que havia um lugar onde as duas bandas se encontravam — algum lugar caseiro em comum — foi uma bela surpresa.

14 de outubro

Eddie Vedder se junta a outros 25 artistas para escrever artigos para a edição de 14 de outubro da revista *Rolling Stone* sobre a importância da eleição presidencial que se aproximava:

"Há um ano parecia impossível criticar Bush, por causa do 11 de setembro. As Dixie Chicks e Michael Moore foram atacados por se manifestarem. Agora vocês têm livros repletos de fatos que mostram

5 de outubro

O cover do Pearl Jam de "Masters of War" do Bridge School Benefit de 2003 aparece em *Songs and Artists that Inspired Farenheit 9/11*, um disco que acompanha o filme de Michael Moore sobre a resposta da administração de Bush aos ataques terroristas de 11 de setembro de 2001. A Sony BMG Music Entertainment doa metade dos lucros líquidos das vendas nos Estados Unidos ao Fallen Patriot Fund.

como Bush falhou. Aquelas pessoas que discordavam há um ano estavam certas. Temos que parar de tratar o resto do mundo como nossos súditos. Qual é a única instituição mais poderosa que o governo dos Estados Unidos — uma que pode mover as coisas em uma direção diferente? É o povo americano. São os eleitores. É isso que eu mais quero: encorajar pessoas que normalmente não votam a compreender sua responsabilidade."

19 de outubro
Key Arena, Seattle

Eddie Vedder e Mike McCready aparecem sem serem anunciados durante a parada de Seattle da turnê Slacker Uprising, de Michael Moore. Vedder toca "You´ve Got to Hide Your Love Away", dos Beatles, e "Don´t Be Shy", de Cat Stevens, e é acompanhado por McCready em "Masters of War".

23-24 de outubro
Shoreline Amphitheatre, Mountain View, Califórnia

Eddie Vedder toca solo no 18º show anual Bridge School Benefit, se juntando a Neil e Pegi Young nas duas noites em "Harvest Moon" e oferecendo versões simplificadas de "Masters of War", "Better Man", "I Am Mine" e até mesmo uma canção da lenda da música infantil, Raffi, "Baby Beluga", a pedido de um dos alunos da Bridge School.

26 de outubro

O Pearl Jam cede a versão ao vivo de "Better Man" gravada no Bridge School Benefit ao disco duplo beneficente da Rhino Records, "For the Lady". O projeto visa a elevar a conscientização a respeito da vencedora do Prêmio Nobel da Paz, Aung San Suu Kyi, mantida em prisão domiciliar pelo governo de Myanmar desde 1989. Ela acabou sendo libertada em novembro de 2010.

16 de novembro

O Pearl Jam completa seu contrato com a Epic Records através do lançamento da retrospectiva que abrange toda a sua carreira, *Rearviewmirror (Greatest Hits 1991-2003)*, que inclui três músicas de *Ten* ("Once", "Alive" e "Black") remixadas pelo produtor Brendan O´Brien. O disco duplo com 33 músicas ostenta 16 músicas que ficaram no Top 10 da parada de Faixas de Rock Mainstream da *Billboard*, incluindo as que ficaram em número um, "Daughter", "Better Man" e "Given to Fly", assim como 12 entradas em pesquisas de Top 10 de faixas de Modern Rock.

Jeff Ament: Acho que aquelas músicas mudaram bastante nos primeiros meses em que estávamos excursionando. Isso é que era o mais difícil ao escutar o disco. Não apenas as músicas eram mais lentas em *Ten*, mas elas também tinham um som realmente suave. Achamos que aquilo não nos representava, então aqui estão elas, representadas através do remix de Brendan O´Brien.

5 de dezembro

O Pearl Jam anuncia que seu próximo disco de estúdio será lançado "na gravadora BMG". O acordo é na verdade um empreendimento conjunto único entre a J Records, da BMG, e o próprio selo da banda, Monkeywrench, para um disco de estúdio, permitindo que o Pearl Jam tenha a possibilidade de lançar seus próprios discos logo após terminar seu contrato com a Sony Music.

15 de dezembro

O Pearl Jam lança por conta própria *The Molo Sessions*, um disco que apresenta as colaborações de Eddie Vedder com a escola secundária Walmer, da África do Sul. Lucros vão para a Molo Care, uma instituição sem fins lucrativos de Seattle que arrecada fundos para escolas de Porto Elizabeth, na África do Sul. A versão de "Better Man" desse disco é usada como o lado B do single de fim de ano de 2005 do Ten Club, com uma nova gravação do clássico de Natal da Motown, "Someday at Christmas", como o lado A.

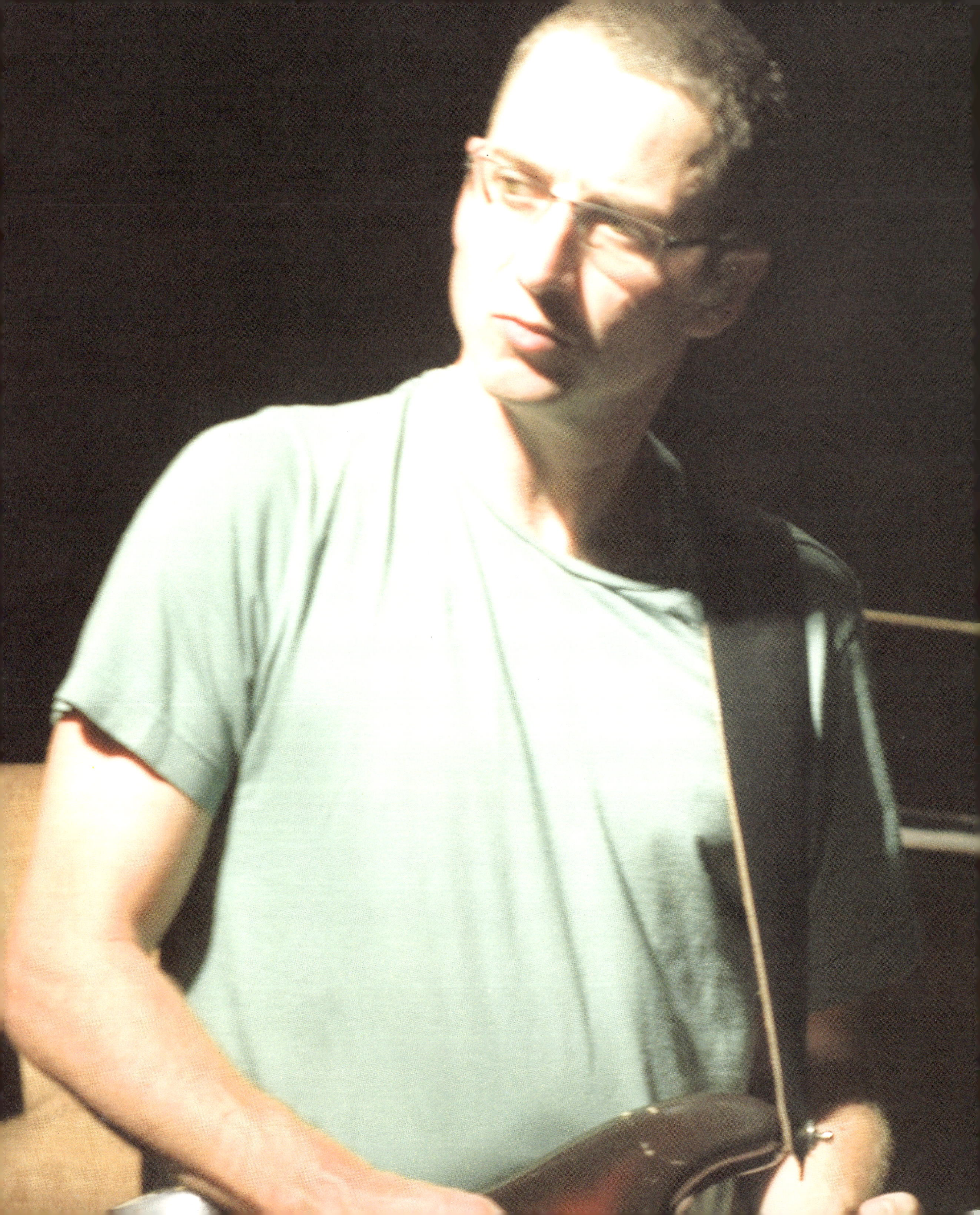

CAPÍTULO 2005

2005

O ciclo álbum-turnê-álbum pode ser a desgraça da existência de uma banda de rock, mas é um ciclo que é muitas vezes difícil de quebrar. Para o Pearl Jam, essa oportunidade finalmente apareceu em 2005, quando a banda pegou a estrada para uma série robusta de shows sem nenhum material novo para promover. O trabalho continuava em seu oitavo disco de estúdio, mas a banda optou por deixar o material em banho-maria em vez de apressar o processo. Ao fazer isso, o Pearl Jam percebeu que simplesmente fazer shows sem um disco para promover poderia ser muito mais divertido. No final do ano, a banda viajou para a América do Sul para seus primeiros shows na região. Várias das apresentações foram em estádios com espaços abertos, a primeira vez que o Pearl Jam tocava em lugares assim desde a tragédia de Roskilde. "Tinha chegado a hora de testarmos aquelas águas novamente, para nos assegurarmos de que ficaríamos à vontade", diz Stone Gossard. "Tudo correu tranquilamente e as plateias eram incríveis. Isso nos deu uma injeção de confiança."

14 de janeiro

Eddie Vedder se junta a amigos e fãs na cerimônia de inauguração da estátua de Johnny Ramone no Hollywood Forever Cemetery, em Los Angeles. Ramone morreu no dia 15 de setembro de 2004.

17 de janeiro
Wiltern Theater, Los Angeles

Eddie Vedder toca um set solo de cinco músicas ao lado de Tenacious D, Beck, Dave Grohl, Josh Homme, Chris Rock e Will Ferrell em um show beneficente da Cruz Vermelha dos Estados Unidos em prol das vítimas do recente tsunami no sudeste da Ásia. O set inclui "I Am Mine" e quatro covers: "Last Kiss", "Trouble," de Cat Stevens, "The Seeker", do The Who, e "You´ve Got to Hide Your Love Away", dos Beatles, essa última com auxílio de Kyle Glass, do Tenacious D, na guitarra. Mais tarde, todos os artistas tocam juntos "Time Has Come Today", dos Chambers Brothers, "So You Want to Be a Rock´n´Roll Star", dos Byrds e "Good Times Bad Times", do Led Zeppelin.

18 de março
Paramount Theatre, Seattle

O Pearl Jam faz seu primeiro show em quase cinco meses como parte de um evento beneficente pelo 21º aniversário da Northwest School, em que Stone Gossard estudou quando jovem. Essa é a primeira apresentação de uma canção provisoriamente chamada de "Crapshoot Rapture", que apareceria em uma forma levemente diferente como "Comatose" no oitavo disco de estúdio do Pearl Jam, que leva o nome da banda.

8 de abril
Showbox, Seattle

A banda tributo de Mike McCready ao UFO, Flight to Mars, é a principal atração de um show beneficente para a sede noroeste da Crohn's & Colitis Foundation of America (CCFA), arrecadando 18 mil dólares.

25 de abril
Key Arena, Seattle

Eddie Vedder se junta aos novos amigos Kings of Leon, que estão em turnê abrindo para o U2, nos vocais e no pandeiro na música "Slow Night, So Long".

29 de abril
Easy Street Records, Seattle

Diante de uma plateia chocada de cerca de duzentas pessoas, o Pearl Jam se espreme nessa amada loja de discos de Seattle para fazer um show não divulgado a fim de celebrar o décimo aniversário da Coalition of Independent Music Stores (CIMS). John Doe, do X, se junta ao Pearl Jam para tocar "The New World", de sua banda, enquanto "Crapshoot Rapture" reaparece em sua forma inicial. Destaques do show são lançados em um EP, *Live at Easy Street*, no ano seguinte.

Jeff Ament: Aquela sala tinha um som ótimo. Pensamos em reconstruí-la no nosso palco.

25 de maio
Neumo's, Seattle

Após a projeção do documentário *Rock School* no Festival Internacional de Cinema de Seattle, Eddie Vedder e Ann Wilson, do Heart, tocam músicas como "I Wanna Be Sedated", dos Ramones, "Corduroy", do Pearl Jam e "Rock Lobster", do B-52´s com alunos que aparecem no filme.

24 de agosto

O Pearl Jam revela planos de lançar downloads digitais de alta qualidade dos shows nos Estados Unidos e no Canadá que estão por vir no PearlJam.com horas depois do fim das apresentações. Os shows são disponibilizados sem DRM (Digital Rights Management, gestão de direitos digitais), então os fãs podem gravá-los em CD ou transferi-los para tocadores de MP3.

29 de agosto
Adams Field House, Missoula, Montana

O Pearl Jam faz um show beneficente na cidade em que Jeff Ament cursou a faculdade, apoiando a candidatura do político de Montana, Jon Tester, para o senado. O setlist apresenta duas das músicas mais raras do catálogo da banda: "Bee Girl", que não era tocada desde 20 de outubro de 1994; e o lado B da época de *No Code*, "Black Red Yellow", que só tinha sido tocada duas vezes anteriormente e não desde 24 de novembro de 1996. Vedder diz à plateia: "Faz um tempo que não tocamos ao vivo, então, enquanto ocupamos nosso tempo vivendo vidas normais, não fazemos ideia de que existe esse tipo de energia aí fora esperando por nós. Então, obrigado mais uma vez."

1 de setembro
Gorge Amphitheatre, George, Washington

Preparando-se para uma extensa turnê canadense, O Pearl Jam visita o Gorge pela primeira vez desde 5 de setembro de 1993, tocando tanto acústico quanto plugado ao longo de um set de 36 músicas. "Hard to Imagine" fecha o set acústico, tocada pela primeira vez desde 6 de setembro de 1998. O lado B de *Riot Act*, "Undone", também é tocado pela primeira vez na história da banda mais tarde no show.

Mike McCready: Acho que esse é um dos meus três lugares favoritos para tocar no mundo. O caminho de carro é um pouco complicado, mas você vê o desfiladeiro do rio Columbia atrás de você quando está no palco, e então você olha para cima e vê todos aqueles fãs gritando do outro lado. Não há nada como isso. É muito espiritual e é muito divertido e animado.

2 de setembro
General Motors Place, Vancouver, Canadá

O Pearl Jam começa sua turnê canadense de três semanas com um set de 29 músicas cheio de hits. Vedder se junta à banda de abertura, The Supersuckers, para cantar "Poor Girl", do X, vestido com um terno prateado e uma máscara de luta livre mexicana branca — uma fantasia que ele apresentaria ao longo da jornada. Outros destaques da turnê incluem um cover de "Runnin´ Back to Saskatoon", do Guess Who, em um show no dia 7 de setembro na cidade do título, a estreia da canção de *Lost Dogs* cantada por Stone Gossard, "Don´t Gimme No Lip", no dia 16 de setembro em Ottawa e uma música solo de Vedder antes dos shows quase todas as noites. A performance da banda de "Given to Fly" do show de Saskatoon foi ao ar no especial para diversas redes de TV em prol das vítimas do furacão Katrina, *ReAct Now: Music & Relief*, no dia 10 de setembro.

19 de setembro
Air Canada Centre, Toronto

Com o U2 na cidade depois de uma série de quatro shows na semana anterior, Bono se junta ao Pearl Jam para tocar "Rockin´ In the Free World" no segundo bis. O vocalista surge para palmas ensurdecedoras logo antes da segunda estrofe e segue improvisando a letra enquanto a banda toca. "Seria difícil trabalhar mais duro que esse homem", diz Vedder sobre Bono em uma pausa instrumental. A performance intensa termina com Bono gritando "Rock! Rock!" enquanto Mike McCready sola de forma selvagem.

Eddie Vedder: Duas noites antes, na mesma casa de show, fui convidado de improviso a cantar "Ol´ Man River" com o U2. Então Bono tocou "Rockin´ In the Free World" conosco. Quem você acha que ficou com a melhor canção?

28 de setembro
PNC Park, Pittsburgh

O Pearl Jam toca um set de 14 músicas abrindo para o Rolling Stones, para quem eles tinham aberto shows pela última vez em uma série de shows curta na Califórnia em 1997. Mais tarde, Vedder canta "Wild Horses" com os Stones no set da banda.

LBC
GRIEVANCE
EVOLUTION
EVEN FLOW
DISSIDENT
SMALL TOWN
CORDUROY
(MFC)
DAUGHTER Acous
1/2 FULL Mike
I AM MINE Taylor
BETTER MAN Taylor
BLACK Reso
ALIVE
SAVE YOU
PORCH (short)

30 de setembro, 1 de outubro
Borgata Events Center, Atlantic City

O Pearl Jam se espreme na casa com capacidade para apenas 2.400 pessoas para dois shows, durante os quais integrantes da banda se juntam à banda de abertura, Sleater-Kinney, para covers tais como "The Promised Land", de Bruce Springsteen, e "Mother", do Danzig. Vedder também faz covers de "No Surrender" e "Atlantic City", de Springsteen, durante apresentações solo antes dos shows. No segundo show, Vedder estreia a ainda não lançada "Gone", que ele tinha composto no seu quarto de hotel na noite anterior; uma versão *demo* é lançada como o lado B no próximo single de fim de ano do Ten Club. O guitarrista do Kiss Ace Frehley se junta à banda em "Rockin´ In the Free World" para fechar o show do dia 1 de outubro.

Eddie Vedder: Eu estava na verdade sentado para apenas aprender outra música para a noite seguinte. Comecei a tirar a música, mas não saiu de primeira, então passei a tocar outra coisa, e era "Gone".

5 de outubro
House of Blues, Chicago

O Pearl Jam e Robert Plant são os *headliners* de um show beneficente com ingressos de mil dólares para vítimas do furacão Katrina, com lucros ajudando as instituições Habitat for Humanity, Cruz Vermelha dos Estados Unidos, The Jazz Foundation of America e The New Orleans Musicians' Clinic. Durante o segundo bis do Pearl Jam, Plant e seus colegas de banda do Strange Sensation sobem no palco para tocar "Going to California", do Led Zeppelin, e permanecem depois para "Little Sister", de Elvis Presley, o clássico da Motown de Barrett Strong, "Money (That´s What I Want)", "The Fool in the Rain" e "Thank You", do Zeppelin, e, para fechar o show, "Rockin´ In the Free World", com Plant tocando a guitarra Fender Telecaster de Vedder. "Little Sister" mais tarde aparece como o lado A do próximo single de fim de ano do Ten Club.

Mike McCready: Foi apenas um daqueles momentos na sua carreira do qual você nunca sonha que vai acontecer, e então acontece e você diz "Uau. Tenho muita sorte e sou muito grato por estar aqui". "Fool in the Rain" foi difícil de tocar, porque é certamente uma música bem orquestrada. E o solo dela... eu tomei uma surra dele.

22-23 de novembro
Estadio San Carlos de Apoquindo, Santiago, Chile

O Pearl Jam começa uma turnê de estádios de 12 shows na América do Sul, seus primeiros shows no continente, com abertura dos amigos de longa data, Mudhoney. Em Buenos Aires, na Argentina, a plateia na verdade canta partes importantes da guitarra em músicas como "Even Flow", "Rearviewmirror" e "Do the Evolution", levando Vedder a dizer "Nós deveríamos pagar para vocês virem aqui". No dia 28 de novembro, em Porto Alegre, no Brasil, Marky Ramone, dos Ramones, toca bateria em um cover de "I Believe in Miracles", de sua antiga banda.

Mark Arm: Os shows foram em estádios de futebol, e foram os primeiros que os rapazes tinham feito desde Roskilde sem lugares marcados. No Chile, eu me lembro de eles ficarem muito preocupados com o que potencialmente podia acontecer, mas então ficarem aliviados depois que tudo correu bem.

Natal

O Pearl Jam prepara seu 14º single de fim de ano do fã-clube apresentando um cover de "Little Sister", de Elvis Presley — tocado com Robert Plant no show beneficente em prol das vítimas do furacão Katrina em Chicago — e uma *demo* da composição de Eddie Vedder até então não lançada, "Gone".

TESTER
SENATE 2006

PEARL JAM
AUGUST 29, 2005
MISSOULA, MONTANA

299

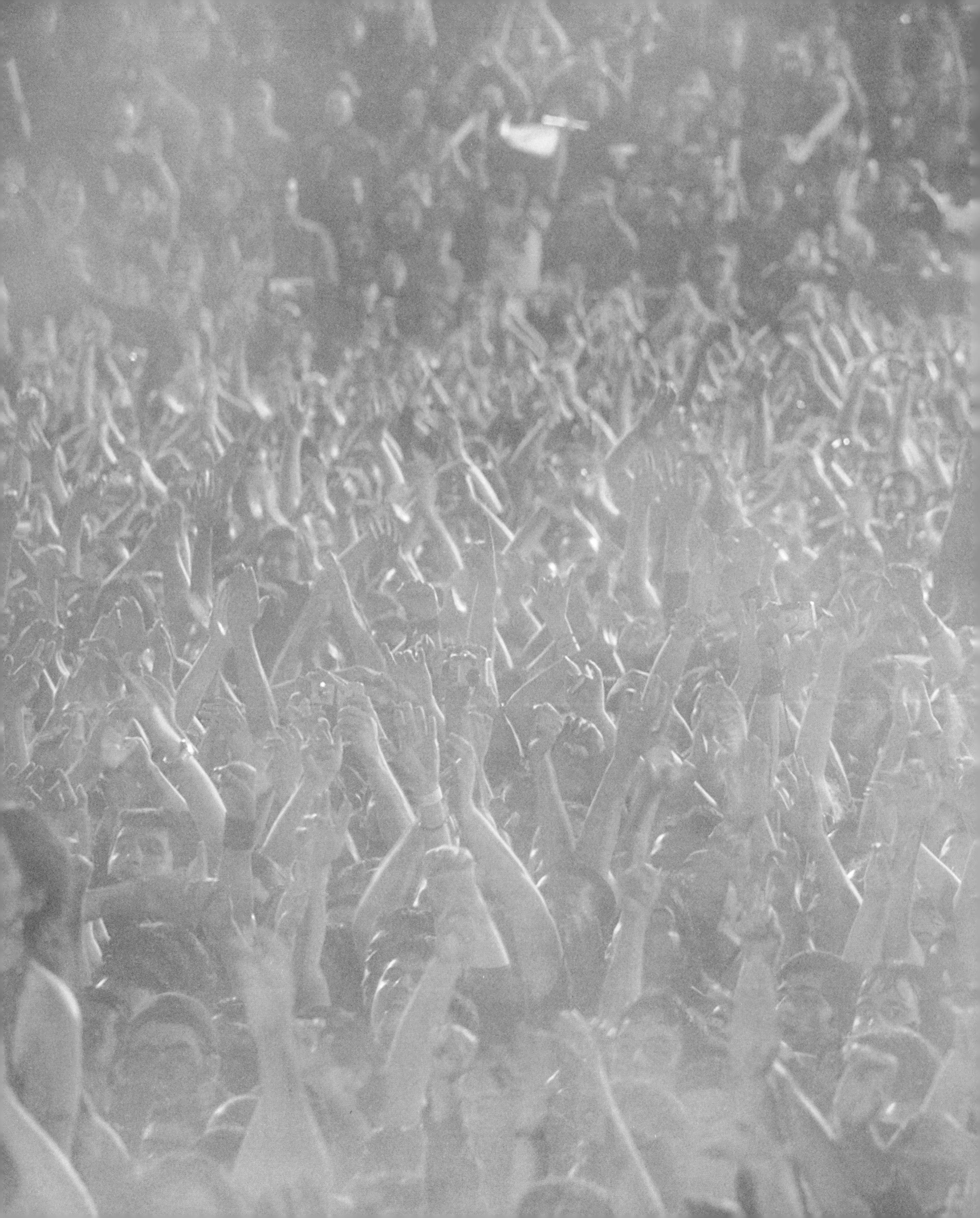

CAPÍTULO 2006

2006

Sem gravadora, sem contrato, sem obrigações: o Pearl Jam estava finalmente livre para seguir seu próprio rumo com o oitavo disco, *Pearl Jam*, em que a banda tinha trabalhado mais tempo do que em qualquer outro de sua história. Nos dois anos desde que encerrara os laços com seu lar de longa data, a Epic Records, a banda experimentou lançar músicas por conta própria através de seu fã-clube, Ten Club. Mas a organização ainda não tinha os recursos à sua disposição para lançar um álbum de verdade do Pearl Jam sem o auxílio de um selo tradicional. Entra então a J Records, da Sony BMG, estabelecida pelo lendário magnata da música Clive Davis. A banda concordou com um contrato de pequena duração para um empreendimento em conjunto com a J e seu próprio selo, Monkeywrench, um novo começo que oferecia uma ponte na direção de ainda mais independência no futuro. Depois de dois discos musicalmente desafiadores, o Pearl Jam também estava criativamente revitalizado, alcançando um hit número um nas rádios de rock com seu novo single, "World Wide Suicide", depois de apenas duas semanas no ar.

24 de fevereiro

Um trecho de 15 segundos de "World Wide Suicide", o primeiro single do futuro álbum homônimo do Pearl Jam, é enviado para as rádios dos Estados Unidos. Em algumas horas, a música inteira vaza na estação de rádio de Seattle, KNDD-FM, que a toca quase trinta vezes durante o fim de semana.

6 de março

"World Wide Suicide" é lançada como um download digital gratuito no website do Pearl Jam, uma decisão rara para uma banda tão popular naquela época. A faixa fica disponível gratuitamente por quatro dias e acumula mais de 150 mil downloads. Fãs que baixam a música recebem uma surpresa especial na forma de um show de 30 de novembro de 1993 em Las Vegas, o primeiro download autorizado em uma série de apresentações especiais dos arquivos do Pearl Jam.

13 de março

"World Wide Suicide" estreia no número 3 na parada de Modern Rock da *Billboard*, a estreia mais alta da história da banda e sua 31ª presença na lista. No dia 23 de março, a música pula para o número 1 da parada.

Stone Gossard: Tivemos muitos discos em que as coisas não estavam acontecendo e dizíamos "Oh, está tudo bem". Somos todos bem escolados. Tentamos não nos entusiasmar muito com o que as pessoas nos dizem com relação a números. Mas simplesmente acho que aquela música tem algo que significa "agora" nela.

15 de abril

O Pearl Jam toca "World Wide Suicide" e a ainda inédita "Severed Hand" no programa da NBC, *Saturday Night Live*, sua terceira aparição no programa e a primeira desde 1994.

Jeff Ament: Um monte de gente veio até nós e disse "Eu nem sabia que vocês tinham lançado discos nos últimos cinco ou seis anos". Algumas pessoas só prestam atenção às bandas nas capas das revistas e coisas assim. Estar fora disso foi bom para nós. Mas ao mesmo tempo acho que sentimos que ainda podíamos competir nessa arena.

20 de abril
The Astoria, Londres

O Pearl Jam faz seu primeiro show em Londres desde 2000 no Astoria, que tem capacidade para 2 mil pessoas, e estreia sete músicas de seu álbum a ser lançado: "World Wide Suicide", "Life Wasted", "Severed Hand", "Unemployable", "Gone", "Army Reserve" e "Marker in the Sand". "Comatose" é tocada pela primeira vez em sua versão do disco, levemente diferente de como tinha estreado em março de 2005.

1 de maio

Centenas de fãs fazem fila na Tower Records em Nova York para ter a chance de conseguir ingressos para um show secreto do Pearl Jam, cujo local e data (Irving Plaza, 5 de maio) seriam apenas revelados no ingresso. Logo antes de meia-noite, o chefe da J Records, Clive Davis, chega para distribuir mil donuts para a multidão. Alguns minutos depois, o oitavo álbum de estúdio do Pearl Jam, representado apenas por um abacate aberto na capa do disco, é oficialmente lançado nos Estados Unidos.

4 de maio
Ed Sullivan Theater, Nova York

O Pearl Jam toca *Life Wasted* durante sua sétima aparição no programa da CBS, *Late Show with David Letterman*. Depois disso, membros sortudos do Ten Club são acompanhados até o estúdio para um show especial do Pearl Jam que é transmitido ao vivo no website da CBS. O setlist inclui seis novas músicas, além de "Present Tense", "Do the Evolution", "Why Go" e "Porch", que traz um trecho de "I Want to Hold your Hand", dos Beatles, em uma referência à histórica apresentação da banda na televisão dos Estados Unidos em 1964 naquele teatro. Para fechar a noite, Eddie Vedder se junta aos Strokes para cantar uma música da banda, "Juicebox", no Hammerstein Ballromm, como parte de uma festa para celebrar a milésima edição da Rolling Stone.

EARLY "AVOCADO"
AUDITION
SHOTS BY ED

May 15, 2006

Dear Eddie, Stone, Jeff, Matt and Mike:

On behalf of the California Avocado Commission, please accept this gift of fresh California avocados. We are thrilled that the band chose to feature the avocado as the quintessential minimal pop art image on the cover of the new release, "Pearl Jam." It is a great honor to have one of the most influential rock bands of our time using the avocado as part of its newest artistic venture. The buzz swirling around our industry right now is amazing!

Best regards,

Scott McIntyre
Chairman Of The Board
California Avocado Commission

PEARL JAM

LIFE WASTED
WORLD WIDE SUICIDE
COMATOSE
SEVERED HAND
MARKER IN THE SAND
PARACHUTES

UNEMPLOYABLE
BIG WAVE
GONE
WASTED REPRISE
ARMY RESERVE
COME BACK
INSIDE JOB

PEARL JAM

303

Julian Casablancas, vocalista dos Strokes: Quando conheci Eddie, acho que senti uma surpresa genuína quando ele descobriu o quanto fomos influenciados pelo Pearl Jam. As pessoas nunca entenderam isso sobre nós. Sempre falam dos Ramones e dos Stooges. Mas minha banda favorita sempre foi o Pearl Jam. As pessoas falavam "Hein? Não entendo". Quando o conhecemos e nós sabíamos cada detalhe a respeito das músicas, acho que ele ficou um pouco chocado. Ele pode ter tido uma má impressão devido à onda de bandas que copiaram o Pearl Jam, mas estas já estavam cada vez mais raras.

5 de maio

O set de seis músicas do Pearl Jam para o *Sessions@AOL* da America Online e seu set de três músicas para o programa de TV britânico *Later with Jools Holland* (Gravado no mês anterior) chegam à internet e à televisão, respectivamente.

5 de maio
Irving Plaza, Nova York

O Pearl Jam faz outro show intimista de aquecimento para a turnê no Irving Plaza, com capacidade para 1.200 pessoas, povoado majoritariamente por fãs que esperaram pelos ingressos quatro dias antes na Tower Records. O set de 21 músicas é notável por ser totalmente livre de covers e incluir as músicas de *Ten* raramente tocadas na época, "Garden" e "Why Go".

9-10 de maio
Air Canada Centre, Toronto

O Pearl Jam começa uma turnê mundial para divulgar seu novo disco, agora apelidado de *Avocado* (Abacate) pelos fãs. O My Morning Jacket abre os shows da parte norte-americana e várias vezes recebem a visita de Eddie Vedder em seu set em um cover de "It Makes no Difference", do The Band.

Jim James, vocalista do My Morning Jacket: Nas duas primeiras noites em que tocamos com eles, Ed fez uma coisa muito gentil, que foi subir no palco e tocar duas músicas de forma acústica para que as pessoas entrassem na arena de novo, depois de terem ido comprar suas cervejas. Então ele nos apresentava. Achei que isso estava tão acima e além da obrigação deles. Nós começamos a falar sobre talvez colaborar em alguma música. Ele nos ouviu tocar "It Makes no Difference" na passagem de som e nos disse que tinha realmente gostado, então pensamos em tentar tocá-la. *Ten* foi definitivamente um álbum crucial para mim, como foi para grande parte da nossa geração. Nunca vou me esquecer de ver o vídeo de "Alive" na MTV quando eu estava na sétima série. Então ser sortudo o suficiente por me encontrar sobre o palco tocando com eles foi um momento de borrar as calças.

10 de maio

O Pearl Jam estreia no número 2 na lista dos 200 discos mais vendidos da *Billboard*, com vendas na primeira semana de 279 mil cópias nos Estados Unidos, de acordo com a Nielsen SoundScan. O número é a melhor semana de vendas da banda desde que *Yield* estreou no número 2 com 358 mil cópias em 1998.

14 de maio
Wrigley Field, Chicago

Eddie Vedder canta "Take Me Out to the Ballgame" pela terceira vez em um jogo na casa do Chicago Cubs contra o San Diego Padres.

19 de maio

O Pearl Jam divulga seu primeiro videoclipe desde o vídeo de 1998 de "Do the Evolution" na forma de "Life Wasted", o primeiro trabalho dirigido pelo artista visual Fernando Apodaca. Depois de estrear no VH1, o clipe fica disponível em vários sites como um download gratuito sob uma licença do Creative Commons não comercial e sem derivativos, permitindo a cópia e distribuição de forma legal. O vídeo utiliza moldes em tamanho natural dos integrantes do Pearl Jam, assim como esculturas de bronze, cera e couro: essas imagens também aparecem no encarte de *Avocado*. Em julho, o clipe é indicado na categoria de melhores efeitos especiais do MTV Video Music Awards.

31 de maio
Avalon, Nova York

Algumas centenas de fãs sortudos lotam o que normalmente é uma casa noturna para testemunhar o Pearl Jam gravando um episódio da série do VH1 *Storytellers*, que vai ao ar no dia 1 de julho. A banda tinha na verdade tocado no mesmo lugar em 1992 quando ele era chamado Limelight. Vedder está em modo político ao longo do set de dez músicas, dizendo que embora "a verdade pareça ser uma mercadoria em falta" sob a liderança do presidente George W. Bush, a banda mantinha em mente o velho ditado "Não deixe a verdade atrapalhar uma boa história".

Falando sobre histórias do passado e as inspirações para músicas velhas e novas, Vedder fala sobre o relacionamento abusivo no coração de "Better Man" ("É muito mais complicado terminá-los do que eu poderia pensar", diz ele) e explica como a resposta do público a "Alive" alterou para sempre o significado da música para ele.

"Na história original, um adolescente é informado de uma verdade chocante que o deixa muito confuso", diz ele sobre a narrativa baseada em sua própria descoberta, na adolescência, de que o homem que ele pensava ser seu pai biológico na verdade não era. "Aquilo era uma maldição — 'ainda estou vivo'." Mas os fãs acabaram transformando a frase do título em um hino de autofortalecimento, particularmente nos shows do Pearl Jam; isso levou Vedder a dizer que "eles acabaram com a maldição. O público mudou o significado para mim".

13 de junho

A Columbia/Legacy relança a trilha sonora de *Os últimos passos de um homem*, de 1996, que incluía dois duetos de Eddie Vedder com o vocalista paquistanês Nusrat Fateh Ali Khan. A nova edição ostenta uma versão de estúdio de "Dead Man" não lançada anteriormente, gravada em 2005 por Vedder; a canção foi escrita para a trilha sonora original, mas acabou se tornando um lado B do single de "Off He Goes", do Pearl Jam. Também incluído está um DVD de *Not In Our Name — Dead Man Walking: the Concert*, que foi gravado no dia 29 de março de 1998 no Shrine Auditorium, em Los Angeles, e incluía Vedder e Jeff Ament, Ani DiFranco, Lyle Lovett, Tom Waits e Steve Earle.

20 de junho

Um EP de sete músicas tiradas do show do Peal Jam de 29 de abril de 2005 na Easy Street Records, em Seattle, é lançado para celebrar os dez anos da Coalition of Independent Music Stores (CIMS). Além das músicas originais do Pearl Jam, "½ Full", "Lukin", "Save You" e "Porch", o

305

EP traz covers de "The American in Me", dos Avengers, "Bleed for Me", dos Dead Kennedys e "The New World", do X, com o integrante da banda John Doe nos vocais.

26 de junho
Xcel Energy Center, St. Paul

O Pearl Jam faz o primeiro de seis shows abrindo para Tom Petty and the Heartbreakers; Vedder se junta à banda na maioria das noites para cantar "American Girl" e "The Waiting". Durante os shows de 2 e 3 de julho, em Denver, Benmont Tench, dos Heartbreakers, substitui o tecladista do Pearl Jam, Boom Gaspar, que está no Havaí após a morte de sua mãe. "Foi ótimo conviver com uma banda que está fazendo isso há trinta anos e soando tão bem quanto sempre, se não ainda melhor", diz Vedder sobre os Heartbreakers. "E um pouquinho de sabedoria na calada da noite: acho que isso vai nos manter seguindo em frente pelos próximos 15 anos."

7 de julho
Viejas Arena, San Diego

Durante o primeiro bis, Vedder faz um discurso sobre seu antigo professor de teatro do segundo grau, o falecido Clayton Liggett, para quem ele escreveu a música "Long Road". Parte dos lucros do show vão para um teatro batizado com o nome de Liggett. O surfista Kelly Slater toca guitarra na última música do show, "Rockin´ In the Free World".

9-10 de julho
The Forum, Inglewood, Califórnia

O Pearl Jam tira a poeira de seu cover de "Walking the Cow", de Daniel Johnston, pela primeira vez desde uma aparição no outono de 1994 no Bridge School Benefit, em um show de Neil Young, e também estreia uma versão de "I Must Not Think Bad Thoughts", do X, com a participação do ator Tim Robbins nos vocais.

10 de julho

O Pearl Jam anuncia sua estratégia para controlar a emissão de carbono em 2006, com o objetivo de zero por cento de emissões líquidas para turnês e operações comerciais. A banda revela que vai usar biodiesel puro para seus caminhões de produção na segunda parte da turnê de verão, e promete uma doação de 100 mil dólares a nove organizações fazendo trabalhos inovadores nas áreas de mudança de clima, energia renovável e o ambiente.

13 de julho
Santa Barbara County Bowl, Santa Barbara, Califórnia

Retornando ao local de um de seus shows mais memoráveis (28 de outubro de 2003), o Pearl Jam começa com um set acústico de dez músicas, incluindo "Waiting on a Friend", dos Rolling Stones, além de "Hard to Imagine", "Oceans", "Daughter" e "Black".

20 de julho
Arlene Schnitzer Concert Hall, Portland, Oregon

O Pearl Jam faz um show beneficente para a sede noroeste da Crohn's & Colitis Foundation of America (CCFA). Convidados especiais incluem o comediante David Cross e o Sleater-Kinney, que subiu ao palco para participar dos covers de "Harvest Moon" e "Rockin' In the Free World", de Neil Young. O guitarrista Johnny Marr (Smiths, Modest Mouse) faz uma participação em "All Along the Watchtower". No dia 12 de agosto, no Crystal Ballroom, em Portland, Vedder retribui o favor ao tocar um set de três músicas abrindo a apresentação de despedida do Sleater-Kinney antes de um hiato indefinido.

22-23 de julho
Gorge Amphitheatre, George, Washington

"Dirty Frank", lado B da época de *Ten*, é tocada pela primeira vez em mais de 12 anos no primeiro de dois shows extremamente quentes no Gorge.

24 de julho

Eddie Vedder empresta sua voz a um cover de "Mercy Mercy Me (The Ecology)", de Marvin Gaye, que serve como o lado B de "You Only Live Once", o primeiro single do terceiro disco dos Strokes, *First Impressions of Earth*. O single, que também traz Josh Homme, do Queens of the Stone Age, na bateria, é lançado primeiro internacionalmente e então no dia 26 de setembro na América do Norte.

23 de agosto
The Point, Dublin, Irlanda

O Pearl Jam inicia uma turnê europeia com as primeiras performances da história da banda de "Education", sobra das sessões de *Binaural*, e do clássico das rádios rock do Thin Lizzy, "The Boys Are Back in Town". Em seu caminho, a banda volta à Holanda pela primeira vez desde a tragédia de Roskilde e também toca na Bélgica pela primeira vez em sua carreira. Andrew Stockdale, do Wolfmother, se junta ao Pearl Jam em duas ocasiões para assumir a parte vocal de Chris Cornell em "Hunger Strike". Durante a parte final da jornada, Danny Clinch filma cinco shows na Itália, cujos destaques são lançados em 2007 no DVD *Immagine in Cornice*.

12 de setembro

Mike McCready e Matt Cameron fazem participações na original "Blowin' Smoke" e no cover do Soundgarden, "Black Hole Sun", como parte do disco instrumental *Fingerprints*, de Peter Frampton, lenda da guitarra.

11 de outubro

O fotógrafo de longa data do Pearl Jam, Lance Mercer, lança um livro com imagens da banda, *5X1: Pearl Jam Through the Eye of Lance Mercer*. O livro foca na primeira metade da carreira do Pearl Jam e segue o livro de fotos do Pearl Jam de 1998, também de Mercer, *Place/Date*, que foi compilado em parceria com seu colega fotógrafo Charles Peterson.

13 de outubro

O Pearl Jam é honrado com o prêmio Marleen Alhadeff de Voluntário do Ano por suas contribuições e comprometimento em ajudar a YouthCare a arrecadar dinheiro para jovens desabrigados na área de Seattle.

21-22 de outubro
Shoreline Amphitheatre, Mountain View, Califórnia

O Pearl Jam faz sua oitava aparição no evento anual de Neil Young, Bridge School Benefit. A banda consegue um equilíbrio entre sucessos para o público cantar junto ("Elderly Woman Behind the Counter in a Small Town", "Daughter", "Better Man") e músicas perfeitamente adequadas à abordagem acústica do dia ("Parachutes",

"Man of the Hour"). A banda também faz covers de "Picture in a Frame", de Tom Waits, e da tradicional música de bar "I Used to Work in Chicago".

Eddie Vedder: Eu conversei com Neil há alguns anos, logo depois de algo pelo qual ele tinha passado com sua saúde e que foi um pouco assustador, e aproveitei a oportunidade para lhe dizer algumas coisas que eu precisava falar enquanto eu tinha a chance. Eu lhe disse como éramos gratos por tudo que ele tinha nos ensinado e o quanto tínhamos aprendido com ele; e ele disse "Bem, se você um dia descobrir o que foi, lembre-se de me contar [risos]".

26 de outubro

Eddie Vedder e o surfista Laird Hamilton aparecem em um episódio do programa do Sundance Channel, *Iconoclasts*, entrevistando um ao outro sobre suas conquistas e seus processos criativos.

7 de novembro
Acer Arena, Sydney, Austrália

O Pearl Jam começa uma turnê australiana de três semanas, seus primeiros shows no país em mais de três anos, com abertura do Kings of Leon.

14 de novembro

O selo de Jack Johnson, Brushfire Records, lança a trilha sonora do documentário de surfe *A Brokedown Melody*, que traz "Goodbye", uma canção de Eddie Vedder ao ukulele não lançada previamente.

17 de novembro
Myer Music Bowl, Melbourne, Austrália

O Pearl Jam faz uma aparição surpresa com Bono e The Edge, do U2, no show beneficente Make Poverty History, cantando "Rockin' In the Free World" com a letra modificada especialmente para a ocasião. Bono canta: "You can write it on your T-shirt or write it on your heart / It's a long, long way, but tonight we're gonna start / You gotta adjust vision or your visibility / if you want to make poverty history!" [Você pode escrever na sua camiseta ou escrever em seu coração / É um longo, longo caminho, mas esta noite vamos começar / Você precisa ajustar a visão ou a sua visibilidade

307

/ se quiser fazer da pobreza uma coisa do passado!]. Vedder diz à plateia: "Acabamos de ver muito ativismo aqui, e vocês deveriam estar orgulhosos de si mesmos por ter tanta esperança e seguir adiante. Estamos torcendo por vocês."

30 de novembro
Waimea Valley Audubon Center, Waimea, Havaí

O Pearl Jam faz uma apresentação não anunciada para celebrar a abertura da competição de surfe Quicksilver Big Wave Invitational diante de aproximadamente 250 fãs. O surfista Kelly Slater se junta novamente à banda em "Rockin' In the Free World" e "Indifference". Mais cedo naquele dia, Eddie Vedder e Slater participaram de uma remada em Waimea Bay como parte da cerimônia de abertura do concurso de surfe Eddie Aikau Big Wave Invitational.

2 de dezembro
Neal S. Blaisdell Center, Honolulu

Boom Gaspar faz seu primeiro show com o Pearl Jam em seu estado natal. Lucros do show vão para o Hui Malama o ke Kai, um programa pós-escola baseado em atividades no mar para jovens de Waimanalo.

Boom Gaspar: Meu pai construiu um galpão para nós quando éramos crianças para tocarmos música e termos um lugar para ficar que não fosse na rua. Não tínhamos programas para jovens nem programas pós-escola, então muitos dos meus amigos se perderam no caminho.

Eddie Vedder: Um dos melhores shows. Tocamos uma velha música de Israel Kamakawiwo para a admiração dos locais. Era aniversário de Matt Cameron. Jogamos um bolo bem grande em uma plateia bem grande. Ele caiu exatamente em uma única pessoa: uma garota. Ela foi resgatada e voltou para casa usando roupas de Mike McCready. No dia seguinte dei aulas de surfe ao pessoal do Kings of Leon. Com sucesso, devo acrescentar.

9 de dezembro
Aloha Stadium, Honolulu

O Pearl Jam termina sua turnê mundial de 2006 diante de um público de quase 50 mil pessoas, abrindo a última data da turnê *Vertigo*, do U2, que acaba se tornando a terceira turnê com maior faturamento de todos os tempos, com 389 milhões de dólares. O set de abertura de treze músicas do Pearl Jam é repleto de hits e músicas para o público cantar junto, incluindo o velho clássico do nativo Israel Kamakawiwo, "Hawaii '78". Vedder e Mike McCready se juntam ao U2 mais tarde para reprisar sua nova versão de "Rockin' In the Free World".

Eddie Vedder: Terminando a turnê com uma onda grande. Muitos dos maiores surfistas de todos os tempos estavam naquele show, incluindo Laird Hamilton, o que estava representado no pôster do show. Ele abriu caminho até a frente de 47 mil pessoas, semeando o amor e machucando algumas delas.

Natal

O Pearl Jam e o Ten Club preparam seu 15º single de vinil para o fã-clube, contendo um par de covers de rock clássico: "Love, Reign O'er Me", do The Who, e "Rockin' In the Free World", de Neil Young. Esta última foi gravada no show beneficente Make Poverty History, em Melbourne, em novembro, com participação de Bono e The Edge, do U2. O cover do The Who aparece no próximo mês de março no filme de Adam Sandler e Don Cheadle, *Reine sobre mim*. A música é produzida por Brendan O'Brien, seu primeiro trabalho com a banda desde que remixou três músicas de *Ten* para a coletânea de 2004, *Rearviewmirror*.

Mike McCready: Eddie perguntou a mim e a Stone o que os guitarristas achavam, e eu lhe disse "Eu sei que você consegue arrasar". Eu já o tinha escutado tocando sem compromisso no estúdio, cantando músicas do The Who por conta própria na sala de vocal entre tomadas, e ele estava arrasando ali. Eu sabia que ele daria tudo de si naquilo, porque sabia que Pete Townshend poderia um dia escutar aquilo. É engraçado: Stone diz que ele tem um pedal de fuzz natural em sua voz e ele definitivamente o está usando ali.

1st night playing with Boom 2001

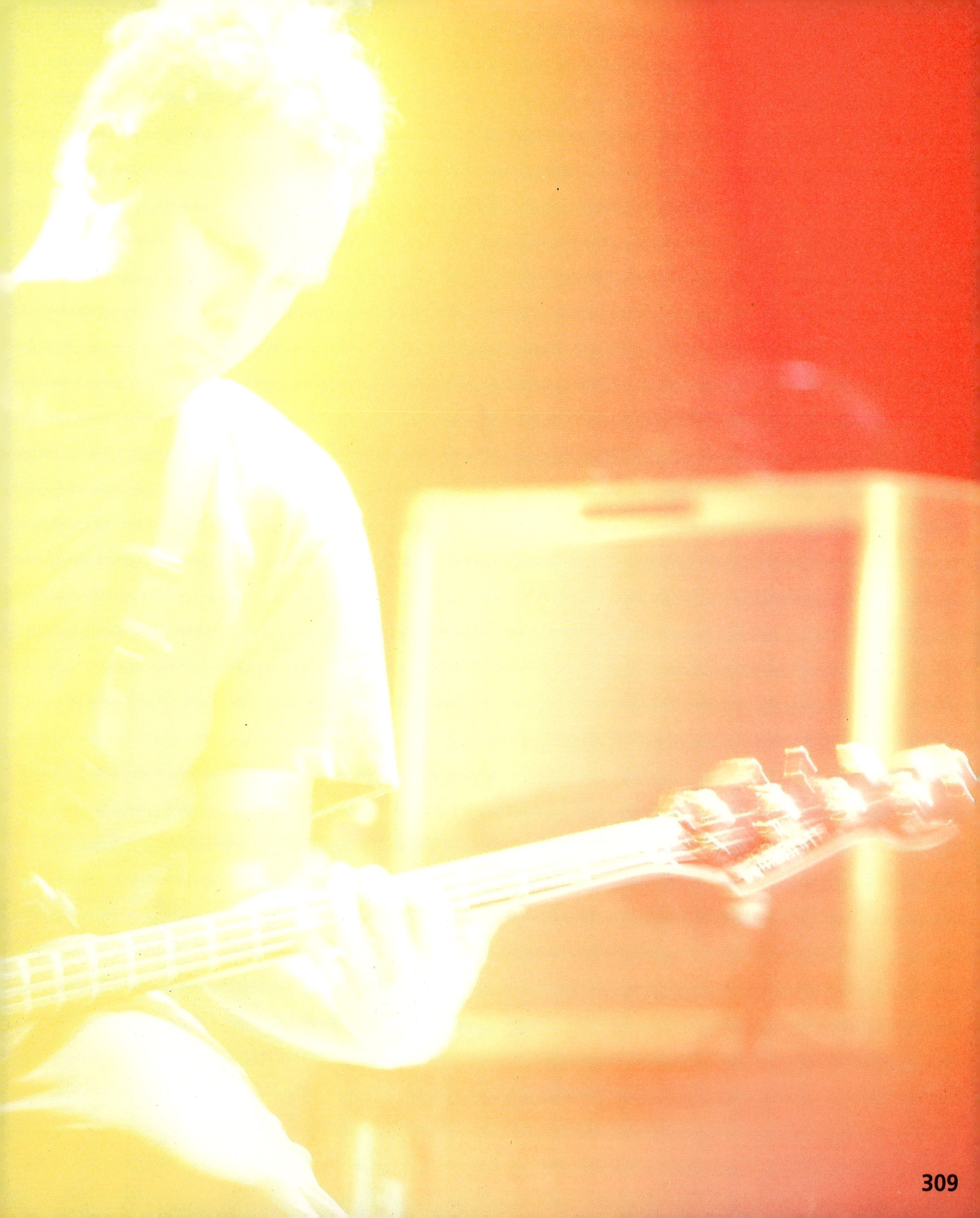

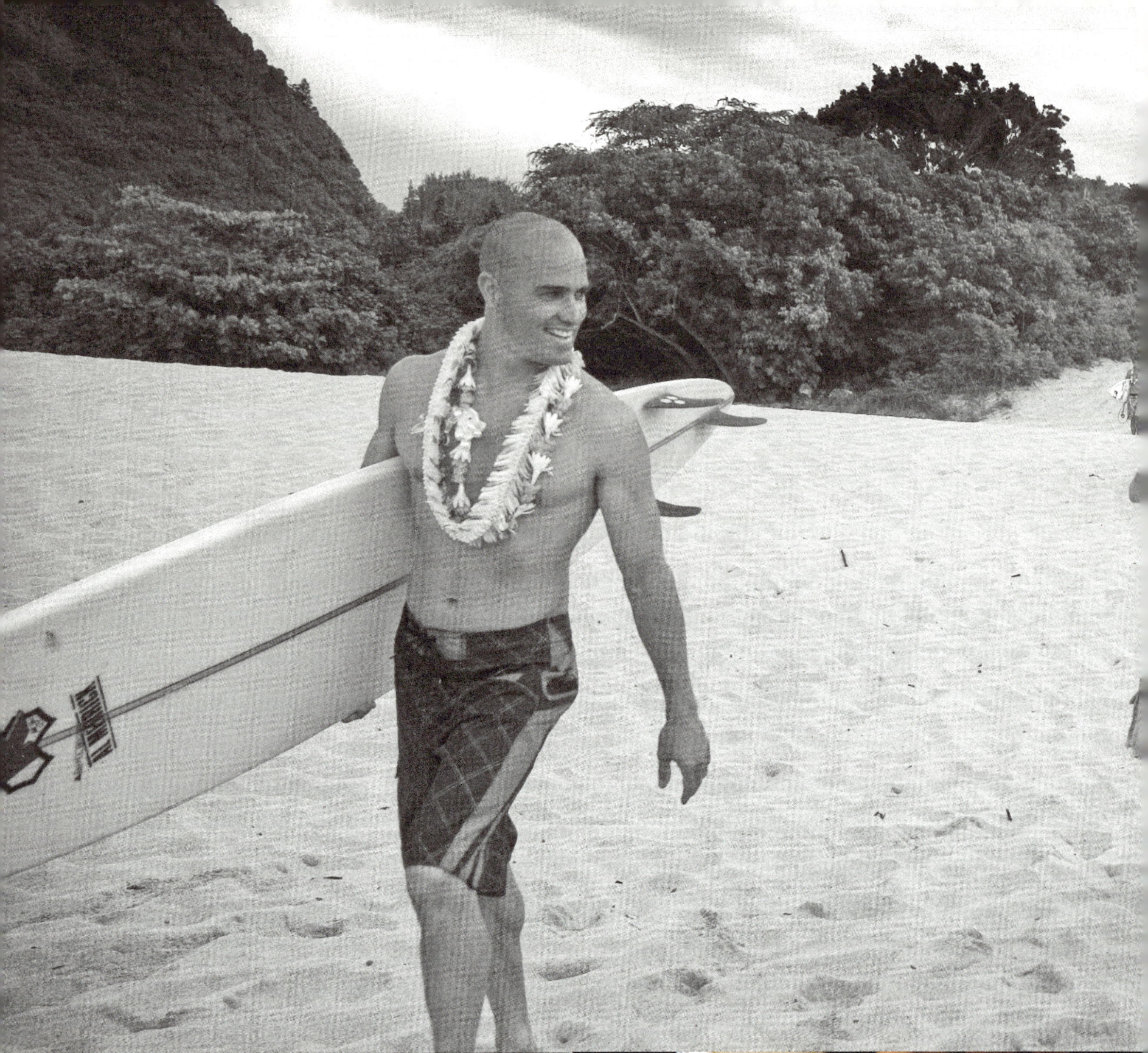

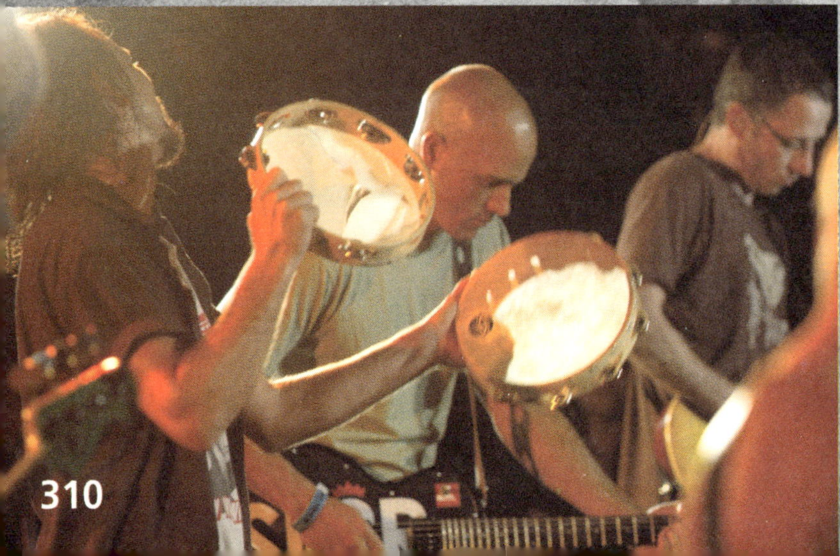

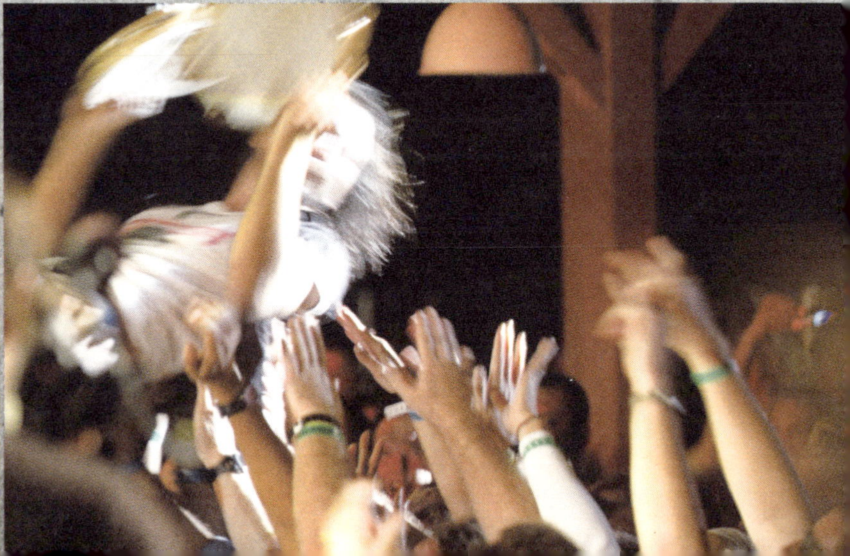

311

Pearl Jam

Eddie Vedder não conseguiu enfrentar o dia, e ele não estava sozinho. Milhões de americanos acordaram no dia 3 de novembro de 2004 diante da percepção de que o presidente George W. Bush tinha derrotado de forma apertada o senador John Kerry e sido reeleito para um segundo mandato no gabinete. Para Vedder e seus colegas de banda, a notícia era especialmente devastadora, levando-se em conta que eles tinham devotado os últimos dois anos de suas vidas a prevenir que exatamente isso acontecesse.

No começo daquele outono, a banda tinha feito planos para entrar no estúdio em Seattle no dia 1 de novembro, apesar de na verdade ainda não ter nenhum material novo para gravar. Mas as próximas 48 horas foram perdidas em uma névoa de decepção e frustração — um estado de espírito que nesse caso não contribuía para a expressão criativa.

"Eu não saí da cama", recorda Vedder. "No entanto, enquanto eu não conseguia levantar da cama, ouvi dizer que Springsteen naquele dia fez uma ligação para alguém com quem ele faz discos, dizendo 'Tenho que fazer um disco'. Duas abordagens diferentes no caso." Ele especula sobre o que teria acontecido se o Pearl Jam tivesse realmente voltado ao estúdio no dia seguinte ao da derrota de Kerry para Bush: "Eu teria imaginado que músicas bem furiosas sairiam disso. O único problema era que não tínhamos nenhuma música em que pudéssemos colocar nossas emoções àquela altura. Ainda assim, apenas alguns dias tendo se passado, as coisas ainda estavam se formando. Eu estava engatado e carregado, com certeza. Demorou um tempo para a música me fornecer um alvo."

Assim que isso aconteceu, algumas semanas depois, o Pearl Jam se inflamou. Entre as primeiras músicas a tomarem forma para o que seria o oitavo disco de estúdio da banda estavam "Life Wasted", a faixa mais pesada de Stone Gossard em anos; o punk rock acelerado "Comatose", chamada então de "Crapshoot Rapture"; um rock estranhamente funqueado de Vedder chamado "Severed Hand", que ele na verdade tinha começado a escrever em 2003; e a música que acabaria se tornando o primeiro single do álbum, "World Wide Suicide".

"Essas foram as que surgiram inicialmente", diz Ament. "Provavelmente tínhamos dez ideias, das quais talvez cinco ou seis tivessem melodias vocais e algumas partes de letras. Todas as músicas que saíram daquela primeira sessão eram bastante aceleradas, que foi o benefício de sairmos direto da estrada para entrarmos no estúdio e estarmos afiados. E ter perdido uma eleição em que nos sentíamos mais envolvidos do que nunca beneficiou o disco, em termos de energia, com certeza."

No começo de 2005, o plano era tentar terminar o novo álbum a tempo de lançá-lo no fim do ano. Mas, no fim da primavera, o Pearl Jam estranhamente freou esse cronograma e decidiu dar ao projeto mais tempo para respirar.

"Nós o começamos como qualquer outro disco", diz Vedder. "Mas foi só quando o fazíamos que percebemos que aquele seria um tipo diferente de processo. Depois de nossa segunda sessão de cerca de três semanas, percebemos que precisaríamos de mais do que uma sessão adicional para terminar tudo. No final, tivemos provavelmente outras quatro sessões além daquelas. Acho que aquilo veio do fato de os rapazes me darem mais tempo para compor, simplesmente porque eu ia compor mais músicas do que nos últimos discos, em que todos trouxeram algumas ideias completas."

"Acho que a expectativa era que nós provavelmente entraríamos três vezes no estúdio e terminaríamos tudo", diz Ament. "Houve um momento no verão quando nos encontramos no estúdio e dissemos 'Então, isso realmente vai ficar pronto?'. Havia dez músicas prontas que seriam ótimas. Mas apenas continuamos pensando, tínhamos mais cinco ou seis outras que achamos que seriam tão boas ou melhores do que as cinco melhores dessas dez. Era quase como se tivéssemos um disco duplo e metade do disco duplo ainda não estivesse terminado."

Gossard diz: "Provavelmente tínhamos demos de 25 ou mais coisas, incluindo improvisos. Mas graças a Deus voltamos àquilo. No fim, houve um consenso de que se você está apaixonado por uma canção, e dois ou três de seus colegas de banda estão apaixonados por ela, existe uma grande chance de essa canção ser importante para o disco. Às vezes é difícil abandonar músicas. Você pode ter uma necessidade particular para que uma determinada música se desenvolva ou que seja lançada. Mas, qualquer que tenha sido o processo que aconteceu nesse disco, ele foi uma grande colaboração entre um processo da banda e Ed realmente tirando o melhor do grupo e aproveitando o melhor de nossas qualidades."

Quando ficou claro que o disco não ficaria pronto no fim de 2005, pela primeira vez em sua história o Pearl Jam optou por deixar de lado o ciclo de álbum-turnê-álbum-turnê e pegou a estrada sem músicas novas para promover. Depois de um show beneficente para a candidatura ao senado do político de Montana Jon Tester, em Missoula, Montana e dois shows locais no Gorge, a banda trilhou para o norte para dezesseis shows no Canadá.

Para o Pearl Jam, aquele era um ambiente livre de pressão em que os integrantes podiam simplesmente ser eles mesmos; podiam tocar com Bono "Rockin´ In the Free World" em Toronto, ou tocar diante de poucos milhares de fãs em locais tão fora do caminho quanto Thunder Bay, Ontario e Halifax, Nova Scotia. "Foi importante para nós quebrar os padrões", diz Gossard. "Estávamos separando o aspecto de excursionar da banda do processo de gravação. Podíamos sair, ser o Pearl Jam e excursionar."

Depois do Canadá, o Pearl Jam alinhavou um show único abrindo para os Rolling Stones em Pittsburgh, um punhado de shows como *headliner* nos Estados Unidos e, para terminar 2005, os primeiros shows de sua carreira na América do Sul. Em Atlantic City, Vedder estreou uma nova canção chamada "Gone", que ele tinha escrito na noite anterior em seu quarto de hotel.

"Tenho um tocador de fita que se tornou um grande amigo meu", diz ele. "Depois dos shows, é bom ficar com os amigos, e naquela noite o amigo era o gravador. Ela veio rápido. A parte mais bacana é que ela já estava pronta em cerca de uma hora, com backing vocals.

"A ideia era que um sujeito estava indo embora de Atlantic City e precisava encontrar uma nova vida sem seu passado, sem suas posses e sem procurar por mais posses", continua Vedder. "Uma vez que tudo se passa em um carro, ela é provavelmente muito parecida com 'Rearviewmirror', de certa forma. Mas acho que esse carro é um híbrido, porque acho que ele só tem um tanque de gasolina, então quero que ele vá longe."

Para "Gone", Vedder pegou emprestado um verso de Pete Townshend — "Nothing is everything" [Nada é tudo] — que ele tinha cantado muitas vezes com o guitarrista do The Who quando tocaram juntos no final dos anos 1990. "Aquilo vem dos ensinamentos de Meher Baba que Pete seguiu ao longo dos anos: não deseje nada a não ser não desejar nada", explica ele.

Duas músicas que acharam lugar no disco surgiram bem no fim do ano, o rock corpulento de Ament, "Big Wave", e "Inside Job", uma das únicas faixas de discos do Pearl Jam que tem a música feita completamente por Mike McCready, que também escreveu a letra.

Além de ser um rock épico e catártico, no estilo de "Present Tense", de *No Code*, "Inside Job" é particularmente notável por seu sentimento. McCready parece estar falando não apenas da luta de um indivíduo para fazer a diferença na sociedade moderna, mas também de sua batalha eterna contra a doença de Crohn.

"Ele certamente não fugiu da responsabilidade e fez a música sobre outra pessoa, como outro compositor que conheço", diz Vedder. Uma forma de lidar com energia negativa e frustrações é "olhar para dentro. Se não servir para mais nada, isso causa uma mudança em você mesmo. Se você está em condição de se sentir bem equilibrado naquele momento, então você sente que pode fazer uma contribuição à sociedade, que é o contrário de estar arrasado e apenas se juntar ao monte de forças destrutivas pelas quais você pode se encontrar cercado. E é exatamente isso, palavra por palavra, que está na música, na verdade. Como 'shining a human light' [brilhar uma luz humana]. Isso tudo vem de Mike.

"Ele me procurou na América do Sul e gravamos no meu pequeno gravador sua *demo*. A outra coisa que ele também sabia é que iríamos até o fim. As músicas que tivessem letras iam entrar e as que não tivessem não iam. Ele queria muito que aquela música entrasse, e estava motivado a fazer algo realmente comovente. E ele fez."

Enquanto Vedder escrevia as letras, ele se encontrou canalizando seu profundo desgosto pelas políticas da Casa Branca da era Bush em histórias mais pessoais: a família do soldado morto olhando fixamente para sua foto no jornal ("World Wide Suicide"), o reservista do exército distante das pessoas que ele ama ("Army Reserve"), o soldado raso da infantaria se drogando apenas para conseguir sobreviver a mais um dia no deserto do Iraque ("Severed Hand") e o trabalhador que foi demitido e que não tem nada além de "trinta contas para pagar" e um anel de ouro amassado que diz "Jesus salva" para mostrar seu esforço ("Unemployable").

Outras músicas, como a balada repleta de rhythm & blues, "Come Back", a canção de amor acústica, "Parachutes", e "Life Wasted", apesar de serem sobre pessoas e eventos específicos, exploram uma sensação maior de saudade e perda. Esse é o tipo de narrativa de Vedder que tinha sido tão vívido e cativante no material do início da carreira do Pearl Jam.

"Através das histórias", reflete ele, "você pode ser capaz de transmitir uma emoção, um sentimento ou uma observação da realidade moderna em vez de editorializar, coisa que víamos muito naqueles dias". Além disso, escrever de perspectivas diferentes das suas era "um direito que eu havia esquecido que tinha".

Assim que todo o material estava terminado, Vedder começou a perceber que o Pearl Jam talvez tivesse inadvertidamente montado uma das formas de expressão mais controversas e capazes de criar polêmica no mundo do rock: um álbum conceitual. É claro que Vedder estava intimamente familiarizado com essa forma de arte graças ao seu amor por "Tommy" e "Quadrophenia", do The Who, mas ainda lhe pareceu uma surpresa que o Pearl Jam tivesse se encontrado em posição similar.

"Não foi uma abordagem consciente. Aquilo simplesmente começou a acontecer", observa Vedder. "Porque tínhamos muitas músicas e já que os outros rapazes não tinham trazido letras prontas, havia um grande obelisco de barro pronto para ser moldado, que era a música. Aquilo era uma coisa meio, 'uau, dá para realmente fazer uma escultura com isso', em que uma música seria a perna, a outra o braço, o coração e a cabeça. Basicamente isso tem o potencial para ser um disco conceitual.

"A pior parte daquele processo era que eu achava que não podia ouvir o disco do Green Day, *American Idiot*, do qual eu tanto ouvia falar. Eu me senti proibido de escutá-lo porque ouvi dizer que o disco deles era conceitual. Então, apesar de estar acompanhando o sucesso deles com orgulho, eu não tinha permissão para ouvir sua música, simplesmente porque estava em minha própria bolha de cientista maluco."

O que no final das contas levou a um tema menos estruturado guiando o fluxo do disco foi uma primeira tentativa de escolher a sequência das músicas. "Tentamos uma e ela definitivamente não funcionou", diz Vedder. "Aquela era quase a que contava uma história. Trocando algumas coisas de posição, de repente, aquilo funcionou e estava pronto."

Ainda assim, "mesmo perto do fim, aquilo quase parecia perto de acabar sendo algo baseado em um conceito", diz Vedder. "Daria para ter amarrado aquilo tudo com um pouco de narração, ou mesmo apenas algumas explicações no encarte. Era interessante pensar: 'Severed Hand' — será que aquele é o mesmo rapaz que acaba sendo o reservista do exército? Na verdade, 'Army Reserve' é sobre sua esposa e seu filho. Então, de certa forma, de fato elas todas se amarram. A outra coisa que dissemos é que se aquilo acabasse ficando como um disco conceitual, não poderíamos *contar* a ninguém que era um disco conceitual, sabe o que quero dizer? Talvez anos mais tarde admitíssemos isso. Então, como não é um disco conceitual, posso admitir agora que não é, mas que poderia ter sido."

Lançado pela J Records, *Pearl Jam* foi o primeiro disco de estúdio da banda desde que ela deixara a Epic Records, após 14 anos.

"Em geral, é um novo começo mais do que tudo", diz Gossard. "Tivemos uma longa estrada com a Sony. Parte dela foi fantástica. A Sony, na maior parte do tempo, fez tudo que podia para tentar nos deixar felizes. Próximo do fim do relacionamento, era difícil avaliar o que de fato estava acontecendo, porque havia se passado tanta coisa e tantas pessoas tinham chegado e partido. Apenas precisávamos de uma mudança. Com a mudança, ficamos livres para ter um pouco mais de ambição e nos desafiar um pouco mais. Isso também deu a algumas pessoas novas a chance de participar do disco."

"Não sei se alguma gravadora teria continuado conosco considerando a maneira como as coisas evoluíram", admite Vedder. "Se bem no começo vendíamos 10 milhões de discos e anos depois estávamos vendendo um milhão e isso nos satisfazia, posso entender que eles ficariam meio malucos querendo alcançar o sucesso do passado. Para nós, os momentos mais bem sucedidos foram quando achamos difícil manter a saúde e os pés no chão. Você sente dores de crescimento enquanto fica mais alto, mas nós as sentimos quando tentávamos encolher [risos]."

De modo geral, as músicas no disco — oficialmente conhecido como *Pearl Jam* — são mais diretas musicalmente e menos densas liricamente do que em seus dois predecessores, *Binaural* e *Riot Act*. Que os ouvintes perceberam isso ficou evidente pela reação positiva imediata a "World Wide Suicide", que estreou na melhor posição da carreira da banda, no número 3 da parada de Modern Rock da *Billboard*, e pela disposição do Pearl Jam de promover suas novas músicas em aparições importantes como no *Saturday Night Live*.

"A melodia é realmente forte", diz Gossard sobre "World Wide Suicide". "Soa como o AC/DC. Porra, demais! Eu gosto dela. Está estourando. Ela não parece forçada, nem que tentamos polir demais na produção. Isso é o principal, na verdade, deixando de lado a política. A música simplesmente tem uma energia. Ela tem algo intangível."

Especificamente em músicas como "Marker in the Sand", Vedder fez um esforço combinado para encontrar a melhor melodia que pudesse para exprimir o significado da letra. Munição extra veio do falecido Johnny Ramone, que não apenas inspirou a letra de "Life Wasted", mas desafiou Vedder a estudar os elementos fundamentais do rock´n´roll.

"Há essa energia fúnebre, quando você literalmente se senta ali com a morte de seu amigo e percebe como a vida é preciosa", diz Vedder sobre a morte de Ramone. "Funerais e casamentos são bons para isso. Você tem essa sensação renovada de viver a vida ao máximo quando você vê como ela evapora rápido. Você não dá o devido valor. A certa altura, alguém está vivendo, respirando, pensando e falando e uma semana depois é uma lembrança, um espírito. 'Life Wasted' veio disso: 'Já passei por isso, uma vida desperdiçada, nunca voltarei'. Viva a vida ao máximo. Eu não ia deixar essa perda profunda passar sem reconhecimento.

"Você não era apenas um amigo, você era uma espécie de aluno", acrescenta ele sobre Ramone. "Ele tocou rock para mim ao longo dos anos, de Bill Haley e Jerry Lee Lewis aos Smith Brothers, Everly Brothers. Simplesmente grandes músicas. Nós apenas nos sentávamos e escutávamos grandes músicas. Então escutávamos músicas que não eram tão boas e descobríamos por que elas não eram tão boas. Talvez ele estivesse sentado no meu ombro nesse disco e nós estivéssemos escutando aquelas músicas e dizendo 'Essa é uma grande música?'. Como elas ainda estavam sendo compostas, você podia fazer escolhas, tentar criar, ou continuar martelando até que achasse que se tratava de uma grande música. Agora — agora isso me parece grande. E imagino que daqui a alguns anos continue parecendo."

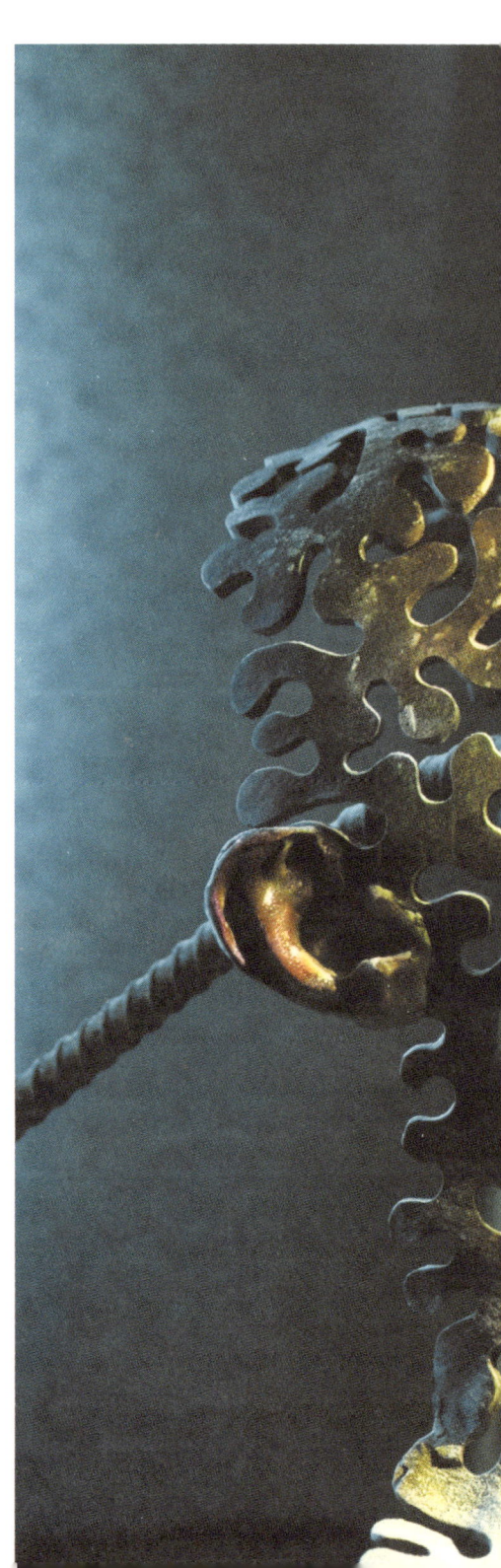

315

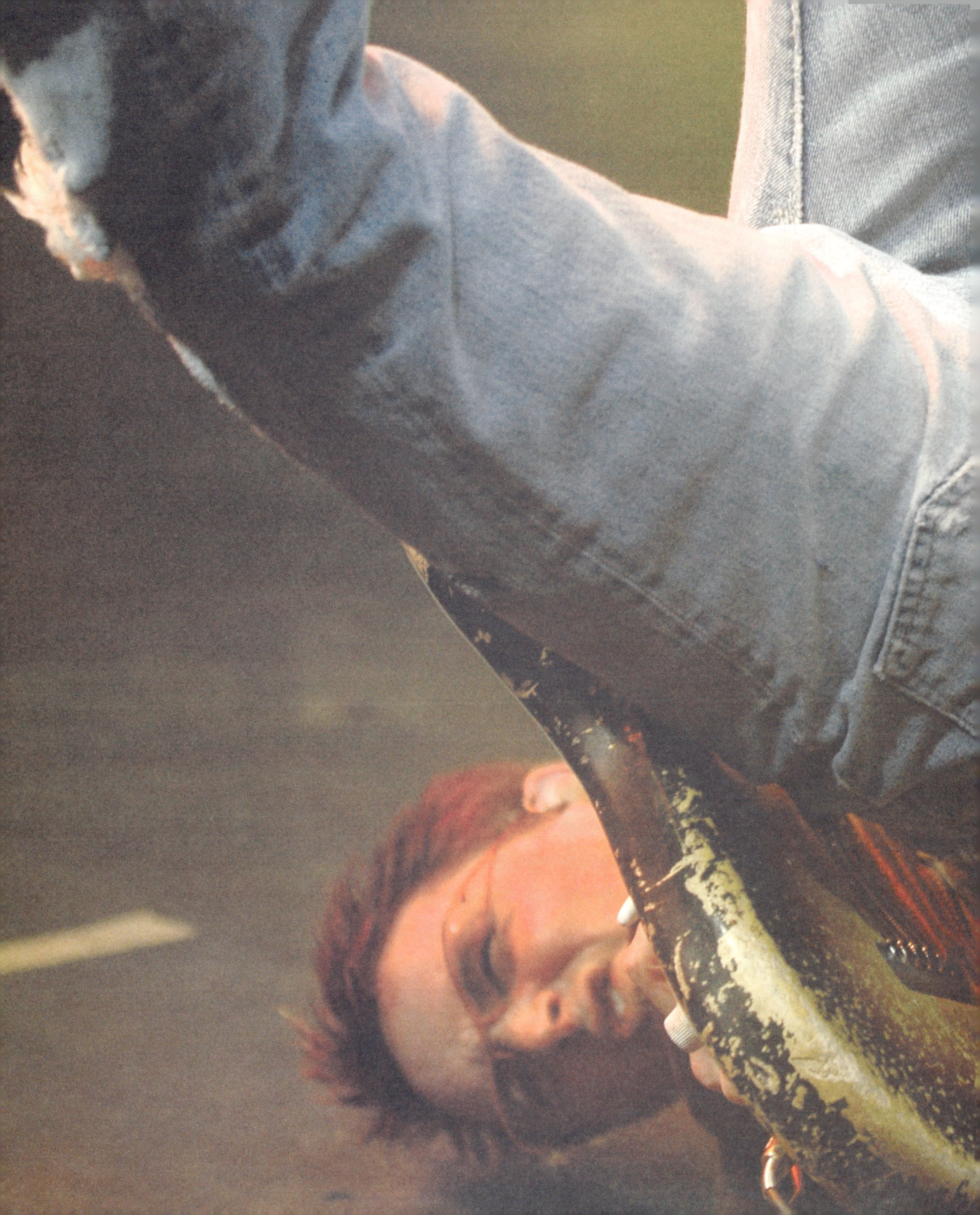

CAPÍTULO 2007

2007

O espírito aventureiro que marcou as atividades do Pearl Jam em 2006 — a banda inclusive fez seu primeiro videoclipe em oito anos — continuou no ano seguinte. Satisfeito por ter dado os primeiros passos para se assegurar de que algo como Roskilde nunca acontecesse novamente, o Pearl Jam tocou em seu primeiro festival americano em 15 anos diante de quase 60 mil fãs no Lollapalooza, em Chicago. E, inspirado pelo amigo íntimo Sean Penn, Eddie Vedder não apenas preparou seu primeiro disco solo, na forma de uma trilha sonora para o filme *Na natureza selvagem*, mas também compôs várias músicas originais para o documentário *Body of War*, sobre um jovem soldado ferido no Iraque. Depois de mais de quinze anos juntos, o Pearl Jam ainda estava expandindo sua palheta criativa e alcançando uma nova geração de fãs nesse processo.

12 de março
Waldorf Astoria Hotel, Nova York

Eddie Vedder introduz o R.E.M. ao Rock and Roll Hall of Fame, tendo anteriormente introduzido The Doors e os Ramones. Vedder diz que escutou o seminal álbum de estreia do R.E.M., *Murmur*, mais de 1.200 vezes no verão de 1984 depois de ver a banda ao vivo, e saúda a banda por ter acolhido o Pearl Jam, dizendo "Eles se tornaram algo como irmãos mais velhos". Depois disso, Vedder se junta à formação original do R.E.M. de Michael Stipe, Peter Buck, Mike Mills e o baterista Bill Berry para uma performance de "Man on the Moon".

Peter Buck: Ter alguém para nos introduzir que foi tão influenciado por nós foi incrível. Ele é um verdadeiro fã. Ele sempre me fala sobre uma ótima banda nova ou um grande disco antigo que descobriu. Eu também sou um pouco assim. Gasto todo meu tempo indo a lojas de disco. Ele sempre fala sobre o que está escutando. Muitas pessoas na nossa posição param de escutar música além da sua própria.

7 de abril
Showbox, Seattle

O projeto paralelo de Mike McCready, Flight to Mars, é o *headliner* do quinto show beneficente anual da CCFA, com lucros dirigidos para a sede noroeste da Crohn's & Colitis Foundation of America.

21-22 de abril
Waikiki Shell, Honolulu

Eddie Vedder e Boom Gaspar se juntam a Jack Johnson no quarto Kokua Festival, um festival anual no fim de semana do Dia da Terra em Honolulu. Ao longo do fim de semana, Vedder e Johnson acompanham um ao outro em suas canções, com Johnson em certo momento errando um verso em "Elderly Woman Behind the Counter in a Small Town". Vedder também estreia a música "No More", do documentário a ser lançado, *Body of War*.

5 de maio
Henry Fonda Theater, Los Angeles

Eddie Vedder toca um set solo acústico que traz "Driftin'", "I Am Mine" e "No More" em um evento beneficente organizado por Flea para o Silverlake Conservatory of Music. Flea e o antigo baterista do Pearl Jam, Jack Irons, o acompanham em "Corduroy" e "Better Man", enquanto o guitarrista dos Sex Pistols, Steve Jones, junta-se à diversão em um cover de "The Kids Are Alright", do The Who.

15 de maio

O Pearl Jam recebe o Conservation Creativity Award por sua estratégia para controlar a emissão de carbono na turnê mundial de 2006, incluindo doações da banda totalizando 100 mil dólares a organizações que fazem trabalhos inovadores a respeito de mudança de clima, energia renovável e meio ambiente.

9 de junho
Festimad, Madrid, Espanha

O ator Javier Bardem, fã do Pearl Jam, apresenta "Black" no começo do segundo bis durante o segundo show da turnê de verão do grupo.

Eddie Vedder: No começo dos anos 2000, tínhamos a ideia de fazer um filme com a banda, como *Help!*, dos Beatles, com outros personagens interagindo conosco. Falamos com o Mudhoney, Laurie Anderson e Tim Robbins para participarem. Algo como todos estarem em um trem enquanto a banda estava em turnê. Tim disse "O cineasta deveria ser o instigador. Ele faria a banda se separar". Queríamos que Javier fosse o cineasta. Isso realmente deveria ter acontecido.

15 de junho
Parco San Giuliano, Heineken Jammin' Festival, Veneza, Itália

O Pearl Jam é incapaz de tocar nesse festival italiano que é cancelado depois que ventos fortes derrubam torres de luz e alto-falantes, ferindo vinte fãs antes mesmo de a banda chegar ao local do show.

18 de junho
Wembley Arena, Londres

Em seu primeiro show de verdade como *headliner* em Londres em sete anos, o Pearl Jam assume um tom político no segundo bis, tocando a música "No More", além de "Bu$hleaguer" e "World Wide Suicide" uma após a outra no set.

Eddie Vedder: O The Who estava em Hamburgo, na Alemanha, mas o irmão de Pete Townshend, Paul, seu sobrinho Ben e outros vários Townshends vieram ao show. No que quase está se tornando um costume, fomos até o apartamento deles depois do show e conversamos em volta da mesa até de manhã a respeito do poder da música.

26 de junho

O selo do Pearl Jam, Monkeywrench, lança a caixa de sete discos *Live at the Gorge 05/06*, incluindo três shows gravados na famosa casa de shows a céu aberto do estado de Washington.

2 de agosto
Vic Theatre, Chicago

Uma plateia exclusiva de membros do fã-clube é agraciada com esse show de aquecimento intimista para o Lollapalooza, três dias depois. Vedder abre o show sozinho com covers de "Trouble", de

FLIGHT TO MARS

Cat Stevens e "Picture in a Frame", de Tom Waits, além das músicas do Pearl Jam "Dead Man" e "All the Way", uma cançoneta inventada sobre o Chicago Cubs. O set de vinte músicas é repleto de canções obscuras como "All or None", "Education", "Undone", "Low Light" e "I´m Open". "Desculpem-nos", diz Vedder. "Mas a maioria dessas músicas nós decidimos tocar por volta de quatro e meia da tarde de hoje". Matt Cameron canta em um cover de "Black Diamond", do Kiss, no segundo bis.

3 de agosto

Eddie Vedder canta "Take Me Out to the Ballgame" pela quarta vez em um jogo do Chicago Cubs no Wrigley Field. Mais cedo, Vedder aquece com o lançador Kerry Wood na área de treinamento dos Cubs e faz o primeiro lançamento cerimonial enquanto veste uma das camisas de Wood.

5 de agosto
Grant Park, Chicago

Quinze anos depois de se apresentar na segunda edição do festival itinerante, o Pearl Jam faz seu show com maior público nos Estados Unidos em uma década ao ser o *headliner* da terceira noite do Lollapalooza, agora um evento anual em Chicago. Vedder, que cresceu na cidade próxima de Evanston, Illinois, deixa claro o agradecimento da banda pela ocasião, dizendo à plateia: "Tocar nesse palco, essa noite, traz uma quantidade profunda de significado."

Enquanto tocava "Daughter", a banda emenda uma parte de "Another Brick in the Wall, pt II", do Pink Floyd, durante a qual Vedder canta "George! Bush! Leave this world alone" [George! Bush! Deixe esse mundo em paz] e "George Bush, find yourself another home" [George Bush, encontre um novo lar para você]. Em uma jogada que dissemina uma grande revolta, essas partes da letra são censuradas pela AT&T durante sua transmissão da apresentação na internet, o que a companhia mais tarde atribui a "um erro de um vendedor de webcast" que é "contrário à nossa política". O Pearl Jam mais tarde posta o clipe sem edição em seu website. O set da banda termina com um punhado de amigos (incluindo Ben Harper e o ex-jogador de basquete, Dennis Rodman) e fãs acompanhando o Pearl Jam em "Rockin´ In the Free World".

Depois disso, a banda publica uma declaração em seu website com relação à censura à sua música: "Isso, obviamente, nos atormenta como artistas, mas também como cidadãos preocupados com o assunto da censura e do cada vez mais consolidado controle da mídia. O que nos aconteceu nessa semana foi um aviso, e isso tem a ver com algo muito maior do que a censura a uma banda de rock."

1 de setembro
Memorial Stadium, Seattle

Eddie Vedder se junta a Neil Finn e o reunido Crowded House durante sua performance no festival anual Bumbershoot, em "Something so Strong" e "World Where You Live."

Neil Finn: Nós tocamos um bocado na casa dele e na minha casa. Na primeira vez que o levamos a Kerikeri, na Nova Zelândia, em 1995, fizemos uma jam que está em uma fita em algum lugar. Quem sabe se isso ajuda em algo. Tivemos uma noite maravilhosa uma vez na casa de Eddie com o produtor Adam Kasper. Estávamos no meio de uma jam alucinada, barulhenta e punk. De repente, minha guitarra morreu; olhei para o lado e vi o cachorro de Eddie, Hank, ali parado, balançando o rabo e parecendo muito feliz, porque tinha mastigado o cabo da minha guitarra até parti-lo.

11 de setembro

Body of War, codirigido pela lenda dos programas de entrevistas, Phil Donahue, e Ellen Spiro, estreia no Festival Internacional de Cinema de Toronto. O filme fala sobre a luta de Tomas Young, que ficou paralisado por uma bala em sua primeira semana de serviço militar no Iraque no dia 4 de abril de 2004. Vedder se inspirou a compor material para o filme depois de conhecer Young. Depois da projeção do filme, o vocalista do Pearl Jam faz uma apresentação.

Eddie Vedder: Tomas Young foi até lá para lutar a boa luta — ele achou que estava indo para o Afeganistão e acabou no Iraque. Agora vive e vai viver o resto de sua vida com desafios incríveis.

18 de setembro

O primeiro disco solo de Eddie Vedder, a trilha sonora de *Na natureza selvagem*, é lançado pela J Records.

25 de setembro

O DVD de show dirigido por Danny Clinch, *Immagine in Cornice* (*Picture in a Frame*, em italiano) é lançado pela Monkeywrench/Rhino. Filmado durante cinco shows italianos na turnê de 2006, *Cornice* também traz imagens adicionais de Vedder tocando "A Quick One While He´s Away", do The Who, com a banda de abertura, My Morning Jacket.

Jim James: Ele apenas nos ouviu tocando aquela música na passagem de som. Ela sempre foi uma das nossas favoritas, mas parecia muito difícil de acertar. Ele veio correndo e disse "Oh, meu Deus! Vamos tocar essa!".

Eddie Vedder: Acho que a melhor parte do filme são as pessoas da Itália. Elas foram uma ótima representação das pessoas que vêm nos ver em geral, onde quer que seja. Para mim, eles são como um personagem do filme, um personagem incrivelmente bem selecionado.

30 de outubro

Acompanhado pela banda The Million Dollar Bashers (o guitarrista Lee Ranaldo e o baterista Steve Shelley, do Sonic Youth, o guitarrista do Television, Tom Verlaine, o guitarrista do Wilco, Nels Cline, o guitarrista Smokey Hormel, o tecladista John Medeski e o baixista de Bob Dylan, Tony Garnier), Eddie Vedder faz um cover de *All Along the Watchtower*, de Dylan, na trilha sonora lançada pela Columbia do filme de Todd Haynes sobre Dylan, *Não Estou Lá*.

1 de novembro
Beverly Hilton, Beverly Hills, Califórnia

Eddie Vedder, Sean Penn e o compositor da trilha incidental de *Na natureza selvagem*, Michael Brook, discutem sua colaboração na música do filme em um painel da *Hollywood Reporter/Billboard* na Film & TV Music Conference. Como Vedder explicou, "Sean tinha achado a onda perfeita quando falou comigo sobre isso. Foi simplesmente um prazer surfar essa onda perfeita. Na nossa banda, ou da forma como estamos acostumados a trabalhar, temos cinco sujeitos e todos somos chefes. Isso me pareceu mais com algo como 'essas pessoas por quem eu me sentia responsável eram os chefes'. Eu me senti realmente confortável nessa posição".

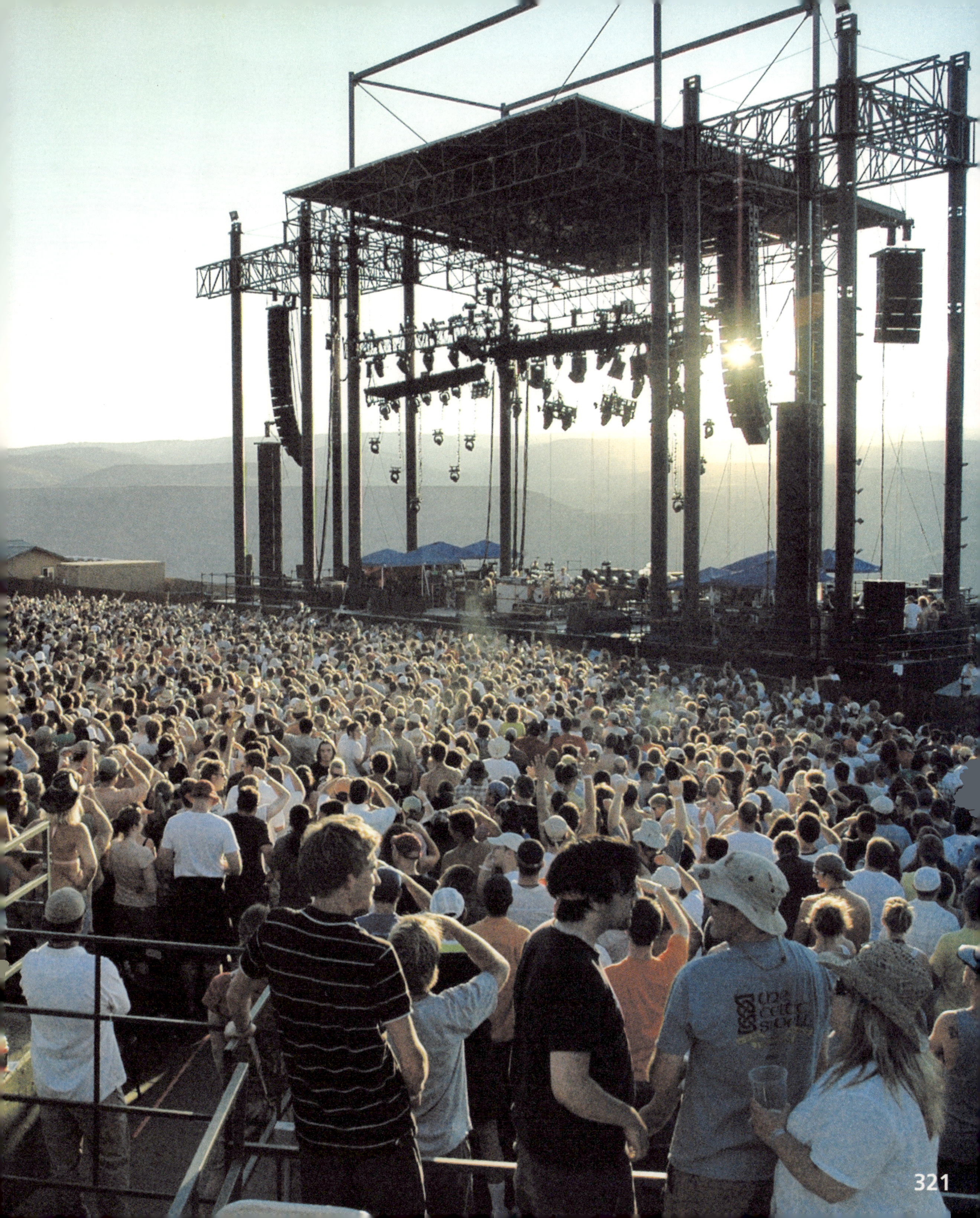

Dezembro

O livro *Pearl Jam vs. Ames Bros: 13 Years of Tour Posters* é publicado através do Ten Club. Ele traz mais de duzentas imagens de artes de pôsteres de artistas renomados como Ames Bros e Brad Klausen.

6 de dezembro

A canção de Eddie Vedder "Guaranteed", da trilha sonora de *Na natureza selvagem*, recebe uma indicação para o Grammy de melhor música composta para um filme. Cinco dias depois, a música é indicada na categoria de melhor música para o Critic's Choice Movie Awards da Broadcast Film Critics Association.

13 de dezembro

Eddie Vedder é indicado a dois prêmios Globo de Ouro por *Na natureza selvagem*: ele compartilha uma indicação com Michael Brook e Kaki King pela melhor trilha incidental em um filme, enquanto "Guaranteed" é indicada a melhor música original em um filme.

Natal

O Pearl Jam e o Ten Club lançam o 16º single de vinil de fim de ano do fã-clube, com as músicas "Santa God", composta por Eddie Vedder, e "Jingle Bells", tocada inteiramente por Mike McCready.

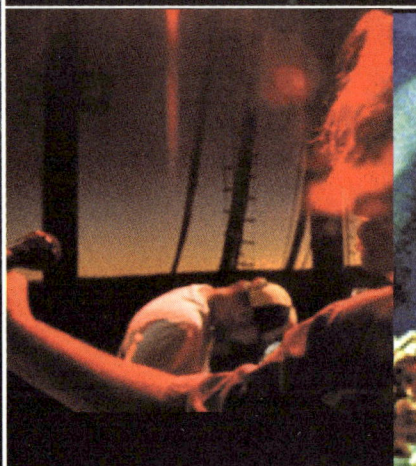

323

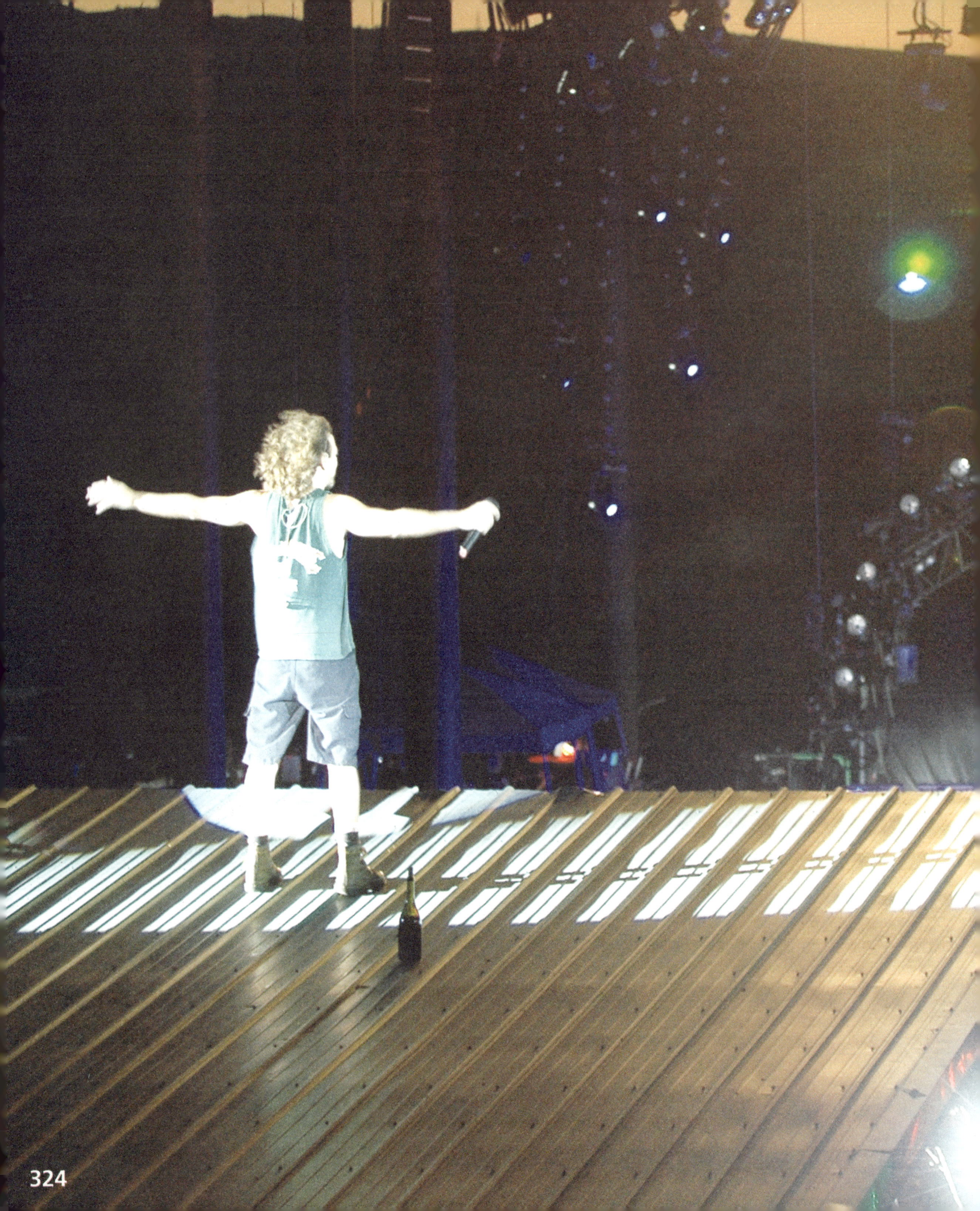

'N My Head — Crazy Diamond

Up here in my head — yeh
Nothing madders much to me — no
No more creatures to my head — yeah
I got whispers of the leaves instead, yeh—

A wave to all my friends yeh—
They don't seem to notice me —.. no
An eyes are on the street —...
In contemplation of their dreams yeh—.

I remember when ———. yeh—.
Thought I knew everythin yeh
For if knowledge is a tree, yeh—.
It's growing up just like me yeh—.

Into the Wild
(Na Natureza Selvagem)

Quando Eddie Vedder se desliga do mundo em sua casa no Havaí, muitas vezes por semanas a fio, o telefone toca, mas provavelmente ninguém atende. Esse foi o caso no início de 2007, quando Sean Penn tentou falar com Vedder para lhe contar sobre a adaptação para o cinema que ele estava fazendo do livro de Jon Krakauer, *Na natureza selvagem*, de 1996.

Apresentados um ao outro por Tim Robbins, Vedder e Penn se tornaram amigos durante a filmagem de *Os últimos passos de um homem*, em 1995. "Eu tinha escrito um roteiro no qual queria que ele atuasse", diz Penn. "Começamos a falar por um tempo sobre o assunto. Ele tem uma história muito boa sobre como chegamos ao fim do processo, porque ele veio com uma música, da qual eu tenho a única cópia. Foi como ele explicou por que não achava que devia fazer aquilo."

"Eu comecei a pensar direito e disse 'Não acho que posso fazer isso'", conta Vedder. "Mas ele escrevia para mim. Toda vez eu dizia 'Odeio fazer isso, mas eu simplesmente não posso. Alguém vai fazer isso melhor'. Ele retrucava 'Você pode e vai fazer, e vou ajudá-lo com as ondas grandes'. A razão para existir uma canção é que ele não aceitava não como resposta. Era uma música agressiva — agressiva como a cena punk de L.A. — chamada 'I Can't' [Não posso]."

Uma transição para atuação não estava nos planos de Vedder, mas ele e Penn se encontraram novamente durante a produção do filme *Uma lição de amor*, de 2002, cuja trilha sonora é formada exclusivamente de covers dos Beatles. "Minha música favorita dos Beatles era 'You´ve Got to Hide Your Love Away', e acho que a única pessoa que eu poderia imaginar tocando aquela música era ele", diz Penn, que faz o papel de um deficiente mental fã dos Beatles no filme. Vedder aceitou o convite para gravar a música, que rapidamente se tornou uma favorita dos fãs durante seus sets solo surpresa antes dos shows.

Naquele dia de primavera de 2007, Penn estava imerso em *Na natureza selvagem*, a história verídica de Christopher McCandless, um jovem recém-formado na universidade que em 1990 cortou laços com a família e embarcou em uma odisseia de dois anos que terminou tragicamente com o rapaz de 24 anos morrendo de fome nas florestas inabitadas do Alaska.

Penn tinha usado músicas como "Hey Hey, My My (Into the Black)", de Neil Young, "Miles from Nowhere", de Cat Stevens, "King´s Highway", de Joe Henry, "Simple Man", do Lynyrd Skynyrd, e "Cloudscape", de Philip Glass, como modelos para que, de acordo com seu desejo, a música funcionasse como um dispositivo de transição em *Na natureza selvagem*. Mas ele sentia que Vedder seria o homem certo para acrescentar ou mesmo substituir essas músicas com suas canções originais.

"Acho que liguei de volta para ele uma hora ou meia hora depois", lembra-se Vedder de quando Penn o procurou. "Você nunca sabe o que Sean tem em mente." Depois de se tornar oficialmente parte do projeto, Vedder pegou o livro de Krakauer e o devorou. Poucos dias depois, Penn estava na casa de Vedder em Seattle lhe mostrando um corte inicial de três horas e quinze minutos do filme.

"Pude ver as paisagens e pude ouvir a música na minha cabeça", diz Vedder. "O filme terminou e compartilhamos um momento de silêncio, porque aquilo era pesado. Acho que apenas perguntei a Sean, enquanto esticava o braço para acender um cigarro, 'O que você quer?'. E ele disse 'O que quer que você sinta que funcione. Pode ser uma música. Podem ser duas, pode ser a coisa toda'. Então eu entrei no estúdio por três dias, começando no dia seguinte, e lhe dei uma amostra das coisas com que ele poderia trabalhar. E então ele começou a escolher. Imediatamente Sean encontrou algumas coisas que colocou no filme. Eu não esperava aquilo. Depois disso, então, eu realmente estava dentro."

Apesar de fazer um disco solo parecer uma proposta solitária, Vedder se cercou no Studio X, em Seattle, de rostos familiares, como o produtor e engenheiro de som de longa data do Pearl Jam, Adam Kasper. "Você está tocando a música por conta própria, mas acaba fazendo parte de uma banda com os caras que estão apertando os botões e arrumando as guitarras e amplificadores", diz ele. "Além disso, Sean é da banda e Chris McCandless é da banda. O filme se torna o disco de certa forma. Eu não era da banda. Aquilo era como ser o compositor para uma banda — servindo à voz de Chris McCandless. Não a minha voz, ou algo que eu queria dizer. Em quase todos os aspectos desse processo, isso simplificou as coisas. Havia menos escolhas. A história estava ali e as cenas estavam ali."

Em um dia típico, "nós entrávamos no estúdio sabendo que tínhamos algumas tarefas a cumprir. Algo começava a se formar e eu percebia: 'Não é isso o que queremos aqui'. Mas eu ia adiante e terminava esse algo e o transformava em alguma coisa", diz Vedder, que tocou quase todos os instrumentos no que se tornou a trilha sonora de *Na natureza selvagem*. "É uma canção. Por que forçá-la a ser outra coisa? Como aquilo estava simplesmente acontecendo, apenas segui com aquilo. Estávamos andando muito rápido. Se ao meio-dia você se senta e só existe barulho ou uma fita vazia, se em uma hora você tem uma música, isso não existia há uma hora. Agora ela existe, e pode ser que exista por muito tempo."

Longe do rock´n´roll barulhento pelo qual o Pearl Jam é conhecido, a música que Vedder compôs é na sua maior parte suave, contemplativa, e muitas vezes tem pegada acústica. Canções alegres e confiantes como "Rise", "Setting Forth" e "No Ceiling" incorporam a completa liberdade que McCandless deve ter sentido quando começou sua jornada solitária, enquanto "The Wolf", a dedilhada "Long Nights" e a instrumental "Tuolumne" pegam caminhos mais sérios, representando o puro isolamento e as consequências de vida ou morte inerentes à experiência de McCandless na floresta.

Duas das músicas são colaborações: *Society* foi escrita pelo cantor e compositor Jerry Hannan — nascido na Irlanda e baseado na Califórnia —, que também toca na versão da trilha sonora, enquanto a energética "Hard Sun" — originalmente gravada por um cantor e compositor canadense chamado Indio (cujo nome verdadeiro é Gordon Peterson) em seu único disco, *Big Harvest*, de 1989 — tem backing vocals de Corin Tucker, do Sleater-Kinney.

Mas o destaque musical é "Guaranteed", uma ponderação sobre a visão do mundo de McCandless e suas motivações para experimentar a vida em termos que eram difíceis para os outros compreenderem. Acompanhado apenas por um violão, Vedder canta "Everyone I came across, in cages they bought / They think of me and my wandering, but I'm never what they thought / I've got my indignation, but I'm pure in all my thoughts / I'm alive" [Todos com quem cruzei, em gaiolas que eles compraram / Eles pensam em mim e em minha jornada, mas nunca sou o que eles achavam / Tenho minha indignação, mas sou puro em meus pensamentos / Estou vivo].

"Quando ele mandou 'Guaranteed', eu ainda me segurava a 'Miles from Nowhere'", diz Penn. "Mas 'Guaranteed' — apenas em sua origem vinda desse filme e não sendo uma música fácil de atingir você fora do contexto do filme — não estava pegando a bagagem de alguém emprestada para se tornar atraente. Ela tinha extrapolado o filme. Era uma música tão boa. Achei que para o objetivo do filme, eu nunca seria capaz de gostar mais de algo do que de 'Miles from Nowhere', mas 'Guaranteed' parecia tão mais uma parte desse filme organicamente, e não como se eu estivesse trapaceando."

Vedder admite que achou "surpreendente como para mim foi fácil entrar na cabeça de McCandless. Achei que era desconfortável a forma como era fácil, porque achei que tinha crescido. Acho que todas essas coisas estavam logo sob a superfície para mim".

Olhando em retrospecto, Vedder descreve a experiência de compor as canções de *Na natureza selvagem* quase como um sonho. Na verdade, ele só precisou assistir à entrevista que ele e Penn deram sobre o filme e a trilha sonora no programa *The Charlie Rose Show* para cimentar a experiência em sua memória.

"A entrevista começou e eu estava sentado no chão com uma cerveja e um cigarro, e era tarde", recorda ele. "Pensei em assistir. Sentado lá, percebi que estava exatamente no mesmo lugar em que me encontrava sentado com Sean quando assistimos ao filme. Realmente não parecia que muito tempo tinha passado. Foi interessante: eu ali, sentado no chão com um cinzeiro e uma caixa de cerveja, alguns meses atrás, e então passo a nos assistir na TV falando sobre o produto acabado. Isso deu um fim à odisseia toda. Tornou a coisa real, de certa forma. Precisei ver aquilo numa tela para tornar real. Não me lembro muito do processo porque passou bem rápido e eu estava realmente inconsciente. Eu quase não me lembro de nada do tempo em que estava fazendo aquilo. Foi uma forma estranha de ser informado de que a coisa toda tinha acontecido de verdade."

Lançada no dia 18 de setembro de 2007, pela J Records, que havia lançado *Pearl Jam* no ano anterior, a trilha sonora de *Na natureza selvagem* foi um sucesso rápido, estreando no número 11 da lista dos 200 discos mais vendidos da *Billboard* e se tornando um candidato imediato a uma série de prêmios prestigiosos. Vedder acabou ganhando o Globo de Ouro de melhor canção original de 2008 por "Guaranteed", que também foi indicada a um Grammy por melhor canção escrita para um filme, televisão ou outra mídia visual. Além disso, "Rise" foi indicada ao Grammy de melhor performance vocal solo de rock.

"Para a minha sorte, houve uma greve dos roteiristas naquela época, então não aconteceu uma premiação com a qual eu precisasse me preocupar em estar presente", diz Vedder com uma risada. "Eu tinha surfado algumas ondas grandes naquele dia e estava trabalhando em uma nova fornada de músicas em meu gravador de oito canais. Quando recebi a ligação que me outorgou a honra de ganhar, eu me lembro de olhar para baixo e minha bermuda estava pingando no azulejo. Ainda molhado do surfe e trabalhando em novas canções — essa é uma bela forma de ganhar um prêmio. Esse será meu prêmio favorito entre todos que já ganhei e ganharei, porque ele chegou em um momento excelente."

E apesar de alguns críticos discordarem da recusa de McCandless em contatar sua família inconsolável durante suas viagens ou em se equipar adequadamente para a sobrevivência nas brutais e implacáveis florestas inabitadas do Alaska, tanto Vedder quanto Penn dizem que essas decisões foram o que mais os inspirou a ajudar a contar sua história.

"Algumas das ações eram realmente corajosas", diz Vedder. "Fazer o que ele fez sem dinheiro para bancar sua viagem e torná-la confortável, sem fazer aulas nem esperar por autorizações para descer rios ou caminhar em trilhas, ou o fato de ele não levar um mapa, foram escolhas que ele fez com o objetivo de chegar à verdade da questão, qualquer que fosse a questão para ele. A verdade de sua existência, ou a existência de um humano nesse planeta. Muitas pessoas não vão entender isso, e essa é a sua prerrogativa. Eu na verdade respeito essas decisões. Vou respeitar as escolhas de qualquer um que quiser viver essa vida para alcançar o valor supremo dela. Acho que uma das razões por que muitas pessoas estão desconfortáveis com essa ideia é que talvez elas não tenham feito isso elas mesmas."

Para deixar claro, trabalhar em *Na natureza selvagem* teve consequências positivas não intencionais para Vedder em sua própria vida, tanto musicalmente quanto pessoalmente. "A combinação de Sean e a história — que é o próprio McCandless e o trabalho que John Krakauer fez, e também as performances no filme —, a quantidade de respeito que eu tive por essas entidades era tão imensa que isso me ofereceu uma oportunidade de ir mais fundo nas composições do que talvez eu tivesse ido por um tempo", diz ele. "Foi simplesmente o melhor conjunto de pedidos que recebi em muito tempo. Acabou por ser um excelente exercício de composição. Nossa banda será melhor por isso, o que me deixa muito animado."

Perguntado se foi difícil para ele desligar a energia criativa que abastecia suas composições para o projeto, ele responde: "Bem, não, porque então começamos a viver aquilo. Fomos ao Grand Canyon e quase cheguei até o Alaska. Comecei a fazer escolhas em minha própria vida. Comecei a viver ao ar livre esse verão. Usando aquela inspiração para fazer coisas em minha vida. Quando eu estava trabalhando, sentia inspiração para fazer música. Foi isso que me pediram para fazer. Depois daquilo, peguei a inspiração e a coloquei na minha vida real e familiar. Passamos o verão ao ar livre. Acampamos um pouco. Eu me senti como um ser humano de verdade.

Such is the way of the world
You can never know
Just where to put all your faith
And how will it grow?

Gonna rise up
Burning black holes in dark memories
Gonna rise up
Turning mistakes into gold

Such is the passage of time
Too fast to fold
Suddenly swallowed by signs
Lo & behold

Gonna rise up
Find my direction magnetically
Gonna rise up
Throw down my ace in the hole

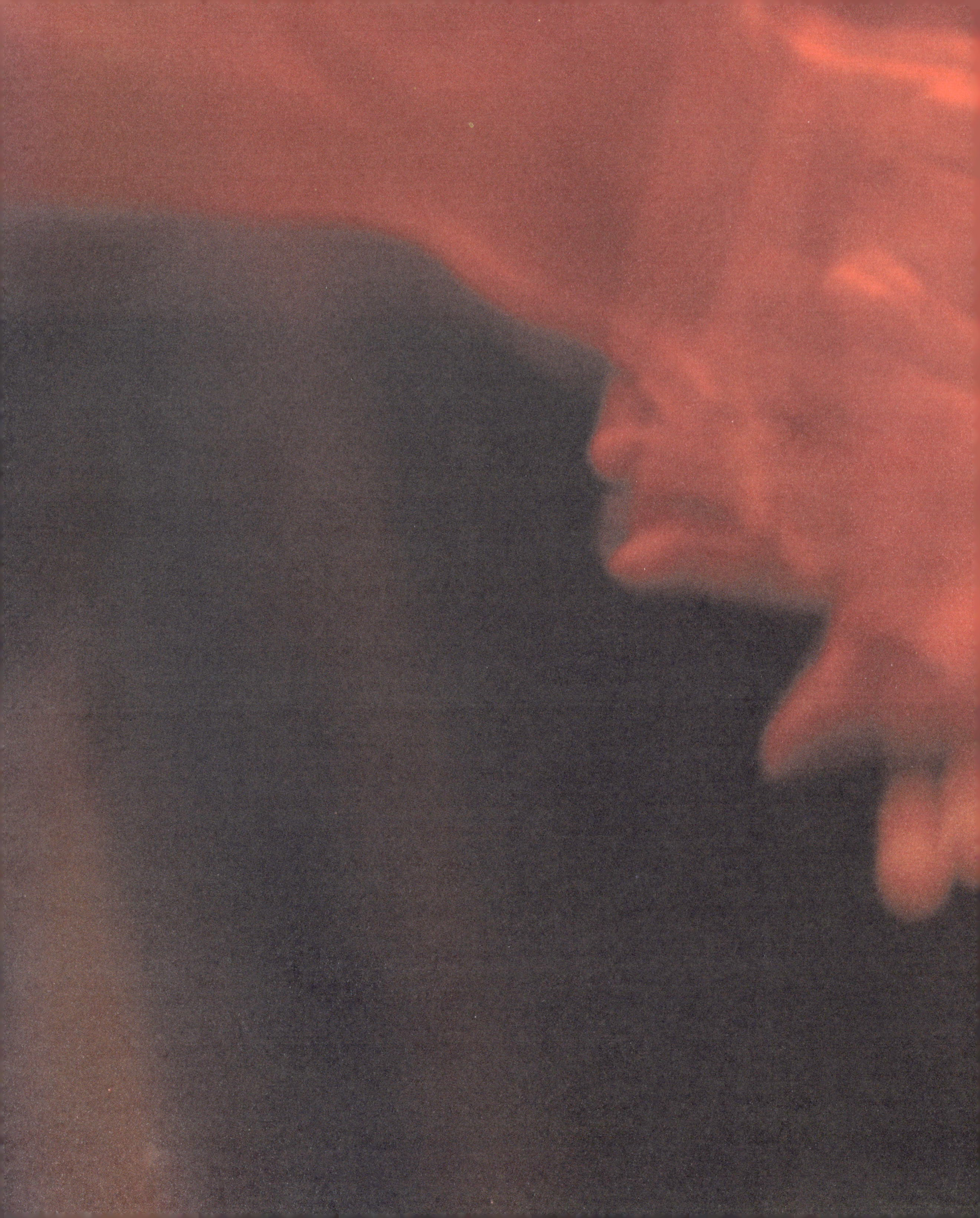

CAPÍTULO 2008

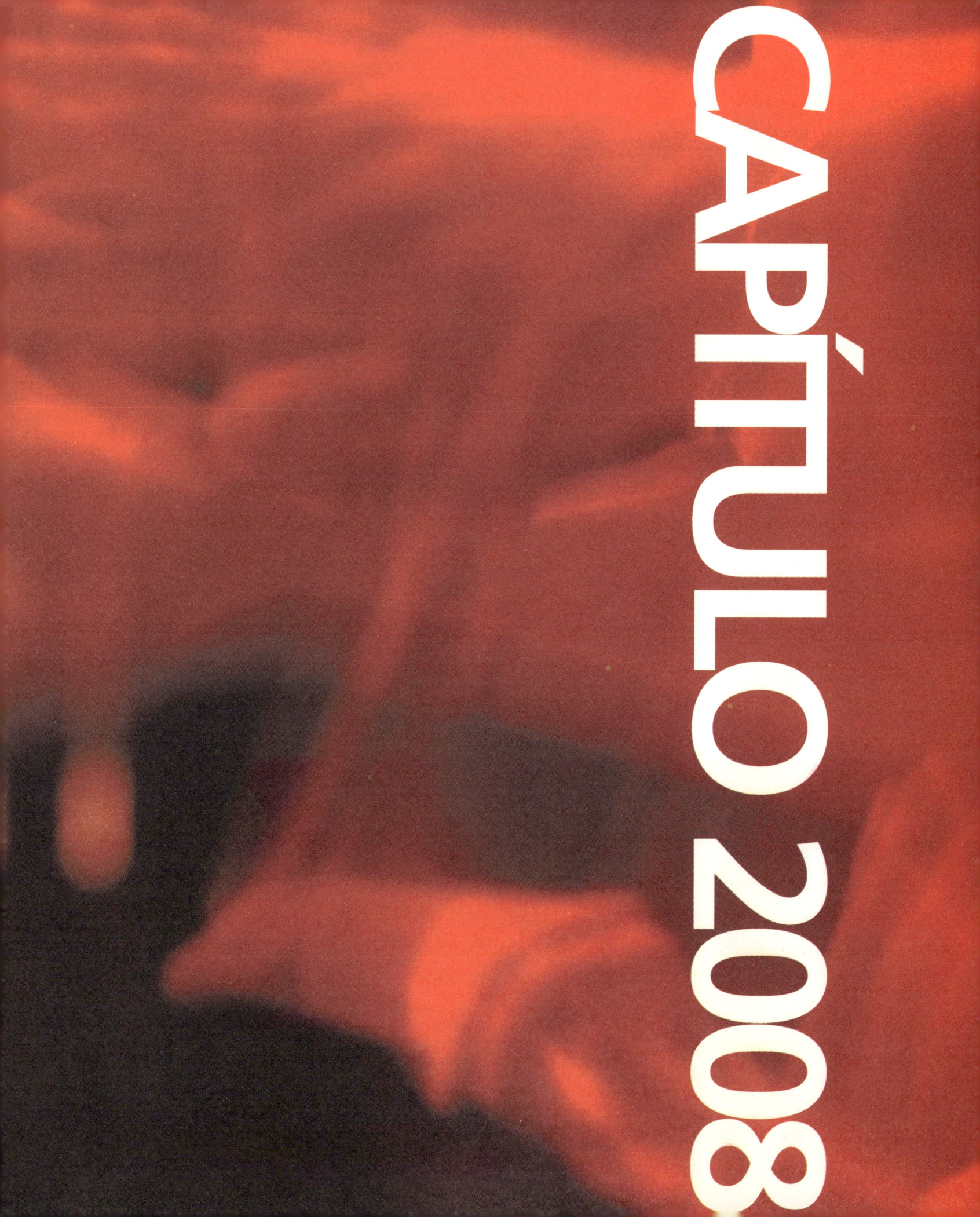

2008

No ano de 2008, os integrantes do Pearl Jam aproveitaram o melhor dos dois mundos: shows importantes em festivais e arenas com sua banda principal, e projetos musicais pessoalmente satisfatórios por conta própria. Enquanto colhia elogios por sua trilha sonora de *Na natureza selvagem*, Eddie Vedder embarcou na primeira turnê solo de sua carreira. Stone Gossard remodelou favoritos do rock com seu pequeno conjunto, Hank Khoir, enquanto Matt Cameron ia para o lado do jazz com o Harrybu McCage, Mike McCready tocava músicas de Jimi Hendrix com alguns dos maiores guitarristas vivos e Jeff Ament revelava sua estreia solo. Gossard e Ament inclusive se reuniram com seus companheiros do Green River pela primeira vez em vinte anos. Mas havia algo ainda maior no horizonte, que prometia o tipo de independência criativa e comercial com que a banda sonhava há anos.

Janeiro

A performance de Eddie Vedder de 8 de julho de 1995 de "Forever in Blue Jeans" com a banda-tributo de Neil Diamond, Lightning & Thunder, aparece em *Song Sung Blue*, um documentário de Greg Kohs. O filme mostra a carreira da dupla de cantores, e marido e mulher, Mike e Claire Sardina.

7 de janeiro

O videoclipe para a música de Eddie Vedder, "Guaranteed", da trilha sonora de *Na natureza selvagem*, estreia no VH1 e no VH1.com. É seu primeiro videoclipe como artista solo.

14 de janeiro

Eddie Vedder ganha o Globo de Ouro por melhor canção original para filme por "Guaranteed".

29 de janeiro

A Monkeywrench e a Vinyl Films Records lançam a edição em vinil da trilha sonora de *Na natureza selvagem*, que conta com uma versão estendida da faixa do CD "The Wolf", um single de sete polegadas bônus com versões de estúdio e ao vivo de "No More" e comentários do diretor Sean Penn.

5 de fevereiro

Em uma demonstração de apoio ao senador Barack Obama, candidato democrata à presidência, Jeff Ament, Matt Cameron, Stone Gossard e Mike McCready, acompanhados de Boom Gaspar nos teclados e Barrett Jones nos backing vocals, gravam uma nova versão do clássico de Bill Haley, "Rock Around the Clock", com a frase do título mudada para "Rock around Barack".

Stone Gossard: Essa é uma faixa sobre a qual eu tenho pensado há algum tempo. "Rock Around the Clock" foi o primeiro hit de rock em 1955 e teve um efeito transformador na música americana. Naquele tempo, rock e rhythm and blues eram tradicionalmente apenas tocados nas rádios negras. E não sou, de forma alguma, um expert na história do rock, mas isso foi muito importante. O ritmo do rock e sua energia eram tão chocantes que barreiras tradicionais de raça e cultura foram derrubadas com um grande estalo. Então, um brinde à nova energia, ao rock e à derrubada de barreiras culturais.

4 de março

Na natureza selvagem é lançado em DVD. Entrevistas com Eddie Vedder e Sean Penn são incluídas em uma edição especial de dois discos.

18 de março

A Sire Records lança *Body of War: Songs That Inspired an Iraq War Veteran* como acompanhamento do documentário *Body of War*. O personagem do filme, o veterano da Guerra do Iraque paralisado Tomas Young, pessoalmente seleciona as faixas, que inclui versões ao vivo de Eddie Vedder e Ben Harper tocando "No More" (do Lollapalooza 2007) e do Pearl Jam fazendo um cover de "Masters of War", de Bob Dylan (do show de 2003 no Benaroya Hall, em Seattle).

24-25 de março
Kenyon Hall, Seattle

Eddie Vedder surpreende fãs que compraram ingressos para uma sessão de *Na natureza selvagem* ao fazer shows completos no lugar da sessão antes do lançamento, no dia 2 de abril, em Vancouver, de sua primeira turnê solo. Ingressos para os shows foram vendidos por cinco dólares pela Easy Street Records, com menos de 150 pessoas na plateia em cada noite. Alguns fãs que fizeram fila do lado de fora da casa de show, mas inicialmente foram impedidos de entrar, recebem café da equipe da Easy Street antes de serem acompanhados para dentro gratuitamente depois que o show tinha começado. O setlist mistura faixas do Pearl Jam ("Around the Bend", "I Am Mine", "Dead Man") com canções de *Na natureza selvagem* ("Guaranteed", "No Ceiling", "Society") e um punhado de covers ("Growin´ Up", de Bruce Springsteen, "I Won´t Back Down", de Tom Petty, "Forever Young", de Bob Dylan, "Picture in a Frame", de Tom Waits).

25 de março

A guitarra que Eddie Vedder usou para compor "Love Boat Captain" é vendida por 8 mil dólares em um leilão para arrecadar fundos para os West Memphis Three, evento que aconteceu na casa de Nova York de Peter Yarrow, do grupo Peter, Paul and Mary.

2 de abril
Centre in Vancouver for Performing Arts, Vancouver, Canadá

No pontapé inicial de sua primeira turnê solo, Eddie Vedder desenterra a histórica camiseta do Butthole Surfers que usara no primeiro show do Pearl Jam no dia 22 de outubro de 1990.

13 de abril
Wiltern Theater, Los Angeles

Ben Harper e o ex-baterista do Pearl Jam, Jack Irons, fazem aparições surpresa no show solo de Eddie Vedder. Harper faz um dueto com Vedder em "No More" e se junta às atrações de abertura, Liam Finn e Eliza-Jane Barnes em "Hard Sun". Irons toca bateria em "Last Kiss" e em seguida, com Harper na slide guitar, ajuda Vedder a ir com tudo na última música do show, um cover de "All Along the Watchtower".

Be it no concern
Point of no return
Go forward in reverse

This I will recall
Every time I fall

aaahh... oooh...
Setting forth in the universe
aaah... oooh...
Setting forth in the universe

Out here, realising
A planet at of night
Nature drunk & high --
aaaah... ooh

Ben Harper: O que me enlouquece nos shows acústicos de Ed é que é difícil ter um som único com uma voz e uma guitarra. Ele tem um toque e um sentimento tão únicos, e seu próprio som acústico original é diferente do de todos. É folk, blues, rock música do Oriente Médio. Através de suas experiências de tocar com outras pessoas e sua constante abertura a ouvir música nova, esse som solo original se formou em volta dele. Quão maravilhoso é poder ter as duas opções como saídas? O que ele traz aos shows solo só vai melhorar o Pearl Jam e cada passo que o Pearl Jam crescer vai entrar no círculo e apoiar o material solo de Ed.

22 de abril

O Pearl Jam é destacado no documentário *Wetlands Preserved: The Story of an Activist Rock Club*, lançado em DVD nesse dia. O filme conta a história da extinta casa de shows de Nova York, Wetlands Preserve, que abrigou o segundo show de Manhattan da história do Pearl Jam no dia 17 de julho de 1991.

10 de junho

O programa de gravações oficiais dos shows do Pearl Jam chega aos aparelhos de celular pela primeira vez por meio de uma parceria com a Verizon Wireless, que torna disponíveis três faixas por show da turnê de verão da banda através de seu serviço, V CAST.

11 de junho
Cruzan Amphitheatre, West Palm Beach, Flórida

Sem músicas novas para promover, o Pearl Jam começa uma curta turnê norte-americana que coincide por alto com o aniversário de 10 anos da primeira turnê de Matt Cameron com a banda.

Matt Cameron: Um dos aspectos fascinantes do Pearl Jam é como eles aprenderam a lidar com o fato de que são uma banda grande. Eu amo os discos de transição como *No Code* e *Yield*. Eles são muito experimentais. E a música foi a um lugar que uma banda de seu nível provavelmente não deveria ter ido, porque não acho que eles estavam tentando irritar seu público, mas sim tentando achar coisas dentro do grupo que eles ainda queriam fazer e que estivessem inspirados a fazer. Senti que através dessa música experimental que estavam fazendo eles encontraram uma maneira de tornar ainda melhor a parte bem sucedida de sua carreira, de alguma forma. Eles não mudaram de empresário. Não se tornaram viciados em drogas. Apenas se concentraram no que era importante para eles: a música.

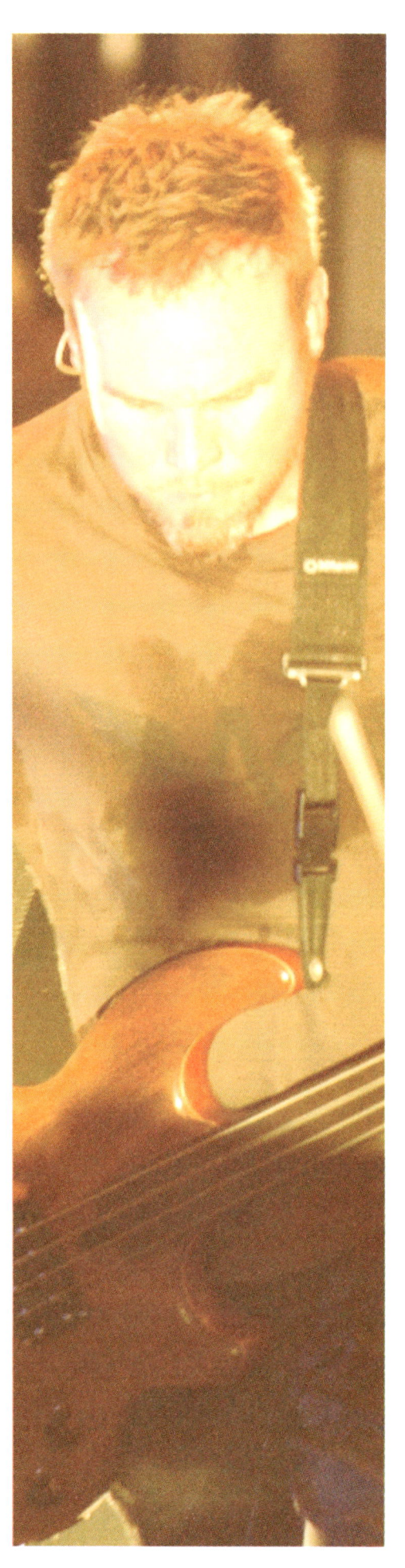

14 de junho
Manchester, Tennessee

O Pearl Jam é o *headliner* da segunda noite do festival anual Bonnaroo, apenas sua segunda aparição em festivais nos Estados Unidos desde a tragédia de Roskilde em 2000. "Houve um tempo em que pensamos que nunca faríamos um show como esse novamente — e com razão", diz Vedder ao público. "Isso aqui o faz perceber como essas coisas podem funcionar na verdade. E ainda por cima, essa é uma noite do caralho." O set de 26 músicas começa com uma incomum primeira música, "Hard to Imagine", e também inclui a estreia ao vivo da sobra de estúdio da época de *No Code*, "All Night", assim como a primeira performance completa de "W.M.A.", de *Vs.*, em 13 anos.

Semanas antes, o rapper Kanye West insiste em não tocar antes ou ao mesmo tempo que o Pearl Jam, e apenas no palco principal. Dessa forma, quando o Pearl Jam termina, quase duas horas são necessárias para montar o projeto elaborado do palco de West e ele finalmente começa a se apresentar às quatro e meia da manhã. O rapper mais tarde atira para todos os lados em um post em seu blog, culpando tanto os organizadores do Bonnaroo quanto o Pearl Jam pelo horário de seu show.

18 de junho
Mann Center for Performing Arts, Philadelphia

Eddie Vedder sobe ao palco para se juntar ao R.E.M. e cantar "Begin the Begin".

24-25 de junho
Madison Square Garden, Nova York

O Pearl Jam faz referência a suas influências de rock clássico durante um memorável par de shows no Madison Square Garden. C.J. Ramone toca baixo nas duas noites em um cover de "I Believe in Miracles", dos Ramones, enquanto Ace Frehley, do Kiss, toca na música de sua antiga banda, "Black Diamond", na segunda noite.

26 de junho

O Harrybu McCage, o trio de jazz de Matt Cameron com o tecladista Ryan Burns e o baixista Geoff Harper, lança seu álbum de estreia homônimo exclusivamente através do PearlJam.com.

1 de julho
Beacon Theater, Nova York

O Pearl Jam usa um som de arenas no Beacon Theater, com capacidade para 2.800 pessoas, em um show particular que arrecada 3 milhões de dólares para as iniciativas de luta contra a pobreza da Robin Hood Foundation. Tendo tocado um set de duas horas e meia na noite anterior em Boston, a banda começa o show devagar, tocando as primeiras cinco músicas sentada. Um Vedder debilitado diz aos espectadores — alguns dos quais tinham pago 2.250 dólares por assentos no nível do palco — que havia precisado de uma injeção de esteroides nas nádegas para conseguir subir no palco aquela noite.

12 de julho
UCLA Pauley Pavilion, Los Angeles

O Pearl Jam toca "Love, Reign O'er Me" e "The Real Me" como parte do tributo do VH1 ao The Who, "Rock Honors", acompanhado de Brendan O'Brien nos teclados, assim como cordas e metais. A noite também tem participações do Foo Fighters, The Flaming Lips, Incubus, Tenacious D e o próprio The Who. O evento arrecada mais de um milhão de dólares para instituições de caridade como a Save the Music Foundation, do VH1, e o Teenage Cancer Trust.

Jeff Ament: É sempre bacana tirar uma música como "The Real Me", que é tão diferente do nosso próprio estilo. Nós também nunca tínhamos tocado com metais e cordas antes. No Pearl Jam, o The Who foi uma conexão realmente importante logo de cara. Ed falava muito sobre como "Quadrophenia" era seu ponto de referência para viver a vida. Isso me fez voltar e prestar um pouco mais de atenção nas letras, porque quando eu era criança, estava mais interessado nas qualidades emotivas da música.

13 de julho
Marymoor Park, Redmond, Washington

Jeff Ament e Stone Gossard se reúnem com seus colegas de banda do Green River, Mark Arm, Steve Turner, Alex Vincent e Bruce Fairweather, como parte da celebração dos vinte anos da Sub Pop Records. A banda tinha feito um show secreto, o primeiro em quase 21 anos, na Sunset Tavern, em Seattle, três dias antes. Os shows apresentam duas músicas não lançadas da primeira *demo* do Green River, "Baby, Help Me Forget" e "Leech".

Jeff Ament: De uma forma estranha, essas são algumas das melhores músicas que fizemos. É engraçado como isso funciona. Na época, achamos que elas eram simples demais ou que não eram desafiadoras o suficiente. Mas olhando para trás, são canções pop realmente boas. Reaprendemos aquelas duas, mas há cinco ou seis músicas que nunca foram lançadas.

Stone Gossard: O Green River era muito mais um amálgama de influências diferentes que não necessariamente faziam total sentido juntas, mas criávamos algo que soava um tanto original em sua intenção.

1 de agosto

Eddie Vedder começa a segunda parte de sua turnê solo de estreia na Boston Opera House.

21 de agosto
Youngstown Cultural Arts Center, Seattle

Tocando como Bison, Mike McCready se reúne com Dave Dederer, do Presidents of the United States of America, Duff McKagan, do Guns N' Roses e do Velvet Revolver e outros mais em um evento, que dura o dia todo, para arrecadar fundos para o All-Access After School Arts Program.

27 de agosto
Tractor Tavern, Seattle

A banda de Mike McCready anterior ao Pearl Jam, Shadow '86, reúne-se pra fazer um tributo a Jimi Hendrix em um evento beneficente para a Soulumination, que providencia fotos profissionais gratuitamente para famílias de crianças com doenças que trazem risco de vida.

Setembro

O Pearl Jam cede *Long Road* ao documentário *Witch Hunt*. Dirigido pelos fãs de longa data do Pearl Jam, Don Hardy Jr. e Dana Nachman, e narrado por Sean Penn,

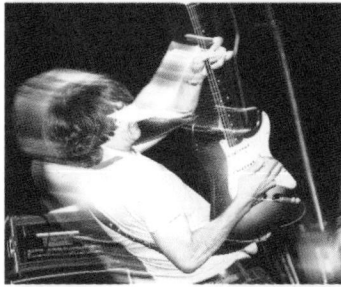

334

o filme conta a história de vários residentes de Bakersfield, na Califórnia, cujas vidas foram destruídas por acusações de abuso a menores. Depois de ser exibido em festivais de cinema no fim de 2008, *Witch Hunt* passa no dia 12 de abril de 2009 na MSNBC.

16 de setembro

O disco solo de estreia de Jeff Ament, *Tone*, é lançado. O material representa um acúmulo do equivalente a dez anos de músicas que Ament nunca apresentou para potencialmente entrar em um disco do Pearl Jam. Richard Stuverud, colaborador de Ament em seu projeto solo anterior, Three Fish, toca bateria em sete faixas, enquanto o vocalista do King's X, Doug Pinnick, assume o vocal principal em "Doubting Thomasina". A música "The Forest" na verdade foi gravada pelo Pearl Jam, mas nunca com vocais.

Jeff Ament: Simplesmente chegou um momento em que eu tinha que limpar um pouco os armários. Separei um grupo de 35 músicas em três grupos e decidi terminar um deles.

18 de setembro

O website do Pearl Jam começa a vender um download digital de "All the Way", uma canção sobre o Chicago Cubs composta pelo fã de toda a vida Eddie Vedder a pedido da lenda dos Cubs, Ernie Banks. A faixa, com versos como "Our heroes wear pinstripes / our heroes in blue / give us a chance to feel like heroes do" [Nossos heróis usam listras / nossos heróis de azul / nos dão uma chance de nos sentir como os heróis se sentem], foi gravada em agosto no show solo de Vedder no Chicago Auditorium Theatre. Durante a participação dos Cubs na pós-temporada de 2008 da liga de beisebol, uma série de estações de rádio começa a tocar "All the Way", que mais tarde é disponibilizada em CD.

22 de setembro

Eddie Vedder é indicado ao prêmio Good Woodie da mtvU por esforços humanitários envolvendo assuntos de veteranos de guerra, o Bridge School Benefit, proteção aos animais através da PETA (People for the Ethical Treatment of Animals) e programas musicais entre crianças.

1 de outubro
Wilbur Theatre, Boston

Stone Gossard e The Hank Khoir começam uma turnê de quatro shows como parte da campanha Dig It, da Timberland, que promove o ativismo ambiental através da música. Ingressos para os shows são oferecidos em primeiro lugar a pessoas que se ofereçam a participar de eventos de reflorestamento durante o dia em cada cidade. Seguindo os shows, o website do Pearl Jam lança novas músicas solo de Stone nas semanas seguintes, incluindo "Your Flames", "Little One" e um cover de 1999, de Prince.

28 de outubro

"Body of War" é lançado em DVD. Entre o material adicional está um videoclipe da canção original de Eddie Vedder "No More". Um quarto dos lucros das vendas do DVD no website do Pearl Jam vai diretamente para Tomas Young, o veterano da Guerra do Iraque paralisado que é o personagem principal do filme.

28 de outubro

O filme de Peter Bogdanovich, *Runnin' Down a Dream: Tom Petty and the Heartbreakers*, é lançado como um set de dois DVDs, encolhido em relação aos quatro DVDs do original. Novo nessa edição é o dueto de Eddie Vedder com Petty em "The Waiting", gravado no dia 3 de julho de 2006 no Pepsi Center, em Denver.

3 de novembro
Showbox, Seattle

Mike McCready e Stone Gossard se juntam ao guitarrista do Rage Against the Machine e do Audioslave, Tom Morello, e ao rapper Boots Riley, do Coup, para um comício e show do Get Out the Vote em Seattle.

4 de novembro

Too Tough to Die: a Tribute to Johnny Ramone, um filme de show e documentário dirigido por Mandy Stein, é lançado em DVD através da Cactus Three Films. Filmado no dia 12 de setembro de 2004, no show de aniversário de trinta anos dos Ramones e evento beneficente para a pesquisa do câncer no Avalon, em Los Angeles, "Tough" inclui Eddie Vedder tocando covers de "I Believe in Miracles" e "Sheena Is a Punk Rocker".

6 de novembro
Paramount Theatre, Seattle

Mike McCready toca com Buddy Guy, Eric Johnson e os antigos colegas de banda de Jimi Hendrix, Billy Cox e Mitch Mitchell, durante a parada em Seattle da turnê Experience Hendrix. Seis dias depois, o baterista Mitchell morre de causas naturais em seu quarto de hotel em Portland, Oregon.

12 de novembro

A Yep Roc Records lança um EP com cinco versões da música de John Doe, "The Golden State", incluindo um cover de Eddie Vedder com a ex-integrante do Sleater-Kinney, Corin Tucker.

3 de dezembro

Eddie Vedder é indicado a um Grammy de melhor performance vocal solo por "Rise", da trilha sonora de *Na natureza selvagem*.

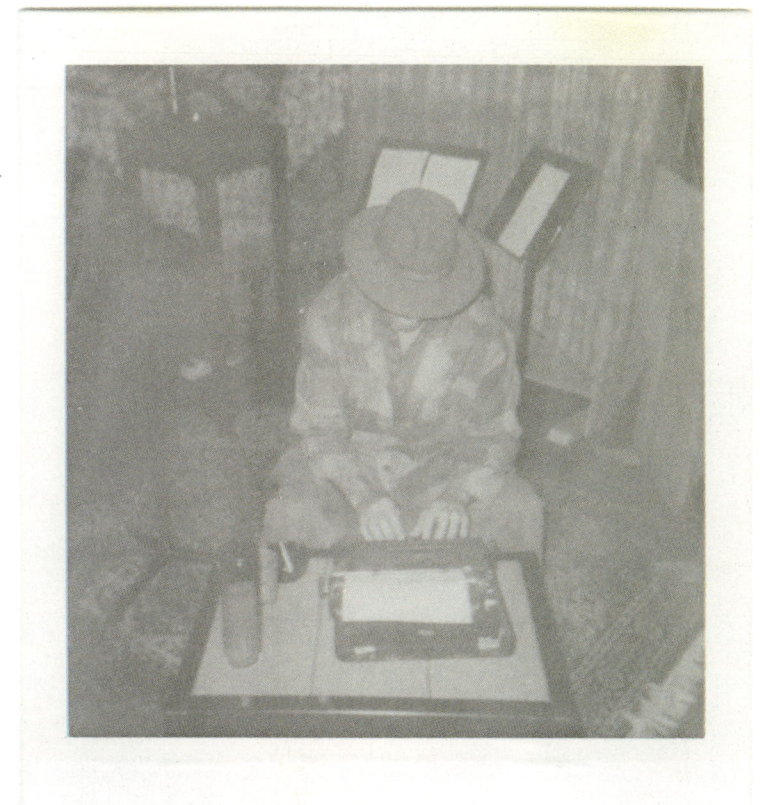

this is what ed looks like after
feeling the relief of finishing
an introduction to a fan club letter —
thanks for your patience — (ohh 1)

2008

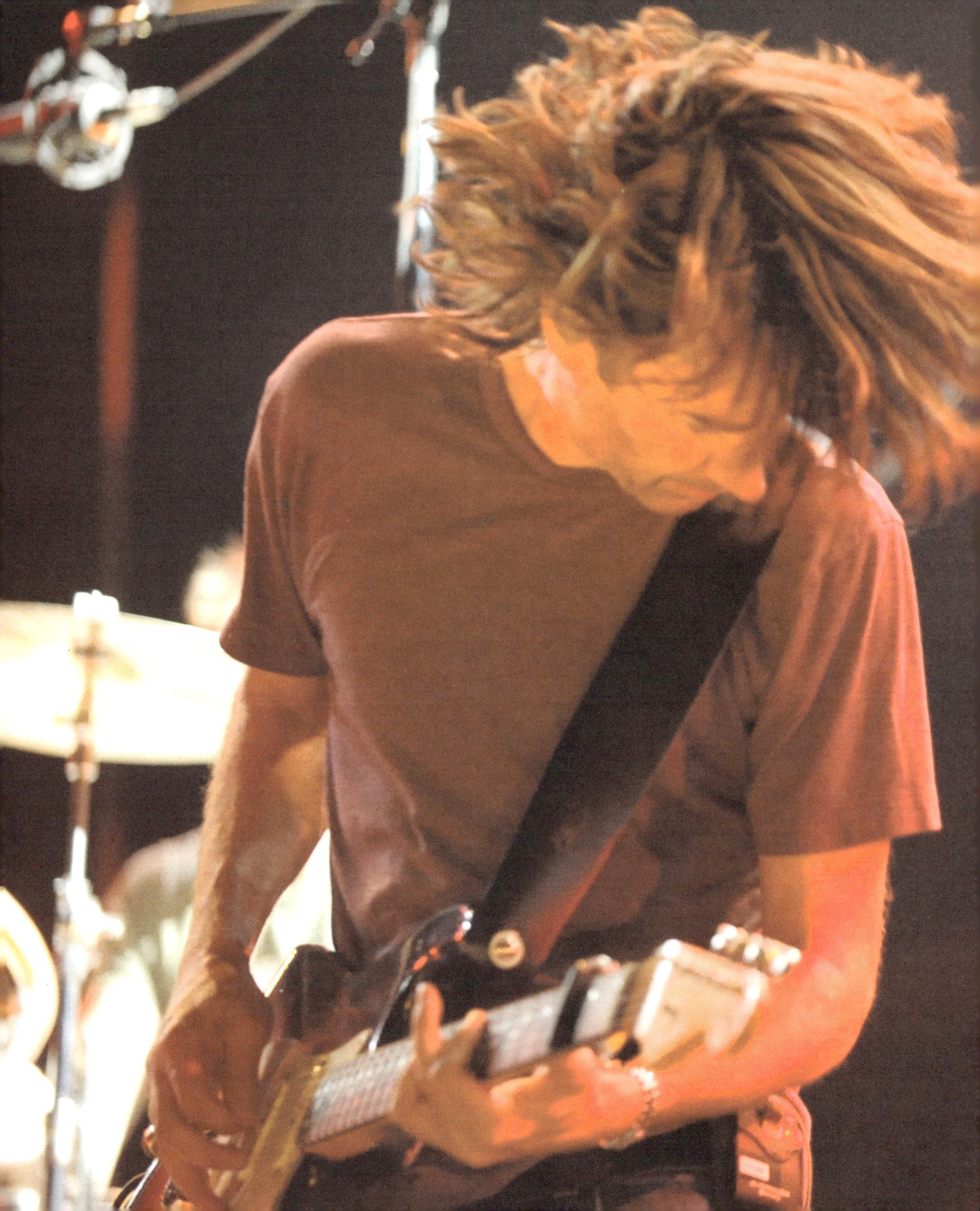

CAPÍTULO 2009

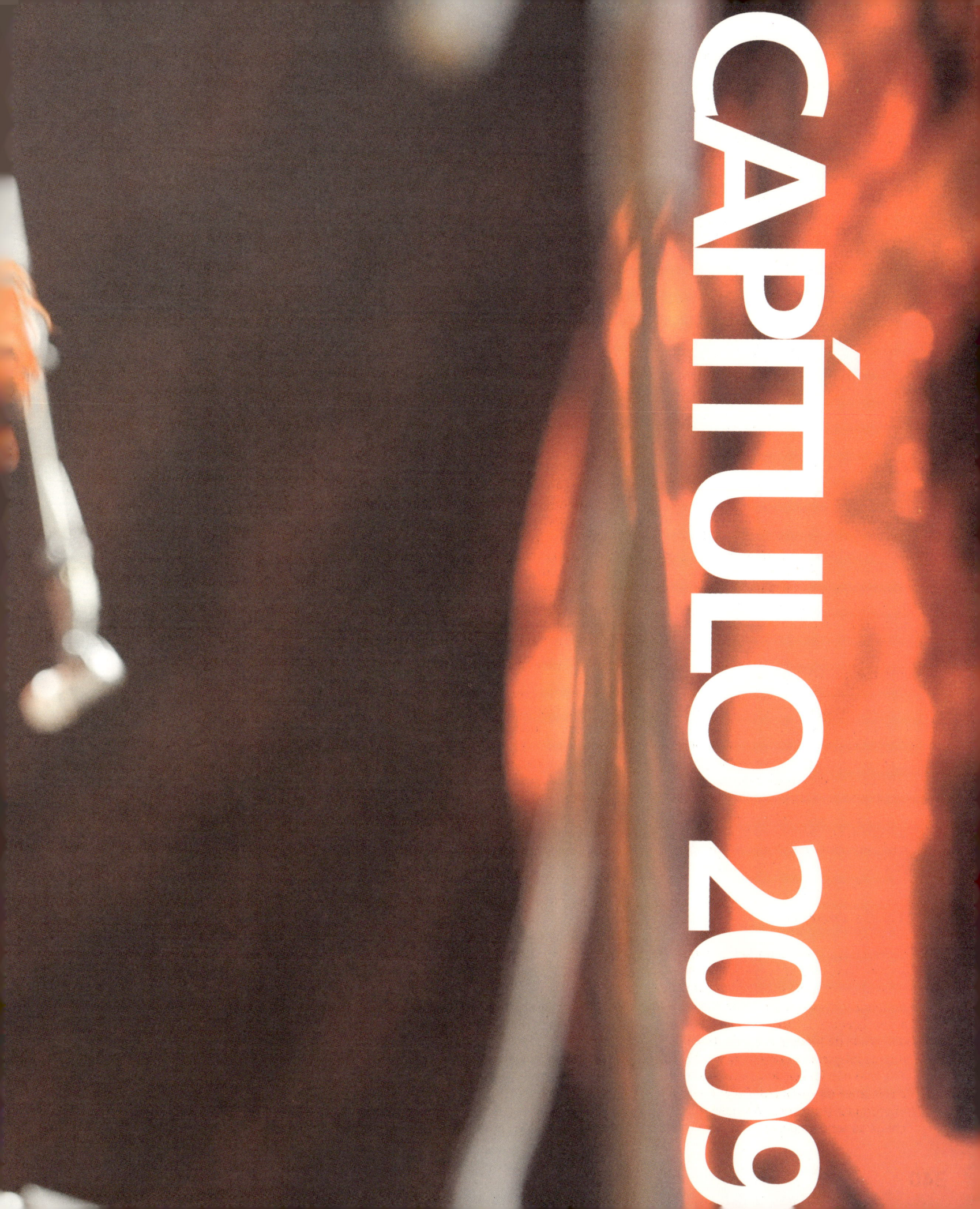

2009

A sabedoria dos negócios convencionais da música dizia que uma banda tão grande quanto o Pearl Jam não poderia de forma alguma lançar um disco por conta própria. Afinal de contas, seria necessária uma equipe de centenas de pessoas para cuidar do marketing e da distribuição, sem contar coordenar o lançamento no exterior. Mas o Pearl Jam fez exatamente isso com seu nono álbum, *Backspacer*, estabelecendo parcerias com todos, desde a Target até o iTunes e a Verizon, para levar o disco aos fãs sem a assistência de uma gravadora tradicional. Os acordos, incluindo um com a Universal para cuidar da distribuição internacional, asseguravam que a música do Pearl Jam estivesse acessível na maior cadeia de lojas e na menor loja independente, tudo isso enquanto aderia às plataformas digitais e de celular como nunca antes. Enquanto o Pearl Jam tinha total controle de seus negócios, sua música estava ressoando tão alto quanto: *Backspacer* estreou no número um da lista dos 200 discos mais vendidos da *Billboard*, dando à banda seu primeiro topo das paradas em treze anos.

20 de janeiro
Tractor Tavern, Seattle

Eddie Vedder se junta a John Doe e Exene Cervenka, do X, para tocar "The New World", da banda, em um show do projeto paralelo dos dois, The Knitters. A música foi escolhida como uma referência à posse do presidente Barack Obama que tinha acontecido naquele dia.

29 de janeiro

Mike McCready testemunha diante do Comitê Judiciário do Congresso em Olympia, Washington, em defesa do projeto de lei 1138, que concede a pessoas com algumas condições médicas (incluindo doença de Crohn e colite) acesso a banheiros privados e "para empregados" em estabelecimentos comerciais em todo o estado de Washington. A governadora Chris Gregoire transforma o projeto em lei no dia 11 de maio de 2009.

16 de março

O Pearl Jam se junta a um seleto grupo de artistas, incluindo os Beatles e Elvis Presley, ao alcançar o número 1 de uma parada da *Billboard* com uma música gravada décadas antes, quando "Brother" chega ao topo da parada de Modern Rock da *Billboard*. A música foi gravada durante as sessões de *Ten*, mas não foi lançada oficialmente até a coletânea de 2003, *Lost Dogs*, embora em forma instrumental. A versão que chega ao topo da parada, dessa vez com vocais, é a faixa de trabalho de uma caixa de relançamento de *Ten* lançada no dia 24 de março. A caixa contém o remaster original do álbum, uma nova mixagem de *Ten* feita por Brendan O´Brien, um DVD da aparição do Pearl Jam no *MTV Unplugged* em 1992 e uma prensagem de vinil do show de 20 de setembro de 1992 no Warren G. Magnuson Park, em Seattle. No dia 3 de abril, o relançamento estreia no número 1 das paradas Top Pop Catalog, Top Hard Rock Albums e Top Internet Albums da *Billboard*.

Jeff Ament: Eu gostava muito, muito de "Brother". Stone compôs a música. Houve um momento durante a gravação de *Ten* em que ele falou "Ah, cansei dela". E eu falava "Não! Vamos trabalhar nela". Nós na verdade nos metemos em uma grande briga por causa disso no estúdio. Ela acabou não sendo levada adiante. Acho que de certa forma Ed provavelmente não estava de todo feliz com a forma como ela estava, então ela nunca saiu. Acho que há guitarras incríveis nessa música.

Ament é a força motriz para conseguir que O´Brien concorde em remixar *Ten* por completo. Jeff inicialmente convenceu O´Brien a revisar três músicas do disco para a coletânea de hits de 2004, *Rearviewmirror*.

Jeff Ament: Em algum ponto do fim dos anos 1990, achei uma fita com as mixagens provisórias de *Ten*. Escutei esse material em cassete, e foi quando comecei a dizer "Temos que remixar *Ten*". Isso normalmente acontece depois que tínhamos ido a um bar ou algo assim e escutávamos uma música do disco. Era algo como "Argh! Isso está me matando!". A certa altura eu disse a Brendan que lhe pagaria para apenas fazer uma versão para mim, só para que, no caso de eu ter que ouvir uma música para aprender a tocá-la novamente ou o que quer que fosse, eu pudesse ouvir a versão apropriada. Ele sempre falou "É um clássico e não quero tocar nele". Ele era muito respeitoso. Essa é a razão para o original ainda ser parte do pacote, porque é a versão que dez milhões ou sei lá quantas pessoas compraram. Quando você ouve a versão dele, no entanto, é simplesmente duas vezes mais poderosa para mim. É tão mais distinta.

Brendan O´Brien: Jeff vinha tentando me convencer a fazer aquilo há muito tempo. Eu falava "Jeff, independentemente de qualquer coisa, aquele disco, como poucos outros daquela época, é uma parte das mentes das pessoas. Elas fizeram coisas loucas e incríveis enquanto aquele disco estava tocando. Elas não querem ouvi-lo de forma diferente!". Mas Jeff estava muito determinado em relação àquilo. Eu cheguei ao que achei que era um bom consenso: contanto que você possa ter os remixes ao lado do original, e não de forma separada, então concordo com isso. Eles disseram "Ótimo. Isso faz sentido". Senti que àquela altura eu podia fazer a coisa com a consciência limpa e sabendo que eu não estava tentando substituir nada permanentemente. Por sorte, porque foi feito daquela forma, não ouvi muitas objeções veementes à mixagem. Se tivesse sido oferecida sozinha, acho que as pessoas teriam ficado loucas, tipo "O que vocês estão fazendo, seus idiotas?".

31 de março

Ten é certificado com 13 vezes o disco de platina por vendas nos Estados Unidos de 13 milhões de cópias pela Recording Industry Association of America.

4 de abril
Radio City Music Hall, Nova York

Eddie Vedder, Paul McCartney, Ringo Starr, Donovan, Ben Harper e Sheryl Crow estão entre os participantes do evento beneficente Change Begins Within, cujos lucros vão para os esforços da Foundation for Consciousness-Based Education and World Peace, de David Lynch, para ensinar a um milhão de crianças em risco as técnicas de meditação transcendental. Vedder e Harper tocam "Under Pressure", do Queen e de David Bowie, e Vedder também aparece nos backing vocals em "Yellow Submarine", com

Ringo Starr. Estima-se que o show tenha arrecadado 3 milhões de dólares.

Ben Harper: Há cerca de sete anos, recebi uma ligação de Ed do nada dizendo "Temos que tocar 'Under Pressure'. Você canta a parte aguda. Eu fico com a grave. Vamos encontrar os pontos da harmonia. Devíamos simplesmente gravá-la. Não sei o que faremos com ela". Eu falei "Ótima ideia. Adoraria fazer isso. Fico um pouco intimidado com a parte do scat, mas topo". Em 2008, o guitarrista da minha banda, Relentless7, me perguntou se eu já tinha pensado em tocar "Under Pressure". Não falei nada sobre Ed para ele naquele momento; apenas concordei. Nós tiramos a música e a ensaiamos, mas Ed me ligou e disse "Ah, cara! Você está tocando sem mim? Você não me disse que o trem estava saindo da estação". Então eu disse "Apareça e vamos tocar juntos". Acabou que íamos participar juntos do evento de David Lynch e as estrelas finalmente se alinharam.

15 de abril

Stone Gossard, o apresentador da NBC Rowdy Gaines, os campeões olímpicos de natação Jason Lezak e Eric Shanteau, cientistas da Conservation International e da Canadian Sea Turtle Network, e representantes da National Geographic, dão o pontapé inicial em "The Great Turtle Race" [A Grande Corrida das Tartarugas] em uma entrevista coletiva por telefone. A corrida segue onze tartarugas-de-couro

2009

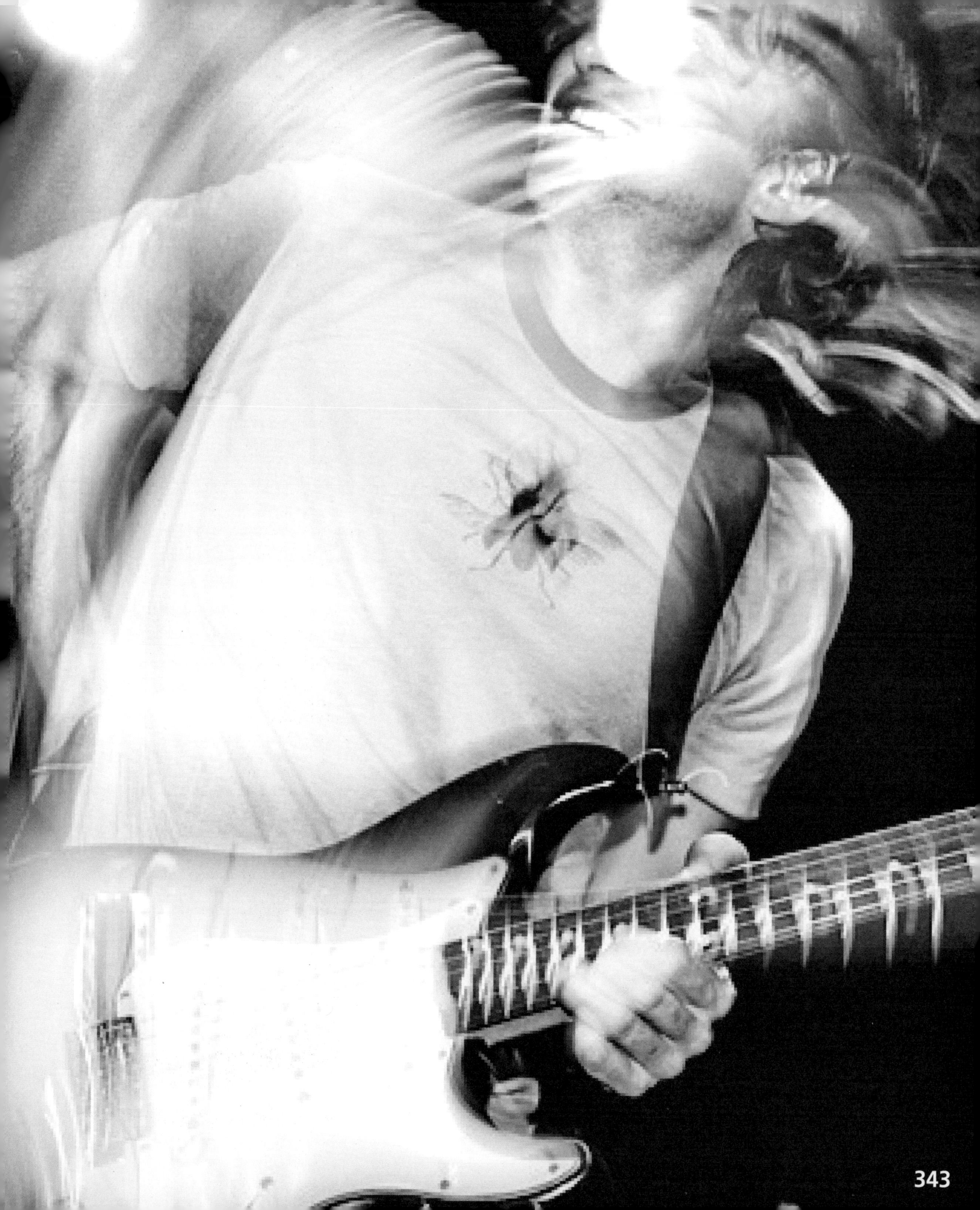

identificadas com modernos dispositivos de rastreamento via satélite em uma jornada de 5.500 quilômetros desde a área de alimentação nas águas geladas da Nova Scotia até as praias onde fazem os ninhos no Caribe. O evento tem o objetivo de elevar a conscientização e o apoio à proteção da espécie e dos oceanos do mundo. O Pearl Jam patrocina uma tartaruga marinha fêmea chamada Backspacer, que vence a competição oito dias depois, quando ela cruza a linha de chegada perto de Santa Lúcia.

16 de abril

O Pearl Jam está presente na noite de abertura do Atlanta Film Festival para a estreia mundial do documentário *The People Speak*, baseado no aclamado livro de Howard Zinn *A People's History of the United States*. No filme, Vedder toca "Masters of War", de Bob Dylan, assim como "Here's to the State of Mississippi" (uma releitura de 2006 de Tim Robbins de uma canção de Phil Ochs) e "No More".

2 de maio
Showbox, Seattle

A banda de covers do UFO de Mike McCready, Flight to Mars, é a atração principal de um show beneficente para o Camp Oasis da Crohn's & Colitis Foundation of America e para o Advocacy for Patients. A banda Shadow '86, de McCready, também toca um tributo a Jimi Hendrix no show.

3 e 10 de maio

Dezesseis músicas do catálogo do Pearl Jam são usadas como trilha sonora para o episódio em duas partes do final da temporada da série da CBS *Cold Case*. Dos dez artistas que tiveram suas músicas apresentadas exclusivamente no programa, o Pearl Jam foi o único a ser usado em mais de um episódio. As músicas tocadas nos dois episódios são "Corduroy", "Come Back", "Who You Are", "Why Go", "Rearviewmirror", "In Hiding", "Indifference", "Yellow Ledbetter", "Once", "Alive", "Man of the Hour", "Nothingman", "Given to Fly", "Release", "Immortality" e "Black".

6 de maio

Jeff Ament se reúne com seus velhos amigos e antigos companheiros de banda do Deranged Diction para lançar um conjunto de dois discos que inclui o lançamento original da estreia da banda lançada apenas em cassete em 1983, *No Art, no Cowboys, no Rules* e um segundo disco intitulado *Life Support*, que tem dez músicas originalmente compostas 25 anos antes, mas gravadas em novembro de 2008. Para celebrar, a banda toca ao vivo em Seattle, no Crocodile Cafe (15 de maio) e em Missoula, Montana, no Palace (16 de maio).

19 de maio

Mike McCready toca o hino nacional americano no jogo de beisebol entre Seattle Mariners e Los Angeles Angels of Anaheim como parte da noite do CCFA no Safeco Field, em Seattle. Lucros das vendas de ingresso daquela noite são doados à sede noroeste da Crohn's & Colitis Foundation of America.

28 de maio
Showbox, Seattle

O Pearl Jam mais uma vez ocupa o Showbox para filmar um comercial dirigido por Cameron Crowe para a Target. Essa é a primeira pista do acordo, anunciado alguns dias mais tarde, para que o próximo disco da banda, *Backspacer*, fosse exclusividade da Target para grandes redes de varejo nos Estados Unidos e lançado pelo próprio Ten Club para as lojas de disco independentes. Diante de uma plateia de aproximadamente 300 figurantes pagos, alguns dos quais tinham sido recentemente dispensados de seus empregos na área de Seattle, o Pearl Jam estreia "The Fixer", o primeiro single de *Backspacer*, e também toca "Sonic Reducer", dos Dead Boys.

1 de junho

O Pearl Jam é o convidado musical do primeiro episódio de *The Tonight Show with Conan O'Brien* em Los Angeles. Com uma gravação não autorizada de baixa qualidade de "The Fixer" da filmagem no Showbox circulando na internet, a banda opta por tocar uma música nova diferente, "Got Some". Nesse mesmo dia, o empresário Kelly Curtis revela os detalhes do acordo com a Target à revista *Billboard*, incluindo que *Backspacer* será o primeiro disco do Pearl Jam lançado por conta própria depois de 18 anos sob a cobertura da Sony Music.

8 de junho

Eddie Vedder embarca em uma turnê solo de quatorze datas em Albany, Nova York, com abertura de Liam Finn.

20 de julho

Ao dar meia-noite, o primeiro single de *Backspacer*, "The Fixer", é lançado na página do MySpace do Ten Club e liberado globalmente para rádios convencionais e via satélite.

29 de julho

A arte de *Backspacer* se torna viral como parte de uma caça ao tesouro online para achar nove painéis da capa do disco desenhada pelo cartunista político Tom Tomorrow. Fãs que completam o quebra-cabeça recebem uma *demo* do álbum *Backspacer*, "Speed of Sound".

Eddie Vedder: O que Tom fez foi fenomenal. Ele pensou tanto naquilo, tivemos tantas conversas sobre cada desenho que eu até disse "Veja, só preciso de uma semana para escrever as letras". Ao mesmo tempo foi revigorante. Algumas ideias vêm dele desde o objetivo geral: a aleatoriedade, mas também os detalhes. É uma obra de arte muito legal.

8 de agosto
Canada Olympic Park, Calgary, Canadá

O Pearl Jam faz seu primeiro show em mais de um ano no Virgin Festival. "The Fixer" e "Got Some" tem sua estreia. No mesmo dia, *The Fixer* estreia no número 2 da parada de Rock Songs da *Billboard*.

11 de agosto
Shepherd's Bush Empire, Londres

O Pearl Jam toca para uma plateia intimista de 2 mil pessoas, composta quase exclusivamente por membros do Ten Club e fãs que tinham encomendado *Backspacer* previamente na hmv.com. O guitarrista dos Rolling Stones, Ron Wood, junta-se à banda para um cover de "All Along the Watchtower" no começo do show, enquanto *Brother* é tocada ao vivo pela primeira vez desde 7 de fevereiro de 1991, a única outra vez em que foi tocada. Além disso, "Soldier of Love" é tocada pela primeira vez desde 3 de julho de 2003 e é dedicada a Billy Childish, do Thee Headcoats.

28 de agosto
Golden Gate Park, São Francisco

O Pearl Jam é o *headliner* da primeira noite do Outside Lands Music and Arts Festival no Golden Gate Park, em São Francisco. Vedder faz referência ao infame show de 1995 no mesmo lugar em que ele teve que sair no meio do set devido a uma intoxicação alimentar. "Por sorte tínhamos um sujeito chamado Tio Neil Young para nos ajudar, e apenas quero lhe oferecer meus agradecimentos publicamente mais uma vez por se colocar na linha de fogo", diz ele.

20 de setembro

O nono álbum de estúdio do Pearl Jam, *Backspacer*, é lançado nos Estados Unidos por seu próprio selo, Monkeywrench.

21-22 de setembro
Key Arena, Seattle

Como é comum perto do lançamento de um disco, o Pearl Jam faz dois shows caseiros para estrear o material novo. "Gonna See My Friend", "Amongst the Waves", "Johnny Guitar", "Unthought Known" e "Just Breathe" são tocadas ao vivo pela primeira vez na noite de abertura, enquanto na segunda noite "No Way" faz sua primeira aparição em shows desde 7 de setembro de 1998.

30 de setembro

Backspacer estreia no número 1 na lista dos 200 discos mais vendidos da *Billboard* com vendas nos Estados Unidos de 189 mil cópias, marcando o primeiro disco da banda no topo das paradas desde *No Code* em 1996. Além de ser o único lançamento independente a alcançar o número 1 na parada de álbuns em 2009, *Backspacer* também dá ao Pearl Jam sua permanência mais longa na lista desde *Yield*, em 1998.

3 de outubro
KLRU-TV Studios, Austin, Texas

O Pearl Jam filma um set de 19 músicas para o programa da PBS *Austin City Limits*, que é transmitido no dia 21 de novembro. Diante de uma plateia intimista de 350 pessoas, a banda alterna novas músicas de *Backspacer* com velhas favoritas e Vedder faz uma gozação sobre como Mike McCready costumava usar roupas de elastano em sua banda Shadow ´86. Para começar o show, Vedder e Jeff Ament tocam "Walking the Cow" do nativo de Austin Daniel Johnston apenas pela terceira vez na carreira da banda.

4 de outubro
Zilker Park, Austin, Texas

O Pearl Jam é o *headliner* do festival Austin City Limits. O vocalista do Jane´s Addiction, Perry Farrell, faz uma participação durante o bis em um cover de "Mountain Song", da sua banda.

6 de outubro
Gibson Amphitheatre, Universal City, Califórnia

Chris Cornell se junta ao Pearl Jam para tocar "Hunger Strike", do Temple of the Dog, durante o terceiro de quatro shows nesse local. Ele não tocava a música ao vivo com a banda desde 28 de outubro de 2003. Além disso, o guitarrista do Alice in Chains, Jerry Cantrell, encarrega-se do solo em "Alive". Cantrell volta na noite seguinte para tocar "Kick Out the Jams", do MC5.

Chris Cornell: Há obviamente um nervosismo envolvido, porque não fizemos uma passagem de som. Apenas subi no palco e cantei. Nós tocamos aquela ou qualquer música do Temple of the Dog literalmente, tipo, duas ou três vezes, e faz quase vinte anos. Porque Matt está agora no Pearl Jam, existe a concretização de que esse é na verdade o Temple of the Dog. Nem uma pessoa a mais. Nem um sujeito faltando. É isso.

9 de outubro
Wallis Annenberg Building, Los Angeles

A Surfrider Foundation homenageia o Pearl Jam com o prêmio Keepers of the Coast por suas contribuições no sentido de ajudar a fundação a preservar os oceanos, costas e ondas do mundo.

22 de outubro

O Pearl Jam se junta a uma aliança de músicos na Campanha Nacional para Fechar Gantanamo. Além disso, os músicos lançam um protesto formal contra o uso de música em conjunção com tortura e buscam que tornem públicos todos os arquivos secretos do governo relacionados a como a música foi usada como recurso de interrogatório.

27-28, 30-31 de outubro
Wachovia Spectrum, Philadelphia

O Pearl Jam toca 103 músicas diferentes ao longo dos últimos shows da história da famosa casa de shows da Philadelphia, incluindo as primeiras performances da carreira da banda de "Bugs", de *Vitalogy* (com Vedder no acordeão), da homenagem a Kareem Abdul-Jabbar cantada por Jeff Ament, "Sweet Lew", de *Lost Dogs* e a sobra de estúdio da época de *Ten*, "Hold On", que os fãs nem sabiam que existia até 2004. Na última noite, que coincide com o Halloween, a banda se veste com fantasias completas do Devo e toca o clássico da banda, "Whip It".

Jeff Ament: Havia sete ou oito músicas que ou nunca tínhamos tocado, ou que tinham sido tocadas apenas uma vez. Tivemos que nos sentar no quarto do hotel antes da passagem de som e fazer o dever de casa com anotações de acordes e coisas dos arranjos. Você chega no ensaio e toca a música, então todo mundo tem a sua interpretação [risos] de como era o arranjo e você tem que resolver aquilo. Muitas vezes naqueles shows estávamos pensando "Merda, cara, espero que funcione!".

Vínhamos falando com as pessoas do Spectrum pelos últimos três anos sobre a possibilidade de fazermos os últimos shows lá. Nós também fizemos o último show de música no Chicago Stadium, e um dos últimos do Boston Garden. Tendo crescido como fãs de basquete e também simplesmente pensando sobre aquelas construções e como a música soava matadora nelas, isso é muito bacana. Acho que existem cinco excelentes arenas no país. O Spectrum é a número três, e a quatro e a cinco são o L.A. Forum e o Madison Square Garden. Então se um dia decidirem derrubar essas construções, seremos os primeiros na fila para dizer "Cara, nós fechamos essas outras três, então somos veteranos; ninguém mais fez isso. Você tem que nos deixar fechar essas últimas duas!".

25 de novembro
QSAC Stadium, Brisbane, Austrália

O Pearl Jam toca um cover de "If You Want Blood (You´Ve Got It)", do AC/DC, pela primeira vez, diante de um público de 35 mil pessoas que lotaram a casa.

27, 29 de novembro
Mt. Smart Super Top, Auckland, Nova Zelândia; AMI Stadium, Christchurch, Nova Zelândia

O Pearl Jam termina sua turnê de 2009 recebendo Liam e Neil Finn para auxiliar a banda nos covers de "Not Given Lightly", de Chris Knox (27 de novembro), "Better Be Home Soon", do Crowded House (29 de novembro) e "I Got You", do Split Enz (29 de novembro).

6 de dezembro
John F. Kennedy Center for the Performing Arts, Washington, DC

Eddie Vedder toca "My City of Ruins", de Bruce Springsteen, durante o evento anual Kennedy Center Honors, no qual Springsteen era um dos homenageados. No dia 25 de janeiro de 2010, uma gravação é disponibilizada no iTunes, com lucros revertidos para a organização focada em pobreza e justiça social Artists for Peace e ao Justice Haiti Relief.

Bruce Springsteen: Manter sua banda viva por um longo período requer que as questões sobre as quais você está escrevendo e com as quais está lidando permaneçam abertas. Isso pode ser desconfortável e difícil, ou até impossível de sustentar para muitos artistas, mas isso constantemente bombeia sangue novo em seu grupo. Essa sensação de aventura continuada, junto com a habilidade de física e emocionalmente manter aquilo unido, frustra a maioria dos artistas que buscam carreiras longas. As bandas de Seattle carregavam consigo um bocado de dinamite pronta para explodir, que tornava aquela música excitante e ao mesmo tempo ameaçava sua sustentabilidade. Erguer-se de uma cena "alternativa" significava que uma colisão com o "mainstream" seria um enorme desafio que muitos bons músicos e boa música perderam. Você tem que constantemente se questionar como se prender ao âmago de quem você é enquanto forja, ao mesmo tempo, uma nova identidade. Isso não é fácil. O Pearl Jam foi uma das poucas bandas que tinham tanto a durabilidade física quanto as qualidades autoanalíticas — e críticas — necessárias para passar por aquele momento e continuar a servir a um público em busca de música essencial, e de si mesmo.

Backspacer

Março de 2009, casa de Ed Vedder, Seattle. Havia um monte de garrafas de cerveja vazias sobre a mesa e algumas notas rabiscadas. As crianças estavam dormindo no andar de cima. Estava realmente tarde. Muito tarde até para ligar para a Nova Zelândia.

Vedder encontrava dificuldades com uma nova música do Pearl Jam composta por Matt Cameron, cujo amor por andamentos complicados tinha atrapalhado muitas tentativas anteriores de desmontar e remontar as *demos* que ele oferecia para os discos da banda. Mais cedo naquele dia, o resto do grupo tinha gravado uma versão da instrumental então chamada de "Need to Know", e Vedder tinha então passado horas mais sozinho moldando-a em algo bem diferente.

"Está ótimo", pensou ele. "Mas será que está pop demais?" Estava muito tarde para pedir o conselho de alguém — até mesmo Neil Finn, do outro lado do mundo, em Auckland. Então Vedder continuou escutando sua versão sem parar em seus fones de ouvido enquanto sua família dormia; dez, vinte, trinta vezes, antes de ele perder a conta.

Percebendo que a resposta não viria a ele antes da alvorada, Vedder finalmente foi para a cama. Ele poderia buscar as opiniões de seus colegas de banda no dia seguinte. Depois de apenas uma audição, foi unânime: simplesmente pop o suficiente. E então o nono disco do Pearl Jam, já com o nome provisório de *Backspacer*, tinha um rock barulhento para ancorá-lo. Agora intitulada "The Fixer", a canção chegou a alcançar o número 2 na parada de Rock da *Billboard* e arrancou uma série de reações do tipo "Espera, isso é Pearl Jam?" de blogs e críticos.

A razão? O Pearl Jam possivelmente não tinha composto uma música tão grudenta quanto essa na última década, e certamente não uma com letra tão direta e positiva: "If something´s old / I want to put a little shine on it / When something´s gone / I want to fight to get it back again" [Se algo é velho / eu quero lhe dar um brilho / Quando algo se vai / quero lutar para trazê-lo de volta].

"Eu a trouxe como uma *demo* de duas partes, a estrofe e a parte da introdução", recorda Cameron. "Eu tinha um vocal sobre aquelas duas partes. Minha versão da *demo* tinha um som mais sombrio do que a música se tornou. Eu fiz aquilo no improviso em um espaço de tempo bem curto, e acho que (a canção terminada) acabou ficando muito melhor do que a minha versão."

"Quando você não tem um vocal, você apenas coloca tudo ali e torce para que consiga mostrar o melhor de suas habilidades para arranjar a música", diz Gossard. "Literalmente, nós fomos embora e deixamos Ed com ela durante a noite depois de gravarmos a música, e ele voltou com uma canção pop de três minutos. Ele provavelmente cortou metade das partes e a rearranjou."

"O trabalho de Ed é lidar com todo o material inacabado que trazemos", continua Cameron. "Algumas vezes escrevemos letras para as músicas, mas algumas vezes se trata mais de apenas propor uma ideia de melodia para entregar a ele. Ele é um letrista tão talentoso que nos sentimos bem lhe entregando músicas que não estão de fato terminadas."

Os integrantes da banda tinham feito três sessões de *brainstorming* sem Vedder estar presente antes que ele se juntasse ao processo, produzindo a agitada — com toques de Devo e The Police — "Got Some", e as fundações para as músicas "Speed of Sound" e "Force of Nature". Mas quase todas as outras coisas acabaram descartadas.

"Imediatamente, todos tinham cinco ou seis coisas que jogaram no caldeirão", admite Gossard. "A maior parte das músicas que passaram foi do segundo estágio de composição. Acho que compus cinco ou seis coisas e nenhuma delas pegou de primeira." Tudo isso mudou com a segunda fornada de material, durante a qual Gossard terminou a explosiva e épica "Amongst the Waves" e deixou a homenagem ao punk de Nova York, "Supersonic", em condições de luta.

"Acabamos com um bocado de material bastante conciso e uma variedade muito boa", diz Gossard. "Tem aquele estilo do tipo *Na natureza selvagem* que Ed faz tão bem e muito material energético também."

Vedder na verdade se pegou pensando adiante a respeito de setlists enquanto a banda decidia quais músicas deveria tentar terminar ou quais deixar para trás. "Quando estamos falando sobre quantas vezes devemos tocar a ponte ou quantos andamentos adicionar, estou pensando: se dobrarmos a ponte, essa vai acabar sendo uma música que vamos tocar uma vez por mês e não três vezes na semana", diz ele. "Então, o que você acha? Quantas vezes quer tocar essa música? Essa música vai trazer vento às nossas velas ou será uma em que teremos que remar?"

Com 11 músicas e 37 minutos, o produto finalizado acabou sendo o álbum mais conciso do Pearl Jam até hoje. "Nós o fizemos mais rápido do que fizemos qualquer outro disco", diz Gossard. "Passamos trinta dias no estúdio no total, incluindo a mixagem. Acho que tínhamos noventa por cento do disco gravado nos primeiros nove dias."

Mesmo em uma música como "The Fixer", com seu andamento levemente esquisito de 6/4, as partes "voltam a algo muito três acordes e diversão", diz Gossard. "Precisamos disso. Se o Pearl Jam estiver pensando muito, não estamos muito bem."

A pessoa incumbida de se assegurar de que a banda mantivesse aquela ideia sempre na cabeça no estúdio foi Brendan O´Brien, que não produzia um disco do Pearl Jam desde *Yield*. Seu trabalho com a banda em seu cover de 2007 de "Love Reign O´er Me" e sua remixagem de *Ten* para o relançamento deluxe de 2009 o haviam colocado firmemente de volta na órbita do Pearl Jam. Os integrantes da banda logo perceberam o que andaram perdendo enquanto O´Brien sugeria ideias cruciais para os arranjos; tocava piano, teclado e percussão; e montava orquestrações para canções delicadas de Vedder, como a levada no violão "Just Breathe" e o soco no estômago do final do disco, "The End".

Vedder descreve a evolução de "Just Breathe" como o exemplo perfeito da contribuição de O´Brien ao processo. A música compartilha o mesmo acorde inicial com a instrumental "Tuolumne", de *Na natureza selvagem* e, depois que Vedder acrescentou uma letra, ele então compôs uma ponte enquanto os outros integrantes da banda trabalhavam em outra coisa.

"Era como nosso próprio pequeno Brill Building no depósito. Eu entrei correndo e compus a ponte, que se transformou no refrão, porque Brendan a ouviu daquela forma", diz ele. "Estávamos permitindo que Brendan ouvisse as coisas de forma objetiva e o seguíamos em qualquer direção para que ele quisesse levá-las. Não éramos tão maleáveis dez anos atrás e em todos os anos antes disso. Você compunha algo e dizia 'Bem, não, é assim que eu quero que ela seja feita'. Uma das coisas que acontecem à medida que você envelhece é que você acolhe as sugestões dos outros. Você não sente que tem que provar sua capacidade."

"Brendan faz aquelas coisas melódicas com seu cérebro de músico primeiro, então ele é capaz de colocar tudo em camadas dentro da música com seu cérebro de produtor", acrescenta Cameron. "Ele usa os dois tipos de habilidades de uma forma que a maioria dos produtores não é capaz de fazer."

"Ele estava completamente focado no vocal e esse foi um dos temas prioritários de seu estilo de produção nesse disco", continua ele. "Os arranjos realmente complementam as partes vocais de 'The End' e 'Just Breathe' de uma forma pop linda, clássica, quase como Phil Spector. Quando Eddie trouxe aquelas músicas, elas eram apenas violão de corda de náilon e voz. Brendan tocou um monte de percussão naquelas músicas também."

"Ed chegou uma tarde com uma *demo* de 'Just Breathe' que tinha uma estrofe e um pequeno meio-refrão", diz O´Brien. "Ele disse que queria que ela ficasse no fim do disco, apenas com ele tocando violão. Eu fiquei pasmo. Eu falei: primeiro de tudo, isso é incrível. Mas essa não é uma pequena meia-canção. Talvez ela seja o destaque do nosso disco. Vamos transformá-la em uma canção de verdade. Não vamos ter medo disso. Talvez até façamos um arranjo. Essa será a mais linda música do Pearl Jam de todos os tempos, e as pessoas vão amá-lo por isso. Para dar crédito a eles, eles falaram 'Certo!'."

E embora O´Brien certamente não ficasse tímido em ajudar a banda a experimentar com ideias, ele também encorajou os integrantes a não exagerar além do fundamental.

"Muitas das músicas nesse disco eram músicas em que eu apenas tentei não atrapalhar, sem autoeditar", diz Vedder. "Isso facilitou. Essa foi a coisa que percebi enquanto preparávamos a caixa de *Ten*. Foi interessante ouvir que quando estávamos começando, eu simplesmente não editava tanto. O que quer que eu compusesse, ou qualquer que fosse a forma como eu cantasse da primeira vez, era como acabava ficando. Ao longo dos anos, você se permite gastar mais tempo e realmente refinar e tentar versões diferentes. No começo, nós não tínhamos tantas opções. Você fazia um disco, e fazia rápido. Nós voltamos a fazer isso. Mesmo que possamos nos dar o luxo, por que fazer isso se vai apenas criar uma distração?"

No intervalo de tempo desde *Riot Act* e as turnês carregadas de conteúdo político que seguiram o álbum, o Pearl Jam tinha deliberadamente amenizado sua retórica lírica e começado a olhar para dentro. Continuando na trilha das canções com histórias intensamente pessoais encontradas no disco do "abacate", Vedder não se impediu de escrever diretamente para aqueles que estavam mais perto dele em músicas como "Just Breathe" e "The End". Mas ao mesmo tempo as novas músicas tinham um otimismo que não tinha sido ouvido no Pearl Jam com muita frequência durante a era de George W. Bush.

"De uma forma geral com o disco, porque os dois últimos eram bastante políticos, Ed devia estar a 1.500 metros de altura olhando para os Estados Unidos", diz Gossard. "Nesse, parece que ele está a 60 mil metros de altura, olhando para o planeta com um pouco mais de otimismo."

"Acho que acabamos sendo condutores para o que quer que esteja a nossa volta", diz Vedder. "Você realmente não pensa em determinada coisa enquanto ela está acontecendo, mas então você olha de novo para as canções e a coisa parece ser ressaltada. Você escreve uma música, olha para o céu e de alguma forma ela fica pronta. Não é nenhuma surpresa que ela seja representativa da atmosfera. Eu acho de fato que há coisas ali que são universais."

Entre elas estão as mudanças radicais por que as pessoas passam depois que têm famílias. Enquanto se sentava para escrever letras para as novas canções, Vedder — agora com dois filhos pequenos e uma parceira de longa data em casa, em Seattle — se encontrava produzindo algumas das mais diretas canções de amor da carreira do Pearl Jam.

Em "Just Breathe" e "The End", ele busca penitência por todo o tempo que passou afastado de sua família: "Did I say that I need you? / Did I say that I want you? / Oh, if I didn´t, I´m a fool, you see / No one knows this more than me" [Eu falei que preciso de você? / Eu falei que quero você? / Oh, se não falei, sou um tolo, sabe? / Ninguém sabe disso melhor do que eu], diz o refrão da primeira. A música que tem apenas Vedder tocando, "The End", é especialmente comovente, graças ao arranjo de cordas de Eddie Horst e ao verso surpreendente que conduz o disco a uma encruzilhada: "My dear / the end comes near / I´m here / but not much longer" [Minha querida / o fim se aproxima / estou aqui / mas não por muito tempo].

"Sabe, vou admitir que até eu mesmo senti certo impacto escutando aquilo pela primeira vez e sem realmente saber de onde aquilo tinha vindo", diz Vedder da canção, que ele tocou em público pela primeira vez durante sua turnê solo de 2008.

"Tem umas cordas e umas trompas, e ela ficou meio emotiva quando colocamos as cordas", continua ele. "Quando eu era criança, ficava bem comovido com uma música chamada 'Street Into the City', do disco *Rough Mix*, de Pete Townshend. Era uma justaposição de cordas e violão tão poderosa. O dele era um arranjo completo de orquestra que acredito que seu sogro tenha feito. O visual era de um sujeito tocando com uma orquestra atrás dele. Ter a chance de explorar um pouco daquele som... aquilo se tornou algo muito cinemático."

Gossard diz: "Acho que essa vai se destacar como uma de suas melhores músicas de todos os tempos. Uma música que é tão simples em termos de melodia vocal e entrega, e que tem palavras de tanto impacto e que fluem sem uma estratégia de ritmo complexa. As palavras rimam, mas essa é a última coisa em que você pensa. Apenas acho que é um exemplo brilhante de Eddie sozinho. É ridiculamente boa, essa é a verdade. Ele simplesmente quase perde a voz. É tão vulnerável!"

"Eu me lembro claramente das primeiras palavras faladas depois que toquei a música para os rapazes, e elas vieram de Stone", diz Vedder. "Ele disse 'Uau. Isso sim é um pensamento completo'. Ainda sorrio ao lembrar disso."

"The Fixer" também sugeria uma variedade de significados, com Gossard preferindo um em que o título faz referência ao papel de Vedder no Pearl Jam. "Minha interpretação pessoal é que ela é sobre como ele faz nossas canções funcionarem", diz Gossard. "Quando alguém o inspira, ele é um colaborador incrível. Se você o conhece como amigo, sabe que ele tem uma enorme capacidade de dar. Você não recebe isso todos os dias, mas quando ele trabalha por você, ele realmente faz algo especial. Ele coloca muito de si nesse trabalho."

Vedder vê a música de forma um pouco mais ampla. "Stone pode ter razão até certo ponto. Se fosse para ser sobre a banda, então ela na verdade seria mais sobre cada música diferente. Mas isso não é consertar: é apenas direcionar a algum lugar. Estou pensando mais em uma visão de mundo ou de uma comunidade", diz ele.

"Por outro lado, é uma coisa clássica do tipo homem e mulher, e nesse caso não é necessariamente uma característica positiva tentar sempre consertar as coisas. Um parceiro lhe diz o que está acontecendo com relação a algumas questões e então você diz 'Bem, certo, vamos consertar isso! Faremos isso e aquilo'. Então ele fala 'Mas há algo mais'. 'Certo, faremos isso e aquilo'. Para algumas pessoas, é apenas o desejo de expressar suas emoções de frustração. Certos tipos de macho cabeça-dura com quem me identifico simplesmente dizem 'Não se preocupe. Vamos consertar isso'. Não é uma questão de consertar. É uma questão de escutar. Essa será a próxima: 'The Listener' [O ouvinte] [muitos risos].

"Obviamente não posso dizer nada na música. Será uma instrumental, porque estarei apenas escutando."

O disco começa com "Gonna See My Friend", em que uma estrofe dançante de garage-rock cai em menos de trinta segundos em um refrão entusiasmado, com o vocal de Vedder habilmente dividido entre os extremos grave e agudo de seu alcance. É uma canção sobre drogas com uma reviravolta: em vez de fazer uma visita ao amigo do título para comprar drogas, o narrador está desesperado para encontrar um amigo que possa ajudá-lo a ficar limpo.

O rock'n'roll é a droga escolhida em "Got Some" e "Supersonic", que festejam os simples e positivos prazeres da música. Essas músicas são o Pearl Jam destilado até sua essência pura, detonando na tríade guitarra, baixo e bateria com um fervor de quem topa tudo.

Apesar de ter levado algum tempo para encontrar seu espaço no som do Pearl Jam, a new wave foi um marco estilístico na formação de muitos integrantes da banda, particularmente Vedder, que venerava o Split Enz e os primeiros discos do Talking Heads. Em *Backspacer*, essa influência é mais aparente do que nunca, desde os riffs com a pegada direta de "Johnny Guitar", que não soaria deslocado no primeiro disco do The Knack, ao power pop galopante e sombrio de "Got Some" e a paradinha robótica em meio tempo de "Supersonic".

Vedder canta da perspectiva do último sujeito no bar em "Speed of Sound", que contrabalança sua letra de certa forma taciturna com uma cama musical que cresce aos poucos e acaba chegando a proporções de rock de arena. A música foi originalmente composta por Vedder como uma contribuição para um disco solo do guitarrista dos Rolling Stones, Ron Wood, que optou por não usá-la. Apesar de a música "Unthought Known" ter uma letra igualmente ambígua ("Dream the dreams of other men / You´ll be no one´s rival" [Sonhe os sonhos de outros homens / Você não será o rival de ninguém]), ela se transforma rapidamente em uma música para sacudir o punho, quase como uma "Wishlist" turbo.

E apesar de o velho amigo O´Brien ter sido crucial em ajudar a banda a formar as músicas de *Backspacer*, pela primeira vez um colaborador novo e de fora foi encarregado de desenvolver um acompanhamento visual à música. Vedder tinha conhecido o cartunista de inclinação política Dan Perkins, mais conhecido como Tom Tomorrow, no comício de Ralph Nader em Nova York em 2000. Eles mantiveram contato nos anos seguintes, mas não começaram a ponderar a possibilidade de trabalharem juntos até a primavera de 2009, logo depois que a tira de Perkins, *This Modern World*, tinha sido limada de doze revistas alternativas como medida de contenção de custos.

"Antes de conhecê-lo, eu não sabia muito bem se mesmo a nossa política estava à altura de seu olhar mordaz sobre as coisas", diz Vedder. "Eu não tinha certeza se, como uma banda popular, éramos underground o suficiente para ele. Apenas aconteceu de estarmos falando sobre a capa do disco na época dessa vez, e pensamos: Vamos tentar, e permanecer amigos se não funcionar."

Desenhada por Perkins, a capa de *Backspacer* é um quadro com nove painéis, em um estilo jogo da velha. Ao mesmo tempo caprichosas e reflexivas, as imagens incluem peixes nadando em uma Seattle submersa, um trem cargueiro em chamas se aproximando de um pedestre infeliz, um astronauta flutuando livremente no espaço sideral enquanto toca bateria e uma linda mulher literalmente deitada "sobre as ondas".

Vedder batizou o disco em homenagem a uma tecla de máquina de escrever que saiu de moda há cinquenta anos. Vedder, que prefere máquinas de escrever para compor as letras e para correspondência pessoal, diz que ficou chateado quando viu teclas antigas de máquinas de escrever sendo usadas como joias: "Para mim era como sopa de barbatana de tubarão: 'Você está matando máquinas de escrever para fazer uma pulseira!'".

Gossard vê um significado adicional ao analisar as palavras um pouco mais. "Há alguns climas retrospectivos nesse disco, em que Ed está olhando tanto para seu passado como para seu futuro", diz ele.

PEARL JAM

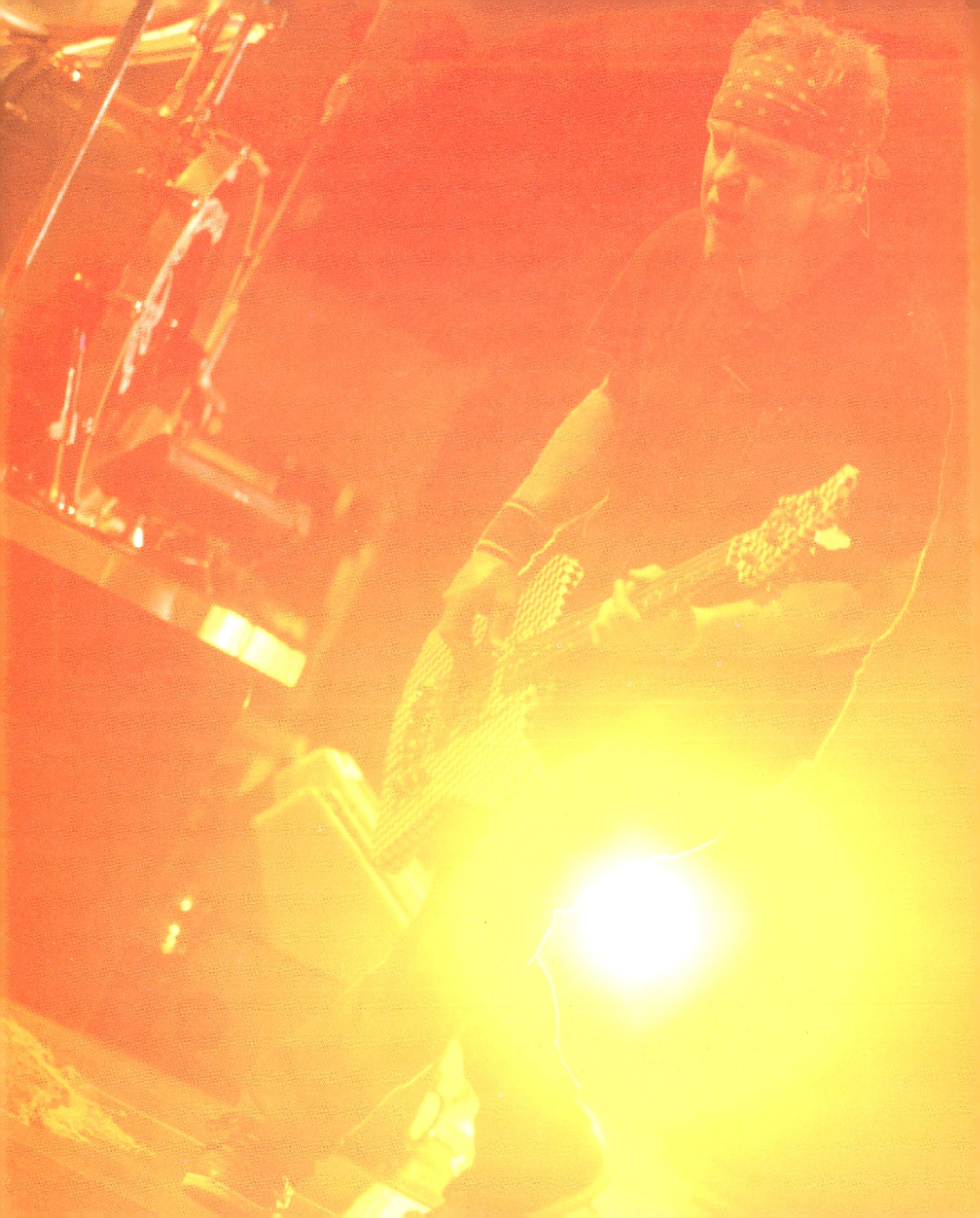

CAPÍTULO 2010

2010

O ano de 2010 foi causa tanto de celebração quanto de reflexão para o Pearl Jam, que completava o vigésimo aniversário de seu primeiro show no dia 22 de outubro. E embora tivesse passado duas décadas afiando sua mentalidade de fãs em primeiro lugar e seu comprometimento em usar sua fama e seus recursos para ajudar a melhorar o mundo, a banda não estava pronta para descansar. "Ainda parece que estamos crescendo até hoje", diz Eddie Vedder. "Vi uma resenha há pouco tempo sobre como é raro ver uma banda que está junta há tanto tempo tocando com tanta disposição quanto tocamos. E realmente isso não deveria ser uma surpresa. Estamos fazendo isso agora há vinte anos. Você *deveria* ficar melhor. Você *deveria* ser capaz de trabalhar mais. Mas é um jogo de números, também, porque o rock´n´roll e a rebeldia e todas essas coisas são meio que um jogo para os jovens. Mas esse fogo não tem que se apagar. Na verdade, ele não se apaga a não ser que você permita. Temos cinco pessoas ainda querendo continuar a jogar grandes troncos na fogueira."

28 de janeiro

O Pearl Jam alcança seu primeiro número 1 na parada Adult Alternative Airplay (Triple A) da *Billboard* quando "Just Breathe" pula do número 2 para o lugar mais alto. "I Am Mine" tinha sido o single da banda que chegara mais alto anteriormente na lista, alcançando o número 3 em 2002.

13 de março

O Pearl Jam faz sua quarta aparição no programa da NBC *Saturday Night Live*, tocando "Just Breathe" com uma seção de cordas composta de músicos locais, assim como "Unthought Known". Os integrantes da banda também aparecem brevemente em um quadro parodiando *Nightmare at 20.000 Feet*, famoso episódio de *Além da Imaginação* sobre um homem tendo alucinações durante uma viagem de avião.

15 de março

Mike McCready faz uma participação com a banda da casa do programa *Late Night with Jimmy Fallon*, The Roots, tocando covers de Jimi Hendrix e improvisos inventados mais cedo naquele mesmo dia.

30 de março
Royal Albert Hall, Londres

Eddie Vedder é convidado do The Who em uma apresentação completa da ópera-rock da banda de 1973 *Quadrophenia*, durante um show beneficente para o Teenage Cancer Trust. Vedder aparece como o personagem "The Godfather" em *The Punk Meets the Godfather*, *I´ve Had Enough* e *Sea and Sand*.

14 de abril
Showbox, Seattle

Um "quem é quem" dos músicos de Seattle, incluindo Stone Gossard e Shawn Smith, se junta no Showbox para celebrar a música do Pigeonhed, Brad, Satchel e Malfunkshun. Smith também canta com os integrantes sobreviventes do Mother Love Bone, que tocam juntos pela primeira vez desde que a banda se separou em 1990.

Stone Gossard: Uma grande parte disso foi pensando em Andy Wood e o quanto a sua história fez parte de todos nós. A influência de Andy é definitivamente algo em que penso o tempo todo. Realizar aquele show veio do sentimento de tentar unir, apenas por um evento, as coisas em que todos estiveram trabalhando. Foi um pouco do Hank Khoir, que são os camaradas com quem tenho tocado. Foi uma chance para Jeff Ament, eu e Bruce Fairweather e Greg Gilmore, do Mother Love Bone, tocarmos juntos com Shawn cantando as palavras de Andy, o que foi simplesmente lindo.

16 de abril
Showbox, Seattle

Com Matt Cameron na bateria, o Soundgarden faz seu primeiro show ao vivo desde 1997 diante de uma plateia selecionada de amigos e fãs.

19 de abril
McCaw Hall, Seattle

Eddie Vedder e Mike McCready fazem aparições surpresa na parada de Seattle da turnê de Conan O´Brien, Legally Prohibited From Being Funny on Television [Legalmente Proibido de Ser Engraçado na Televisão]. Vedder toca *Rise*, de *Na natureza selvagem*, e também modifica a canção de John Lennon "Oh Yoko!" para "Oh CoCo!". Mais tarde, McCready se junta a Vedder para detonar em "Baba O´Riley" com a banda da casa de O´Brien.

1 de maio
Fair Grounds Race Course, Nova Orleans

O Pearl Jam começa sua turnê norte-americana de 2010 com sua primeira aparição no New Orleans Jazz & Heritage Festival. O show começa com a bizarra pegada um-dois de "So You Want to Be a Rock´n´Roll Star", dos Byrds, seguida de "Lukin". Vedder relembra sobre passar uma noite na cadeia em Nova Orleans certa vez em 1993, depois de uma briga de bar, e mais tarde fala com tropas dos Estados Unidos estacionadas no Iraque e no Afeganistão através de uma transmissão via satélite. Inspirado pela visita, o Pearl Jam promete 100 mil dólares à Gulf Restoration Network logo após o vazamento gigantesco da BP, que tinha ocorrido menos de duas semanas antes.

6 de maio
Nationwide Arena, Columbus, Ohio

Mike McCready abre o show com um set solo de "Dead Flowers", dos Rolling Stones, e uma música sem título sobre seu filho pequeno.

10 de maio
HSBC Arena, Buffalo

Fatal, música que ficou de fora do CD *Binaural*, é tocada ao vivo pela primeira vez desde 9 de setembro de 2006.

15 de maio
XL Center, Hartford

O Pearl Jam toca um cover que Vedder diz que vai ser tocado "uma vez e uma vez

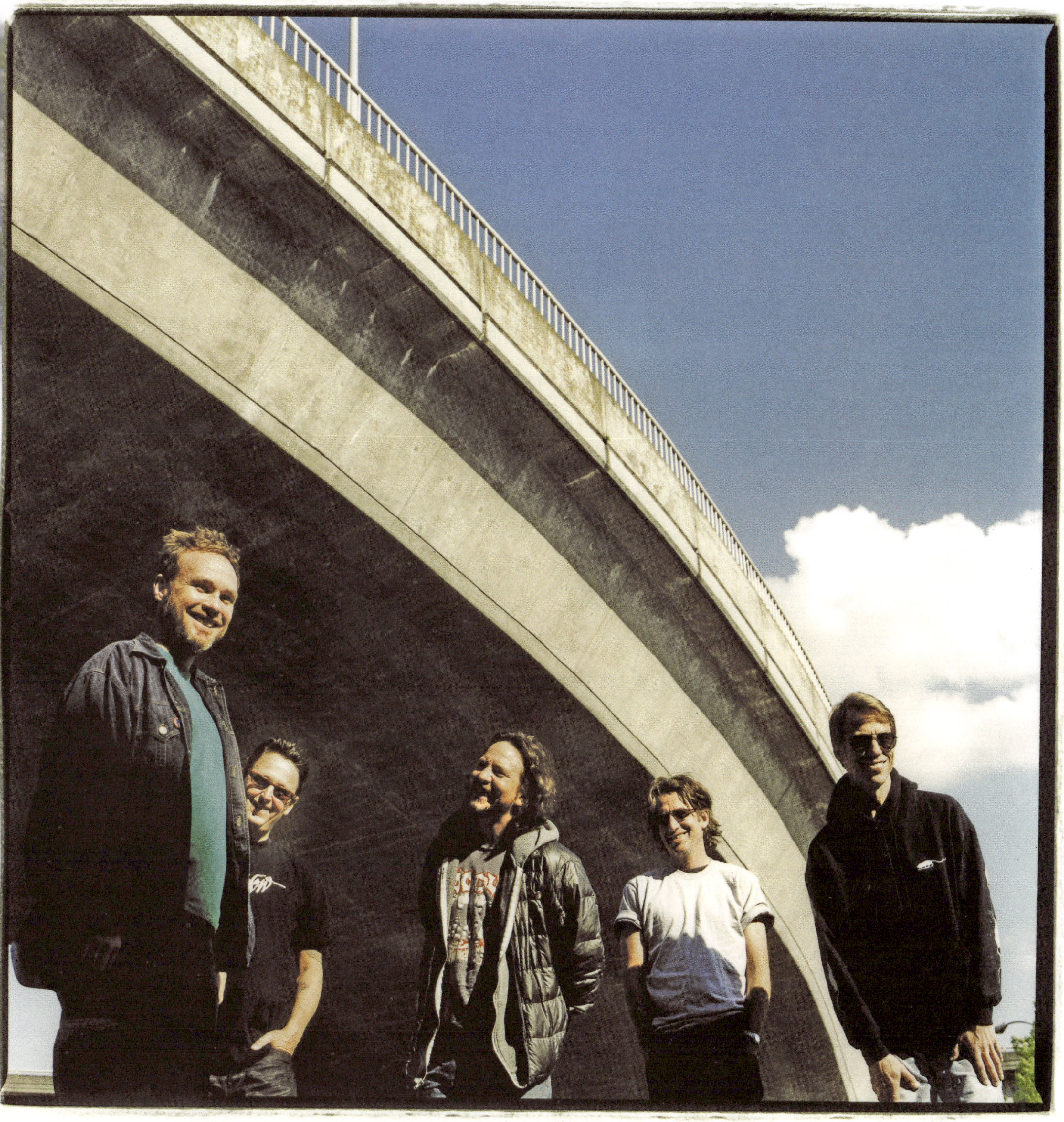

apenas" de "Ain´t Talkin´ ´Bout Love", do Van Halen.

Jeff Ament: Na verdade foi ideia de Ed, mas Mike vinha treinando para aquele momento durante toda sua vida.

20-21 de maio
Madison Square Garden, Nova York

O Pearl Jam visita uma de suas casas de shows favoritas para terminar a parte Americana de sua turnê de 2010. O segundo dos dois shows é repleto de raridades, incluindo uma versão drasticamente desacelerada de "Lukin" acompanhada por uma seção de cordas, a primeira aparição de "Black Red Yellow" desde 12 de setembro de 2005, a segunda versão da história de "Sweet Lew" e uma versão empolgante de "Hunger Strike", com Ben Bridwell, da banda de abertura Band of Horses, assumindo a parte vocal de Chris Cornell.

Jeff Ament: Normalmente é Ed quem decide tocar as músicas muito raras, mas nós todos damos ideias, especialmente quando estamos nos aproximando do fim de uma turnê. Como mais poderiam ter me convencido a tocar "Sweet Lew"?

Ben Bridwell: Fui para a lateral do palco para assistir às quatro ou cinco músicas que vinham antes de eu me juntar a eles, e meus nervos e minhas emoções ficaram a mil. Quando chegou a hora de subir no palco, eu mal conseguia ficar de pé. No fim da "minha" primeira estrofe, o público deu uma grande demonstração de apoio e eu finalmente soltei o ar pelo que parecia ser a primeira vez em meia hora. Estava prestes a gritar ali mesmo e mais uma vez tive que me recompor. Depois disso o percurso foi bem tranquilo, embora eu ainda tivesse a difícil tarefa de reproduzir o alcance de Cornell nos refrãos. Quando dei por mim, já tinha acabado. Devo ter saído correndo do palco direto para o camarim. Há poucos momentos em que me peguei dizendo "Posso morrer um homem feliz". Esse certamente foi um desses momentos.

22 de junho
The O2, Dublin, Irlanda

O Pearl Jam começa uma curta turnê europeia com um show que tem as primeiras apresentações de "Arms Aloft", de Joe Strummer and the Mescaleros, e "Of the Earth", uma música gravada nas sessões do disco do "abacate", mas não comentada em público pela banda há anos.

Jeff Ament: Nós mal mexemos naquela música na época do "abacate" e arranjamos apropriadamente sua parte do meio quando gravamos *Backspacer*. Era uma daquelas quatro ou cinco músicas de "abacate" com as quais precisávamos perder muito tempo, pois eram difíceis de acertar, mas estava no final do processo e não tínhamos a energia. Tentamos em *Backspacer*, mas ela acabou na mesma posição. Simplesmente não era uma das favoritas de Brendan, em parte porque é muito longa e tem muitas mudanças. É uma música de Ed e ele a tinha bem mapeada. Nós a ensaiamos algumas vezes na época do "abacate", então a rearranjamos. Ela ainda está sofrendo mudanças.

22 de junho

Uma nova música de Eddie Vedder, "Better Days", é lançada no iTunes antes do lançamento em 20 de julho da trilha sonora do filme *Comer, rezar, amar*, estrelando Julia Roberts e Javier Bardem. O disco é lançado pelo selo do Pearl Jam, Monkeywrench, em conjunto com a Sony Pictures.

30 de junho
Wuhlheide, Berlin

O Pearl Jam marca o décimo aniversário da tragédia de Roskilde fazendo um minuto de silêncio antes de tocar "Come Back" no segundo bis.

Stone Gossard: Aquelas famílias ainda sofrem profundamente com a perda de seus filhos. Espero reconhecer o passado e homenagear aqueles que morreram e aqueles que os perderam. Como banda, ainda sentimos profundamente essa perda e esperamos e rezamos para que, com o tempo, isso diminua ou se transforme.

A banda também estreia um cover de "Public Image", do Public Image Ltd e é acompanhada por Peter Buck e Scott McCaughey, do R.E.M., na cidade para trabalhar no próximo disco da banda, para um cover de "Kick Out the Jams", do MC5.

Peter Buck: Eu estava apenas parado no camarim e Eddie diz "Ei, você vai tocar hoje?". Eu não tinha pensado nisso. Estava lá apenas para o show. Tivemos uma escolha de três ou quatro músicas. Fiquei chocado que eles tocaram "Public Image", e felizmente eles não me convidaram para essa, porque eu não sabia tocá-la!

Enquanto estava em Berlim, Eddie Vedder passa em uma sessão de estúdio do R.E.M. e acaba contribuindo no álbum em progresso da banda, *Collapse Into Now*, marcando sua primeira colaboração gravada com o lendário grupo.

Peter Buck: Há uma ótima canção chamada "It Happened Today". É uma elegia, mas é realmente acelerada. Há um monte de vocais no fim; Mike Mills canta, Michael Stipe canta e Eddie divide os vocais principais na segunda metade da música. É realmente uma canção incrível. Ele passou no estúdio, tocamos algumas coisas para ele ouvir e Michael deve ter dito "Você quer cantar nessa aqui?". Eu na verdade tinha saído para jantar quando isso aconteceu.

Eddie Vedder: Na verdade, talvez Peter estivesse no café da manhã. Michael Stipe me ligou pela manhã quando estávamos nos preparando para partir para um show na França. Deixei de fazer a barba e me arrumar para ir até o Hansa Studios e em vez disso berrar por meia hora.

30 de junho

O Pearl Jam estreia um videoclipe para "Amongst the Waves", combinando cenas de show filmadas por Brendan Canty e Ryan Thomas na Philladelphia, em outubro de 2009, com imagens do oceano feitas por Daren Crawford. Os lucros das vendas do vídeo no iTunes são destinados a ajudar a campanha It´s Our Ocean, da Conservation International.

4 de julho
Werchter Festival, Werchter, Bélgica

O Pearl Jam toca no mesmo festival que a reconstituída banda de Seattle, Alice in Chains. É a primeira vez que as bandas tocam juntas desde agosto de 1992. Aumentando o clima familiar, o vocalista do Foo Fighters, Dave Grohl, se junta ao Pearl Jam no pandeiro para um cover de "Kick Out the Jams", do MC5.

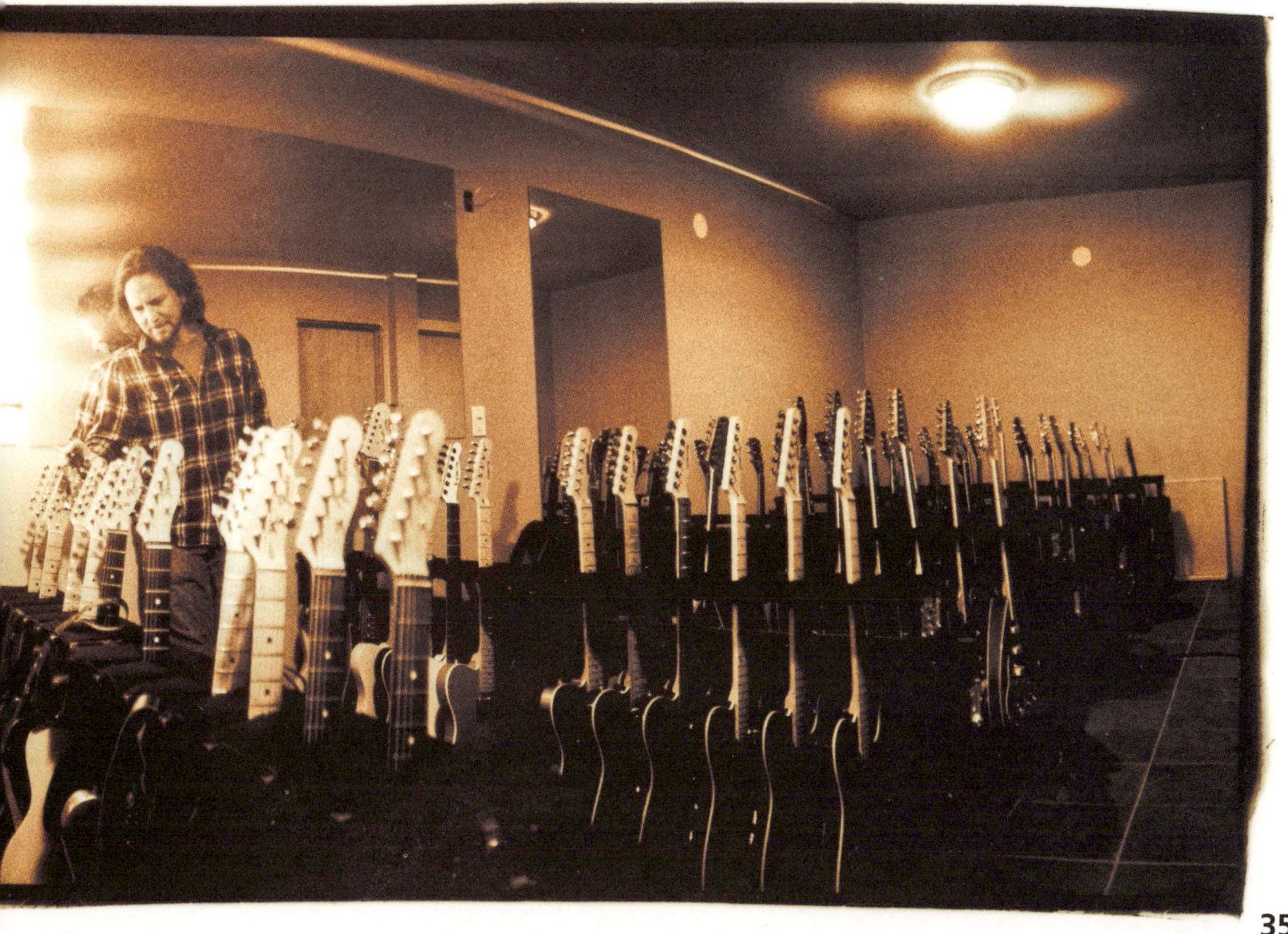

Dave Grohl: Quando o Pearl Jam lançou seu último disco, saiu uma matéria em uma revista do Reino Unido que falava sobre como Kurt não gostava deles, como se isso ainda importasse. Tipo, quem dá a mínima se Kurt gostava do Pearl Jam ou não? Isso me deixou bastante chateado, porque Kurt não está aí para se defender, mas também porque isso era considerado um selo de aprovação; que a opinião de uma pessoa importe tanto. Na próxima entrevista que dei, eu realmente defendi o Pearl Jam. Se há uma coisa que no fim das contas vai destruir a música é a culpa. Aquela culpa que alguns músicos sentem que os impede de fazer música, qualquer tipo de música — que você possa deixar algo tão mesquinho o impedir de fazer algo belo. Isso me afetou demais, porque na última vez que vi um show do Pearl Jam, eu sentei na lateral do palco e chorei, porque pensei: Uau, cara. Esses caras sobreviveram. Eles sobreviveram, porra! Entre todos os outros, eles ainda continuam firmes. Isso me deixou realmente feliz. Mandei uma mensagem para Eddie mais tarde para lhe falar da emoção que senti naquele momento. Eles sobreviveram e fizeram isso sem a culpa e a vergonha. Eles sobreviveram pela música.

Jerry Cantrell: Stone entrou no camarim e disse "Cara, é isso aí. Nada de desistir". Eles não desistiram, aqueles caras. Tenho muito orgulho deles e tenho orgulho de fazer parte da história do que aconteceu na nossa cidade. É incrível que eles ainda sejam a força que são, considerando o custo que pagaram para chegar no ponto em que estão. Eles dão um ótimo exemplo para seguirmos.

20 de julho

O Pearl Jam divulga um vídeo ao vivo de "Unthoght Known", gravado de um laptop Mac do palco durante o show da banda no dia 30 de junho em Berlim. Eddie Vedder, usando seu pseudônimo, Wes C. Addle, é listado como diretor, enquanto Neil Young, usando seu pseudônimo, Bernard Shakey, é creditado com o conceito.

8 de agosto
Grant Park, Chicago

Tendo esquentado com um show intimista três noites antes no Vic Theatre, Matt Cameron e o Soundgarden são os *headliners* da última noite do festival Lollapalooza.

10 de agosto

O Brad lança seu quarto álbum, *Best Friends?*, para o qual as gravações começaram em 2003, mas não foram completadas até recentemente. Distribuído pelo selo do Pearl Jam, Monkeywrench, o projeto é apoiado por uma turnê norte-americana no outono composta de datas como *headliner* e uma série de shows abrindo para o Band of Horses, assim como uma aparição no dia 11 de outubro no programa da NBC, *Late Night with Jimmy Fallon*.

Stone Gossard: Por qualquer que tenha sido a razão, ele ficou de lado depois que o gravamos. Acho que nosso baterista, Regan Hagar, e eu começamos a lembrar dele talvez uns dois anos depois. Eu comecei a voltar a ele e a editar e adicionar algumas guitarras, apaixonando-me pelo disco novamente. Mas ainda assim o processo se arrastou e o vocalista Shawn Smith estava focado em outras coisas. Eu estava totalmente focado no Pearl Jam e em gravar minhas próprias músicas. E então ele surgiu de novo e, de repente, você percebe que se passaram sete anos e você ainda tem esse disco. Você o escuta e diz "Uau, isso é muito bom".

28 de agosto
Robinson Center Music Hall, Little Rock, Arkansas

Eddie Vedder se junta a Natalie Maines, das Dixie Chicks, Patti Smith, o ator Johnny Depp e à nova banda de Ben Harper, Fistful of Mercy, em um show para atrair conscientização para o caso dos West Memphis Three. Tocando solo e em colaboração com os outros artistas, Vedder toca covers de "Rains on Me", de Tom Waits, "The Times They Are A-changing", de Bob Dylan, "Open All Night", de Bruce Springsteen, "The Golden State", de John Doe, e "You Can Close Your Eyes", de James Taylor. Vedder e Depp tocam "Society", da trilha sonora de *Na natureza selvagem*, e também acompanham Smith em seu set curto. Todos os artistas se juntam no final para tocar "People Have the Power", de Smith. O evento é vinculado a uma audiência que ocorreria no dia 30 de setembro para considerar novas provas com relação às controversas acusações de assassinato do caso. No dia 1 de setembro, Vedder e Maines aparecem no programa da CNN *Larry King Live* para discutir seu apoio à causa.

Eddie Vedder: Não estávamos interessados em fazer nada publicamente antes. Acho que Natalie e eu somos integrantes de bandas bastante respeitadas, mas não acho que eles precisavam de uma banda de rock ao seu lado. Isso não ia ajudá-los nem um pouco. Então fomos parceiros silenciosos nisso. Sabíamos que chegaria um momento que seria ideal para despertar novamente esse caso na consciência das pessoas.

23-24 de outubro
Shoreline Amphitheatre, Mountain View, Califórnia

Em sua oitava aparição no evento anual de Neil Young, Bridge School Benefit, o Pearl Jam oferece as estreias de "Other Side", um lado B da época de *Riot Act*, e da faixa do single de fim de ano do Ten Club de 2008, "Santa Cruz", além de covers de "Dancing Barefoot", de Patti Smith, e de "Walk With Me", do novo disco de Young, *Le Noise*. Vedder diz à plateia que o Pearl Jam "não teria sobrevivido além dos primeiros cinco ou seis anos de sua existência sem a amizade do Tio Neil".

1 de dezembro

Backspacer recebe uma indicação para o Grammy de melhor álbum de rock do ano, a 14ª indicação ao Grammy na carreira do Pearl Jam.

Eddie Vedder: Nosso objetivo é fazer música para nos satisfazer. Acho que esse era o plano original. Algo que nunca teríamos imaginado é que as pessoas criariam amizades, compartilhariam ideias e compartilhariam sua humanidade umas com as outras através da música. E se tornariam maridos e mulheres e melhores amigos. Isso tudo está fora do nosso alcance. Tudo o que fizemos foi tocar música, sabe? O fato de isso ter acontecido é um pouco chocante e algo que o deixa humilde, mas é incrível saber que está lá. É uma coisa enorme.

Stone Gossard: Acho que bem nesse momento estamos em uma espécie de renascença da banda. Realmente existe uma compreensão coletiva de como somos sortudos e afortunados por ainda fazermos música com o mesmo grupo de pessoas.

Jeff Ament: De vez em quando, apenas dizemos um para o outro "Você acredita nisso? Você acredita que ainda estamos fazendo isso?" E ainda é real. É divertido e, de muitas formas, é mais comunicativo e saudável do que um dia já foi.

Eddie Vedder: Tantas pessoas não chegam tão longe, e acho que elas têm o mesmo apreço pela música e o mesmo impulso para fazer música e compartilhar a música. Mas de alguma forma suas bandas não foram capazes de permanecer juntas. Acho que pode ter faltado a elas comunicação e compreensão mútua. Em algum ponto, algumas dessas coisas ficam subentendidas. Existe uma comunicação que não é falada, e essa é a coisa boa que lhe permite continuar seguindo adiante com as coisas. Acho que o mais importante nisso tudo foi continuar gravando, continuar compondo, continuar nessa jornada. Quando você se casa, você não quer se casar depois de dois encontros, ou três, ou o que for, especialmente com quatro outras pessoas. Mas entramos nesse relacionamento bem rápido. E somos gratos por esses relacionamentos serem a coisa que mantém a música fluindo e as canções vindo. Isso é mais importante do que qualquer coisa.

Se existe um disco que vende milhões e atrai tanta atenção, então existe uma teoria de que ele provavelmente não é tão bom. Provavelmente há uma grande dose de mediocridade envolvida; é por isso que ele atraiu tantas pessoas. Eu sempre tive consciência disso com o hype e a quantidade de atenção que recebemos no início. Era complicado. Era difícil. Com relação àquele período, sempre vou dizer, e Jeff vai dizer a mesma coisa: nosso objetivo sempre foi fazer os próximos discos com o objetivo de chegar onde queríamos estar criativamente. Tipo, para onde isso pode ir? Quais são as possibilidades? Ainda acho que é por isso que fazemos música juntos, porque ainda estamos imaginando para onde isso pode ir.

360

361

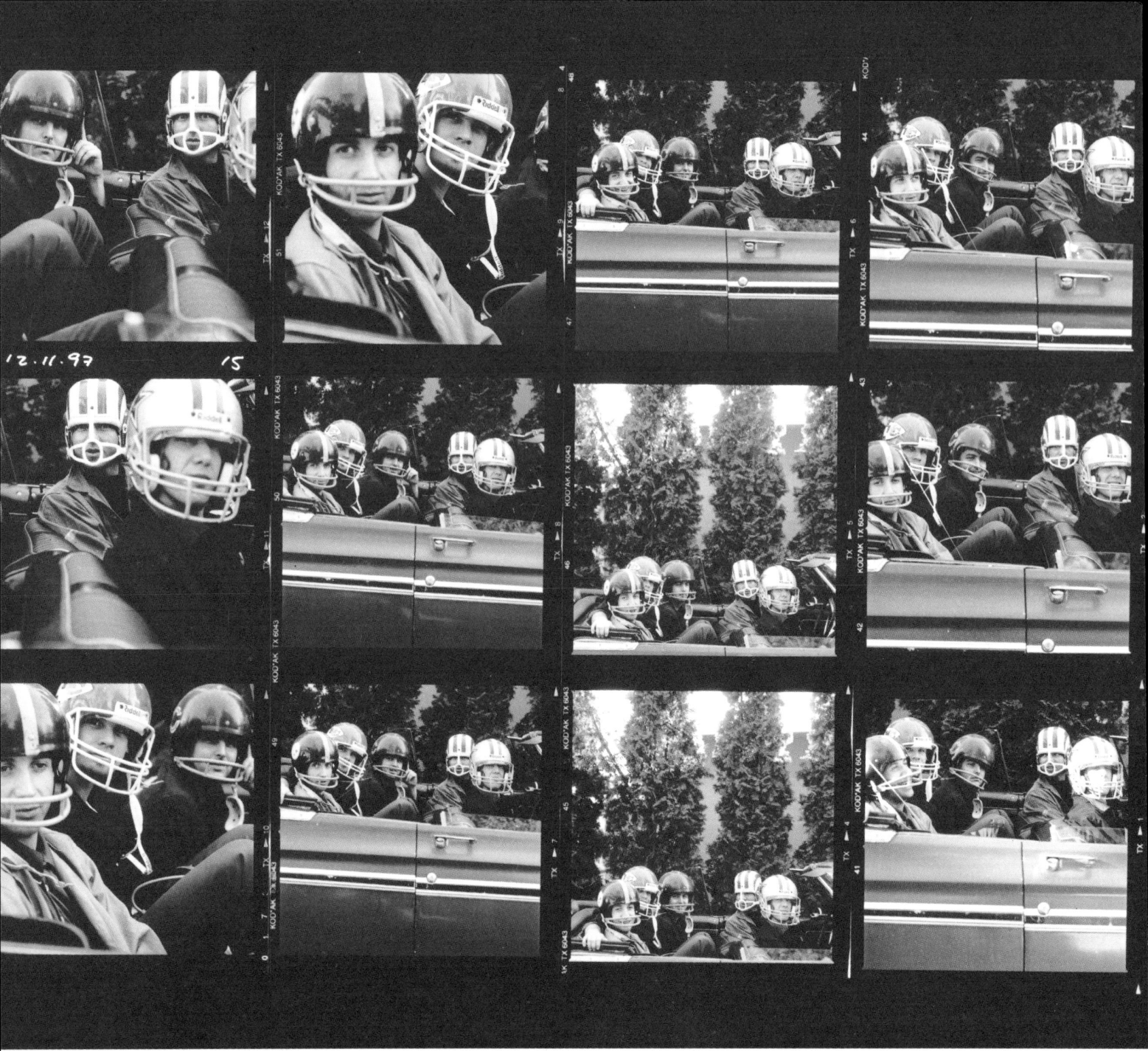

ÍNDICE

½ full, 254, 286, 304
4/20/02, 282
7 worlds colide, 253
7 Year Bitch, 82, 106

Abacate, disco do, ver *Pearl Jam*
Abbruzzese, Dave, 59-62, 74, 82, 133, 140, 146, 148, 150, 154, 158, 186
Abdul-Jabbar, Kareem, 282, 347
Above, 161
Act of Love, 158, 170, 174, 204, 289
Aerosmith, 10
Against the '70s, 161, 162, 214
Ain't Nothin' To Do, 121
Ain't Talkin' 'Bout Love, 356
Akre, Carrie, 224
Alice in Chains, 24, 28, 44, 52, 54, 59, 60, 92, 206, 282, 347
Alive, 34, 37, 39, 40, 52, 54, 62, 64, 68-70, 74, 77, 80, 82, 84, 90, 98, 123, 182, 192, 231, 291, 304, 344, 347
    vídeo, 59, 304
All Along the Watchtower, 289, 307, 320, 330, 344
All Night, 186, 280, 332
All or None, 260, 277
All the Way, 320, 335
All Those Yesterdays, 207, 274
All Tomorrow's Parties (festival), 253
Alone, 37, 40, 140, 282, 289
Already Gone, 18
Ament, Jeff, 6, 7, 8, 16, 37
    no Deranged Diction, 22, 344
    Desenho do "Stickman" feito por, 57
    no Green River, 6, 10, 14, 22-26, 68, 92, 120-21, 272, 330, 333
    no Mookie Blaylock, 40-44, 46, 52-54
    no Mother Love Bone, 6, 10, 14, 28-29, 32, 34, 42, 46, 57, 68, 354
    passado de, 10-11
    Primeiro encontro de Vedder com, 37-39
    Relação de Gossard com, 68
    no Temple of the Dog, 42, 46-49
    Testemunho no congresso de, 147-148
    no Three Fish, 181-82, 212, 335
    Tone, álbum de, 330, 335
    Ver também Pearl Jam
America: A Tribute To Heroes (programa de TV), 247
America Coming Together, 290
American Girl, 306
American Idiot, 313
American in Me, The, 289, 306
American Jesus, 116
American Music Awards, 106
Amongst the Waves, 345, 348
    vídeo, 357
Anderson, Laurie, 318
Angel, 82, 98, 140
Animal, 37, 107, 116, 135
Another Brick in the Wall, Part II, 320
Anthony, Michelle, 28, 42, 57, 60, 90, 118, 150, 154, 169, 212, 228
Anyway You Want it, 182
Apodaca, Fernando, 304
Apple, 29, 32, 70
Arc, 237, 274
Arm, Mark, 22, 24, 34, 54, 121, 172, 297, 333
Arms Aloft, 356
Armstrong, Tim, 288
Army Reserve, 302, 313
Around the Bend, 187 246, 277, 330
Artists for a Hate Free America, 184
Artists for Peace e ao Justice Haiti Relief, 347
Asheton, Ron, 253
Asheton, Scott, 253
Associação Norte-Americana de Promotores de Shows, 142
Astbury, Ian, 40
Ataques Terroristas de 11 de setembro de 2001, 237, 246-48, 252, 261, 270, 290

Atlantic City, 297
O ataque dos tomates assassinos (filme), 24
Attention Dimension, 288
Audiências sobre a Ticketmaster no Congresso americano, 140, 142, 147-48
Aung San Suu Kyi, 291
Austin City Limits (programa de TV), 346
Aye Davanita, 154

Baba O'Riley, 74, 89, 119, 276, 354
Baby, Help Me Forget, 333
Baby Beluga, 291
Backspacer (álbum), 340, 344-46, 348-50, 356, 358
Backspacer (tartaruga), 344
Bad Brains, 11
Bad Liquor, 161
Bad Radio, 18, 26, 29, 32, 134
Bad Religion, 116
Ball-hog or Tugboat?, 161, 164, 214
Balsey, Brad, 212
Bam Bam, 12
Band of Horses, 356, 358
Banks, Ernie, 335
Bardem, Javier, 318, 356
Barnes, Eliza-Jane, 330
Bayleaf, 246, 247
Beach Boys, 216
Beast of Burden, 192
Beatles, 340
Bebida, 40
Beck, 252, 259, 294
Begin the Begin, 248, 290, 332
Bela Lugosi's Dead, 12
Berry, Bill, 318
Betchadupa, 270
Better be Home Soon, 347
Better Days, 356
Better Man, 107, 134-35, 142, 146, 152, 192, 202, 203, 214, 246, 248, 278, 288, 290-91, 304, 307, 318

363

Bierman, Tim, 118-120, 161, 162, 200, 204, 276, 290
Big Harvest, 327
Big Train, 165
Big Wave, 313
Binaural, 184, 214, 224, 231-34, 246, 248, 280, 282, 307, 314
Bison, 333
Black, 7, 37, 40, 62, 68, 70, 74, 80, 90, 98, 192, 230, 291, 307, 318, 344
Black, Frank, 161, 202
Black Crowes, 132
Black Diamond, 332
Black Flag, 11, 14
Black Hole Sun, 307
Black Red Yellow, 184, 294, 356
Black Sabbath, 14, 22
Blake, Tchad, 232-34
Blaylock, Mookie (jogador da NBA), 40, 62
Bleed For Me, 289, 306
Blind Melon, 116
Bloch, Kurt, 184
Blood, 107, 120, 132, 274
Blowin' Smoke, 307
Blue Red and Grey, 272
BMG, ver Sony BMG Music Entertainment
Bobby Jean, 214
Body of War (filme), 318, 320, 330, 335
Body of War: Songs That Inspired an Iraq War Veteran, 330
Bogdanovich, Peter, 335
Bonneville Environmental Foundation, 287
Bono, 7, 115, 295, 307, 308, 312
Booker T. & the MG's, 107-8
Bootlegs, 142, 171, 184
    CDs oficiais de turnê do Pearl Jam, 224-25, 228, 246
Boston 8/29/2000, 246
Bowie, David, 12, 153, 274
Boys Are Back in Town, The, 307
Brad, 106, 192, 198, 203, 247, 248, 253, 287, 354, 358

Brain of J, 171, 192, 198, 207
Breakerfall, 224, 233
Breaking the Ethers, 192
Break on Through, 106
Breath, 37, 40, 68, 84, 203-4
Breeders, 124
Bridge School Benefit, 98, 132, 150, 174-75, 176, 184, 192, 194, 214, 224, 232, 246, 248, 261, 272, 277, 290, 291, 306, 307, 335, 358
Bridge School Concerts, The, vol. One, 184, 194
Bridwell, Ben, 356
Brokedown Melody, A (trilha sonora), 307
Broken Heart, 252
Brook, Michael, 320
Brother, 52, 281, 340, 344
Brown, James, 18
Browne, Jackson, 290
Buck, Peter, 118, 192, 194, 248, 318, 357
Buffalo Springfield, 175
Bugs, 154, 347
Burns, Liz, 246
Burns, Ryan, 333
Burton, Tim, 277, 278
Bush, George W., 256, 262, 270, 286, 287, 290-91, 312, 313, 320, 349
Bush in 30 Seconds (concurso), 278
Bu$hleaguer, 256, 262, 270-72, 274, 286, 318
Butthole Surfers, 57, 330
Buzzcocks, 276
Byrne, David, 187

Cameron, Matt, 8, 24, 28, 39, 42, 86, 120, 181
    no Harrybu McCage, 330, 333
    Passado de, 12, 24
    se junta ao Pearl Jam, 200, 232, 332
    no Soundgarden, 12, 24, 37, 60, 236, 260, 354, 358
    no Temple of the Dog, 42, 46-49
    no Wellwater Conspiracy, 200, 246, 260, 276
    Ver também Pearl Jam
Campanhas de registro de eleitores, 94, 184
Campanha Nacional para Fechar Guantanamo, 347
Canadian Sea Turtle Network, 341
Can't Help Falling in Love With You, 230, 231
Can't Keep, 252, 260-61
Cantrell, Jerry, 44, 52, 166, 286, 347, 358
Canty, Brendan, 357
Capitol Records, 192
Cardiff 6/6/2000, 228
CARE, 212
Carroll, Jim, 162
Cars, The, 18
Casablancas, Julian, 304
Cascade Land Conservancy, 192
Catholic Boy, 162
Cat Power, 270
C Average, 212, 214, 216, 252, 253
Centro Médico Cedars-Sinai, 277, 288
Cervenka, Exene, 18, 340
Chamberlin, Jimmy, 80
Chamberlain, Matt, 57-59
Change Begins Within (show beneficente), 340
Charlie Rose Show, 327
Cheap Trick, 12, 16, 202, 204, 274
Chicago Cab (trilha sonora), 203, 280
Chicago Cubs, 203, 274, 304, 320, 335
Childish, Billy, 203, 344
Chloe Dancer/Crown of Thorns, 28, 230-31, 272, 276
Chones, Jim, 62
Cinnamon Girl, 175
Clapton, Eric, 89, 98
Clash, 10, 11, 29
Clemons, Clarence, 290
Clinch, Danny, 307, 320

Cline, Nels, 320
Clinton, Bill, 144, 154, 203
Cloudscape, 326
Coalition of Independent Music Stores (CIMS), 294, 304
Cobain, Kurt, 74, 89, 92, 116, 118, 124, 140, 357-58
  Suicídio de, 144, 146, 148, 154, 158
Cohen, Jonathan, 8
Cohen, Leonard, 164
Cold Case (série de TV), 344
Collapse Into Now, 357
Comatose, 294, 302, 312
Come Back, 313, 344, 356
Come on Down, 24
Comer, rezar, amar (trilha sonora), 356
Comes A Time, 170
Comfortably Numb, 232
Conservation Creativity Award, 318
Conservation International, 254, 341, 357
Cooper, Alice, 14, 16
Corduroy, 140, 150, 153, 154, 184, 192, 198, 204, 212, 214, 228, 246, 276, 294, 318, 344
Cornell, Chris, 7, 22, 28, 40, 42, 44, 46-49, 59, 60, 84-86, 89, 120, 231, 270, 276-78, 346
Cortez the Killer, 170, 176, 289
Couldn´t Stand the Weather, 34
Covell, Jeff, 14
Cox, Billy, 247, 286, 336
Crapshoot Rapture, 294, 312
Crawford, Daren, 357
Cray, Robert, 100
Crazy Horse, 158, 174
Crazy Mary, 112, 277
Cropduster, 260
Cropper, Steve, 108, 142
Cross, David, 307
Crow, Sheryl, 340
Crowded House, 204, 320

Crowe, Cameron, 8, 44, 52-54, 57, 89, 92, 120, 228, 344
Cruz Vermelha dos Estados Unidos, 294, 297
Cuffaro, Chris, 60
Culprit, 16
Curtis, Kelly, 7, 28, 32, 42, 46, 57, 60, 64, 77, 82, 84, 90, 94, 146, 148, 158, 162, 166-67, 168-69, 174, 187, 212, 214, 224-25, 228, 236-37, 282, 288, 344
Cypress Hill, 94, 116, 124

Daltrey, Roger, 140
Daltrey Sings Townshend, 140
Dana-Farber Cancer Institute, 286
Dancing Barefoot, 358
Danko, Rick, 18
Danzig, Glenn, 24
Darkness on the Edge of Town, 290
Daughter, 98, 100, 120, 132, 146, 226, 236, 276, 291, 307, 320
Dave Matthews Band, The, 287, 290
David Lynch Foundation for Consciousness-Based Education, 340
Davis, Clive, 302
Day Brings, The, 192
Daydream Nation, 18
Daytime Dilemma, 270
Dead Boys, 24
Dead Flowers, 354
Dead Kennedys, 24, 272
Dead Man, 171-72, 198, 225, 277, 304, 320, 330
Death Cab for Cutie, 287, 289
De Bello, John, 24
Dederer, Dave, 333
Deep, 69, 84, 272
Deep Six, 24
Delle, Jeremy Wade, 60
Denney, Dix, 37
Densmore, John, 106, 198
Departamento de Justiça dos Estados Unidos, 146-48, 167, 169

Depp, Johnny, 358
Deranged Diction, 22, 344
Derramamento de óleo da BP, 354
Desperate Times, 24
Devo, 10, 347
Diamonds in the Rough, 212
Diário de um adolescente, O (trilha sonora), 162
Dickies, 288
DiDia, Nick, 148, 152, 186
DiFranco, Ani, 198, 230, 304
Dijulio, Tim, 16
Dillon, Matt, 52-54
Direitos ao aborto, 74, 98, 106, 140, 154, 158
Dirty Blue Gene, 161
Dirty Deeds Done Dirt Cheap, 107
Dirty Frank, 281, 307
Dismemberment Plan, 224-25
Dissident, 107, 133, 225, 276
Dixie Chicks, 270, 287, 290-91
Dobbis, Rick, 42
Doe, John, 289, 294, 306, 340
Dogs D´Amour, 28
Donovan, 340
Don´t Believe in Christmas, 256, 259
Don´t Be Shy, 289, 291
Don´t Gimme No Lip, 295
Don´t Let It Bring You Down, 170
Doors, The, 106, 318
Do the Evolution, 192, 198, 207, 297
  vídeo, 246, 304
Doubting Thomasina, 335
Down, 281-82, 286, 287, 289
Down by the River, 176
Downtown, 175
Drayton, Charley, 80
Driftin´, 216, 217, 248, 272, 274, 280, 318
Driven to Tears, 82, 212, 216, 272
DRM (Digital Rights Management), 294
Droge, Pete, 94, 247

Drop in the Park (show), 82, 94
Dry As a Bone, 24
Ducky Boys, 14
Dunes, 288
Duran Duran, 16
Dylan, Bob, 98

Eagles, 18
Earle, Steve, 198, 304
Earthquake Weather, 29
Easy Street Records, 330
Eddie Aikau Big Wave Invitational, 308
Edge, 80, 115, 307, 308
Edie Brickell & The New Bohemians, 57
Edmonds, Kenneth "Babyface", 290
Education, 234, 307
Elderly Woman Behind the Counter in a Small Town, 133, 307, 318
Electricity, Electricity, 181
Eleições americanas:
    de 2000, 228, 230
    de 2004, 270, 286-91, 312
Eleven, 80, 92, 142, 150
Ellis, Deb, 287
End, The, 349
Endino, Jack, 24
Eno, Brian, 153
Entering, 12
Entwistle, John, 253, 254
Epic Records, 42, 52, 54, 59-60, 69, 118, 142, 152-53, 181, 182, 192, 194, 198, 203, 204, 212, 228, 252, 254, 256, 278, 280, 291, 302, 313
E Street Band, 18, 256, 287, 290
ETM, 162, 165, 181
Evacuation, 224, 233
Even Flow, 37, 40, 52, 68, 70, 74, 80, 82, 90, 182, 192, 276, 297
    vídeo, 74-77
Everyday People, 170
Evolution, 270

Exhausted, 158
Experience Hendrix (turnê), 286, 336

Fã-clube do, ver Ten Club
Face of Love, The, 200
Fahrenheit 9/11 (filme), 290
Fairweather, Bruce, 28, 333, 354
Faithfull, 198, 207
Fallen Patriot Fund, 290
Falling Down, 168
Farrell, Perry, 214, 346
Fastbacks, 158, 171-72, 181, 184, 253
Fatal, 234, 277, 280, 282, 354
Faultline, 12
Felicity's Surprise, 246
Ferrell, Will, 294
Fever Dog, 228
Fingerprints, 307
Finn, Liam, 162, 204, 246, 270, 330, 344, 347
Finn, Neil, 162, 172, 204, 246, 253, 320, 347, 348
Finn, Sharon, 162
Finn, Tim, 162, 172
First Impressions of Earth, 307
Fistful of Mercy, 358
Fixer, The, 344, 348-50
Flaming Lips, 333
Flea, 37, 161, 281, 318
Flemion, Dennis, 187
Flight 19, 26
Flight to Mars, 294, 318, 344
Fogerty, John, 287, 290
Foldback, 234
Foo Fighters, 158, 164-65, 333
Fool in the Rain, 297
Footsteps, 37, 39, 40, 68, 82, 98, 123, 216, 280
Force of Nature, 348
Forest, The, 335
Forever in Blue Jeans, 170, 330

Forever Young, 330
For the Lady, 291
Fortunate Son, 270
Fortune Teller, 214
Frampton, Peter, 289, 307
Freese, Josh, 151
Free the West Memphis Three, 230
Frehley, Ace, 16, 297, 332
Friel, Chris, 16, 37, 151, 162, 224, 276
Friel, Rick, 16, 224
Friends (série de TV), 286-87
Frogs, The, 140, 170
Frost, James, 254
Frusciante, John, 277-78
FT&T, 182
Fuckin' Up, 158
Fuck Me in the Brain, 120
Fugazi, 74, 144, 169, 184
Crohn's & Colitis Foudation of America (FACC), 274, 286-87, 294, 307, 318, 344
Funhouse, 203

Gaines, Rowdy, 341
Gallagher, Noel, 247
Garden, 52, 168, 224, 304
Garnier, Tony, 320
Gas Huffer, 82
Gaspar, Kenneth "Boom", 112, 254, 306, 308, 318
Glass, Kyle, 294
Gates, Bill, 256
General Hospital (programa de TV), 153
Genius of Pete Townshend, The, 18
Germano, Lisa, 158
Get Out the Vote, 335
Get Right, 260
Gettin' in Tune, 231
Ghost Rider, 192
Gibbard, Bem, 290
Gilmore, Greg, 26, 32, 354
Gimme Some Truth, 247, 248, 289

Girlschool, 16
Girl's eyes, 184
Girls Just Wanna Have Fun, 107
Given to Fly, 192-94, 198, 206-7, 291, 295, 344
Glaser, Rob, 252
Glorified G, 133, 272
Go, 107, 119, 133, 276, 282, 287
Goat, 40
God's Dice, 224, 233
Goin' Down, 100
Going to California, 297
Golden State, The, 336, 358
Goldstone, Michael, 28, 42, 57, 60, 70, 90, 118
Gone, 297, 302, 313
Gonna See my Friend, 345, 350
Goodbye, 307
Goodness, 181, 202
Good's Gone, The, 214
Good Times Bad Times, 294
Good Woman, 270
Gordon, Kim, 253
Gordon, Steve, 246
Gossard, Peter, 22
Gossard, Stone, 6, 8, 16, 37
   Bayleaf, álbum solo de, 246, 247
   no Brad, 106, 192, 198, 203, 247, 248, 254, 287, 354, 358
   Gravadora Loosegrove Records de, 200, 203
   no Green River, 6, 10, 14, 22-26, 69, 121, 330, 333
   no Hank Khoir, 330, 335, 354
   no Mookie Blaylock, 40-43, 46, 52-54
   no Mother Love Bone, 6, 10, 14, 28-29, 32, 34, 46, 59, 69, 70, 354
   Passado de, 14, 68
   O primeiro encontro de Vedder com, 37-39
   Relação de Ament com, 69
   Senso de humor de, 22, 34, 282
   Studio Litho de, 212
   no Temple of the Dog, 42, 46-49
   Testemunho no congresso de, 140, 142, 147-48
   Ver também Pearl Jam
Got Some, 344, 348, 350
Got the Time, 214
Grammy Awards, 181, 188
Grateful Dead, 7, 107, 228, 276
Great Turtle Race, The, 341-44
Green Apple Quick Step, 106
Green Day, 313
Green Disease, 254, 260-62
Greenpeace, 135
Green River, 6, 10, 14, 16, 22-26, 28, 52, 59, 62, 69, 92, 121, 272, 330, 333
Gremmie Out of Control, 182, 280, 282
Grievance, 214, 228, 232-33, 248
Grohl, Dave, 59, 64, 90, 116, 144, 148, 158, 161, 162, 164-65, 294, 357
Groundwork (série de shows beneficentes), 246, 248
Growin' Up, 289, 330
Grunge, 24, 70, 100, 106, 109, 132
Guerra do Iraque, 270, 318, 320
Guaranteed, 322, 327
   vídeo, 330
Gulf Restoration Network, 354
Gunn, David, 140
Gunn, David, Jr., 140
Guns N' Roses, 28, 32, 60, 64, 92
Guy, Buddy, 286, 336

Habit, 168, 186, 187
Habitat for Humanity, 297
Hagar, Regan, 26, 106, 358
Hail, Hail, 182, 187, 278
Hamburg 6/26, 228
Hamilton, Laird, 307, 308
Hank Khoir, 330, 335, 354
Hannan, Jerry, 326
Hansen, Randy, 14
Happy When I'm Crying, 194
Hard Sun, 326-27, 330
Hard to Imagine, 140, 184, 203, 280, 294-95, 307, 332
Hardy, Don, Jr., 333
Harmony, 234
Harper, Ben, 172, 198, 202, 230, 248, 276, 287, 320, 330-32, 340-41, 258
Harper, Geoff, 333
Harrison, George, 98
Harrybu Mccage, 330, 333
Harvest, 176
Harvest Moon, 289, 291, 307
Harwood, Justin, 192
Hawaii '78, 308
Hazlewood, Lee, 253
Headbangers Ball, 16
Healers, The, 270
Heart, 16, 28, 44
Heartbreakers, 306
Heart to Hang Onto, 192, 214
Heaven and Hell, 214
Heavy metal, 22, 24, 26
Helms, Jesse, 182
Help Help, 260-61
Hendrix, Jimi, 14, 16
Here's to the State of Mississippi, 344
Hey Baby (Land of the New Rising Sun), 120
Hey Foxymophandlemama, That's Me, 155
Hey Hey, My My (Into the Black), 146, 326
History Never Repeats, 162, 172, 204, 246, 253
Hoffman, Abbie, 7
Hold on, 280, 347
Hollywood Forever Cemetery, 294
Home Alive, 181
Home Alive: the Art of Self Defense, 181
Homeless, 106
Homestead Records, 24
Homme, Josh, 294, 307
Hope House, 198
Hormel, Smokey, 320

House, Daniel, 24
Hovercraft, 164-65, 192, 202, 204
Howard Zinn: You Can´t Be Neutral on a Moving Train (filme), 287
Hui malama o ke Kai, 308
Hunger Strike, 47-48, 60, 78, 84, 89, 92, 270, 276, 278, 307, 346, 356
Hurley, Anthony, 237
Hüsker Dü, 11
Hussain, Dildar, 198
Hutcherson, Bobby, 12
Hymn (Kerouac), 192
Hynde, Chrissie, 18, 135
Hype! (filme), 181, 182

I Am a Patriot, 98, 182, 212, 230, 247
I Am Mine, 237, 248, 254, 256, 261, 281, 291, 294, 318, 330, 354
I Believe in Miracles, 270, 277, 278, 297, 332-33, 335
I Can´t Explain, 184, 214
Iconoclasts (programa de TV), 307
I Don´t Know Anything, 161
If You Want Blood (You´ve Got It), 347
I Got Id, 161, 170, 172, 175, 176, 186, 214, 225, 276
I Got You, 162, 246, 347
I Just Want to Have Something to Do, 248
I´m a Boy, 214
Immagine in Cornice (DVD), 307, 320
Immortality, 146, 150, 154, 344
I´m One, 214, 231
I´m Open, 187
IMPACT (prêmio), 286
I´m the Ocean, 174-75
I Must Not Think Bad Thoughts, 306
Incubus, 333
Indianapolis 8/18/2000, 246
Indian Summer, 18
Indifference, 133, 248, 276, 308, 344
Indio (Gordon Peterson), 326-27

In hiding, 198, 207, 225, 344
In My Tree, 186, 187, 276, 278
Innocent When You Dream, 198
Inside Job, 313
Insignificance, 224, 232, 248
Interiors, 192
Interlúdios, 154
Internet, 194, 232
Interstellar Overdrive, 198
In the Moonlight, 234, 280
I Only Play for Money, 170
Iron Maiden, 16, 22, 276
Irons, Jack, 18, 29, 32, 37-39, 68, 80, 92, 274, 277-78, 318, 330-32
    Attention Dimension, álbum de, 288
    deixa o Pearl Jam, 198-200, 208
    Distúrbio bipolar de, 198-200, 208
    no Pearl Jam, 150-51, 155, 158, 186-87, 194, 208
I See Red, 246
I Shall Be Released, 214
Ismael (Quinn), 207
It Happened Today, 357
It Makes No Difference, 304
It´s Alive, 253
It´s the End of the World As We Know It (and I Feel Fine), 276
iTunes, 340, 356
I Used to Work in Chicago, 307
I´ve Got a Feeling, 52, 54, 78, 80, 289
I´ve Had Enough, 354
I wanna be sedated, 294
I Wanna Be Your Dog, 161
I Want to Hold Your Hand, 302
I Won´t Back Down, 140, 330

Jackson 5, 10, 18
Jacobs, Marc, 100
Jagger, Mick, 194
James, Jim, 304, 320
Jane´s Addiction, 24, 28

Jane Says, 78
Jayhawks, The, 59
Jazz Foundation of America, 297
Jeremy, 62, 69, 74, 80, 90, 98, 140, 142, 168, 280
    vídeo, 60, 89, 116, 119, 203
Jimmy Fund, 286
The Jim Rose Circus Sideshow, 94
Jingle Bells, 322
Johnny Guitar, 345, 350
Johnson, Eric, 64, 66, 78, 84, 90, 115, 158, 336
Johnson, Jack, 277-78, 307, 318
Johnston, Daniel, 142
Jones, Steve, 318
Jones Beach 8/25/2000, 246
Jon Stewart Show, 165
Jordan, Steve, 80
Joshua Tree, The, 115
Jourgensen, Al, 86
J Records, 291, 302, 313, 320, 327
Juicebox, 302
Junkyard, 28
Jurassic 5, 290
Just a Girl, 40
Just Breathe, 345, 349, 354

Kamakawiwoʻole, Israel, 308
Kasper, Adam, 260-61, 282, 326
Katowice 6/16, 228
Katrina, Furacão, 295, 297
Keb´ Mo´, 290
Kerouac, Jack, 192
Kerouac: Kicks Joy Darkness, 192
Kerry, John, 286, 287, 312
Khan, Nusrat Fateh Ali, 181, 304
Khan, Rahat Nusrat Fateh Ali, 198, 248
Kick Out the Jams, 290, 347, 357
Kids Are Alright, The, 140, 184, 247, 253, 318
Kiedis, Anthony, 37, 74, 281
Kiehl, Kristina, 158

Killing Floor, 286

Kilmister, Lemmy, 57

King's Highway, 326

Kings of Leon, 294, 307, 308

Kiss, 10, 12, 16, 22, 274

KKK Took My Baby Away, The, 203

Knitters, 340

Know Your Rights, 270, 274

Kohs, Greg, 330

Kornerup, Uffe, 236

Kosovo refugee relief, 212

Krakauer, John, 326-27

Kravitz, Lenny, 32

Krieger, Robbie, 106

Krusen, Dave, 40, 57, 68-70, 133

L7, 74, 158

LaFuente, Xana, 32, 46

Landau, Jon, 288

Lane, Ronnie, 214

Larry King Live, 358

Last Exit, 119, 140, 152

Last Kiss, 200, 204, 212-14, 216, 225, 277, 280, 281, 294, 330

Last Soldier, 248, 286

Last Waltz, The (filme), 18

Las Vegas 10/22/2000, 246

Late Night with Jimmy Fallon, 354, 358

Later with Jools Holland, 304

Late Show (BBC2), 77

Late Show with David Letterman, 182, 200, 214, 224, 256, 278, 289, 302

Leash, 62, 66, 89, 132, 133

Leatherman, 203

Leaving Here, 168, 181, 182, 184, 216, 280

Led Zeppelin, 34

Lee, Geddy, 231

Leech, 333

Leeds, Harvey, 60

Lehrer, Richard, 42

Lennon, Sean, 202

Le Noise, 358

Let It Be, 52

Let Me Sleep (It's Christmas Time), 64, 150, 280, 281

Let My Love Open the Door, 140, 161, 170

Let's See Action, 214, 216, 231

Lewinsky, Monica, 203

Lezak, Jason, 341

Licença de atribuição do Creative Commons — não-comercial — sem derivados, 304

Life Support, 344

Life Wasted, 302, 312-14

    vídeo, 304

Liggett, Clayton, 175, 306

Light My Fire, 106

Lightning & Thunder, 170, 330

Light Years, 224, 228, 233, 248

Lion's Share, 289

Liss, Ben, 142

Little One, 335

Little Sister, 297

Little Wing, 170

Live at Benaroya Hall, 277, 287

Live at Easy Street, 294

Live at the Garden (DVD), 278, 280

Live at the Gorge 05/05, 318

Live at the Moore (vídeo), 166

Live at the Showbox (DVD), 256, 274

Live for Today, 194

Live from Nowhere Near You, 276

Live on Two Legs, 204

Livre expressão, 287, 320

Locust Abortion Technician, 57

Lollapalooza:

    Chicago, 318, 320, 330, 358

    turnê de 1992, 86-89, 92, 106, 132, 276, 278

London 5/30, 228

London Bridge Studios, 69-70

Longing to Belong, 253

Long Nights, 326

Long Road, 167, 172, 175, 176, 181, 186, 192, 198, 214, 228, 247, 248, 277, 288, 306, 333

Loosegroove Records, 200, 203

Lords of the Wasteland, 26

Lost Dogs, 52, 234, 277, 278, 280-82, 289, 295, 340, 347

Louis Warschaw Prostate Cancer Center, 277-78, 288

Love, Courtney, 84, 124

Love, Reign O'er Me, 308, 333, 348

Love and Rockets, 12

Love Boat Captain, 237, 254, 261, 288, 330

Love — Building on Fire, 212, 216

Lovett, Lyle, 304

Low Light, 207, 248, 277

Low Numbers, The, 253

Lukin, 161, 170, 184, 186, 304, 354, 356

Lunachicks, 74

Lymphoma Research Foundation, 288

McBain, John, 246, 276

M.A.C.C., 120

McCandless, Christopher, 326-27

McCartney, Paul, 340

McCaughey, Scott, 357

McCready, Mike, 6, 8, 26, 37, 39, 333

    Abuso de álcool e drogas por, 146, 154, 232

    Doença de Crohn de, 232, 274, 313, 340

    no Flight to Mars, 294, 318, 344

    no Mad Season, 161, 166

    no Mookie Blaylock, 40-43, 46, 52-54

    Passado de, 16, 22

    no Rockfords, 224

    no Shadow, 16, 22, 26, 34, 46-47, 272, 333, 344, 346

    no Temple of the Dog, 42, 46-49, 161

    Ver também Pearl Jam

McDermott, Jim, 289

McDowell, Jack, 247
McFarlane, Todd, 246
McGuinness, Paul, 90
Machine Gun, 247
McKagan, Duff, 16, 333
MacKaye, Ian, 74, 144
McMillan, Ben, 24
Mad Season, 158, 161, 166
Maggot Brain, 170
Magic Bus, 192, 214
Maines, Natalie, 358
Majikat (DVD), 288
Make Poverty Hoistory (show beneficente), 307, 308
Malfunkshun, 22, 24, 26, 28, 354
Maná, 248
Manchester 6/4, 228
Mankind, 187, 272
Manne, Shelly, 12
Man of Golden Words, 47
Man of the Hour, 277, 278, 287, 307, 344
Man on the Moon, 318
Manzarek, Ray, 106
March of Crimes, 14
Marker in the Sand, 302, 314
Marr, Johnny, 246, 270, 307
Marshall, Chan, 270
Martin, Barrett, 161, 192
Martin, Ricky, 153
Martinez, Cliff, 29, 37
Maryville Academy, 192, 254
Mascis, J, 161, 253
Massacre de Columbine, 233
Master/Slave, 69, 70
Masters of war, 98, 277, 289, 290-91, 330, 344
Mazzacane, Loren, 253
Medeski, John, 320
Médicos Sem Fronteiras, 212
Meditação transcendental, 340
Meher Baba, 313

Mellencamp, John, 287, 290
Melody Maker, 146
Memphis 8/15/2000, 246
Mercer, Lance, 204
Mercy Mercy Me (The Ecology), 307
Merithew, Jon, 212, 214
Merkin Ball, 172, 176
Mescaleros, 258
Metal Church, 16
MFC, 198, 207
Milan 6/22, 228
Miles, Buddy, 247
Miles from Fowhere, 326, 327
Million Dollar Bashers, 320
Mills, Mike, 192, 318, 357
Millworker, 290
Mirror Ball, 158-61, 166-67, 169, 170-72, 174-76, 186-87, 206, 276
Mitchell, Mitch, 286, 336
Moby Grape, 253
Molo Care, 291
Molo Sessions, The, 291
MOM: Music for Our Mother Ocean, 181, 214, 282
Money (That´s What I Want), 297
Monkey on Rico, 181
Monkeywrench, The, (band), 224
Monkeywrench Radio, 168, 170, 198
Monkeywrench Records, 291, 302, 318, 320, 330, 345, 356, 358
Mookie Blaylock (banda), 40-44, 46, 52-54, 69, 230
Moore, Michael, 290-91
Moore, Thurston, 161, 253
Morello, Tom, 335
More Songs About Buildings and Food, 187
Morissette, Alanis, 248
Morrison, Jim, 106
Morrison, Travis, 224
Morrison, Van, 115
Mother, 297

Mother Love Bone, 6, 10, 14, 28-29, 32, 34, 37, 42, 46, 52, 54, 57, 59, 64, 69, 70, 82, 230-31, 354
Motörhead, 16, 26
Mottola, Tommy, 57, 90, 118
Mountain Song, 346
MoveOn.org, 278
Arquivos de MP3, 194
Mr. Soul, 170
MTV, 92, 116
   Live and Loud New Years Special, 124
   Unplugged (série), 80, 82, 340
   Video Music Awards, 89, 116
Mudhoney, 84, 121, 142, 144, 158, 198, 202, 247, 297, 318
Mueller, Denis, 287
Mueller, Jason, 78
Mullen, Larry, Jr., 80
Murderball (filme), 184
Murder City Devils, 202
Murder Victims´ Families for Reconciliation, 198
Murmur, 318
Musburger, Mike, 184
Museu do Holocausto, 148
Musicians' Assistance Project, 214
My City of Ruins, 347
My Favorite Headache, 231
My Generation, 140, 184, 214, 231
My Hometown, 256
My Morning Jacket, 304, 320
My Way, 172

Na natureza selvagem (Krakauer), 326-27
Na natureza selvagem (trilha sonora), 261, 318, 320, 322, 326-27, 330, 336, 354, 358
Nachman, Dana, 333
Nader, Ralph, 228, 230, 247, 350
Naked Eye, 184, 214, 228
Naked Raygun, 59

Não estou lá (trilha sonora), 320
Napster, 230, 232
National Geographic, 341
Ned´s Atomic Dustbin, 59
Needle and the Damage Done, The, 161
Ness, Mike, 252
Nevermind, 59, 66, 68
New Adventures in Hi-Fi, 194
Newcomb, Danny, 16, 224
New Orleans Musicians' Clinic, 297
New World, The, 289, 294, 306, 340
Nielsen, Rick, 204
Night Soil Man, 26
Nirvana, 24, 26, 64, 66, 68, 74, 80, 84, 109, 124, 144, 206
No Art, No Cowboys, No Rules, 344
No Boundaries: A Benefit for the Kosovar Refugees, 212, 280
No Ceiling, 326, 330
No Code, 170, 181, 182, 184, 186-88, 206, 207, 261, 276, 278, 280, 332, 346
No Fun, 253
No More, 318, 330, 344
    vídeo, 335
No Rain, 116
Northwest School, 182, 294
No Surrender, 290, 297
Not For You, 8, 140, 142, 146, 150, 153, 182, 184, 246
Not Given Lightly, 347
Nothing As It Seems, 214, 224, 232, 248
Nothingman, 142, 153, 184, 194, 203, 276, 344
Not in our Name — Dead Men Walking: The Concert, 198
    DVD, 304
Novoselic, Krist, 66, 144, 158, 161
No Vote Left Behind, 289
No Way, 203, 207, 346
Nugent, Ted, 10, 16, 100, 274

Obama, Barack, 330, 340
O´Brien, Brendan, 148
    como músico, 170, 171, 175, 176, 184, 230, 272, 282, 333, 348-49
    como produtor, 89, 98, 112, 132-35, 142, 152, 154, 161, 174, 186-88, 192, 206, 234, 291, 308, 340, 348-50, 356
O´Brien, Conan, 354
O´Brien, Ed, 246
Oceans, 40, 68, 80, 119, 307
    vídeo, 98, 246
Off He Goes, 187, 204, 274, 304
Of the Earth, 356
Of the Girl, 224, 225, 232
Ol´ Man River, 295
Olympic Platinum, 185, 194
Once, 37, 39, 40, 43, 52, 54, 68, 82, 89, 123, 276, 291, 344
Open All Night, 358
Open Road, 171
Organização das Nações Unidas para Agricultura e Alimentação (FAO), 248
O´Rourke, Jim, 228, 253
Other Side, 358
Out of My Mind, 142
Outside In, 276
Overblown, 84
Overlord, 16
Oxfam, 212

Painted Turtle, 274
Palmer, Tim, 70
Parachutes, 307, 313
Paradise Lost (filme), 230
Parashar, Rick, 52, 70
Partido Verde, 228
Parting Ways, 184, 225, 228, 246, 253, 277, 287
Passenger, The, 192
Pastorius, Jaco, 12
Pavitt, Bruce, 24, 28, 32

Peace and Love, 175
Peaceful Easy Feeling, 18
Pearl Jam:
    shows de 1991 do, 57-66
    shows de 1992 do, 74-100
    shows de 1993 do, 106-24
    shows de 1994 do, 140-51
    shows de 1995 do, 158-72
    shows de 1996 do, 181-85
    shows de 1997 do, 192-94
    shows de 1998 do, 198-204
    shows de 1999 do, 212-17
    shows de 2000 do, 224-31
    shows de 2001 do, 246-48
    shows de 2002 do, 252-59
    shows de 2003 do, 270-78
    shows de 2004 do, 286-91
    shows de 2005 do, 294-97
    shows de 2006 do, 302-8
    shows de 2007 do, 318-22
    shows de 2008 do, 330-35
    shows de 2009 do, 340-47
    shows de 2010 do, 354-58
    Abbruzzese demitido do, 148, 150, 154, 158
    Abbruzzese no, 59-62, 74, 133, 146, 186
    Ambientalismo do, 306, 318
    Anticomercialismo do, 7, 140, 153
    Ápice colaborativo do, 206, 260-61, 312, 348, 350
    Apresentação da banda no Unplugged, 80, 82
    na batalha contra a Ticketmaster, 140, 142, 146-48, 158, 162, 167-69, 171, 181, 182, 188
    Bootlegs oficiais de turnê lançadas pelo, 224-25, 228, 246, 270, 277, 332
    no Bridge School Benefits, ver Bridge School Benefits
    Cameron se junta ao, 200, 232
    Chamberlain no, 57-59

371

Confiança mútua entre o, 8, 37, 57, 70, 358

Constante reinvenção do, 8, 274, 318, 332, 354

Discos lançados pela própria banda, 291, 302, 340, 344-46, 348-50, 356, 358

Downloads digitais do, 270, 294, 302, 335

Ecletismo do, 6, 70

Entrevistas e vídeos negados pelo, 106, 118, 120, 152, 184, 188

Escolhendo o nome, 54

Filosofia de bootlegs do, 142, 171

Gaspar e o, 8, 112, 254, 261, 306, 308

Incidentes com Bu$hleaguer, 270-72, 286

Irons no, 150-51, 154-55, 158, 186-87, 194, 208

Krusen no, 57, 68-70, 133

na luta contra o sucesso instantâneo, 118-20, 153-54, 169, 176

Mookie Blaylock como a primeira Encarnação do, 40-44, 46, 52, 230

Neil Young e o, 106, 158-61, 166, 168-71, 174-76, 186-87, 192, 206, 216, 247, 276, 277, 291, 307, 345, 358

Nirvana e o, 66, 84, 109, 116, 124

Papel de liderança de Vedder no, 69, 152, 187

como Piss Bottle Men, 161

Políticas de Bush criticadas pelo, 256, 262, 270-72

Problemas com o formato das rádios, 60

na reaproximação com a Ticketmaster, 202-3

Saída de Irons do, 198-200, 208

Segurança e controle do público como preocupação do, 236-37

A tragédia de Roskilde e o, ver Tragédia do Festival de Roskilde

Transmissões de rádio gratuitas do, 142, 158, 170, 182, 184, 198

Vida de solteiro e o, 6, 8, 52-54, 57

Website Synergy do, 182

Ver também álbuns específicos

Pearl Jam (disco do abacate), 294, 302, 304, 312-14, 327, 349, 356

CD bônus do fã-clube, 100

Pearl Jam Twenty (filme), 7, 8

Peal Jam vs. Ames Bros: 13 Years of Tour Posters, 322

Pearl Before Swine, 192

Pebbles, 184

Peixe grande e suas histórias maravilhosas (trilha sonora), 277, 278

Pellington, Mark, 89, 116, 203

Penn, Sean, 171, 181, 252, 318, 320, 326-27, 330, 333

People for the Ethical Treatment of Animals (PETA), 335

People Have the Power, 247, 290, 358

People's History of the United States, A (Zinn), 344

People speak, The (filme), 344

Peppard, Chris, 14

Peralta, Stacy, 287

Perkins, Dan (Tom Tomorrow), 344, 350

Peter Gammons presents: Hot Stove Cool Music, 286

Peterson, Charles, 204

Peterson, Cole, 276

Pete Townshend Live: A Benefit for Maryville Academy, 192, 214

Petty, Tom, 98, 306, 335

Philadelphia 9/1/2000, 246

Picture in a Frame, 307, 320, 330

Pigeonhed, 354

Pilate, 198, 207

Pink Floyd, 232

Pinnick, Doug, 335

Piss Bottle Men, 161

Pittsburg 9/5/2000, 246

Place/Date, 204

Plant, Robert, 297

PolyGram Records, 28, 42, 70

Poor Girl, 230, 247, 295

Pop, Iggy, 202-3

Popper, John, 182

Porch, 62, 64, 66, 69, 80, 106, 140, 182, 184, 287, 302, 304

Powderfinger, 170, 176

Powerless, 276

Present Tense, 187, 276, 302

Presley, Elvis, 340

Presley, Terry, 121, 172

Pretenders, 18

Primeira Emenda, 287

Promised Land, The, 297

Protestos contra a Organização Mundial do Comércio, 232-33

Pry, To, 154

Psychoderelict, 116

Puberty Love, 24

Public Image, 272

Public Image, 356

Punk, 14, 18, 22, 24, 26, 34, 59, 74, 153

Punk Meets the Godfather, The, 354

Pushing Forward Back, 47, 59

Push Me, Pull Me, 194, 203

Quadrophenia, 313, 333, 354

Quase famosos (trilha sonora), 228

Queen, 12, 16, 24

Quick One, While He's Away, A, 214, 320

Quicksilver Big Wave Invitational, 308

Quiet Table, The, 212

Quinn, Daniel, 207

Rage Against the Machine, 57, 92

Rains on Me, 358

Raitt, Bonnie, 290

Ramblings, 64

Ramblings Continued, 98

Ramone, C. J., 332

Ramone, Dee Dee, 10, 253
Ramone, Joey, 171-72, 253, 288
Ramone, Johnny, 182, 203, 274, 278, 288-89, 294, 314
Ramone, Marky, 297
Ramones, 10, 11, 16, 171, 181, 182, 194, 198, 253, 288, 304, 318
Ranaldo, Lee, 228, 320
Rancid, 202
Rats, 89, 107, 132, 133
Reach Down, 43, 46-47, 59, 60, 92, 278
ReAct Now: Music and Relief (especial de TV), 295
Real Me, The, 333
RealNetworks, 272
Real Thing, 116
Rearviewmirror, 107, 133, 146, 184, 297, 313, 344
Rearviewmirror (Greatest Hits 1991-2003), 291, 308, 340
Recipe for Hate, 116
Recording Academy, 286
Recording Artists´ Coalition, 252, 259
Recording Industry Association of America (RIAA), 194
Red and the Black, The, 165
Redding, Otis, 18
Redd Kross, 37, 39
Redemption Song, 161
Red Hot Chili Peppers, 18, 60-66, 74, 132, 150, 214, 272, 281, 288
Red Light Green Light, 247
Red Mosquito, 171, 186
Red Tape, 26
Reed, Lou, 184
Rehab Doll, 24, 28
Reine sobre mim (filme), 308
Release, 7, 40, 42, 54, 68, 69, 70, 225, 344
R.E.M., 118, 194, 246, 248, 276, 287, 290, 318, 332, 357
Reno, Janet, 169

Responsabilidade social, 86-88
Rhino Records, 291, 320
Richards, Keith, 98-100
Richards, Mark, 26
Ridge Farm Studios, 70
Riding Giants (filme), 287
Riley, Boots, 335
Riot Act, 237, 252, 256, 260-62, 270, 282, 349
Rise, 326, 327, 336, 354
Rival, 233-34
River of Deceit, 161
Riverwide, 224
Roadhouse Blues, 106
Road to Ruin, 253
Robb, Robbi, 181
Robbins, Tim, 171, 181, 306, 318, 326
Roberts, Elliot, 90
Roberts, Julia, 356
Robin Hood Foundation, 333
Rock, Chris, 294
Rock and Roll Hall of Fame, 106, 158, 174, 253, 318
Rock Around the Clock, 330
Rock for Choice, 74, 140
Rockfords, 224, 276
Rockin' in the Free World, 78, 107-8, 116, 119, 142, 162, 168, 184, 192, 274, 289, 295, 297, 306, 307, 308, 312, 320
Rockline, 82, 112, 116, 150
Rock School (filme), 294
Rocky Mountain News, 270
Rodgers, Paul, 286
Rodman, Dennis, 182, 187, 203, 224, 320
Roe x Wade, 106
Rolling Stone, 62, 120, 230, 290-91, 302
Rolling Stones, 192-94, 203, 208, 295, 312
Rollins, Henry, 161, 288
Romantics, The, 44
Roots, 354
Rose, Jim, 86, 140

Rosen, Fred, 142, 169
Roth, David Lee, 22
Rough Boys, 116
Rough Mix, 214, 349
Rungstrom, Bent, 236
Runnin' Back to Saskatoon, 295
Runnin' Down a Dream (filme), 335

Sad, 234, 280, 282, 289
Saifudinov, Valery, 26
St. Louis Area Food Bank, 290
Samhain, 24
Santa Cruz, 358
Santa God, 322
Sarandon, Susan, 181
Sardina, Mike e Claire, 330
Satan's Bed, 142, 272
Satchel, 354
Satellite, 253
Saturation, 154
Saturday Night Live, 59, 78, 80, 153, 302, 314, 354
Saunders, John Baker, 161
Save the Music Foundation, 333
Save You, 254, 256, 260-62, 304
Say Hello 2 Heaven, 46, 78
Schenck, Rocky, 74
Schoolhouse Rocks, 181
Scorpions, 16
Scott, Campbell, 54
Screaming Trees, 106
Scroll and Its Combinations, The, 246-47
Sea and Sand, 354
Seattle 11/6/2000, 246
Seattle Center Arts and Peace Academies, 182
Seaweed, 94
Secret Girl, 203
Sedgwick, Kyra, 54
Seeker, The, 287, 294
See Me, Feel Me, 214

373

Self Pollution Radio, 158, 182
Selway, Phil, 246
Sessions@AOL, 304
Setting Forth, 326
Severed Hand, 302, 312, 313
Seymour, Mark, 270
Shadow, 16, 22, 26, 34, 46-47, 272, 333, 344, 346
Shame, 106
Shanahan, Tony, 192
Shangri-La Speedway, 161
Shanteau, Eric, 341
Sheena Is a Punk Rocker, 335
Shelley, Pete, 276
Shelley, Steve, 228, 320
Shemps, The, 24
Shepherd, Ben, 14
Sheraton Gibson, 140, 142, 214
Shine, 28
Shine on you crazy Diamond, 288
Ship Song, The, 168
Shudder to Think, 142, 184, 198
Shuss, Kevin, 7, 246
Silly Killers, 16
Silverlake Conservatory of Music, 318
Simmons, Gene, 24
Simple Man, 326
Single Video Theory (vídeo), 203
Sinsel, Brad, 16
Site, 132-35
(Sittin' on) the Dock of the Bay, 142
Skerik, 192
Skin Yard, 24
Skywalker Ranch, 135
Slater, Kelly, 306, 308
Sleater-Kinney, 274, 297, 307
Sleepless Nights, 259
Sleeps with Angels, 150
Sleight of Hand, 225, 232
Slow Night, So Long, 294
Sly & The Family Stone, 18

Smashing Pumpkins, 60, 62, 64, 80, 281
Smear, Pat, 164-65
Smells Like Teen Spirit, 66
Smile, 184, 185, 187, 225
Smith, Chad, 170
Smith, Patti, 230, 358
Social Distortion, 54
Society, 326, 330, 358
Soldier of Love, 203, 204, 212, 281, 344
Someday at Christmas, 291
Something So Strong, 320
Sometimes, 187
Songs and Artists That Inspired "Fahrenheit 9/11", 290
Song Sung Blue (filme), 330
Sonic Reducer, 89, 98, 162, 172, 344
Sonic Youth, 18, 24, 54, 142, 198, 228, 253
Sony BMG Music Entertainment, 290, 291, 302
Sony Music, 42, 54, 90, 154, 228, 280, 313
Soon Forget, 224, 228, 232, 247, 256, 278
Soul Asylum, 59
Soulumination, 333
Soundgarden, 7, 12, 14, 22, 24, 28, 37, 39, 40-44, 46, 54, 59, 60, 64, 80, 144, 150, 158, 192, 206, 234, 237, 260, 354, 358
Southern Harmony and Musical Companion, 132
So You Want To Be a Rock 'n' Roll Star, 172, 278, 294, 354
Spacehog, 202
Sparks, 184, 214
Speed of Sound, 344, 348, 350
Spence, Skip, 253
Spin, 98
Spinal Tap, 60
Spin the Black Circle, 140, 153, 154, 181, 188
Spiro, Ellen, 320
Split Enz, 204
Springsteen, Bruce, 18, 26, 74, 164, 198, 256, 276, 287, 290, 312, 347
Squeeze Box, 140

Stage Fright, 18
Staley, Layne, 161, 166, 282
Stanley, Paul, 16
Starr, Ringo, 340
State of Love and Trust, 57, 80, 84, 92
Stein, Mandy, 335
Steinem, Gloria, 158, 184, 198
Stereolab, 198
Stewart, Rod, 16
Stickman (desenho de Ament), 57
Stipe, Michael, 192, 248, 261, 318, 357
Stockdale, Andrew, 307
Stone, Sharon, 80
Stone Free, 120
Stooges, 203, 304
Strange Sensation, 297
Strangest Tribe, 217, 280
Strangehold, 100
Street into the City, 349
Strokes, 302, 307
Strummer, Joe, 29, 258
Studio Litho, 187, 188, 212
Stuff and Nonsense, 204
Stuverud, Richard, 34, 151, 153, 181, 335
Styx, 11, 18
Sub Pop, 24, 26, 28, 46, 181, 182, 333
Substitute: the Songs of The Who, 247
Subterranean Pop, 24
Sui, Anna, 100
Sundquist, Scott, 12, 24
Supergrass, 228
Supersonic, 348, 350
Supersuckers, The, 230, 247, 295
Surfin' U.S.A., 216
Surfrider Foundation, The, 172, 214, 347
Swallow my Pride, 121, 172
Sweet, 16
Sweet Lew, 282, 347, 356
Sweet Relief, 112
Sword of Damocles, 184
Synergy, 182

Tabelas de acordes, 37
Taft, Josh, 59, 74, 98
Take Me Out to the Ballgame, 203, 274, 304, 320
Talking Heads, 187
Tampa 8/12/2000, 246
Target, 340, 344
Tattoo, 192, 214
Taylor, Andy, 16
Tears in Heaven, 89
Teenage Cancer Trust, 231, 247, 333, 354
Telefood fund, 248
Tempchin, Jack, 18
Temple of the Dog, 42, 46-49, 59, 60, 92, 161, 234, 270, 278, 347
Temple of the Dog, 44, 54, 69, 84
Ten, 7, 46, 52, 57-60, 68-70, 74, 77, 80-82, 84, 98, 132, 184, 212, 214, 276, 280-82, 291, 304
    Relançamento deluxe de 2009, 82, 94, 281, 340, 348, 349
Tenacious D, 202, 203, 294, 333
Tench, Benmont, 306
Ten Club, 204, 270, 302, 322, 344
    Vinis de sete polegadas anuais do, 64, 98, 120, 150, 172, 185, 194, 204, 212, 217, 231, 248, 256, 259, 278, 280, 291, 297, 308, 322, 358
    Bierman como responsável pelo, 161, 200-202, 204
    Shows para o, 140, 161
TenClub.net, 217
Tester, Jon, 294, 312
Thank You, 297
Thayil, Kim, 12, 24, 42
Thee Headcoats, 203
Thermadore, 181
Thin Air, 214, 225, 277
Thin Lizzy, 12
This Modern World (quadrinhos), 350
Thomas, Ryan, 357

Three Fish, 181-82, 212, 335
Throw Your Arms Around Me, 82, 106, 214, 225, 270
Throw Your Hatred Down, 175
Thumbing My Way, 252, 254, 260-61
Thunderclap, 234
Tibetan Freedom Concerts, 192, 202, 212-14
Ticketmaster, 140, 142, 146-48, 158, 162, 167-69, 171, 181, 182, 188, 202
Till the Rivers All Run Dry, 214
Time, 118, 152
Time Has Come Today, 294
Timeless Melody, 290
Times They Are A-Changin', The, 230, 358
Time to Pay, 232
TKO, 16
Toback, Jeremy, 106
Together We'll Never, 24
Tommy, 313
Tom Tomorrow, 344, 350
Tone, 330, 335
Tonight Show with Conan O'Brien, 344
Too Tough to Die (filme), 335
Torture Chorus, 74
Touring Band 2000 (DVD), 98, 234, 246
Townshend, Ben, 318
Townshend, Paul, 318
Townshend, Pete, 6-7, 18, 116, 142, 192, 214, 254, 258, 308, 313, 349
Tragédia do Festival de Roskilde, 224, 226, 231, 246, 261, 274, 294, 297, 307, 318
    Declarações oficiais do Pearl Jam sobre a, 226, 236
    O efeito da tragédia nos integrantes do Pearl Jam, 228, 236-37, 252, 332, 356
    Investigação policial sobre a, 236
Treece, Chuck, 121
Tremor Christ, 152
Tribe After Tribe, 192
Trilogia mãe e filho, 39, 68, 82, 123
Trouble, 198, 214, 294, 318

Tsunami no sudeste asiático, 294
Tuatara, 192, 198
Tucker, Corin, 276, 327, 336
Tuolumne, 326, 349
Turner, Steve, 14, 22, 24, 121, 172, 333
25 Minutes to Go, 277

U, 230, 289
UFO, 14
Últimos passos de um homem, Os (trilha sonora), 171, 181, 198, 304
Uma jogada do destino (trilha sonora), 116
Uma lição de amor (trilha sonora), 252, 326
Under Pressure, 340-41
Undone, 294
Unemployable, 302, 313
Universal, 340
Unthought Known, 345, 350, 354
    vídeo, 358
Urge Overkill, 59, 154
Uriah Heep, 18
Uso de drogas, 6, 10, 22, 29, 32, 47, 86, 154, 282
U2, 106, 107, 115, 120, 295, 308

Vandals, 224
Vandenberg, Nicole, 169, 270-72
Van Halen, 11, 16, 22
Vast Capital, 287
Vaughan, Stevie Ray, 34
Vedder, Eddie:
    Acrobacias no palco de, 59, 62, 64-66, 74, 78, 80, 86, 140, 146, 182
    Apresentação como catarse para, 57
    no Bad Radio, 18, 26, 29, 32
    Bloqueio criativo em *Binaural*, 232
    Body of War e, 318, 320
    C Average e, 212, 214, 216-17, 252, 253
    nos comícios da campanha de Nader, 228, 230, 247, 350
    Destruição de camarim e quarto de hotel por, 140, 144

Dificuldades em *Vs.* de, 132-35
como DJ/apresentador de rádio, 142, 144, 168, 184, 198
Sobre direitos de aborto, 98, 140
como fã de basquete, 70
Filosofia criativa de, 7
Foto da capa da *Time* de, 118, 152
Intoxicação alimentar de, 168-69
Sobre a luta contra o sucesso repentino, 153, 162, 169, 175, 184
Máscara de Bush usada por, 256, 262, 274
no Mookie Blaylock, 52-54
Sobre se mudar para Seattle, 39-40, 42-44, 68
Papel de liderança assumido por, 69, 152, 187
Passado de, 6, 18, 26-28, 68-69
Polaroids tiradas por, 80, 187-88
em seu primeiro encontro com Ament e Gossard, 37-39
Problema com stalker de, 188
Roubo dos diários de, 82
como surfista, 6, 8, 26, 39, 68, 90, 204
no Temple of the Dog, 48-49
Timidez inicial de, 32, 42, 44
como torcedor dos Cubs, 203, 274, 304, 320
Trilha sonora de *Na natureza selvagem*, 261, 318, 320, 322, 326-27, 330, 336, 356, 358
Turnês solo de, 330-33, 344, 349
Vida familiar de, 8
Ver também Pearl Jam
Verlaine, Tom, 320
Verona 6/20, 228
VH1, 80, 304, 333
Vida de solteiro (filme), 6, 8, 52-54, 57, 92
trilha sonora de, 84
Village People, 231
Vincent, Alex, 22, 333
Vinyl Films Records, 330

Vitalogy, 142, 146, 148, 150-55, 158, 161, 162, 171, 186, 187, 188, 276, 347
Voodoo Chile, 171
Vote for Change (turnê), 286-90
Voters for Choice, 158, 174, 204
Vs., 106, 112, 116, 118, 132-36, 140, 151, 152, 155, 162, 276, 282, 332

Waiting, The, 306, 335
Waiting on a Friend, 194, 307
Waits, Tom, 198, 304
Walking the Cow, 306, 346
Walk with Me, 358
Wallflowers, 202
Walmer High School Choir, 288, 291
War Babies, 34
Warner Brothers-Reprise Records, 169
Warrior, 16, 22, 34
Wash, 52, 54, 100, 228, 276, 280
Watch It Die, 116
Watch Outside, 212, 253
Water Song, 288
Watt, Mike, 158, 161, 164-65, 186, 198, 214, 253
Webber, Rob, 16, 34
Welcome to Discovery Park, 248, 253
Welcome to the Jungle, 92
Weller, Paul, 247
Wellwater Conspiracy, 200, 246-47, 260, 276-77, 278
Wellwater Conspiracy, 276, 278
We're a Happy Family — A Tribute to Ramones, 270
We're Outta Here!, 182, 194
West, Kanye, 332
West Memphis Three, 230, 252, 289, 330, 358
Wetlands Preserve, 332
Wetlands Preserved (filme), 332
Whale Song, 214, 280
What, The, 184
(What's So Funny 'Bout) Peace Love and Understanding?, 290
Whip It, 347
Whipping, 107, 119, 152, 154
Who, The, 6-7, 11, 184, 216, 231, 254, 274, 313, 318, 333, 354
Who and Special Guests Live at the Royal Albert Hall, The (DVD), 248
Who Killed Rudolph?, 98
Who Live at Long Beach, 18
Who's Next, 18
Who You Are, 182, 186, 188, 203, 344
Why Can't I Touch It?, 276
Why Go, 69, 274, 302, 304, 344
Wild Dogs, 16
Wild Horses, 295
Wilk, Brad, 57
Williams, Victoria, 112
Wilson, Ann, 286, 294
Wilson, Brian, 216
Wilson, Mike, 16
Wilson, Nancy, 16, 42, 44, 115, 224, 228
Wilson, Trevor, 89
Wimple Witch, 278
Window Paine, 80
Wishlist, 192, 198, 200, 206-7, 216, 350
Wishlist Foundation, 290
Witch Hunt (filme), 335
With yo' heart (not yo' hands), 24
WKRL-FM, 194
W.M.A., 107, 332
Wolf, The, 326, 330
Wood, Andrew, 6-7, 10, 22-26, 28-29, 32, 34, 37, 42, 46-47, 52, 57, 68, 82, 144, 230, 354
Wood, Keith, 32
Wood, Kerry, 320
Wood, Kevin, 22
Wood, Ron, 344, 350
Wooden Jesus, 46
Woodstock, 7
Workman, Lyle, 277-78

World Peace, 340
World Where You Live, 204, 246, 320
World Wide Suicide, 302, 312, 313, 314, 318
Wretzky, D´arcy, 80

X, 11, 18, 202, 203, 288
X-Pensive Winos, 98-100

Yamamoto, Hiro, 12, 24
Yarrow, Peter, 330
Yellow Ledbetter, 40, 68, 120, 140, 192, 224, 280, 286-87, 344
Yellow Submarine, 340
Yield, 192-94, 198, 202-8, 230, 304, 332, 346, 348

You Are, 260, 262
You Are Free, 270
You Can Close Your Eyes, 358
Young, Neil, 8, 54, 78, 98, 107-9, 115, 116, 150, 289
    Pearl Jam e, 106, 158-61, 166, 168-71, 174-76, 186-87, 192, 206, 216, 247, 276, 277, 291, 307, 345, 358
    Ver também Bridge School Benefits
Young, Pegi, 289, 291
Young, Tomas, 320, 330, 335
Young Man Blues, 184, 214
You Only Live Once, 307
You´re True, 252-53
Your Flames, 335

Your Saviour, 46
YouthCare, 277, 307
You´ve Got to Hide Your Love Away, 252, 291, 294, 326

Zadanoff, Sharon, 162
Zapata, Mia, 181
Zeke, 82, 198, 202, 270
Zinn, Howard, 282, 287, 289, 344
Zupan, Mark, 184

AGRADECIMENTOS

Jonathan Cohen agradece a: todos os integrantes do Pearl Jam do passado e do presente; Kelly Curtis, Nicole Vandenberg, Michele Anthony, Christian Fresco, Tim Bierman, Sarah Seiler, Regan Hagar, Jason Mueller, Noelle Broom, Virginia Piper e todos na Curtis Management e na Vandenberg Public Relations; Cameron Crowe, Andy Fischer, Morgan Neville, Nicola Marsh e todos na Vinyl Films e na Tremolo Productions; Mark Wilkerson; Jofie Ferrari-Adler, na Simon & Schuster; Jessica Letkemann, John Reynolds e Kathy Davis na Two Feet Thick; Dana Erickson, Kate Jackson, Matt Shay, Lianna Wingfield; Keith Caulfield na Billboard; e minha amada família, especialmente minha esposa, Kelly.

Mark Wilkerson gostaria de agradecer a Eddie V., Kelly Curtis, Tim Bierman, Christian Fresco, Nicole Vandenberg, Virginia Piper e a família PJ/Monkeywrench/Vandenberg Communications, Darrin Funk, Jason Mueller, Jonathan Cohen, Alex Wilkerson, minha esposa Melissa e meus filhos, Alex, Nick & Sam.

PEARL JAM TWENTY

Prefácio e entrevistas adicionais por

Cameron Crowe

Escrito por

Jonathan Cohen

Com

Mark Wilkerson

Diretor de Arte/Editor de fotografia

Regan Hagar

Pesquisa

Jonathan Cohen

Mark Wilkerson

Pesquisa de fotografia/Arquivo

Anna Knowlden

Jason Mueller

Susan Ricketts

Produção da Banda

Curtis Management

Kelly Curtis

Michele Anthony

Andrea Dramer

Gary Westlake

Relações Públicas da Banda

Vandenberg Communications

Nicole Vandenberg

Sarah Seiler

Allie O´Brien

Monkeywrench Records

Michele Anthony

Christian Fresco

Tim Bierman

John Burton

Jessica Curtis

Ten Club

Tim Bierman

Anna Knowlden

Regan Hagar

Karen Loria

Rob Skinner

Pete Crosby

Ryan Maxwell

Anna Nunn

Will Broad

Adrien Wilhite

Erik Sundahl

Kathy Salva

Marina Semel

Turnês do Pearl Jam

Mark Smith

Liz Burns

George A. Webb III

Josh Evans

Kevin Shuss

Simon & Schuster

Jonathan Karp

Jofie Ferrari-Adler

Michele Bové

Jonathan Evans

Nancy Singer

Larry Pekarek

Alexis Welby

Nina Pajak

Equipe Legal

Carroll, Guido & Groffman, LLP

Elliot Groffman

Paul Gutman

Karen Pals

Equipe Legal Adicional

Donaldson & Callif

Dean Cheley

Stokes Lawrence, P.S.

Contabilidade

Flood, Bumstead, McCready, McCarthy, Inc.

Jamie Cheek

Jeff Jones

Betsy Lee

Jason Anderson

Agradecimentos Especiais

Eric Johnson

Andy Fischer

Lance Mercer

Jay Krugman

Morgan Neville

Jenny Mohr

Noelle Broom

Kerensa Wight

Mark Arm

Rob Bleetstein

Virginia Piper

Julie Ann Marsibilio

Julie Schroeder

Vinyl Films

Tremolo Productions

Sony Music

Universal Music Group

Epic Records

J Records

Sub Pop Records

Estagiários

Courtney Lightfoot

Stephanie Rasmusson

Christine Geronimo

Hannah Spencer

CRÉDITOS DOS TEXTOS

OS PRIMEIROS ANOS:

Alternative Press, maio de 1998: "Eu estava usando uma camisa rosa..."

KIRO-TV, 17 de abril de 2007: "Havia mais de 10 mil bandas por lá e as chances de uma banda estourar eram muito pequenas..."

Just Rock Magazine, outubro de 1991: "Eu trabalhava no meio da noite e era assim que eu ganhava a vida..."

1990:

Guitar World, julho de 2000: "Naquela época eu estava tão deprimido com a vida..."

Podcast *All That´s Sacred* / TheSkylScrape.com, 7 de julho de 2010: "Stone tinha algumas músicas que havia gravado em *demos*..."

Podcast *All That´s Sacred* / TheSkylScrape.com, 7 de julho de 2010: "No primeiro show, me lembro de estar realmente nervoso, principalmente porque as músicas tinham sido trabalhadas tão rápido que eu estava preocupado com a possibilidade de esquecer uma parte..."

Pollstar, 23 de setembro de 1991: "Foi realmente intenso. Foi muito introvertido, porque tudo era muito novo e queríamos ter certeza de que estávamos tocando nossas partes direito..."

1991:

Spin, setembro de 1992: "Eu estava tentando aquela coisa de conselheiro do acampamento: "Vamos todos a essa casa de show ver aquelas bandas". Aquela realmente era a versão do inferno de John Hughes..."

Podcast *All That´s Sacred* / TheSkylScrape.com, 7 de julho de 2010: "Sou um alcoólatra em recuperação já há anos. Mas na época meu alcoolismo era realmente grave..."

The Island Ear, 23 de dezembro de 1991: "O Green River tocou lá em 1985 diante de, tipo, dez pessoas, todos empregados da casa..."

Seattle Post-Intelligencer, 3 de janeiro de 1992: "Ele estava descendo o corredor depois do jogo e eu, tipo, andei em sua direção, gritei seu nome e lhe entreguei uma camiseta. Ele olhou para mim realmente intrigado..."

San Diego Union, 27 de dezembro de 1991: "Vi algumas traves..."

Ten:

Rockline, 11 de maio de 1992: "Aquilo tudo simplesmente se encaixou. Ninguém teve que realmente abrir mão de algo para agradar os outros. Foi meio que um fenômeno, de certa forma. Todos nós tocávamos há pelo menos seis, sete, oito anos e estivemos em bandas diferentes, e sentíamos algo que nunca tínhamos sentido antes, com a honestidade e a forma como tudo estava saindo."

Podcast *All That´s Sacred* / TheSkylScrape.com, 7 de julho de 2010: "Tão rápido quanto estávamos trabalhando naquelas primeiras músicas, novas músicas iam surgindo..."

Rockline, 11 de maio de 1992: "Na única noite em que Jeff ficou lá comigo, nós fizemos um monte de barulho e começamos um groove ambiente. Aquela canção é na verdade chamada de *Master/Slave*. Essa é uma boa coisa para ajudá-lo a pegar no sono. Depois que você escutava o disco, aquilo meio que o ninava."

Rockline, 11 de maio de 1992: "Eu penso em por que as pessoas precisam dessas outras coisas em suas vidas para se manterem felizes ou funcionando..."

Podcast *All That´s Sacred* / TheSkylScrape.com, 7 de julho de 2010: "Tiveram que editar o meio porque eu estava acelerando no final. Foi simplesmente um pesadelo..."

Podcast *All That´s Sacred* / TheSkylScrape.com, 7 de julho de 2010: "Nós tínhamos capturado aquela música naquele momento e ela estava muito boa..."

1992

East Coast Rocker, 26 de agosto de 1992: "Muitas pessoas jovens expressaram agradecimento por eu ter feito uma declaração..."

Hit Parader, novembro de 1992: "Não estamos preocupados com quantas pessoas compram nossos discos — o que nos preocupa é a atenção com que as pessoas vão escutar nossa música..."

Entrevista na rádio KLOL-FM / Houston, Texas, 17 de dezembro de 1991: "Quer dizer que você se mata e faz um sacrifício tão grande e tenta ter sua vingança e tudo que você consegue no final é um parágrafo em um jornal..."

Melody Maker, 21 de maio de 1994: "Há muita coisa que foi dita, mas nada disso realmente importa. Tinha uma pessoa que nós dois conhecíamos que me contou que Kurt perguntava muito sobre mim..."

1993:

Guitar Player, janeiro de 1994: "Simplesmente ser capaz de ver Neil Young com Booker T. & The MG´s toda noite da frente do palco era incrível..."

Rockline, 18 de outubro de 1993: "Nossa mente está na música, o que provavelmente é uma coisa muito boa para todo mundo. Nós adoraríamos fazer coisas na MTV e fazer com que ela fosse uma forma diferente de TV aberta..."

1995:

Guitar World, abril de 1995: "Gravamos toda a música do Mad Season em cerca de sete dias. Layne precisou de apenas mais alguns dias para terminar seus vocais, o que foi intenso, pois apenas tínhamos ensaiado duas vezes e feito quatro shows..."

Guitar World, abril de 1998: "Não perdemos nada porque aprendemos com a experiência..."

Mirror Ball:

USA Today, 26 de junho de 1995: "De certas formas, o Pearl Jam parece mais velho do que eu..."

1996:

Spin, fevereiro de 1997: "Cantar com Nusrat foi muito pesado. Definitivamente existia um elemento espiritual..."

Addicted To Noise, fevereiro de 1998: "Quando se torna um disco de platina de dígitos duplos, há uma culpa séria envolvida ali..."

No Code:

Musician, maio de 1995: "Você ainda vai ouvir mais das composições de Eddie, mas também existirão elementos que possibilitarão que a personalidade de todos se revele..."

1998:

New York Times, 8 de fevereiro de 1998: "Acho que mostramos nossa opinião e nossa opinião é que estamos tomando conta do lado de negócios do que fazemos da forma que achamos que deveria ser feito..."

Toronto Sun, 16 de agosto de 1998: "Achamos que poderia ser interessante e que as pessoas que gostavam da banda poderiam gostar de ver como trabalhamos juntos. Nós ensaiamos e escutamos algumas músicas do novo disco e tentamos deixar aquilo ficar no ar um pouco e agir de forma natural. Acho que conseguimos isso e não acho que seja muito vergonhoso..."

1999:

USA Today, 5 de dezembro de 2002: "Eu estava em uma ilha no Havaí, longe de tudo, quando Kelly Curtis ligou e perguntou se eu tinha ouvido falar do que estava acontecendo com *Last Kiss*..."

2000:

Associated Press, 25 de setembro de 2000: "Basicamente, eu contei a eles no dia seguinte..."

Entrevista coletiva antes do show no Madison Square Garden, Nova York: "Acho que os jovens que não estão votando (estão) apenas tendo dificuldades para se animar com qualquer coisa..."

Spin, agosto de 2001: "De repente, tocando *Crown of Thorns*, foi a primeira vez que refleti apropriadamente sobre as coisas por que tínhamos passado, e que jornada foi essa..."

Binaural:

MTV, 19 de abril de 2000: "... o que faz as pessoas explodirem e como as pessoas são imprevisíveis. Tentei pensar sobre o que poderia estar passando pela cabeça daqueles caras na noite anterior..."

2002:

Pulse, dezembro de 2002: "Eu não era a favor dos bombardeios..."

2003:

Rolling Stone, 29 de maio de 2003: "Era o nosso primeiro show desde que a guerra tinha começado. Eu apareço com a máscara e faço uma dancinha, um *moonwalk*, para deixar as pessoas verem George W. Bush com ritmo, sendo livre..."

Boston Globe, 27 de junho de 2003: "Ainda tocamos a música em alguns de nossos shows. Não gostamos de nos restringir quanto ao que podemos e não podemos tocar..."

Guardian, (Monroe, Michigan), 4 de setembro de 2003: "Nunca achei que estaríamos em nosso quarto disco..."

Lost Dogs:

Uncut, setembro de 2009: "A letra de *Yellow Ledbetter* evolui constantemente. Admito que, algumas vezes, cantei coisas totalmente sem sentido..."

2006:

Seattle Post-Intelligencer, 5 de maio de 2006: "Acho que esse é um dos meus três lugares favoritos para tocar no mundo..."

Rolling Stone, 20 de abril de 2006: "Um monte de gente veio até nós e disse 'Eu nem sabia que vocês tinham lançado discos nos últimos cinco ou seis anos'..."

Honolulu Advertiser, 1 de dezembro de 2006: "Meu pai construiu um galpão para nós quando éramos crianças para tocarmos música e termos um lugar para ficar que não fosse na rua..."

2010:

Billboard, 23 de agosto de 2010: "Uma grande parte disso foi pensando em Andy Wood e o quanto a sua história fez parte de todos nós..."

Billboard, 23 de agosto de 2010: "Por qualquer que tenha sido a razão, ele ficou de lado depois que o gravamos..."

CRÉDITOS DE FOTOGRAFIA

Material adicional por Barack Obama Campaign Fundraiser: 11 inferior direito

Material adicional por C/Z Records / Deep Six 1986: 27 superior direito

Material adicional por C/Z Records / *Another Pyrrhic Victory* 1989: 27 superior centro esquerdo

Material adicional por Deranged Diction: 27 superior centro

Material adicional por Eddie Vedder (FOTOS): 8 superior direito, 9 superior esquerdo, 14 direito, 19 foto inteira, 23 superior direito, centro esquerdo, inferior direito, 29 todas as Polaroids inferiores, 67 superior direito, 83 superior esquerdo e inferior direito, 87 todas as fotos, 102 superior direito, 141, 145, 162-63, 171 inferior centro, 199 inferior esquerdo, 204 inferior direito, 210-211, 215, 220 superior esquerdo e duas Polaroids inferiores, 221 inferior direito, 246, 278, 287 superior esquerdo, 308 Polaroid

Material adicional por Eddie Vedder (IMAGENS): 27 pôsteres no inferior direito, inferior centro e inferior esquerdo e centro, 28 inferior direito, 29 canhotos de pagamento inferiores, 54, 59, 79, 85 superior, 95 inferior direito, 100, 194 letras na parte inferior, 212-213 letras, 229 set lists, 234 set list, 235 recado, 243 inferior centro, 274-275, 303 centro, 327, 331 superior

Material adicional por Eddie Vedder / Epic records / Sony Music / *Lost Dogs* 2003: 283 Polaroids

Material adicional por Eddie Vedder / Epic records / Sony Music / *No Code* 1996: 188-189 Polaroids

Material adicional por Eduardo Apodaca: 312 treliça na barra lateral

Material adicional por Eric Johnson (FOTOS): 240 centro direito, 243 superior direito

Material adicional por Eric Johnson (IMAGENS): 47, 62 superior e centro, 76, 77 imagens inferiores, 78 imagens centrais, 79 todas as imagens exceto o recado, 82 superior direito, 83 cartas superiores, 85 inferior direito, 112-113 fundo, 142, 149 tudo exceto recorte de jornal, 166-167 todas as imagens, 176 superior centro e superior direito, 177 superior direito e inferior esquerdo, 183 ingresso, 189 ingresso, 194 superior direito, 199 inferior direito, 241 passagem de avião, 242 centro direito, 243 imagens inferior esquerda e inferior direita

Material adicional por Eric Johnson, da revista *Rolling Stone*: 195 superior

Material adicional por Eric Johnson / foto Mark Seliger: 78-79 crachás de ALL ACCESS

Material Adicional por Fernando Apodaca / Ananda Moorman / *Pearl Jam* / J Records 2006: 315 superior esquerdo e superior direito

Material Adicional por Fernando Apodaca / Eduardo Apodaca / *Pearl Jam* / J Records 2006: 315 arte do CD superior direita

Material Adicional por Fernando Apodaca / Jason Mueller / *Pearl Jam* / J Records 2006: 312 superior direito

Material Adicional por Fernando Apodaca / Margaret Lindsley / *Pearl Jam* / J Records 2006: 314-315 centro, 312 superior direito centro

Material Adicional por Fernando Apodaca / Jesse MacDonald / *Pearl Jam* / J Records 2006: 314 superior direito, 315 direito

Material Adicional por Green River: 27 inferior esquerdo

Material Adicional por Green River / Homestead Records / *Come on Down* 1985: 27 superior direito

Material Adicional por Green River / Sub Pop / *Rehab Doll* 1988: 27 inferior centro

Material Adicional por Green River / Sub Pop / *Dry As a Bone* 1987: 27 esquerdo centro

Material Adicional por Harrybu McCage / Monkeywrench, Inc. 2008: 336 centro esquerdo

Material Adicional por Jeff Ament (FOTOS): 11 superior e centro, 23 inferior esquerdo, 83 centro, 253 tira de filme

Material Adicional por Jeff Ament (IMAGENS): 27 centro, 76 centro esquerdo, 83 imagem superior central, 95 inferior esquerdo, 298 centro esquerdo

Material Adicional por Jeff Ament / Epic Records / Sony Music / *Binaural* 2000: 234 inferior esquerdo

Material Adicional por Jeff Ament / Epic Records / *Riot Act* 2002: 264-256 todas as imagens exceto superior direito

Material Adicional por Jeff Ament / Epic Records / Sony Music / *Lost Dogs* 2003: 282 fundo

Material Adicional por Jeff Ament / Monkeywrench / *Tone* 2008: 336 superior esquerdo

Material Adicional por Ananda Moorman / Jesse MacDonald: 233, 322 todas as fotos, 323 inferior e superior direito e centro

Material Adicional por Kevin Shuss (FOTOS): 130 superior direito

Material Adicional por Kevin Shuss (IMAGENS): 205 superior, 243 inferior direito, 288 esquerdo

Material Adicional por Malfunkshun / Loosegroove Records / *Return to Olympus* 1995: 27 inferior direito

Material Adicional por Matt Cameron (FOTOS): 12 todas as fotos, 247 superior

Material Adicional por Matt Cameron (IMAGENS): 247 inferior direito

Material Adicional por Mike McCready: 17 inferior centro

Material Adicional por Mirror Ball / Reprise 1995: 175 inferior direito

Material Adicional por Mother Love Bone / Stardog / Mercury Records / *Apple* 1990: 27 centro

Material Adicional por Mother Love Bone / Stardog / Mercury Records / *Shine* 1989: 27 centro esquerdo

Material Adicional por Pearl Jam (FOTOS): 199 foto inteira, 202 foto inferior, 279 superior, 281, 283 fundo, 298 inferior esquerdo, 332, 334-335

Material Adicional por Pearl Jam (IMAGENS): 41, 68-69 fundo, 95 superior direito e centro direito, 152, 200-201 todas as imagens, 228-229 fundo, 229 inferior, 242 inferior esquerdo, 249 letras, 252 todas as imagens, 261 inferior, 262 direito, 276-277 fundo, 279 imagens inferiores, 280, 318, 330, 351 título inferior

Material Adicional por Pearl Jam / Epic Records / Sony Music / *Ten* 1991: 70, 89

Material Adicional por Pearl Jam / Epic Records / Sony Music / *No Code* 1996: 186, 189 centro

Material Adicional por Pearl Jam / Epic Records / Sony Music / *Riot Act* 2002: 262 inferior

Material Adicional por Pearl Jam / Epic Records / Sony Music / *Live at the Garden* DVD 2003: 277

Material Adicional por Pearl Jam / Jeff Ament /2000: 230 inferior direito

Material Adicional por Pearl Jam / Jeff Ament / Riot Act / Epic Records / Sony Music 2002: 260 esquerdo, 264-265 todas as fotos

Material Adicional por Pearl Jam / J Records 2006: 303 inferior

Material Adicional por Pearl Jam / Tom Tomorrow: 348

Material Adicional por Rick Friel (FOTOS): 23 foto inferior esquerda

Material Adicional por Rick Friel (IMAGENS): 23 centro esquerdo

Material Adicional por Slam Magazine: 10

Material Adicional por Soundgarden: 27 pôster superior esquerdo

Material Adicional por Green River / Sub Pop / *Dry As a Bone / Rehab Doll* 1990: 27 centro direito

Cortesia de The Rolling Stones: 193 superior esquerdo

Cortesia de Universal Music Enterprises / Temple of the Dog / A&M Records 1991: 49

Amy Rachlin: 67 inferior esquerdo, 96-97, 204 superior direito, 220 centro esquerdo.

Anna Knowlden: 225 superior direito, 226-227, 319 superior esquerdo, centro esquerdo e centro direito, 333 todas as fotos, 336 superior direito, 342-343 todas as fotos

Anton Corbijn: 150 fundo, 194-195 tira inferior, 207 fundo, 331, 362 todas as fotos

Bootsy Holler: 225 superior esquerdo

Brad Klausen: 252 todas as fotos, 319 superior direito

Brian Babineau: 202 superior, 273 todas as fotos

Charles Peterson: 23 superior esquerdo e inferior direito, 25, 27 inferior segundo à esquerda, 180 todas as fotos, 181-182 fundo, 183 tira de filme, 192 fundo, 193 tira de filme, inferior esquerdo e inferior direito, 209, 238-239 todas as fotos, 298 inferior direito

Chris Condon: 63 todas as fotos, 91

Chris Cuffaro: 36, 75 superior esquerdo, 90 superior, 248 fundo

Danny Clinch: 131 inferior esquerdo, 155, 164-165, 168-169 fundo, 218-219 todas as fotos, 220 inferior esquerdo, 249 todas as fotos, 254-255 todas as fotos, 258-259 tira de filme, 263, 271, 286-287 tiras de filme, 288-289 tira de filme inferior, 298 superior esquerdo, superior direito e centro, 299 superior esquerdo, 341, 351 todas as fotos, 359, 360-361, sobrecapa traseira, orelha traseira

Eddie Vedder: 19 inferior direito, 171 inferior esquerdo e inferior direito, 205 inferior esquerdo e inferior direito, 220-221 fotos de Polaroid da plateia, 303 superior esquerdo e superior direito

Eric Johnson: 78 Polaroid inferior, 79 Polaroid inferior, 130 superior esquerdo e centro esquerdo, 240 todas as fotos exceto centro direito, 241 superior e inferior direito, 242 todas as Polaroids, 243 superior esquerdo, 298 inferior centro

George Webb: 75 superior esquerdo, 131 superior esquerdo, 337 todas as fotos

Henry Ditz: 248 inferior direito

Material Adicional por Imagery / Concert Photos LMTD: 102 inferior direito

Material Adicional por Jack Mikrut: 177 centro

Jason Mueller: 323 centro direito e superior esquerdo

Material Adicional por Jaykar Photography James e Jay Pizzulli / Lebanon, NJ: 103

Jeff Ament: 119 inferior, 134-137 todas as fotos, 172, 183 superior direito e inferior direito, 220 inferior direito, 251, 253 tira de filme, 264-265 todas as fotos, 336 inferior

Jesse MacDonald / Ananda Moorman: 233, 322-323 todas as capturas de vídeo

Material Adicional por Joe Kerrigan: 259 centro direito

Material Adicional por Johan Jacobs (cartão postal por PINKPOP 1992): 83 inferior esquerdo

John Nunu Zomot: 216-217 todas as fotos, 231

Karen Loria: 222-223, 224-225 fundo, 338-339, 344-347 todas as fotos, 352-353, orelha dianteira

Ken Wagner: 23 direito centro

Kerensa Wight: 13, 235, 244-245, 268-269, 284-285, 288-289 fotos superiores, 291-297 todas as fotos, 300-301, 304 fundo, 305-307 todas as fotos, 308-309, 310-311 inferior, 316-317, 319 inferior, 321, 324-325, 328-329

Material Adicional por Kevin Mazur: 177 inferior direito

Kevin Shuss: 266-267 todas as fotos

Lance Mercer: 5, 6-7, 8 inferior, 9 direito e centro esquerdo, 14 esquerdo, 15, 17, 31, 33, 35, 38, 43, 45, 51-53 todas as fotos, 55-56 todas as fotos, 58, 62 inferior, 65, 66 superior direito e inferior, 67 inferior direito, 71 todas as fotos, 73, 74 fundo, 75 superior direito, inferior, tira de filme e inferior, 77 superior, 81, 84-85 fundo, 85 tiras de filme, 88, 90 inferior, 93, 94-95, 99, 101, 102 inferior esquerdo, 105-111 todas as fotos, 112-113, 114, 117, 118-119 tira de filme, 120, 121 foto grande, 122-125 todas as fotos, 128-129, 130 inferior esquerdo e inferior direito, 131 tiras de filme, 132-133 fundo, 139, 143, 146-147 todas as fotos, 151, 157, 158 fundo, 159-161 todas as fotos, 170, 171 superior, 173, 176, 177 tira de filme, 179, 185 todas as fotos, 190-191, 196-197, 213 todas as fotos, 221 inferior esquerdo, 241 inferior centro, 243 centro direito, 299 direito, inferior esquerdo e centro esquerdo

Lisa Johnson: 121 superior esquerdo

Malfunkshun: 27 superior esquerdo

Paul Rachman: 49 direito todos os stills de vídeo.

Material Adicional por Pressens Bill: 177 centro

Regan Hagar arte / design: 68 barra lateral de *Ten*, 152, 174 barra lateral de *Mirror Ball*, 232 barra lateral de *Binaural*, 326 barra lateral de *Into the Wild*, 366 logo do Pearl Jam 20

Rita Gutekanst: 257

Ross Halfin: 84 centro direito e inferior direito, 201 superior esquerdo

Spike Mafford: 60-61 todas as fotos

Steve Barrett / Press Images: 149 inferior direito

Steve Gullick: 355-357 todas as fotos

Steve Sherman: 310-311 foto

Susan Nielsen: 126-127, 243 centro esquerdo

Troy Smith: 23 superior direito centro

Gostaríamos de nos desculpar por qualquer fotógrafo, artista, músico e colaborador não creditado. Agradecemos o excelente trabalho que vocês fizeram e procuramos por todos vocês, mas, infelizmente, fomos incapazes de identificar alguns.

CIP-BRASIL. CATALOGAÇÃO NA PUBLICAÇÃO
SINDICATO NACIONAL DOS EDITORES DE LIVROS, RJ

Crowe, Cameron, 1957-
C958p   Pearl Jam Twenty / Pearl Jam ; tradução: Rodrigo Abreu. - 1. ed. - Rio de Janeiro : Best*Seller*, 2015.
il.

Tradução de: Pearl Jam Twenty
Apêndice
ISBN 978-85-7684-879-0

1. Pearl Jam (Conjunto musical). 2. Músicos de rock - Estados Unidos - Biografia. I. Título.

14-14463

CDD: 927.8166
CDU: 929:78.067.26

Texto revisado segundo o novo Acordo Ortográfico da Língua Portuguesa.

Título
PEARL JAM TWENTY
Copyright © 2011 by Monkeywrench, Inc. and Pearl Jam LLC.

Design de capa: Leonardo Iaccarino
Projeto gráfico original de miolo de Regan Hagar
Composição de miolo e adaptação do original para esta edição: Renata Vidal da Cunha

Este livro foi composto nas tipologias
ITC Stone Sans e Frutiger, e impresso em
papel offset 120g/m², na Índia.

Todos os direitos reservados. Proibida a reprodução, no todo ou em parte, sem autorização prévia por escrito da editora, sejam quais forem os meios empregados.

Direitos exclusivos de publicação em língua portuguesa para o mundo reservados pela
EDITORA BEST SELLER LTDA.
Rua Argentina, 171, parte, São Cristóvão
Rio de Janeiro, RJ – 20921-380

ISBN 978-85-7684-879-0

Seja um leitor preferencial Record.
Cadastre-se e receba informações sobre
nossos lançamentos e nossas promoções.

Atendimento e venda direta ao leitor
mdireto@record.com.br ou (21) 2585-2002

EDITORA AFILIADA